ДОНАЛЬД ЛЭМ & БЕРТА КУЛ

D. LAM & B. COOL

ЭРЛ СТЕНЛИ
ГАРДНЕР

DONALD LAM & BERTA COOL

ERLE STANLEY GARDNER

Top of the Heap

Bachelors
Get Lonely

Up for Grabs

ДОНАЛЬД ЛЭМ & БЕРТА КУЛ

ЭРЛ СТЕНЛИ ГАРДНЕР

И ОПЯТЬ Я
НА КОНЕ

РОМАНЫ

Москва
ЦЕНТРПОЛИГРАФ
2002

УДК 820(73)
ББК 84(7Сое)
Г20

Серия «Дональд Лэм и Берта Кул»
выпускается с 2001 года

Выпуск 6

*Разработка серийного оформления
художника И.А. Озерова*

Гарднер Эрл Стенли
Г20   И опять я на коне: Детективные романы / Пер.
с англ. — М.: ЗАО Изд-во Центрполиграф, 2002. —
557 с. — (Дональд Лэм и Берта Кул).

ISBN 5-227-01354-3 (Вып. 6)
ISBN 5-227-01485-X

Знаменитые частные детективы Берта Кул и Дональд Лэм берутся
за самые сложные расследования — если, конечно, за это хорошо платят. На этот раз партнеры пытаются раскрыть убийство подруги крупно-
го мафиози («И опять я на коне»), ищут убийцу богатого предпринима-
теля («Холостяки умирают одинокими») и оказывают помощь страховой
компании в разоблачении хитрого мошенника («Доступен каждому»).

УДК 820(73)
ББК 84(7Сое)

ISBN 5-227-01354-3 (Вып. 6)
ISBN 5-227-01485-X

И ОПЯТЬ Я
НА КОНЕ

TOP OF THE HEAP

Предисловие

Весной 1950 года Орел Дж. Скин, начальник исправительной тюрьмы в штате Западная Вирджиния, высококомпетентный в своем деле джентльмен, уроженец Юга страны, для которого кодекс чести является в жизни путеводной звездой, оказался в очень затруднительном положении. В соответствии с законом он должен был казнить заключенного Роберта Балларда Бейли, который, как ему подсказывали опыт и интуиция, был не виновен. Все возможные средства защиты уже были безуспешно использованы заключенным. Ни на что не надеясь, без цента в кармане, беспомощный человек проводил отведенное ему жизнью время в узкой камере — в ожидании свидания с электрическим стулом.

И тогда начальник тюрьмы вспомнил о недавней статье в журнале «Аргози» под названием «Последнее прибежище».

Он набрал номер телефона Тома Смита и объяснил ему свое затруднительное положение.

Комитет по расследованию, созданный при журнале, возглавил его президент, Гарри Стигер. Туда вошли доктор Ле Мойн Снайдер, имевший одновременно научную степень медицины и юриспруденции, специалист судебной медицины и исследователь; Алекс Грегори, один из самых квалифицированных во всей стране специалистов по расшифровке детектора лжи; Том Смит, несколько лет возглавлявший исправительную тюрьму штата Вашингтон в Волла-Болла; Боб Рэй, тюремный психиатр; Раймонд Шиндлер, частный детектив международного класса, и Эрл Стенли Гарднер, адвокат и писатель. Они собрались вместе, чтобы заново проштудировать документы, касающиеся дела Бейли.

Времени в распоряжении комитета оставалось мало, на счету был буквально каждый час, поэтому Смит, Грегори и Гарднер срочно отправились в тюрьму штата в Маундсвилле, чтобы взять интервью у приговоренного к смерти.

После этого трое направились в столицу штата Чарлстон, чтобы снова тщательно изучить и проверить все факты этого дела, побеседовать с ведущим процесс судьей и поговорить с кем-то из имеющихся свидетелей.

Гарри Стигер, президент журнальной корпорации «Аргози», известный журналист, бросил все дела, связанные с изданием трех десятков различного рода журналов, сел на самолет и догнал группу в Маундсвилле. Путь его лежал в Чарлстон, где нужно было принять участие в новом расследовании.

Началась лихорадочная работа. Следователи на местах постоянно перезванивались по телефону с членами комитета, находящимися в других городах, вносили корректировку в имеющуюся информацию, отчаянно стараясь воспроизвести наиболее полную картину происшедшего, — ведь уже в самом начале расследование содержало безнадежные противоречия.

Когда свидетель показывал, что он видел совершенно трезвого Бейли, совершившего убийство, в одном из районов Чарлстона, муниципальная полиция уверенно утверждала, что она опознала Бейли в это же самое время, совершенно пьяного, за несколько миль от указанного свидетелем района.

Полиция попыталась арестовать Бейли за вождение машины в нетрезвом состоянии, но, несмотря на бешеные гонки и стрельбу, Бейли после долгой погони все-таки удалось скрыться.

Позже машину нашли, без труда ее опознали: вся она была пробита пулями, что само по себе являлось молчаливым доказательством случившегося.

И все же свидетель настаивал: именно в этот момент он видел Бейли на месте совершенного преступления.

Несмотря на форсирование расследования, только к полудню в субботу представители «Аргози» смогли со всей ответственностью заявить, что, по их мнению, факты дела требуют нового, более тщательного и детального расследования, а потому необходима отсрочка для приведения в исполнение смертного приговора над Бейли.

Субботним утром, в одиннадцать часов сорок пять минут, чувствуя себя не совсем уверенно, представители комитета «Аргози» позвонили в офис губернатора Западной Вирджинии Л. Петтерсону. К телефону подошла секретарша, мисс Розалинд Функ, которой они и изложили свою позицию. Мисс Функ попросила подождать минут десять, чтобы проинформировать губернатора, и попросила членов комитета перезвонить.

Последовавший ответ был типичным для людей его ранга. Стояло лето, было очень жарко, и губернатор собирался провести свой уик-энд с семьей в горах, где царила приятная прохлада. К тому же следует заметить, что представитель власти уже изучил свидетельские показания и факты по делу Бейли и был абсолютно уверен, что осужденный виновен в преднамеренном убийстве. Однако ничего такого вслух не сказал, предпочтя ответить уклончиво:

— Если вы, ребята, безвозмездно тратите свое время и даже уик-энд посвящаете этому делу, то и я готов принести в жертву свои выходные дни. Нет вопросов!

Итак, члены комитета встретились с губернатором Петтерсоном и Розалинд С. Функ, которая тоже пренебрегла своим отпуском, — в 1 час 15 минут пополудни субботы.

Здание Сената штата было пустынным. Электричество отключили, кондиционеры не работали. По мере того как шло совещание, в комнате становилось все более душно и влажно, но губернатор Петтерсон, его секретарь и начальник тюрьмы Скин провели в этом помещении всю субботу, по крупинке изучая информацию, которую им доставили.

А когда начало смеркаться и на столицу опустился вечер, губернатор Петтерсон, оттолкнув в нетерпении кресло, встал:

— Итак, джентльмены, вы убедили меня, что в данном деле необходимы новое расследование и отсрочка по приведению в исполнение смертного приговора. Я намерен официально назначить представителя от департамента полиции штата Вирджиния, который бы взаимодействовал с комитетом. Надеюсь получить полный отчет при завершении вашего расследования и повторяю: склоняюсь к тому, что Роберт Бейли виновен. Однако здесь прозвучало достаточно информации, которая убедила меня, что точку в данном расследовании ставить еще рано...

И потребовалось еще несколько недель, прежде чем разбирательство было завершено. Вряд ли стоит приводить все обнаруженные факты, так как цель данного повествования — поведать читателю об одном официальном представителе нашего общества, который не пошел ни на какие компромиссы с совестью, отбросил политические амбиции, едва дело коснулось справедливости и правосудия.

Достаточно сказать, что в конце концов, после долгого и трудного процесса губернатор Петтерсон заменил смертную казнь на пожизненное заключение. Он призвал полицию штата повторно начать вести это расследование публично и непредвзято.

Не каждый губернатор штата способен пожертвовать своим отдыхом в конце недели, чтобы скрупулезно заниматься делом никому не известного бедняка, против которого было выдвинуто огромное количество улик.

Автор книги, признаться, был поражен неординарностью личности губернатора Петтерсона, его отношением к людям, неизменной любезностью и способностью становиться в случае необходимости выше собственных политических амбиций. И нам всем нечего опасаться за исход подобных дел, их справедливое решение до тех пор, пока ключевые посты в правительстве занимают такие люди, как он.

Автор гордится гражданской позицией и действиями губернатора Петтерсона. Эта книга в знак уважения посвящается достопочтенному Л. Петтерсону, губернатору штата Западная Вирджиния.

Глава 1

Я просматривал подшивку документов, расположившись около стеллажа с папками дел в приемной нашего офиса, когда в контору вошел высокий широкоплечий мужчина в хорошо сшитом клетчатом пальто, перепачканных в грязи брюках и двухцветных туфлях. Внешне он почему-то напомнил мне бывшую в употреблении трубочку для питья воды. Я услышал, как вошедший попросил пригласить старшего партнера. И сделал он это с видом человека, который вначале требует все самое лучшее, а потом наверняка согласится на то, что ему дадут.

Ведущая прием посетителей секретарша вопросительно взглянула на меня, но я сделал вид, что не слышал, о чем шла речь. Старшим партнером у нас была Берта Кул.

— Старшего партнера? — переспросила секретарша, все еще с надеждой поглядывая на меня.

— Да, полагаю, его зовут Б. Кул, — объявил посетитель, просмотрев список имен, висевший на стеклянной двери, которая вела в приемную.

11

Девушка кивнула и нажала кнопку телефона.

— Ваше имя?

Он как-то весь подтянулся, заважничав, вытащил из кармана бумажник крокодиловой кожи, извлек оттуда визитную карточку и с улыбкой протянул ее.

Несколько мгновений секретарша рассматривала ее, как будто ей стоило немалого труда разобрать имя.

— Мистер Биллингс?

Мистер Джон Карвер Биллингс...

В этот момент Берта Кул ответила на звонок, и девушка произнесла торжественно:

— Мистер Биллингс... Мистер Джон Карвер Биллингс хочет вас видеть, миссис Кул.

— Второй! — прервал он девушку, постучав по карточке. — Вы что, не умеете читать? Второй!

— О да, Второй.

Это уточнение, видимо, несколько сбило с толку Берту Кул, поэтому секретарша повторила:

— Второй — так написано на его карточке и так он сам произносит свое имя. Его имя Джон Карвер Биллингс, а затем идут две прямые вертикальные палочки после Биллингса.

Мужчина нетерпеливо хмыкнул.

— Отошлите ей мою карточку, — строго сказал он.

Секретарша машинально провела указательным пальцем по выпуклым буквам.

— Да, миссис Кул, именно так. Второй. — Она повесила трубку и обратилась к мужчине: — Миссис Кул сейчас примет вас, можете войти.

— Миссис Кул?

— Да.

— Она же Б. Кул?

— Да. «Б» означает Берта.

Секунду поколебавшись, он поправил свое клетчатое пальто и вошел в кабинет.

Подождав, пока за ним закроется дверь, секретарша посмотрела на меня:

— Ему нужен был, очевидно, мужчина?

— Нет, ему нужен был «старший» партнер.

— Если он спросит тебя, что мне следует ответить?

— Ты недооцениваешь Берту. Она сразу определит, чего стоит клиент в денежном выражении, и если это солидный клиент, то сама пригласит меня. Если же деньжата светят не очень большие и Джон Карвер Биллингс Второй даст понять, что предпочитает детектива мужчину, увидишь сама, как он будет за ухо выведен из этой комнаты.

— Ваши познания по части анатомии блистательны, мистер Лэм, — скромно съязвила секретарша. В ее голосе прозвучал скрытый сарказм.

Я вернулся к себе в офис, и ровно через десять минут зазвонил телефон. Моя помощница Элси Бранд сняла трубку и, посмотрев на меня, тут же объявила:

— Миссис Кул желает знать, можешь ли ты зайти к ней на совещание?

— Конечно, — ответил я, подмигнув секретарше и проходя мимо нее в личный офис Берты. По выражению лица моего партнера я сразу понял, что все в полном порядке. Маленькие, жадные глазки Берты сияли. Она широко улыбалась.

— Дональд, — представила она, — познакомься, это мистер Джон Карвер Биллингс.

— Второй, — добавил я.

— Второй, — эхом откликнулась она. — А это мистер Дональд Лэм, мой коллега.

Мы пожали друг другу руки. По собственному опыту я уже знал, что и эти вежливые манеры, и этот сладкий воркующий голосок появлялись у Берты только при получении хорошей наличной суммы.

— У мистера Биллингса проблема, — продолжала она тем временем. — И ему кажется, что над ней должен поработать именно мужчина, возможно, что...

— ...он будет работать более результативно, — закончил ее мысль Джон Карвер Биллингс Второй.

— Совершенно верно, — согласилась Берта слегка иронично.

Кресло моего патрона застонало под весом в сто шестьдесят пять фунтов, когда Берта потянулась за лежавшей на краю стола стопкой вырезок из газет. Не говоря ни слова, она протянула их мне.

Я прочел:

«ДНЕВНАЯ КОЛОНКА «НАЙТА»: ДЕНЬ И НОЧЬ.

Исчезла красавица блондинка. Друзья обеспокоены нечестной игрой. Полиция настроена скептически.

Морин Обэн, красавица блондинка, которая находилась вместе с Габби Гарванза в момент, когда в него стреляли, исчезла самым непостижимым образом. Друзья настаивают на проведении расследования, хотя полиция придерживается другой версии адвоката. Офицер полиции вполне недвусмысленно подтвердил, что всего несколько дней назад мисс Обэн просила полицию «не совать свой нос» в ее личную жизнь, что и было с удовольствием выполнено. Похоже, молодая женщина, категорически отказавшаяся помочь следствию, имела собственный бизнес и воспользовалась услугами личного адвоката.

Друзья девушки рассказали, что три дня назад Морин Обэн присутствовала на вечеринке в ночном клубе, поссорилась с сопровождавшим ее мужчиной и неожиданно ушла с человеком, с которым только что познакомилась здесь же. Полиция не придает особого значения этому факту. Детективы искренне считают, что подобное поведение вполне обычно для таинственной молодой девушки, которую, как оказалось, трудно найти, когда ее друг Габби Гарванза неожиданно получил две пули в грудь.

Через какое-то время на ступеньках дома мисс Обэн скопилось слишком много бутылок с молоком, которые никто не забирал, и человек, сопровождавший ее в тот вечер, обратил на это внимание и, чувствуя что-то неладное, сообщил в полицию. Правда, до этого, как проговорился один из полицейских, полиция уже побывала у него дома.

Между тем Гарванза после перенесенной операции по извлечению двух пуль находился в отдельной палате местного госпиталя, где его обслуживали три высококвалифицированные медицинские сестры.

После того как Гарванза пришел в себя, он охотно выслушал полицию, подробно расспросил о ведущемся расследовании и заявил: «Кто-то затаил против меня обиду и выпустил пару пуль!»

Это заявление полиция рассматривает как свидетельство доверия и желания сотрудничать. Правда, в полицейском управлении считают, что Габби Гарванза и мисс Обэн могли бы оказать более существенную помощь в данном расследовании».

Вырезку из газеты я положил обратно на стол Берты и внимательно посмотрел на Джона Карвера Биллингса Второго.

— Честно говоря, я не знал, кто она такая, — сказал он.

— Так вы тот человек, с которым она ушла из ночного клуба?

Он кивнул.

— На самом деле это не совсем ночной клуб. Скорее коктейль, еда, танцы.

В ответ глаза Берты жадно блеснули, а пальцы, унизанные дорогими кольцами, жадно потянулись к ящику, где лежала наша наличность.

— Мистер Биллингс предварительно заплатил нам часть гонорара, — сообщила при этом она.

— И предложил еще пятьсот долларов в качестве дополнительного вознаграждения, — продолжил Биллингс.

— Я как раз собиралась об этом сказать.

— Вознаграждение за что?

— За то, что вы отыщете девушек, с которыми я был потом.

— После чего?

— После того, как мы с Обэн расстались.

— Той же ночью?

— Ну конечно.

— Похоже, вы очень многое успели за одну ночь.

— Это происходило так, — пояснила Берта. — Мистер Биллингс был приглашен на этот коктейль одной молодой женщиной. Она в какой-то момент отошла от него к другим гостям, и он обратил внимание на Морин Обэн, а когда поймал ее взгляд, пригласил на танец. Один из ее спутников сказал, чтобы он проваливал, на что мисс Обэн ответила, что она не его собственность, а он в свою очередь ответил, что знает это и просто охраняет ее для другого — того, кто считает ее своей собственностью. Когда стало ясно, что вот-вот возникнет ссора, мистер Биллингс вернулся к своему столу. Через несколько минут к нему подошла Морин и спросила: «Вы хотели потанцевать, не так ли?» И они пошли танцевать, и, как сказал мне мистер Биллингс, очень понравились друг другу. Он немного нервничал, потому что сопровождавшие Морин мужчины не спускали с них глаз. Он предложил ей уйти и пообедать с ним. Она согласилась, назвав место, куда бы хотела пойти. И они пошли туда, а придя, она сразу заглянула в дамскую комнату... По рассказу Биллингса, Обэн и сейчас все еще пудрит там нос...

— И что же вы предприняли дальше?

— Сначала я просто ждал, чувствуя себя полным идиотом, потом заметил двух девиц, подмигнул им, они подошли, мы потанцевали. К этому времени я уже понял, что Морин меня надула. Я хотел, чтобы одна из девушек отправила подругу домой: хотел остаться с другой наедине, но из этого ничего не получилось. Они оказались неразлучны. Я пересел за их столик, угостил их парой коктейлей, потом мы вместе пообедали, опять потанцевали, я заплатил по счету и затем повез их в мотель, на шоссе.

— Что было потом?

— Я пробыл там с ними всю ночь.

— Где?

— В мотеле.

— С обеими сразу?

— Они спали в спальне, а я на кушетке в первой комнате.

— Стало быть... платонически?

— Мы все слишком много пили.

— Ну, и что произошло дальше?

— Утром около десяти тридцати мы выпили томатного сока, девушки приготовили завтрак. Они себя чувствовали не очень хорошо, а я так просто ужасно. Я поехал от них к себе, принял душ и пошел к парикмахеру. Побрился, сделал массаж лица и... С этого момента я могу отчитаться за свое время.

— За каждую минуту?

— За каждую минуту.

— Где находится этот мотель?

— Недалеко от шоссе Супельведа.

В разговор включилась Берта:

— Видишь, Дональд, девицы приехали на машине из Сан-Франциско. Очевидно, они планировали это путешествие заранее, на время своих каникул. Хотели посмотреть ночной Голливуд, увидеть знаменитостей. Мистер Биллингс уверен, что они или близкие подружки, или родственницы, а может, вместе работают. Когда он пригласил их танцевать, они с удовольствием согласились. Затем он предложил отвезти их на своей машине, но они предпочли ехать на своей. Он... Ну, ему не хотелось так рано заканчивать вечер.

Биллингс посмотрел на меня, пожав плечами:

— Одна из них мне понравилась, надо было избавиться от подруги, но ничего не получалось. Я выпил гораздо больше, чем собирался, да к тому же, когда мы приехали в мотель, я предложил еще добавить на сон грядущий. А дальше уже ничего не помню: или они подсыпали мне что-то в стакан, или он был для меня последней каплей... Когда я утром пришел в себя, у меня ужасно болела голова.

— Как вели себя девушки?

— Сердечно и любезно.

— Не приставали с ласками?

— Не говорите глупостей, ни у них, ни у меня не было для этого настроения.

— Ну и чего же теперь вы от меня хотите, мистер Биллингс?

— Я хочу, чтобы вы разыскали этих девиц.

— Зачем?

— Потому что теперь, когда Морин исчезла, он чувствует себя неуверенно, — вмешалась Берта.

— К чему ходить вокруг да около? Морин — любовница гангстера... Она не рассказала полиции, но наверняка знает, кто всадил в него пули. Представьте, если кто-нибудь подумает, что она успела мне сболтнуть что-то лишнее?

— Разве есть какой-либо повод для этого?

— Нет, но вдруг с ней что-то случилось? Вдруг... эти молочные бутылки у входа в ее дом так и будут копиться на пороге?

— Морин сказала вам свое настоящее имя?

— Нет, она разрешила называть ее просто Морри. Я понял все лишь после того, как увидел фотографию в газете. Эти парни, которые ее окружали, были по виду настоящими гангстерами, а я решился и пригласил ее танцевать!

— И часто вы себя ведете подобным образом?

— Конечно нет! Я просто слишком много тогда выпил, и меня подставили.

— И потом так же просто вы тут же подбираете других девиц?

— Да, это так, но почему-то все получилось очень легко. Просто, наверное, они сами хотели кого-нибудь в тот вечер подцепить. Парочка джинсов на каникулах ищет приключений.

— Они назвали вам свои имена?

— Только первое имя, Сильвия и Милли.

— Какая из них вам больше понравилась?

— Маленькая брюнетка, Сильвия.

— Как выглядела вторая?

— Рыжая, явно с более сильным характером, чем у Сильвии. Она знала ответы на все вопросы, но не хотела, чтобы я их задавал. Было такое впечатление, что она окружила Сильвию непроницаемой железной оградой и пропустила по ней ток. Думаю, это она подсыпала мне что-то в коктейль. Конечно, не уверен в этом, но именно она вытащила бутылку, предложив распить ее на посошок, и я тут же отпал.

— Они сразу согласились, чтобы вы их отвезли?

— Да. Кстати говоря, они еще нигде к тому времени не были устроены и хотели только попасть в мотель.

— Вы ехали на их машине?

— Да, на их.

— Они зарегистрировались, когда вы приехали туда?

— Нет. Они попросили это сделать меня, тем самым как бы разрешив оплатить счет за ночлег. В таких местах ведь платят вперед.

— Машину вели вы?

— Нет, Сильвия сама села за руль, и я тоже был впереди, а Милли между нами.

— А вы говорили Сильвии, куда надо ехать?

— Да, она сказала, что ищет подходящее местечко. Я ей его и показал.

— И вы нашли его на Супельведа?

— Мы проехали мимо нескольких, но везде висела табличка: «Свободных мест нет».

— Кто первым пошел в мотель?

— Я сказал уже, что я.

— И вы зарегистрировались?

— Да.

— Под каким именем вы регистрировались?

— Я не помню фамилию, которая пришла мне в голову.

— Почему вы не записались под собственной?

Он с удивлением посмотрел на меня:

— Вы потрясающий детектив! А вы в подобных обстоятельствах использовали бы свое имя?

— Ну, а когда вас попросили назвать номер машины, что вы сказали тогда?

— Вот тут-то я и совершил ошибку. Вместо того чтобы выйти и посмотреть на номер, я тоже назвал его наобум.

— И хозяин не вышел и не проверил?

— Конечно нет. Если вы выглядите достаточно респектабельно, они никогда этого не делают. Иногда просто спрашивают, какой марки машина.

— И что вы сказали?

— Ответил, что «форд».

— Вы зарегистрировали именно «форд»?

— Да. Именно «форд». Но почему, черт возьми, вы ведете такой допрос, чуть ли не третьей степени? Если вы не хотите браться за дело, так и скажите, просто верните мне деньги, и я уйду.

Глазки Берты Кул хищно сверкнули.

— Не глупите, — строго посмотрела Берта на Биллингса. — Мой партнер просто старается узнать все в деталях, чтобы потом вам же помочь.

— А мне показалось, что это перекрестный допрос.

— Ничего подобного он не имел в виду, — энергично покачала головой Берта. — Он разыщет этих девиц, можете не сомневаться. Дональд Лэм — прекрасный детектив.

— Хорошо, если это действительно так, — хмуро ответил Биллингс.

— Можете еще что-нибудь вспомнить, что могло бы нам пригодиться при розыске?

— Абсолютно ничего.

— Адрес мотеля, где вы останавливались?

— Я уже его дал миссис Кул.

— Какой номер был у вашей комнаты?

— Я не могу сейчас точно назвать его, но припоминаю, что она находилась справа, в самом конце строения. Как будто номер пятый.

— Хорошо, мы посмотрим, что можно сделать, — пообещал я.

Биллингс же настойчиво повторил:

— Помните, что вы получите дополнительно еще пятьсот долларов, если разыщете этих девиц.

— Этот трюк с премией никак не согласуется с правилами этики, которые лежат в основе работы любого детективного агентства, — с чувством внутреннего достоинства одернул я его.

— Почему же?

— Потому что это становится похожим на работу за случайный гонорар. Детективы этого не любят.

— Кто этого не любит?

— Чиновники, которые выдают нам права на работу.

— Ну, ладно, — махнул рукой Биллингс. — Вы найдете этих девиц, а я отдам эти пятьсот долларов в ваш любимый благотворительный фонд.

— Вы что, с ума сошли? — тут же вмешалась Берта.

— Что вы имеете в виду?

— Мой любимый фонд милосердия — это я сама.

— Но ведь ваш партнер исключает случайные гонорары.

Берта сердито засопела.

— Уверяю, никому об этом не будет известно, если вы сами не проболтаетесь.

— Хорошо, я согласна, — сказала Берта.

— А я бы предпочел делать это на основе...

— Вы еще ничего не сделали, девиц не нашли, — бесцеремонно прервал меня Биллингс. — Давайте говорить откровенно. Мне нужно алиби на эту ночь. Единственный способ его подтвердить — найти девиц. Причем мне нужно письменное подтверждение под присягой. Я предложил вам свои условия, сообщил всю информацию, которой располагал, и я не привык, чтобы мои слова подвергались сомнению.

Бросив на меня сдержанно-негодующий взгляд, он тяжело поднялся и вышел.

— Черт, Дональд, ты чуть не испортил все дело! — раздраженно посмотрела на меня Берта.

— Боюсь, тут нечего портить.

Она открыла ящик стола и показала мне пачку денег:

— Имей в виду, я не желаю их потерять.

— А мне не нравится его история, от нее несет душком.

— Что ты имеешь в виду?

— Две девушки приехали из Сан-Франциско, хотят посмотреть Голливуд и поглазеть на кинозвезду, обедающую в соседнем ресторане...

— Ну, и что тут плохого? Это именно то, что делала бы любая другая женщина в подобных обстоятельствах.

— Сама подумай! Они проделали такой длинный путь. Первое, что они должны были бы сделать, — это принять душ, распаковать свои вещи, вытащить портативный утюг, все перегладить... Освежили бы свой внешний вид, косметику и только после этого отправились бы на поиски кинозвезды.

— Но они проделали весь путь за один день.

— Ладно, предположим, они проделали его за два. Сама идея поездки из Сан-Луиса, Обиспо, или Бейкерсфилда, или любого другого места сюда только для того, чтобы с ходу запарковать машину и тотчас отправиться на танцы, даже не остановившись, чтобы привести себя в порядок, звучит для меня по меньшей мере абсурдно.

Берта заморгала, обдумывая сказанное мной.

— Может, они все это сделали, но просто приврали чуток Биллингсу, так как не хотели, чтобы он знал, где они остановились.

— Согласно заявлению Биллингса их чемоданы находились в багажнике машины.

Берта сидела в своем крутящемся скрипящем кресле, нервно барабаня пальцами по крышке стола. От колец с бриллиантами на ее пальцах вспыхивали то и дело яркие лучики света.

— Ради бога, Дональд, выметайся отсюда и начинай уже что-то делать! Как ты вообще представляешь наше партнерство? Это что — дискуссионный клуб или детективное агентство?

— Просто я обратил твое внимание на совершенно очевидные факты.

— Мог бы и не обращать! — повысила голос Берта. — Иди и найди этих двух женщин. Не знаю, как ты, но лично я заинтересована в этом добавочном вознаграждении, в этих пяти сотнях!

— У нас есть хотя бы их приметы?

Из лежащего на столе блокнота она вырвала листок и бросила его мне в лицо.

— Вот тебе все приметы, все факты! Боже мой, ну зачем я с тобой связалась? Наконец-то приходит болван с деньгами, просит ему помочь, а ты начинаешь заниматься психоанализом...

— Полагаю, тебе даже не пришло в голову посмотреть в «Кто есть кто», кем был Джон Карвер Биллингс Первый?

— Почему я должна думать о том, кем был Джон Карвер Биллингс Первый, когда деньги есть у Второго! — закричала Берта. — Три сотни в твердой валюте наличными! Не чек, поверь мне, наличными!

Молча я подошел к полке, снял с нее «Кто есть кто» и стал просматривать страницы на букву «Б». Берта сначала следила за мной, сузив злые глаза, потом подошла и стала заглядывать через плечо. Я чувствовал на затылке ее горячее, сердитое дыхание.

В этой книге не нашлось сведений о Джоне Карвере Биллингсе. Я достал другую — «Кто есть кто в штате Калифорния». Берта в нетерпении выхватила ее у меня и стала быстро просматривать сама.

— Может быть, у меня хватит ума, чтобы найти эту фамилию, а ты пока поедешь и проверишь этот мотельчик на шоссе.

— Хорошо, не слишком напрягай свой мыслительный аппарат, а то он может получить невосполнимый ущерб, — бросил я, устремляясь к двери.

Уверенность, что Берта кинет книгу мне вслед, почему-то не оправдалась: она не сделала этого.

Глава 2

Элси Бранд, моя секретарша, посмотрела на меня, оторвавшись от пишущей машинки:

— Новое дело?

Я кивнул.

— Как там Берта?

— Такая же, как всегда: раздражительная, вспыльчивая, жадная, зацикленная на себе... Ну да ладно, не хочешь ли сыграть роль падшей женщины?

— Падшей женщины?

— Я же ясно выразился — падшей женщины.

— А, понимаю, прошедшее время! И что же мне нужно для этого сделать?

— Будем с тобой представлять мужа и жену, когда я зарегистрируюсь в мотеле.

— И что потом?

— Потом займемся работой детективов.

— Мне понадобится багаж?

— Подъедем к моему дому, и я возьму чемодан, больше нам ничего не понадобится.

Элси вынула из шкафа пальто, взяла шляпку и закрыла чехлом пишущую машинку.

Когда мы вышли из конторы, я протянул ей листок, исписанный неразборчивым почерком Берты

Кул, и предложил прочитать. Элси внимательно его просмотрела.

— Очевидно, ему понравилась Сильвия, и он просто возненавидел Милли.

— Как ты определила?

— Боже мой, послушай сам, что здесь написано: «Сильвия, привлекательная брюнетка с большими карими блестящими глазами, симпатичная, интеллигентная, красивая, с прекрасной фигурой, среднего роста, около двадцати четырех лет, прекрасно танцует.

Милли, рыжая, голубоглазая, умная, может быть, лет двадцати пяти или двадцати шести, среднего роста, неплохая фигура».

Я ухмыльнулся:

— А теперь попытаемся выяснить, какую информацию оставили после себя эти женщины в мотеле, где они побывали всего три раза.

— Думаешь, работающий там персонал сможет нам что-нибудь сообщить?

— Вот именно поэтому, Элси, я и беру тебя с собой. Хочу узнать, насколько аккуратно там работает персонал.

На стоянке я взял старую машину агентства. Когда подъехали к моему дому, Элси осталась сидеть в машине, а я поднялся наверх и покидал в чемодан какие-то вещички. Уходя, снял с вешалки на всякий случай плащ. У меня была кожаная сумка для фотокамеры, которой пользовалась одна моя знакомая, ее я тоже прихватил с собой. Элси с любопытством осмотрела принесенное в машину.

— Похоже, нам придется путешествовать налегке, — заметила она.

Я кивнул.

Мы въехали на Супельведа, изучая расположенные на нем мотельчики. В это время дня они все были свободны.

— А вот и то, что мы ищем, — кивнул я Элси. — Вон там, направо.

Мы въехали на дорожку, ведущую к входу. Почти во всех отсеках двери были открыты. Негр собирал с постелей использованное белье. Симпатичная девушка в форменной шапочке и переднике убирала, и нам понадобилось минут пять, чтобы найти хозяйку.

Ею оказалась крупная женщина, чем-то напоминающая мне Берту. Но моя компаньонша была похожа на высеченную из камня бабу, а эта была явно помягче, если не считать глаз. Глаза у нее были Бертины.

— Как насчет того, чтобы получить номер?

Она посмотрела мимо меня на сидевшую в машине Элси.

— Надолго?

— На весь день и всю ночь.

Она была явно удивлена.

— Моя жена и я, мы ехали всю ночь. Нам надо хорошо отдохнуть, а потом мы хотели бы осмотреть город и завтра рано утром уехать.

— У меня есть славный номер за пять долларов.

— А как насчет номера пятого, вон в том углу?

— Это двойной номер. Вам он не подойдет.

— Сколько он стоит?

— Одиннадцать долларов.

— Я его возьму.

— Нет, не возьмете.

Я удивленно поднял брови.

— Думаю, вы ничего не получите.

— Это почему же?

— Послушайте, мое заведение очень высокого класса. Если вы знаете эту девушку достаточно хорошо, чтобы пойти в одиночный номер, как муж и жена, и у вас есть деньги, чтобы оплатить его, я согласна. Если же вы собираетесь вместе снять двойной номер, то я знаю, что это означает.

— Вы напрасно беспокоитесь. Не будет никакого шума, никакой компании. Я вам заплачу двадцать баксов за пятый номер. Договорились?

Она оглядела Элси.

— Кто она?

— Она мой секретарь. Я не собираюсь к ней приставать. Наше путешествие связано с деловой поездкой.

— Хорошо, — прервала она меня, — двадцать долларов.

Я протянул ей двадцать долларов, получил ключ от номера и проехал на машине в гараж... Затем мы открыли ключом дверь и вошли внутрь. Это был очень симпатичный двухкомнатный номер, маленькая гостиная и две спальни, каждая с душем и туалетом.

— Ты надеешься получить от нее какую-нибудь информацию? — спросила Элси.

— Не думаю, что нам повезет. Даже если она что-то и знает, то не скажет. Это не тот тип болтливых женщин: она явно не желает привлекать внимания к своему заведению.

— Симпатичное местечко, — констатировала Элси, осмотрев комнаты. — Чисто и уютно, приятная мебель.

— Ну, а теперь давай займемся тем, что нас сюда привело. Может быть, обнаружишь что-нибудь, что дало бы нам представление об этих женщинах, занимавших комнату три дня назад.

— Я правильно расслышала, что ты заплатил за номер двадцать долларов? — спросила она.

— Да, правильно. Она не пожелала сдать за обычную цену.

— Берта, конечно, зарычит, когда увидит эту сумму на нашем листе расходов.

Молча кивнув, я продолжал обследовать комнаты.

— Это напоминает охоту на диких гусей. Может, мы даже найдем золотое яйцо, — обнадежил я Элси.

Мною все внимательно было осмотрено, но, кроме нескольких банальных заколок для волос, ничего обнаружить не удалось. В раздумье я подошел к бюро, выдвинул ящик и в самом дальнем его углу обнаружил вдруг какой-то обрывок бумажки.

— Что это такое? — спросила Элси.

— Похоже на ярлык от рецепта. Смотри-ка, это и в самом деле рецепт из аптеки в Сан-Франциско на имя мисс Сильвии Такер. Здесь сказано: «Принимать по одной капсуле в случае бессонницы. Повторно не принимать в течение четырех часов».

— Название аптеки в Сан-Франциско. Не так уж мало! — сказала Элси.

— А вот номер рецепта и фамилия доктора.

— Сильвия именно та женщина из Сан-Франциско, которую мы ищем?

— Похоже, именно та.

— Как удачно, — обрадовалась Элси.

— Очень, очень, очень удачно! — почти пропел я. Она посмотрела на меня:

— Что ты имеешь в виду?

— Я имею в виду, что нам очень повезло.

— Что же хорошего, девушка была здесь, и теперь ясно, что Биллингсу действительно подсыпали снотворного. Видимо, когда она засовывала обратно в ящик бутылочку с капсулами, ярлычок и отклеился.

— Сильвия была именно той девушкой, которая ему нравилась. Видимо, это другая сделала ему «бай-бай», — предположил я.

— Так думает Джон Карвер Биллингс Второй. Может быть, он уж не настолько был поражен ее красотой, как ему показалось. В любом случае вторая девица могла незаметно взять капсулу, так что Сильвия этого и не заметила.

Я стоя рассматривал ярлык.

— А теперь что мы будем делать? — в нетерпении спросила Элси.

— Теперь мы вернемся в офис, а потом я улечу в Сан-Франциско.

— Это был очень короткий медовый месяц, — вздохнула Элси. — Ты собираешься сказать хозяйке, что она может оставить для себя нашу квартирку?

— Нет, пусть лучше гадает, что случилось, — ответил я. — Давай-ка собирайся, и пойдем.

Когда мы разворачивались, я увидел оторопевшую администраторшу.

Из своего офиса я, не мешкая, позвонил знакомому в Сан-Франциско, который проверил аптеки и уже через час собрал для меня нужную информацию.

Итак, Сильвия Такер жила на Пост-стрит, в доме под названием «Траки Апартментс», в квартире номер шестьсот восемь, и рецепт был выписан ей на амитал натрия. Она работала маникюршей в парикмахерской на той же Пост-стрит.

Элси заказала мне билет на самолет, и я зашел к Берте, чтобы предупредить, что улетаю в Сан-Франциско.

— Дональд, любимый, как поживаешь? — заворковала Берта в своей самой милой манере.

— Так же, как и вчера.

— Что это, черт возьми, означает? Что мы получим эти пятьсот долларов? Ты постараешься?

— Возможно.

— Смотри, только старайся не превышать служебные расходы.

— Но клиент же их оплачивает, не так ли?

— Конечно, но, боюсь, это будет долгая и трудная работа.

— Эта работа не будет долгой и трудной.

— Не старайся раскрыть это дело слишком быстро, Дональд.

— Но ведь именно за это и обещана премия. Он не хочет, чтобы мы транжирили его деньги, беря за каждый день.

Ее тяжелый взгляд остановился на мне, и я не нашел ничего лучше, как спросить:

— Ты нашла в книге Джона Карвера Биллингса Первого?

— Да, это была прекрасная идея, Дональд, дорогой. По крайней мере, теперь мы многое узнали. Знаем его прошлое и настоящее.

— Кто же он?

— Банкир из Сан-Франциско, президент десятка компаний, пятидесяти пяти лет, командор яхт-клуба, расточительно сорит деньгами. Это о чем-нибудь тебе говорит?

— Мне это говорит о многом. Это означает, что сын его был вполне искренен с нами.

— Деньги?— услужливо спросила Берта.

— Спортивное пальто, — ответил я.

У Берты потемнело от гнева лицо, потом она рассмеялась:

— Ты не можешь удержаться, чтобы не производить впечатления умненького, Дональд? Но только помни, любовничек, чтобы крутились колеса, нужны деньги.

— И пока колеса все крутятся и крутятся, — не без злости ответил я, — будьте осторожны, мадам, и следите, чтобы ваш палец не угодил в машину.

— Ты принимаешь меня за идиотку! — раскричалась вдруг Берта. — Наивную любительницу, а не профессионала! Смотри, Дональд Лэм, чтобы твой собственный нос не запачкался, а я уж сама прослежу за своим пальцем! Если Берте что-то нужно, будь спокоен, она это достанет. Но ты должен быть осторожен! Смотри, сам не попади в те колесики, что так мило крутятся вокруг тебя!

— Они крутятся просто как сумасшедшие, — признался я, — и мне хотелось бы знать, что эта машина производит.

— Зажарь меня вместо утки, если ты не самый большой сукин сын, которого я когда-либо видела! Я повторю тебе еще раз, что производят маленькие колесики, Дональд! Деньги! Вот что!..

После этих слов Берта опять погрузилась в изучение книги «Кто есть кто в штате Калифорния».

Я молча выскользнул из офиса, оставив ее наедине со своими мыслями.

Глава 3

Было уже далеко за полдень, когда я прибыл в Сан-Франциско. Зашел в парикмахерскую на Пост-стрит как раз перед закрытием. Понадобилось не более секунды, чтобы заметить Сильвию. В зале работали три маникюрши, но Сильвия явно выделялась среди них: ее можно было узнать и без описания примет.

Когда я вошел, она работала, но на мой вопрос, останется ли у нее время еще на один маникюр перед закрытием, она посмотрела на часы, кивнула, и ее пальцы еще быстрее стали летать над рукой клиента, который недовольно поглядывал в мою сторону.

Я подошел к чистильщику сапог и решил привести в порядок свои башмаки, пока дойдет моя очередь к Сильвии. Неожиданно ко мне обратился старший парикмахер:

— Вы ждете маникюр?

— Да.

— Вон там освободилась девушка, она сделает вам то, что надо.

— Но я хочу подождать, когда освободится Сильвия.

— Та маникюрша работает не хуже, чем Сильвия.

— Спасибо, я тем не менее подожду.

Недовольный старший парикмахер вернулся на свое место.

— Звучит что-то очень недружественно по отношению к Сильвии, — обратился я как бы между прочим к негру, чистившему мои штиблеты.

Он усмехнулся, осторожно оглянувшись через плечо:

— Да, он ее не очень-то жалует.

— А в чем дело?

— Они мне не платят за сплетни.

— Они не платят, а я заплачу.

Слегка подумав, негр наклонился пониже к моим ботинкам и едва слышно прошептал:

— Он просто ревнует и вовсю за ней приударяет. Во вторник она позвонила и, сославшись на головную боль, не вышла на работу. И вообще не появлялась до сегодняшнего дня. Он уверен, что у нее есть дружок. Боюсь, недолго она здесь продержится.

Я сунул ему два доллара, как мог, объяснил свой интерес к девушке.

— Спасибо, мне было просто любопытно.

Сильвия закончила делать маникюр, мужчина встал и надел пальто. Она кивнула мне, чтобы я занял его место.

Погрузив руку в теплую мыльную воду, я расслабился, наслаждаясь наблюдением за движением мягких, уверенных пальцев Сильвии, трудившихся над моей рукой.

— Давно здесь работаете? — спросил я немного погодя.

— Около года.

— Вам предоставляют здесь отпуск?

— О да, я только что вернулась после короткого путешествия.

— Прекрасно, и куда же вы ездили?

— В Лос-Анджелес.

— Одна?

— Вас это не касается! — Приветливость Сильвии будто ветром сдуло.

— Я просто так интересуюсь, не обижайтесь.

— Я ездила с подружкой, — смягчилась она. — Нам очень хотелось побывать в Голливуде и, может быть, даже повстречать какую-нибудь звезду в одном из ночных клубов.

— Ну и как, удалось повстречаться?

— Да нет, конечно.

— Что ж так?

— Мы были в ночном клубе, но никого из звезд, конечно, не увидели.

— Ну, вам просто не повезло, их там более чем достаточно, и они иногда обедают...

— Когда мы обедали в клубе, они там не появлялись.

— А как долго вы пробыли в Голливуде?

— Всего несколько дней, я вернулась только вчера ночью.

— Ездили поездом?

— Нет, на машине моей подружки.

— Сегодня пятница, а где вы были, если не секрет, во вторник ночью?

— Именно в ту ночь мы и были в Голливуде.

— Можете мне рассказать, Сильвия, что с вами произошло в ту ночь, во вторник?

— А если я не желаю этого делать? — сказала она, вдруг ожесточившись снова, глаза ее блеснули.

Я ничего не ответил.

Она продолжала трудиться над моими руками. Молчание становилось тягостным, она нарушила его первой:

— Мне уже двадцать шесть, я сама себе хозяйка. И ни перед кем не должна отчитываться в том, что делаю.

— Или в том, чего не делаете?

Она в упор глянула мне в глаза.

— Хочу задать вам встречный вопрос: откуда вы, мистер?

— Из Лос-Анджелеса.

— Когда приехали сюда?

— Только что прибыл.

— На чем?

— Прилетел самолетом.

— Во сколько вы приехали?

— Всего час назад.

— Вы что, прилетели и прямо с самолета пришли ко мне?

— Да, именно так я и сделал, вы угадали.

— Почему вы интересуетесь тем, что случилось со мной в прошлый вторник ночью в Лос-Анджелесе?

— Просто ради интереса, чтобы поддержать разговор.

— О!

Я ничего не мог ответить на это «О!». Она раза два-три с любопытством посмотрела на меня, отрывая взгляд от моих рук, и явно силилась что-то сказать, но каждый раз передумывала. И все-таки после одной паузы не удержалась от вопроса:

— Вы здесь по делам?

— Можно сказать, да.

— Думаю, вы, наверное, многих здесь знаете?

Я отрицательно покачал головой.

— Ну, тогда вы должны чувствовать себя одиноким в чужом городе?

Я снова молча кивнул.

Внезапно она отложила инструмент.

— Боже мой, я совсем забыла, мне срочно необходимо позвонить! — С этими словами она вскочила, ринулась к стоящей недалеко телефонной будке, набрала номер и проговорила — я смотрел на часы — около четырех минут, дважды посмотрев в мою сторону во время разговора, будто кому-то про меня рассказывала, как я выгляжу. Потом вернулась на место, села и извинилась за свое недолгое отсутствие.

— Да нет, все в порядке, мне все равно некуда особенно спешить. Надеюсь, вам не придется из-за меня задерживаться на работе.

К этому времени парикмахерская начала закрываться, служащие опускали на окнах жалюзи, и мастера уже готовились уходить.

— О, это ничего, я тоже не тороплюсь... Этот звонок... Пришлось отложить свидание и приглашение на обед.

— Жаль, — посочувствовал я.

Она продолжала молча работать, пока опять не промолвила:

— Да, жаль, я очень хотела пойти пообедать, дома у меня абсолютно ничего нет.

— Почему бы вам не пообедать со мной?

34

— Да?.. Я бы с удовольствием... Хотя я ведь вас совсем не знаю.

— Меня зовут Дональд, Дональд Лэм.

— А я Сильвия Такер.

— Привет, Сильвия.

— Привет, Дональд! Скажите, вы кажетесь себе симпатичным?

— Стараюсь им быть.

— Я не гонюсь за чем-то необыкновенным, но люблю толстые и сочные стэйки и знаю, где их подают, там они очень хороши.

— Ну и прекрасно!

— Не хочу, чтобы вы подумали о чем-то плохом.

— Я и не подумал ничего такого.

— Все-таки, вы понимаете... Можете подумать, как, мол, легко подцепить эту девицу, то есть меня...

— Не смею думать о вас как о легкой добыче. Как и вы, я тоже должен где-нибудь поесть, так почему бы нам не сделать этого вместе?

— Приятно, что вы думаете подобным образом, вы меткий стрелок.

— Стараюсь им быть.

— Обычно я не принимаю таких приглашений, у меня мало друзей, но... Я не знаю... мне кажется... вы совсем не похожи на других парней, которых я знаю.

— Это можно расценить как комплимент?

— Поверьте, я не имела в виду ничего плохого. Вы не... вы знаете, что я имею в виду. — Она засмеялась. — Вы не принимаете это как само собой разумеющееся? Девушка соглашается на свидание потому, что характер ее работы позволяет делать ей такие предложения?

Я ничего не ответил.

— Вы знаете, — легко вдруг продолжила она свой рассказ без всякого побуждения на то с моей стороны, — со мной тогда была моя подружка, а привязавшийся к нам парень оказался слишком настойчивым. Так она без моего ведома вытащила у меня из сумочки снотворное и высыпала капсулу ему в стакан с виски. Ну, он тут же и отпал.

— А зачем ваша подружка это сделала? Ей не понравился тот парень? Или ей казалось, что вас надо охранять от любого нападения?

— Не от любого! Думаю, Милли сделала это из вредности. Она смешная девчонка, маленькая рыженькая плутовка. Не знаю, может быть, она была слегка раздражена, что понравилась не она. Трудно бывает сказать что-то определенное о некоторых женщинах... И он был неплохим парнем.

— Ну, и что же потом произошло?

— Да ничего, просто я об этом сейчас вспомнила. К слову...

— Ну-ну, — только и сказал я, тотчас замолчав. Она кончила делать маникюр и на минуту задумалась:

— Я должна перед уходом подняться к себе в квартиру.

— Хорошо, вы хотите, чтобы я поднялся вместе с вами сейчас или заехать за вами немного позже?

— Почему бы вам тоже не подняться?

— Хорошо. Если вы мне пообещаете, что не подсыплете, как тому парню, снотворного.

— Обещаю! — засмеялась она. — Да и Милли не будет, это ведь она проделала всю ту грязную работенку.

— А что, неплохая шутка!

— Да, ничего. Хотя я очень рассердилась, потому что мне понравился тот парень, но, честно, Дональд, мне было очень смешно! Он чувствовал себя в городе своим человеком, этакий рубаха-парень, душа компании. Он как раз начал по-настоящему мной интересоваться, но, когда этот дринк со снотворным на него подействовал, бедняга даже не успел сделать мне предложение, так и заснул посреди начатой фразы. Мы с Милли положили его на кушетку, и он спал как убитый до утра, пока мы не разбудили его завтракать. Надо было видеть выражение его лица, когда он проснулся и понял, что ночь прошла!

Она откинула голову и весело расхохоталась.

— Клянусь, это и в самом деле смешно, — поддакнул я. — А где все это происходило?

— В мотеле на шоссе. Милли никогда не упустит возможности слегка подзаработать. Ведь она попросила его найти хороший мотель, и он, конечно, предложил нас подвезти, а это означало, что ему пришлось зарегистрироваться и, стало быть, заплатить самому и за номер.

— Ну что ж, за свои деньги он, по крайней мере, неплохо выспался.

Мое замечание опять рассмешило ее.

— Послушайте, Дональд, поднимемся ко мне и выпьем. А потом пойдем обедать.

— Мы пойдем пешком или возьмем такси?

— Да тут близко, шесть кварталов.

— Тогда возьмем такси.

Мы вышли на улицу, и, пока ждали машину, я как бы невзначай спросил ее:

— А где, на какой улице был тот мотель?

— На шоссе Супельведа.

— Когда же это происходило?

— Дайте мне подумать, Дональд... Это было в ночь на вторник.

— Вы уверены?

— Ну конечно уверена. А вам-то какая разница?

— Ну, не знаю. Я просто интересовался, как вы проводили отпуск.

— Ну, вот так все и было, как я рассказала.

Появилось такси. Сильвия назвала свой адрес, и мы уселись на заднем сиденье. В это время суток, чтобы проехать даже такое небольшое расстояние, надо было останавливаться бессчетное количество раз из-за светофоров.

— А как это вы поместились втроем в одном номере? — со смехом спросил я Сильвию. — Одна комната у Милли, другая у вас, а в третьей поместили этого парня?

— Знаете, это был симпатичный двойной номер. И я просто сняла с него туфли, когда мы его положили на кушетку, и подложила ему под голову подушку со своей кровати.

— А одеяло?

— Не говорите глупостей, мы прикрыли ему ноги его плащом и закрылись на ключ. Если бы ему стало холодно и он бы проснулся, то мог при желании уехать на такси...

— Ну что, мы сегодня, наконец, поедим? — спросил я, переключаясь на другую тему.

— Я говорила, что знаю прекрасный ресторанчик, это не совсем по пути, но...

— Прекрасно, но только у меня заказан билет на самолет, на десятичасовой рейс.

— Дональд! Как это, на сегодня? — В ее голосе прозвучало разочарование.

Я кивнул.

Она придвинулась поближе и вложила свою руку в мою ладонь.

— Ну что ж, у нас еще полно времени, чтобы поесть и успеть на самолет.

Глава 4

Элси Бранд заглянула в мой кабинет:

— Берта сидит с клиентом. Она интересуется, узнал ли ты что-нибудь новенькое?

— Скажи Берте, что я уже иду.

Она с любопытством на меня посмотрела:

— Что-нибудь раскопал вчера в Сан-Франциско?

— Вполне достаточно.

— Была приятная поездка?

— Ничего.

— Нашел Сильвию?

— Да.

— Ну и как она?

— Соответствует описанию.

Элси Бранд исчезла из кабинета, хлопнув дверью. Я выждал несколько минут и направился в офис к Берте. Там в кресле, с прямой спиной, сидел Джон Карвер Биллингс Второй, показавшийся мне слегка чем-то взволнованным, и курил сигарету.

Берта озабоченно взглянула на меня.

— Ты что-нибудь нашел?

— Имя девушки, которая была с мистером Биллингсом, Сильвия Такер. Она работает маникюршей в одной из парикмахерских Сан-Франциско. Неподалеку от работы снимает квартиру. Симпатичная девочка, прекрасно помнит вечер, проведенный с вами, мистер, даже сердится на подругу за то, что та подсыпала вам в виски снотворное.

— Вы хотите сказать, что вы ее нашли? Вы и в самом деле располагаете всей этой информацией? — Биллингс вскочил со стула.

— Ну да.

Берта так вся и просияла.

— Поджарьте меня как устрицу! — с чувством воскликнула она. Она всегда восклицала так, когда была в хорошем настроении.

— Вот это я называю хорошей работой, — восхитился Биллингс, однако с каким-то недоверием еще раз переспросил: — Вы уверены, что это та самая девица?

— Она рассказала мне все. Как они отправились в Лос-Анджелес и мечтали увидеть настоящую кинозвезду в каком-нибудь ночном клубе, как встретили вас, как Милли рекомендовала вам мотель и как вам пришлось зарегистрироваться, заплатив по счету. Вы действительно понравились Сильвии, и она рассердилась на подружку, когда та без ее ведома подсыпала вам снотворное, прервав начинавшийся роман и разбив ее надежды на приятную ночь.

— Она сама вам все это рассказала?

— Абсолютно все, и, естественно, сама.

Джон Карвер Биллингс Второй, вскочив, схватил мою руку и стал ее трясти изо всех сил, стучать по спине, потом повернулся к Берте.

— Вот это работа, это настоящий детектив! — не уставал повторять он свои комплименты.

Сняв с ручки колпачок, Берта протянула ее Биллингсу.

— Не понимаю, что?.. — удивленно воззрился на нее тот. — А... Да, да, да!..

Он засмеялся, сел и подписал чек на пятьсот долларов.

От Берты просто исходило сияние, и было похоже, что она готова расцеловать нас обоих.

Я протянул Биллингсу аккуратно напечатанный отчет о проделанной работе:

— Здесь говорится о том, как мы нашли Сильвию, что она поведала мне, где работает и ее домашний адрес. Записан также ее рассказ о том, что произошло в тот вторник вечером. Теперь вы можете заставить ее письменно подтвердить ваше алиби, если это для вас так важно.

— Надеюсь, вы пока не просили ее это делать, правда?

— Нет, я просто получил информацию, действуя вполне осторожно, так, чтобы она не догадалась, для чего мне это нужно.

— Ну и прекрасно. Я рад, что вы не сказали ей, как это для меня важно.

— Моя специальность — сбор информации, а не предоставление ее, — с достоинством ответил я.

— Лэм, вы просто молодец! — опять не удержался он от того, чтобы не похвалить мою работу. С этими словами, сложив мой отчет, он положил его в карман своего спортивного пальто, еще раз пожал всем руки и удалился.

Берту по-прежнему не покидало прекрасное настроение.

— Ты иногда бываешь сумасшедшим, как лунатик. Иногда мне просто хочется тебя убить, но ты действительно прекрасно работаешь, Дональд, любовничек дорогой, как это ты сумел все сделать так быстро?

— Просто я шел по бумажному следу.

— Что ты имеешь в виду, говоря о «бумажном следе»?

— Я, как говорится, взял след, который очень аккуратно был оставлен для меня, чтобы я по нему шел.

Берта начала что-то говорить в ответ, но внезапно остановилась, заморгала своими маленькими, колючими глазками.

— Повтори-ка еще раз то, что ты сказал, Дональд!

— Я шел по следу, который был специально оставлен.

— Что, черт возьми, ты имеешь в виду?

— Только то, что я сказал, а ты слышала.

— Кто же мог тебе оставить этот ключ к разгадке? Я пожал плечами.

— Ты испытываешь мое терпение, Лэм!

— Да нет, совсем нет, но подумай хорошенько сама над тем, что я тебе только что рассказал.

— Что же все-таки произошло?

— Давай вместе вникнем в смысл рассказанной нам Джоном Карвером Биллингсом Вторым истории. Помнишь, когда он подобрал этих двух девиц, только что приехавших в Голливуд в отпуск?

— Да, помню.

— Это было во вторник вечером. Он же пришел к нам вчера, в пятницу, а сегодня суббота.

— Ну и что?

— В номере мотеля я нашел ярлык от рецепта. В Сан-Франциско разыскал одну из девушек, и она сказала, что только прошлой ночью вернулась домой и вышла на работу вчера утром.

— Ну и что в этом такого?

— Согласно ее рассказу они отправились в Сан-Франциско вечером в понедельник, в пять часов. Ехали без остановки до Салинас, там переночевали и на следующий день прибыли в Голливуд. Девушки сразу отправились на вечеринку, где познакомились с Биллингсом, и поехали в мотель. Это было во вторник ночью. Утром в среду перебрались в другой мотель. Там провели следующую ночь со среды на четверг. Рано утром в четверг выехали домой и возвратились в Сан-Франциско ночью.

— Ну и что? Что из всего этого следует?

— Не правда ли, Берта, потрясающие каникулы?

— Да, у многих людей короткие каникулы, они не могут себе позволить уезжать на более долгий срок.

— Да, конечно, я понимаю.

— И что в этом плохого? — недоумевала Берта.

— Представь, у тебя всего четыре дня отпуска и ты хочешь побывать в Лос-Анджелесе. Что бы ты сделала?

— Я взяла бы и поехала в Лос-Анджелес! Черт возьми, Лэм, ближе, наконец, к делу!

— Ты бы так организовала все свои дела, чтобы отпуск начался в понедельник и закончился в субботу. В обратный путь ты бы наверняка отправилась лишь в субботу утром или в крайнем случае после полудня. В твоем распоряжении оказались бы еще и суббота после полудня и воскресенье — в дополнение к полученным отпускным дням. Не так ли?

Берта сосредоточенно размышляла. «Нарежьте меня вместо лука», — подумала она, ибо как еще можно было выразить ее состояние недоумения.

— Более того, как только эта девица Сильвия поняла, что перед ней детектив, я сразу перестал расспрашивать ее о поездке и сделал вид, будто больше меня уже ничего не интересует. И знаешь, через минуту она на глазах запаниковала, испугавшись, что не получит от меня обещанных денег, которые были ей гарантированы в случае, если она мне все откровенно расскажет. Скорее всего она просто решила, что я опасный детектив, поэтому сама пригласила меня вместе пообедать и чуть не затащила в свою квартиру — лишь бы выложить мне побольше информации.

42

— Ну что ж, ты ее раздобыл, и мы с тобой получили за это премию. О чем тут беспокоиться? Мы получили триста долларов от этой птички Биллингса, когда она только залетела к нам вчера утром в контору. Мы получили от него еще пятьсот долларов сегодня утром. А это уже целых восемьсот за два дня работы! Если теперь Большая Берта будет получать по четыреста долларов в день за расследование этого дельца, то они могут прямо сейчас выехать сюда и здесь остаться. — Берта стукнула по столу своей унизанной драгоценностями рукой.

— По мне, так пожалуйста, — сказал я, поднялся и направился к двери.

— Послушай, неужели ты полагаешь, Дональд, что вся эта история с алиби абсолютная фальшивка?

— Ты получила свои деньги, чего же еще тебе надо? — Я пожал плечами.

— Одну минуточку, любовничек, а может, и в самом деле все не так просто, как кажется? А?

— А что, по-твоему, не так? — спросил теперь уже я.

— Если все фальшивка, то этот сукин сын заплатил восемьсот долларов только лишь за возможность получить алиби, которое является абсолютным обманом.

— Ну ты же сама сказала, что ничего не имеешь против того, чтобы подыгрывать этому болвану за четыре сотни в день. Тебе, думаю, совсем нелишне отложить две сотни в специальный фонд.

— Для чего?

— Чтобы потом, в случае необходимости, тебя взяли за эти деньги на поруки.

Глава 5

Я подъехал на машине к мотелю на Супельведа. Хозяйка, узнав меня, с удивлением взглянула, когда я вошел в ее кабинет, и глаза ее сразу стали злыми.

— Не понимаю, в чем дело, в какие игры вы тут играете?

— Не волнуйтесь, пожалуйста.

— Вы сняли двойной номер и пробыли там ровно пятнадцать минут. Если именно так вам было нужно, почему заранее не предупредили меня, когда уезжали?

— Я не хотел, чтобы вы его тут же снова сдавали. Ведь вам было заплачено за него вполне достаточно, не правда ли?

— Это вас не касается. Если вы не захотели им пользоваться...

— Хватит ходить вокруг да около, миссис! Полагаю, вы сейчас расскажете мне о тех людях, которые останавливались в нем во вторник ночью.

— Предположим, я не стану этого делать, что тогда? У нас не принято обсуждать постояльцев мотеля.

— Потому что это, естественно, избавляет вас от возможной неприятной огласки.

Хозяйка подозрительно посмотрела на меня и как бы в раздумье вдруг заговорила, будто сама с собой:

— Ну конечно, удивительно, как я сразу не догадалась!..

— Вот именно! — не стал я разуверять ее.

— Так что вам угодно?

— Мне нужно взглянуть регистрационную книгу за ночь вторника. Я хочу с вами кое-что обсудить.

— Это все законно?

Я кивнул.

Взяв лист бумаги, лежавший под стеклом, она стала водить по строчкам длинным, красным ногтем, а затем внимательно изучила оставленные ногтем пометки. Это занятие поглотило ее целиком, я же стоял и молча ждал.

Внезапно подняв голову, она спросила:

— Частный?..

Я кивнул.

— Так конкретно, что вам нужно?

— Я хочу знать, кто останавливался в номере во вторник, — повторил я свою просьбу.

— Зачем вам это?

Ответом был мой смех, на что хозяйка, напротив, посерьезнела, снова отказалась помочь прояснить что-либо.

— Я не выдаю информацию подобного рода. Исключительно из-за того, чтобы хорошо шли дела в мотеле, приходится соблюдать конфиденциальность. Но мне все же хочется знать, почему вы этим интересуетесь? Хотя желательно, чтобы вы меня в это не вмешивали.

— Вы хозяйка и постоянно живете здесь. Мы тоже пробыли тут, хоть и недолго. Поверьте, я бы не пришел сюда к вам, если бы необходим был настоящий допрос. У меня нашлись бы иные пути для получения нужной информации.

— Каким это образом?

— Я нашел бы дружески настроенного газетного репортера, или мне помог бы кто-нибудь из офицеров полиции.

— И все-таки мне это не нравится!

— Не сомневаюсь, — не мог не согласиться я с ней.

Хозяйка открыла ящик стола, порылась в нем и вытащила регистрационную карточку. В ней указывалось, что номер во вторник вечером снимал Фергюсон Л. Хой, проживающий в Окленде, пятьсот пятьдесят один, Принц-стрит, и его гости; плата за проживание составляла тринадцать долларов.

Я вынул маленькую фотокамеру со вспышкой и сделал несколько снимков.

— Это все? — спросила она.

— Нет. Теперь бы мне хотелось узнать кое-что о мистере Хое.

— Здесь я мало чем могу вам помочь. Это был обыкновенный, ничем не примечательный человек.

— Молодой?

45

— Что-то не припоминаю. Сейчас, когда вы меня заставили сосредоточиться, я вспомнила, что он оставался в машине, а карточку мне вынесла одна из сопровождающих его женщин вместе с тринадцатью долларами, без сдачи.

— Сколько же их было всего?

— Четверо, две пары.

— Вы смогли бы узнать этого человека по фамилии Хой, если бы еще раз вам удалось увидеть его?

— Трудно сказать определенно, но думаю, что нет.

— Они были здесь вчера около одиннадцати часов?

Она кивнула.

— Кто-нибудь успел побывать в этом номере до того, как я прибыл сюда с дамой?

— Нет, — покачала она головой, — номер был убран и...

Я прервал ее:

— Повторяю свой вопрос: кто-нибудь заходил в номер до того, как я вошел в него со своей дамой?

— Не думаю.

— Кто-нибудь, кто курил сигареты?

Она покачала головой.

— Горничная не могла закурить?

— Нет.

— На туалетном столике я обнаружил остатки пепла от сигареты, правда, совсем немного.

— Нет, не думаю... Не знаю! Горничные, когда убирают номер, должны тщательно вытирать пыль.

— Мне кажется, было убрано хорошо, кругом было все идеально чисто.

Я вытащил записную книжку и, держа ее так, чтобы она могла ее видеть, попросил позвать одну из горничных.

Женщина вышла из кабинета, поясняя на ходу:

— Горничные и сейчас убирают в дальнем конце. Я не хочу идти туда, потому что не услышу телефонного звонка. Отправляйтесь туда сами и попросите их прийти сюда, но я хочу присутствовать при вашем разговоре. Будете говорить с ними по очереди.

— Хорошо, меня это вполне устраивает.

Не успел я выйти за дверь и дойти до конца коридора, как хозяйка уже куда-то заспешила. Цветная служанка оказалась очень милой молодой женщиной, в которой чувствовалась природная смекалка.

— Хозяйка хочет вас видеть, — сказал я ей.

Оглядев меня, она спросила:

— А в чем дело? Что-то пропало?

— Она мне ничего не сказала, просто просила передать, что хочет видеть вас.

— Вы в чем-то меня хотите обвинить?

Я покачал головой.

— Вы ведь были здесь вчера, в пятом номере? Не правда ли?

— Да, я здесь убирала. И не было никаких жалоб от постояльцев.

— Да не волнуйтесь вы так. Хозяйка просто хочет с вами поговорить.

Я повернулся и пошел в сторону кабинета. Девушка последовала за мной.

— Флоренс! — обратилась к ней хозяйка, когда та вошла в кабинет. — Ты не помнишь, кто-нибудь заходил в пятый номер до того, как в нем поселился вчера этот человек? — Она кивнула в мою сторону.

— Нет, мэм.

— Ты уверена?

— Да, мэм.

Я сел на край стола и, делая вид, что ищу что-то, дотронулся до ручки стоящего рядом телефона, которая еще хранила тепло руки хозяйки: она успела кому-то позвонить, пока я отходил в дальний конец коридора. Я это сразу понял.

— Одну минуточку, — обратился я к горничной, — я не имею в виду кого-то, кто останавливался бы надолго. Я имею в виду человека, зашедшего просто на минутку, может быть, что-то забывшего там...

— О, я вспомнила! Да, да! Это был джентльмен, который занимал номер в среду ночью. Он действительно что-то забыл в пятом номере, хотя и не сказал, что именно, просто попросил его впустить туда. Я ему сказала, что он пуст, но он протянул мне пять долларов. Надеюсь, я ничего плохого не сделала?

— Все в порядке! Теперь я хочу, чтобы вы описали мне этого человека. Высокий, около двадцати пяти — двадцати шести лет, в спортивном пальто и слаксах? Он...

— Нет, — прервала она меня на полуслове. — Тот мужчина был не в спортивном пальто, а в кожаном, и в фуражке с золотыми галунами.

— В военной форме?

— Скорее морской, в такой, какую носят яхтсмены. Но он действительно был высокий и прямой, как фасолевый стручок.

— Он дал вам пять долларов?

— Да, дал.

Я вынул пять долларов и протянул ей.

— Как долго он там находился?

— Ровно столько, сколько требуется, чтобы повернуться на каблуках и тут же выйти обратно... Хотя нет, я слышала, как он открывал и закрывал несколько ящиков шкафа, но тут же вышел из номера, улыбаясь во весь рот. А когда я спросила, нашел ли он то, что искал, он ответил, что едва вошел в номер, сразу вспомнил, что просто положил это в карман другого костюма. Заметил еще, что стал последнее время рассеянным, потом быстро сел в машину и уехал.

— А вы уверены, что он останавливался здесь в этом номере в среду вечером?

— Конечно нет. Я в этот день закончила работу в четыре часа тридцать минут. Он же сказал, что останавливался именно в среду.

Хозяйка посмотрела на меня:

— Что-нибудь еще?

Я повернулся к горничной:

— Вы бы узнали его, если бы еще раз увидели?

— О, уверена. Я его видела как вижу сейчас вас, и... пять долларов чаевых не растут на деревьях при такой работе.

После беседы с горничной я отправился домой, по дороге позвонив из телефона-автомата своей секретарше:

— Элси, меня не будет в городе на уик-энд, я уезжаю в Сан-Франциско.

— Почему? — не могла пересилить любопытства Элси.

— Потому что в наше с тобой гнездышко в мотеле, где мы проводили «медовый месяц», наведался высокий, как стручок фасоли, мужчина, в фуражке яхтсмена.

— Ха, тоже мне «медовый месяц»! — изрекла Элси. — Передай мой искренний привет Сильвии.

Глава 6

В доме на Джери-стрит над номером квартиры Милли была прикреплена аккуратно вырезанная из визитной карточки полоска картона с фамилией: «Миллисент Родес». Я нажал кнопку звонка. Ничего не произошло, в ответ не раздалось ни звука. Я снова нажал и долго не отпускал кнопку, потом сделал три коротких звонка. Наконец в переговорном устройстве послышался какой-то звук, и девичий голос, отнюдь не гостеприимно, произнес:

— Это субботнее утро! Убирайтесь!

— Мне надо вас увидеть, и теперь уже далеко не утро, а почти полдень.

— Кто вы?

— Я друг Сильвии, Дональд Лэм.

Помолчав секунду, она нажала кнопку домофона, и с электрическим жужжанием открылась дверь.

Миллисент занимала номер триста сорок второй. Старинный лифт находился в другом конце коридора, куда я направился, войдя в поскрипывающую от старости кабину. Подъем на третий этаж занял времени ровно столько же, сколько потребовалось, если бы я поднимался пешком по лестнице.

Милли Родес сразу открыла дверь.

— Надеюсь, у вас ко мне серьезное дело? — холодно встретила она меня.

— Вы не ошиблись.

— Хорошо, входите. Сегодня суббота. Я не работаю и решила отоспаться. Для меня это, пожалуй, единственный символ моей экономической независимости, которую я могу себе позволить, давно укоренившаяся привычка.

Я с удивлением взглянул на нее. Даже без косметики и помады на губах она была удивительно хороша. Рыжеволосая, с маленькой головкой правильной формы. Видимо, мой звонок поднял ее с постели, и, идя открывать дверь, она накинула на плечи легкий шелковый халат.

— Вы совсем не похожи на ту девушку, которую мне описывали, — сказал я.

Состроив милую гримаску, она попросила:

— Дайте девушке минутку, я немножко приведу себя в порядок и оденусь.

— Надо ли? Вы и так привлекательны. И гораздо более, чем ваше описание.

— Наверное, за это я должна благодарить Сильвию.

— Как раз нет, Сильвия тут ни при чем. Кое-кто другой, кого вы сопровождали.

Она с удивлением посмотрела на меня:

— Что-то я ничего не понимаю. Возьмите кресло и присядьте. Вы застали меня врасплох, но имейте в виду, любой из друзей Сильвии и мой друг тоже.

Милли поискала сигареты. Я тут же предложил ей свои. Она легко вытащила одну из пачки, постучала

ею о край маленького столика, прикурила от моей зажигалки, удобно устроилась на краю кровати, потом
подложила под спину ворох подушек и уселась, скрестив ноги.

— Наверное, мне следовало бы вас продержать внизу, пока я не застелю постель и не расставлю кресла. Но
лучше не обращайте внимания на весь беспорядок,
принимайте меня такой, какая я есть. Итак, что там наговорила обо мне Сильвия?

— Сильвия рассказала мне интересную историю.

— О, она это любит.

— Я бы хотел проверить, все ли соответствует действительности.

— Если Сильвия вам что-то рассказала, значит, все
так и было, как она говорит.

— Это касалось вашего путешествия в Голливуд.

Она внезапно подняла голову и рассмеялась:

— Вот теперь я все поняла. Боюсь, Сильвия меня
никогда не простит за то, что я сделала. Ей ведь начинал нравится этот парень, а я ему подала стакан
виски и подсыпала в него снотворное. Если бы вы
только его видели — пытался говорить что-то страстное и вдруг на полуслове заснул!.. Я думала, что
расхохочусь ему прямо в лицо.

— Я так понимаю, он сразу уснул?

— Мгновенно. Мы положили его на кушетку, укрыли одеялом, подоткнули со всех сторон, обложив
подушками.

— Сделали все, чтобы ему было удобно.

— Ну конечно.

— Сильвия сказала, что вы сняли с него туфли,
разложили диван...

Поколебавшись минуту, она подтвердила:

— Да, правильно, все так и было на самом деле.

— Вы поставили его туфли под кровать, повесили
пальто на спинку кресла и оставили на нем брюки.

— Да, правильно.

— Ночь была теплой?

51

— Сравнительно теплой, но мы его прикрыли.

— Вы знаете его фамилию?

— Святые небеса, нет, только его имя... Джон. А вас, вы говорите, зовут Дональд?

— Да.

— Послушайте, Дональд! Зачем столько времени обсуждать то, что произошло там, в Лос-Анджелесе? И что вам вообще надо?

— Поговорить о том, что случилось в Лос-Анджелесе.

— Зачем?

— Я детектив.

— Кто-кто?

— Детектив?

— Вы совсем не похожи на детектива.

— Я частный детектив.

— Черт, может, я слишком много говорю?

— К сожалению, не слишком.

— Как давно, Дональд, вы знакомы с Сильвией? Что-то я не припомню, чтобы она мне когда-нибудь о вас рассказывала.

— Потому что я познакомился с ней только вчера, и мы вместе пообедали.

— Это было впервые?

— Да.

— Ну и что все-таки вам нужно на самом деле?

— Информация.

— На кого вы работаете?

— На человека, который был с вами.

— Не говорите глупостей. Он не знал, кто мы такие. Он и через сто лет нас не нашел бы. Мы уехали из мотеля утром, поэтому он не мог узнать, кто мы. Я боялась, что он что-нибудь заподозрит и разозлится.

— Нет, он нанял меня, а я нашел вас.

— Каким образом?

— Довольно просто. Вы воспользовались снотворным Сильвии, и ярлычок от рецепта, упав в ящик, застрял между стенкой и дном.

— Не может быть!

— Там я его и нашел.

— А я-то считала себя ловкой девушкой! Ведь могла влипнуть в неприятную историю. Что думает обо всем этом тот парень? Он знает, что ему подсыпали снотворное?

— Да, он сообразил, что ему подсыпали что-то быстродействующее.

— До того, как был найден ярлычок, или после?

— До.

— Он компанейский парень, правда, слишком уж явно навязывался и слишком импульсивен. Догадываюсь, что у него много денег, из-за этого и возникает половина его проблем. Он ведь полагает, что если угощает девушку хорошим обедом и парой коктейлей, то у него уже есть право вломиться к ней в дом, войти запросто в ее жизнь.

— Я ничего этого не говорил.

— Так кто же он все-таки такой, Дональд?

— Лучше расскажите, что знаете о нем вы сами.

— Есть причины, по которым я должна обязательно это сделать?

— Нет, но разве есть причины, почему бы вам этого не сделать?

Поколебавшись немного и глядя сквозь длинные ресницы, она сказала:

— Похоже, вы привыкли резать пирог большими кусками.

— Зачем что-то делать наполовину? — спросил я.

Засмеявшись, она согласилась:

— Полагаю, вы правы.

Я промолчал.

— Итак... Мы с Сильвией шныряли в поисках добычи. Надо сказать, Сильвия более импульсивна, чем я. И как раз в это время мы и повстречали парня, который тоже нуждался в компании, ну а нам нужен был эскорт и кто-нибудь, кто бы заплатил по нашему счету. Мы...

— Прекрати, Милли, — попросил я, прервав. — Прекрати паясничать!

— Что прекратить?

— Тебе эта роль не к лицу.

— Мне казалось, вы хотели знать, как все было...

— Ты же интеллигентная девушка и к тому же очень хорошенькая. А то, что ты сейчас тут разыгрываешь, тебе не принесет никаких дивидендов. Просто не сработает. Скажи, честно, сколько тебе заплатил Биллингс?

— Что вы имеете в виду?

— Хочу заметить, что вы не предусмотрели множества незначительных деталей. Я просто хотел быть уверенным в том, что вы его знали, прежде чем привлечь ваше внимание к этим мелочам.

— Что вы имеете в виду?

— Если бы ты умела играть в эти игры, то непременно настояла бы, чтобы я беседовал с тобой и Сильвией вместе. Позволить мне говорить с тобой наедине было твоей роковой ошибкой и лишь доказало, что ты всего-навсего любительница, а никакая не профессионалка.

— Теперь ваша очередь говорить, — сказала Милли, не спуская с меня своих голубовато-зеленых глаз, которые сразу стали настороженными, жесткими и внимательными.

— По рассказу Сильвии, вы положили Джона на кушетку одетым и только сунули ему под голову подушку. Диван-кровать никто не раскладывал, и у него даже не было одеяла; Сильвия, кажется, отдала свою подушку, и это все.

Помолчав с минуту, Милли попросила дать ей еще одну сигарету.

Я исполнил ее просьбу.

— Можно, конечно, было бы продолжать игру, но теперь понимаю, что ни к чему хорошему это не приведет. Сильвия позвонила мне и сообщила, что вы, Дональд, проглотили целиком наживку, крючок и всю удочку — ведь вы молоды, хороши собой и привлекательны для девушки с длинными красивыми ногами.

— Да, уж такой, какой есть, — иронично подтвердил я.

Она засмеялась.

— Ну ладно, теперь рассказывайте, как вы догадались?

— Хочешь спросить, насколько я обо всем осведомлен? Эта история сразу показалась мне неправдоподобной. Ведь вы давно знакомы с Биллингсом?

— Я-то узнала его совсем недавно, он один из друзей Сильвии.

— А ты знакома со всеми ее друзьями?

— Нет. Во всяком случае, не с такими, у кого есть деньги: Сильвия свои дела обделывает сама.

— Сколько же он тебе, интересно, заплатил?

— Двести пятьдесят баксов. Мне их передала Сильвия и при этом заявила, что это моя доля в деле.

— Повтори точно, что ты должна была сделать за эти деньги и что тебе при этом говорила Сильвия.

— Она сказала, что я могу заработать двести пятьдесят долларов, если соглашусь на публикацию моей фотографии в газете; что я должна сыграть роль падшей женщины. И еще добавила, что я буду «падшей» только на словах.

— Что ты ей ответила?

— Но вы ведь здесь, не так ли?

— Да.

— Это и есть мой ответ.

— И потом ты встретилась с Биллингсом?

— Да, встретилась. Он передал мне деньги и пристально так рассматривал, все хотел узнать, когда снова увидит. Ну, я постаралась его запомнить. Мы выпили по одному или по два коктейля, потом он ушел с Сильвией.

— Кто придумал всю эту историю?

— Сильвия.

— Зачем ему понадобилось алиби, ты знаешь?

— Нет, понятия не имею.

— Ты хочешь сказать, что даже не спросила его об этом?

— У меня в сумочке лежали пять хрустящих бумажек по пятьдесят долларов. Я бы не задала вопроса, даже если бы там оказалась всего одна, а тут целых пять!..

— Сколько же он заплатил Сильвии, как полагаешь?

— Он и Сильвия... — Она подняла руку со скрещенными указательным и средним пальцами. — Не стоит извинений, это была часть всего дела, мне за это дали баксы. Я ждала твоего прихода еще прошлой ночью, когда Сильвия позвонила мне по телефону и сказала, что ты вернулся в Лос-Анджелес.

Я кивнул.

— Ты только и делаешь, что меняешь самолеты.

— Приходится много передвигаться по стране.

— Что мне теперь делать?

— Главное — помалкивать.

— Позвонить мне Сильвии, рассказать, что вы сразу меня раскусили и?..

— И что тогда сделает Сильвия?

— Сильвия, конечно, во всем обвинит меня. Она будет уверять, что вы поверили в то, что она рассказала, и все было бы прекрасно, пока вы не явились сюда, ко мне, ну а я выпустила кота из мешка... Впрочем, ладно, от Сильвии ведь нельзя ждать какого-то ответственного отношения к делу, особенно когда в него замешан один из ее дружков.

— Много их у нее?

— Два или три.

— А у тебя, Милли?

— Это вас не касается, мистер.

— Очень многое теперь будет касаться. Запомни это. Так сколько же их у тебя, я спрашиваю?

— У меня ни одного. В том смысле, в каком вы думаете, — ответила Милли, взглянув на меня.

— Именно такого ответа я и ожидал.

— А это и есть правда.

— Думаю, так оно и есть на самом деле, — сказал я и поднялся с кресла. — Скажи, почему Сильвия выбрала именно тебя, чтобы подтвердить истинность этой истории?

— Потому, что мы друзья.

— И нет других причин?

— И я была свободна.

— В каком это смысле?

— Я действительно взяла неделю отпуска, а это значит, что никто ничего не сможет проверить. Я вроде была на работе, а на самом деле находилась в Лос-Анджелесе. Думаю, Сильвия предпочла бы выбрать кого-нибудь другого, а не меня, мы не так уж близки на самом-то деле, но мои каникулы ее устраивали, а мне они принесли двести пятьдесят долларов. Не правда ли, неплохой бизнес? Стоит только начать и... Скажите мне честно, Дональд, я не угодила в какую-то скверную историю?

— Со мной нет, — мрачно пошутил я.

— Значит, с кем-то еще?

— Пока еще нет, Милли.

— Но мне все-таки следует придерживаться своей версии?

— Я бы на твоем месте этого не делал.

— Куда вы теперь отправляетесь, Дональд?

— На работу.

— Могу я предложить вам чашечку кофе?

Я отрицательно покачал головой.

— И вы, Дональд, не собираетесь рассказывать Сильвии, в чем я вам призналась?

— Конечно нет.

— Так что же мне ей сказать, когда мы увидимся?

— Скажи просто, что я был тут и задавал вопросы.

— И это все?

— Это все.

— Вы легко сняли меня с крючка, правда, Дональд?

— Я стараюсь, Милли.

— Спасибо, я этого не забуду.

Я закрыл дверь, спустился по лестнице на первый этаж и сразу отправился в полицейский участок. Там я выбрал показавшегося мне симпатичным и способным помочь полицейского, показал ему документы и сказал:

— Мне нужна информация. Ее я могу почерпнуть только из судебных протоколов. Хочу их получить как можно быстрее и готов за нее заплатить. — С этими словами я вынул десять долларов.

— Что это за информация?

— Мне нужен список всех дорожных инцидентов, происшедших ночью во вторник, при которых виновные сбежали с места происшествия.

— Только те, где виновные сбежали? — переспросил полицейский.

— Мне, конечно, хотелось бы увидеть список всех дорожных происшествий, но особенно меня интересуют последние.

— Какой городской район или направление вас интересует?

— Все в пределах вверенной вам части города.

— Почему вам нужны именно те случаи, где виновные сбежали? У вас есть какие-то особые подозрения, причины?

Я отрицательно покачал головой:

— К сожалению, у меня нет ничего, что бы могло объяснить вам что-то более конкретно. Я даже точно не знаю, случался ли подобный инцидент во вторник ночью, при котором виновный бы скрылся. Но если судить по характеру человека, дело которого я рассматриваю, думаю, что инцидент был именно такого рода. Только это может быть наиболее приемлемым объяснением происшедшего.

— Объяснением чего?

— Объяснением, почему я даю вам десять баксов, чтобы поискать для меня эту информацию.

— Посидите вон там, приятель. Я сейчас вернусь, — пообещал полицейский и вышел.

Я сел и принялся проклинать себя за то, что из-за скаредности Берты не мог себе позволить дать ему больше: эта работа наверняка стоила всех пятидесяти, — что такое десять долларов? Но в ушах у меня звучал противный Бертин голос, требующий соблюдать экономию в наших постоянных расходах. Про себя я решил: в будущем делать все так, как сам считаю нужным. Для полицейского, отважившегося взять деньги, наверняка эти десять долларов — все равно что для посыльного десять центов на чай.

Через несколько минут мой полицейский вернулся с нужной информацией.

— Только два случая, приятель, похоже, могут вас заинтересовать, — протянул он мне бумаги. — На углу Пост-стрит и Полк-стрит машиной был сбит человек, ее вел молодой парень, по-видимому пьяный. Рядом с ним сидела дамочка, которая, по словам очевидцев, просто приклеилась к нему. Она его обнимала, а он гнал очень быстро. Сбив этого прохожего, он сломал ему бедро, лодыжку и плечо, отбросив его к обочине, притормозил, пытаясь остановиться, но потом, очевидно, вспомнил, сколько он выпил, и быстро оттуда умчался. Ему повезло: никто не успел запомнить номер машины, слишком молниеносно все произошло. Где-то в самом конце улицы шла машина, из нее свидетели наблюдали все, что произошло, и бросились было догонять нарушителя. Идея была, конечно, хорошая, но ничего из нее не вышло: в то самое мгновение от тротуара отъехал еще один автомобиль, который врезался в пытавшуюся догнать беглецов машину, столкнувшись бамперами и разбив передние стекла. Дорога оказалась заблокированной, и ни одна машина не смогла без промедления отправиться вдогонку за беглецами.

— И у вас нет никаких улик?

— Я же сказал, что этому парню повезло — он удрал оттуда... Там, где он сбил прохожего... В нашем распоряжении оказался целый набор разбитых стекол и несколько кусков покореженного металла, но все это было от двух других, не замешанных в аварии машин. Сбившая же пешехода, похоже, уехала без царапины.

— Ну, а что за второй инцидент?

— Не думаю, что он заинтересует вас. Машину вел очень пьяный мужчина. Как потом выяснилось, его только что выпустили на поруки.

Я поднялся.

— Спасибо, наверное, это как раз то, что мне нужно.

— Черт возьми, это именно то, что вам нужно? — удивился помогавший мне полицейский.

— Что вы имеете в виду?

— Тогда вам, мистер, надо встретиться со следователем, который расследует этот случай.

— В какое время это можно осуществить?

— Да прямо сейчас.

— Дело в том, что я сам ничего не знаю толком. Поэтому и пришел к вам за информацией. Я...

— Вы все это расскажете нашему лейтенанту.

— Но даже если бы у меня и были какие-то сведения, какая-то информация, я бы никому не смог ее передать, в том числе и вашему лейтенанту. Я охраняю права своего клиента.

— Это ты так считаешь.

— Когда я защищаю интересы своего клиента, то делаю это до конца.

— Ты и дошел уже до конца, приятель. Ты дошел от Лос-Анджелеса до Сан-Франциско. Попытайся охранять права своего лос-анджелесского клиента у нас и посмотри, куда это тебя приведет.

— Попытайся выбить из меня информацию и тогда сам увидишь, куда это приведет тебя, — ответил я.

Но он уже положил свою длань мне на плечо, ручищу величиной с окорок, сильные пальцы которой скользнули по моей кисти и вцепились мертвой хваткой в локоть.

— Иди прямо туда, — сказал он.

Глава 7

Лейтенант Шелдон оказался высоким, стройным мужчиной, совсем не похожим на полицейского. Он был в штатском и сидел за письменным столом с видом отпускающего грехи священника. При моем появлении лейтенант поднялся из-за стола, протянул руку:

— Очень рад с вами познакомиться, Дональд. Мы будем рады, если сможем вам чем-нибудь помочь.

— Спасибо.

— Но взамен ждем ответных действий.

— Само собой разумеется.

— Вас интересует несчастный случай, который произошел во вторник вечером, а виновный скрылся?

— Не совсем так. Меня интересуют все случившиеся в это время преступления, и дорожные происшествия в том числе, но особенно те, когда виновные скрылись с места происшествия.

— Понимаю, понимаю. Вам нужна информация в полном объеме. Вот возьмите, тут все специально для вас напечатано, Лэм.

С этими словами он протянул мне три страницы текста, где перечислялись три случая ограбления, две попытки изнасилования, пять взломов и три инцидента вождения автомобиля в нетрезвом виде. Список продолжали другие краткие описания разновидностей ночного криминала — проституции, азартных игр, вымогательства денег по фальшивым документам... Я не успел дочитать до конца, как лейтенант Шелдон заговорил снова:

— Положите эту бумагу в карман, Лэм, и изучите ее на досуге. А теперь скажите, что вам известно об этом последнем случае наезда и бегства с места происшествия?

— Практически ничего.

— Может быть, у вашего клиента есть машина и на ней обнаружены вмятины? Вы хитро ведете себя, Лэм, хотите кое-что разузнать, прежде чем представить вашего клиента, не так ли?

— Нет, не так. У меня не было клиента с разбитой машиной.

— Ну, Лэм, давайте не будем морочить друг другу голову, хорошо?

— Я этого и не делаю.

— И не пытайтесь казаться этаким крутым парнем. У нас этот номер не пройдет.

— Знаю отлично, что это ничего не даст.

— Ну и прекрасно, значит, мы поняли друг друга.

— Если я что-нибудь узнаю об этом случае, то непременно сообщу вашим парням, — кивнул я.

— Конечно, сообщишь. Мы будем тебе очень признательны за взаимную помощь, и нас огорчит, если ты не пойдешь на это, — сказал Шелдон. — Итак, Лэм, ты из Лос-Анджелеса. У вас там детективное агентство, и кто-то к вам пришел и сказал: «Послушайте, когда я был в Сан-Франциско, у меня случилась маленькая неприятность. Я слегка выпил и сел в машину со своей девушкой. Она демонстрировала свое отношение ко мне слишком активно, и на переполненной народом улице я услышал, как кто-то закричал. Не думаю, что кто-то был сбит, но мне хотелось бы, чтобы вы узнали все точно. И если это действительно так, попытайтесь что-нибудь для меня сделать».

— Все было совсем не так, лейтенант, — покачал я головой.

— Знаю, — ответил Шелдон, — я просто рассказываю тебе свою версию.

Я ничего не ответил.

— И ты приходишь сюда к нам, вынюхиваешь все тут, стараешься выяснить, что произошло. Там, где это касается тебя, все в порядке, но если все-таки затронуты интересы департамента полиции, нам бы хотелось закрыть это дело. Тебе, надеюсь, понятно?

Я кивнул.

У Шелдона посуровели глаза.

— Итак, если тебе что-либо известно об этом случае, ты нам сообщишь, а мы в свою очередь поможем тебе, и все будет в порядке, Дональд. В противном случае твой клиент окажется в очень затруднительном положении. Ему тогда уже ничто не поможет, а тебе не захочется больше появляться в Сан-Франциско.

Я опять кивнул.

— Ну а теперь, когда мы с тобой познакомились поближе, что бы ты все-таки мог нам рассказать?

— Пока мне рассказать нечего.

— Мне это совсем не нравится, Дональд. Не нравится твое «пока», не нравится слово «нечего».

Я опять промолчал.

— Скоро ты сам захочешь нам помочь, и сейчас самое время заложить основу для этой помощи.

— Вы, лейтенант, ошибаетесь в своих предположениях, — наконец открыл я рот.

— Конечно, конечно, я могу ошибаться, Дональд! Зачем мне это говорить? Святые небеса! Представь себе, какой-то человек входит в твой офис и говорит: «Дональд, мой сын поехал в Сан-Франциско, и, когда вернулся домой, я узнал, что у него там были большие неприятности. Но он хороший мальчик, хотя у него и есть склонность к выпивке, а после этого он любит посидеть за рулем. Пожалуйста, смотайся в Сан-Франциско и посмотри, нет ли против него обвинений». Есть еще и другой вариант, — продолжал без передышки лейтенант Шелдон. — Некто пришел к тебе в офис и сказал, что случайно видел, как сбили пешехода, и сбежал с места происшествия. Сказал, что был при этом со знакомой женщиной, а не с женой, поэтому просто не мог позволить себе вмешаться в это дело и теперь может дать кое-какую информацию о том, что видел, и, возможно, ваше бюро сможет использовать эту информацию, чтобы найти водителя машины... Словом, можно предположить, Лэм, сотню различных вариантов.

— У меня есть один клиент, лейтенант, но я пока не представляю, знает ли он что-нибудь об этом инциденте. Я сам заинтересован в том, чтобы его найти. Когда вернусь обратно в Лос-Анджелес, собираюсь встретиться с ним и все ему выложу. Если он в этом деле замешан, то сам первый явится к вам. Как, такой вариант вам подходит?

Лейтенант Шелдон поднялся, обошел вокруг стола, схватил меня за руку и стал ее трясти: вверх-вниз, вверх-вниз...

— Вот теперь, Дональд, ты начинаешь понимать, как мы здесь работаем. Как мы работаем рука об руку с такими парнями, как ты, если вам приходится с нами сталкиваться. В любом случае, не старайся обойти меня, лучше просто сними трубку и позвони лейтенанту Шелдону лично. Понял?

— Понял, — кивнул я.

— Скажите мне, Лэм, какие факты у вас есть на сегодняшний день и что вы собираетесь предпринять. Полиция, действуя по вашей подсказке, сразу же начнет работать и раскроет дело благодаря умной и тонкой помощи детективов. Когда мы закончим расследование, вы начнете работать над своим, и мы сделаем все от нас зависящее, чтобы быть в свою очередь полезными вам. Мы выложим все, что знаем, и раскроем все тайные нити...

Я опять кивнул.

— Но помните, Дональд, — говорил он, тыча меня в грудь указательным пальцем, будто был школьным учителем, а я непослушным учеником, — не пытайтесь от нас что-то утаить. Если вы что-нибудь знаете, лучше скажите об этом сейчас, иначе вам будет плохо, очень плохо... Плохо не только для вашего клиента, — никак не унимался Шелдон. — Это принесет крупные неприятности вашему агентству. Вот список свидетелей этого несчастного случая, — сказал он, протягивая мне напечатанный список фамилий и адресов. — Это все, что мы имеем в настоящий момент, но я чувствую, вы поможете нам расширить информацию, Дональд. Я просто в этом уверен, вы ведь не так глупы. Поэтому, если вам что-то нужно, пока вы здесь, любая информация, которую мы можем организовать, — пожалуйста, просто дайте нам знать, и она в любую минуту будет предоставлена.

Я наконец поблагодарил и ушел.

Взяв такси, поехал к отелю «Палас». Расплатившись, вошел в вестибюль и сразу — благодаря боковому входу — очутился на другой улице, взял другое такси, чтобы избавиться от преследовавшей меня машины.

Попросил таксиста ехать вдоль Буш-стрит, и вскоре мне бросился в глаза довольно претенциозный дом почти на вершине холма, где я велел водителю остановить машину. Я взбежал по ступенькам, вошел в дом и протянул швейцару свою карточку.

— Там, наверху, я работаю над распутыванием одного дела, — сообщил я ему доверительно.

Он смотрел на меня очень недружелюбно.

— У вас есть постоялец, который ездит на машине марки «бьюик» темно-синего цвета, седан?

— Точно не знаю, вполне возможно, что такая машина есть у нескольких наших жильцов.

— У меня указан этот адрес, и темно-синий седан должен быть здесь, — настаивал я.

— Уверен, что ничем, мистер, не смогу вам помочь.

— Но вы могли бы выяснить это для меня?

— Боюсь, что нет. Я не шпионю за нашими постояльцами.

— Я не прошу вас ни за кем шпионить. Я просто нуждаюсь в некоторой информации. Нельзя ли мне взглянуть на список ваших жильцов?

В списке нужной фамилии не оказалось; выйдя на улицу, я взял такси и вернулся к себе в гостиницу. Поднявшись в номер, выждал минут десять, потом опять спустился, поймал такси, доехал до бань Сутро и вдоволь насладился плаванием. Выйдя через час из бань, снова взял такси и поехал на Джери-стрит. Подъехав к нужному мне перекрестку, заплатил таксисту и прошел пешком одну улицу. Убедившись в том, что за мной никто не следит, я вошел в аптеку, вызвал по телефону еще одно такси и отправился по адресу, где проживал Джон Карвер Биллингс.

На звонок дверь открыла служанка.

— Я Дональд Лэм из Лос-Анджелеса и хочу поговорить с мистером Джоном Карвером Биллингсом Вторым. Скажите ему, что это очень важно и срочно.

— Одну минутку, сэр. — Служанка кивнула.

Она взглянула на мою карточку, а затем исчезла в глубине квартиры, закрыв за собой дверь. Вернувшись минуты через две, пригласила меня войти.

Через приемную я прошел в большую гостиную, и Джон Карвер Биллингс Второй вышел мне навстречу. Похоже, он был мне совсем не рад.

— Привет, Лэм! Что, черт побери, вы здесь делаете?

— Работаю.

— Я считал, что ваше агентство уже прекрасно поработало на меня, — сказал он. — И все уже закончено. — «Пау», как говорят на Гавайях.

Он не предложил мне сесть.

— Я работаю тут еще над одним делом, — поставил я его в известность.

— Если могу хоть чем-то вам помочь, я в вашем распоряжении. — Голос Карвера был похож на холодный линолеум, который ощущаешь босыми ногами.

— Я сейчас расследую дорожное происшествие, в котором виновный уехал с места аварии... Полиция очень заинтересована...

— Вы хотите сказать, что полиция наняла частного детектива из Лос-Анджелеса, чтобы?..

— Я этого не говорил. Я сказал всего лишь, что полиция заинтересовалась этим случаем.

— Говорите, случай, когда виновный наехал и сбежал?

— Именно так.

— Им и следует этим заниматься.

— На углу Пост и Полк-стрит парень сбил человека, поломал ему ребра и скрылся, — как ни в чем не бывало продолжал я. — Кто-то попытался его остановить, но влетел в отъезжавшую от тротуара машину, что и дало возможность этому подонку удрать.

— И вы пытаетесь найти этого удравшего?

— Думаю, что знаю, кто это сделал, — сказал я, посмотрев Карверу прямо в глаза. — И теперь пытаюсь найти способ, как ему это доступно объяснить.

— Ну, не могу сказать, что я желаю вам удачи, мистер Лэм. Обычно такие водители действительно представляют угрозу... Что у вас еще ко мне? Я сейчас просто занят. У меня совещание с моим отцом и...

— Если бы вы были больны, пришли бы в кабинет врача и попросили его выписать вам пенициллин, он бы дал вам его, не задавая лишних вопросов и позволил уйти. Что бы вы при этом подумали?

— Я бы сказал, что он потрясающий врач. Вы это хотели от меня услышать, Лэм?

— Да, именно этого я от вас и ждал.

— Хорошо, я это сказал.

— Это то, что вы сделали... Вы вошли в детективное агентство, описали, какое вам нужно лекарство, и ушли.

— Я дал вам, Лэм, специальное задание, если вы это имеете в виду. Я не был болен, и мне не нужны были лекарства.

— Может быть, вы не подозреваете, что больны, но вам лучше еще проанализировать ситуацию. Попробуйте свой пульс и измерьте температуру.

— К чему вы клоните, Лэм?

— Вы заготовили себе фальшивое алиби, потом ушли и подтвердили его. Вы хотите вести себя как ни в чем не повинный человек и сказать, что заплатили хорошие деньги детективному агентству за то, чтобы оно нашло нужных людей...

— Мне не нравится ваше поведение, Лэм.

— Слабость вашей схемы состоит в том, что вы не осмеливались подойти к абсолютно незнакомому человеку. Вам был нужен кто-то, с кем бы у вас были хорошие отношения. Больше того, чтобы Сильвия выглядела падшей женщиной только на словах, а не на деле, и для утверждения своего алиби вы настояли на участии в ваших махинациях этих двух девушек.

— Вы сами-то представляете, о чем говорите, Лэм? Потому что я не представляю...

— После того, как вы убедились, что управляете ситуацией и все улажено, вы поспешно возвращаетесь в мотель, переодевшись в кожаную куртку и надев морскую фуражку яхтсмена. Входите в номер и намеренно оставляете улику, чтобы я обратил на нее внимание. Только не могу никак понять, по какому принципу вы выбрали именно этот мотель. Может, вам приходилось раньше в нем останавливаться?

Очень медленно, весь дрожа от сдерживаемого гнева, Карвер сказал:

— Меня предупреждали о том, что собой представляют частные сыщики. Мне говорили, что они шантажируют своих клиентов, если могут на этом что-нибудь заработать. Теперь понимаю, что мне стоило прислушаться к этим предупреждениям. Первое, что я сделаю в понедельник утром, — это позвоню в свой банк и попрошу аннулировать выданный вашему агентству чек. А сейчас я пошлю телеграмму о том, что выплата по чеку приостанавливается. Я категорически протестую против вашего вмешательства не в свои дела. Протестую против ваших попыток шантажа. И вы сами, мистер Лэм, мне тоже не нравитесь.

Я попытался сыграть своей последней козырной картой.

— Думаю, вашему отцу тоже не понравится, если его сын получит отрицательное паблисити, если станет известно, что он, совершив аварию, скрылся. Мы могли бы урегулировать это дело, мистер Биллингс...

— Одну минутку, — сказал он, — подождите меня здесь, Лэм. У меня кое-что есть для вас. Ждите меня и никуда не уходите.

Он повернулся и вышел из комнаты.

Я подошел к удобному мягкому креслу и опустился в него. Послышались чьи-то шаги, дверь открылась, и Биллингс вернулся вместе с пожилым мужчиной.

— Это мой отец. У меня нет от него секретов. Отец, это Дональд Лэм. Он частный детектив из Лос-Анджелеса. Я нанял его через агентство, чтобы разыскать людей, которые были со мной во вторник вечером в мотеле в Лос-Анджелесе. Он провел блестящую работу по розыску этих людей, и у меня есть его письменный отчет. Я передал агентству, в котором он работает, дополнительный чек на пятьсот долларов за хорошую работу, хотя совсем не уверен, что с моей стороны было этично так поступать. И после этого он появляется в моем доме и пытается меня шантажировать. Теперь обвиняет меня в том, что я пытался якобы состряпать себе фальшивое алиби, и считает меня замешанным в дорожном инциденте — наезде на человека и попытке уехать с места происшествия во вторник вечером. Сам же несчастный случай, полагаю, произошел около Пост и Полк-стрит. Скажи, отец, что мне делать?

Джон Карвер Биллингс Первый взглянул на меня так, будто я только что, как насекомое, пролез в щель двери и он хочет меня хорошенько рассмотреть, прежде чем раздавит ногой.

— Выброси за дверь этого сукина сына! — приказал он.

— Вашего сына не было во вторник вечером в этом мотеле. Он просто был занят созданием себе фальшивого алиби, и у него ничего из этого не вышло. Поэтому, если будет произведено расследование, сам факт, что он пытался создать себе алиби, сразу бросит на него тень и одновременно лишит его симпатии суда и публики. Я просто пытаюсь помочь вашему сыну.

Биллингс-старший продолжал разглядывать меня с явным пренебрежением.

— Вы закончили, мистер... мистер?..

— Лэм. Дональд Лэм.

— Так вы закончили, мистер Лэм?

— Вполне.

Биллингс повернулся к сыну:

— А теперь, Джон, скажи мне, о чем здесь идет речь?

Волнуясь, Джон облизал губы:

— Папа, честно говоря, я решил погулять в Лос-Анджелесе. Я познакомился с девушкой. Все, что я сделал, — пригласил ее потанцевать. Но, как оказалось, эта девица была любовницей известного гангстера. После того как она меня подставила и исчезла, я познакомился с двумя другими милыми девушками. Я даже не знаю, как их зовут. И мы втроем провели ночь в мотеле.

Я нанял этого человека, папа, чтобы он разыскал этих девушек для того, чтобы в случае необходимости они подтвердили, что я был с ними, а не с этой Морин Обэн. Он очень хорошо выполнил свою работу и теперь старается преувеличить результаты собственного расследования. Ему уже заплатили, но он, видимо, хочет еще денег. Вполне возможно, одна из девушек, которой что-то во мне понравилось, солга-

70

ла этому человеку, чтобы ей тоже достался лакомый кусочек...

— И это все, что ты мне можешь рассказать, Джон?

— Да, это все. Так помоги мне, отец!

Биллингс повернулся в мою сторону:

— Вон дверь. Убирайтесь отсюда!

— А вот теперь меня заинтересовали вы, — улыбнулся я.

Он подошел к телефону, снял трубку и произнес:

— Соедините меня, пожалуйста, с полицией.

— Вам надо попросить к телефону лейтенанта Шелдона, — подсказал я. — Именно Шелдон расследует этот несчастный случай с наездом и последующим бегством водителя машины на углу Пост и Полк-стрит во вторник, около десяти тридцати вечера.

Джон Карвер Биллингс Первый и ухом не повел. Он сказал в трубку:

— Это полиция?.. Я хочу поговорить с лейтенантом Шелдоном.

Конечно, он мог блефовать: в телефоне мог быть запрятан рычажок, который не дал ему соединиться с полицией.

Я подождал. Через мгновение в трубке послышался звук, и Биллингс сказал:

— Говорит Джон Карвер Биллингс, лейтенант. Я хочу вам пожаловаться на действия одного частного детектива, который пытается шантажировать моего сына... Он мне дал вашу фамилию... Кто это? Да, частный детектив из Лос-Анджелеса, Дональд Лэм.

— Фирма «Кул и Лэм», отец, — добавил сын.

— Мне кажется, он из фирмы «Кул и Лэм» в Лос-Анджелесе, — продолжал старик. — Похоже, он ищет подонка, замешанного в дорожном инциденте, который произошел во вторник вечером. Да, да, именно это. Так он и говорит. На Полк и Пост-стрит, около десяти тридцати... Именно об этом речь. Так что мне делать? Да... Я могу?.. Очень хорошо. Я постараюсь задержать его до вашего приезда.

Больше я не стал ждать. Если это и был блеф, то у них было больше шансов переиграть меня, и они легко бросили свои козыри на середину игрального стола. И выиграли.

Я повернулся и вышел. Никто не пытался меня остановить.

Глава 8

Поменяв дважды такси, я оказался в южной части города, на рынке. Я не нырял, я погружался. Это было неплохо для моего поиска.

В маленьком магазинчике на Третьей улице я купил себе рубашку, носки и нижнее белье. В магазине-аптеке приобрел бритвенные принадлежности. После этого оказался в маленькой, тесной, темноватой комнатенке, где, сидя за небольшим столиком у дивана, принялся размышлять, что же произошло.

Джону Карверу Биллингсу Второму нужно было алиби, и это ему было так необходимо, что он потратил массу усилий, денег и времени, чтобы хоть и неудачно, но сфабриковать что-то, что могло его защитить.

Почему?

Наиболее логично было предположить, что он виновник пресловутого наезда, но, похоже, это его не удивило, когда я выложил ему все свои предположения. Или он гораздо более опытный игрок в покер, чем я думал, или я шел по ложному следу.

Спустившись вниз, я позвонил из автомата в квартиру к Элси Бранд и, к счастью, застал ее дома.

— Как там Сильвия? — прежде всего поинтересовалась она.

— Сильвия — прекрасно. Она хочет, чтобы ты ее запомнила.

— Большое ей спасибо, — холодно ответила моя секретарша.

— Элси, боюсь, я иду по ложному следу.

— Как это могло произойти?

— Сам не знаю. Это меня очень беспокоит. Может быть, все-таки ответ на этот вопрос надо искать в Лос-Анджелесе. Я хочу поэтому, чтобы ты кое-что для меня сделала. Прежде всего составь список всех преступлений, совершенных в Лос-Анджелесе во вторник вечером.

— Это будет не маленький список.

— Особое внимание удели тем случаям, в которых водители сбивали человека и скрывались с места происшествия. Меня интересуют особенно те случаи, в которых были сбиты и серьезно ранены прохожие, а машина не пострадала, поэтому особых улик, оставленных на месте, нет. Ты меня понимаешь?

— Да, конечно!

— Просмотри также такие случаи, которые произошли и в окрестностях Лос-Анджелеса, в пятидесяти или, лучше, даже ста милях в округе. Посмотри, пожалуйста, что можно найти. Сможешь, Элси?

— Это срочно?

— Да, срочно.

— Похоже, тебя не беспокоит, что это мой выходной день?

— Когда я вернусь, у тебя будет полно выходных и уик-эндов. Обещаю.

— Много они мне принесут радости, — съязвила Элси.

— Что ты хочешь этим сказать?

— Просто прошу передать привет Сильвии. Да, кстати, куда же мне тебе звонить?

— Когда ты собираешься это делать?

— Завтра утром.

— В воскресенье утром!

— Вот именно. Знаешь, между прочим, ты с каждым днем становишься все больше похожим на Берту, — заявила вдруг Элси.

73

— Хорошо, клянусь, по возвращении я стану уделять тебе больше внимания и дам выспаться. Давай договоримся утром в понедельник? Хочешь? Я позвоню в кредит, так что вы заплатите за звонок, потому что у меня кончаются деньги.

— Дональд, ты можешь звонить когда удобно, и в воскресенье тоже, если хочешь. Я сделаю все, что смогу...

— Нет, думаю, к этому времени ты не сможешь получить нужные мне сведения, сегодня же суббота.

— Откуда ты знаешь? Сегодня меня на обед пригласил в ресторан полицейский детектив.

— Ты действительно все успеваешь! А кто он?

— Да так, местный. Мне для этого не надо ехать в другой город.

Я засмеялся.

— Ладно, Элси! Давай созвонимся в понедельник. Это тоже достаточно скоро.

— Честно? Ну, тогда до скорого, — сказала она уже мягче и повесила трубку.

Я вышел и направился на угол Полк и Пост-стрит, чтобы осмотреться. Это был очень удобный для столкновения перекресток: тот, кто ехал по Пост-стрит и видел знак «идите», прибавлял скорость, чтобы успеть проехать его, если он видел, что на Полк-стрит было пусто.

На углу парнишка продавал газеты. Движение машин было довольно интенсивное. Я вынул из кармана список свидетелей, который дал мне лейтенант Шелдон, и задумался, на самом ли деле он полный. В нем числилась женщина, которая просто была названа «продавщицей», мужчина, работающий рядом в аптеке, механик по машинам, который, как было сказано, «все это видел собственными глазами со своего рабочего места где-то посередине квартала», и, наконец, продавец сигар в небольшом киоске, который, услышав громкий звук столкновения машин, выбежал, чтобы посмотреть, что произошло.

Но в этом списке отсутствовал почему-то парнишка, продающий газеты. Я попытался обдумать эту мысль, потом подошел к нему и купил утренний выпуск, дал ему вдвое больше и разрешил оставить себе сдачу.

— Ты регулярно торгуешь здесь? — задал я ему вопрос.

Он кивнул, продолжая внимательным взглядом осматривать прохожих и проезжающие машины, выискивая потенциального покупателя.

— Ты здесь каждый вечер?

Он опять кивнул.

— Как же так получилось, что ты не рассказал полиции всего, что знал об этом наезде здесь, на углу, во вторник вечером? — внезапно задал я ему вопрос.

Он попытался сразу было бежать, но я успел схватить его за руку.

— Перестань, парень, не бойся и расскажи мне все.

Парнишка был похож на пойманного кролика.

— Вы не имеете права меня хватать и толкать! — тоненько заверещал он.

— Кто это тебя толкает? — возмутился я.

— Вы, кто ж еще!

— Ты, парень, не знаешь, как толкают. Скажи-ка, сколько тебе заплатили, чтобы ты молчал?

— Пошел ты знаешь куда!..

— Ты в курсе, парень, как это называется? Содействие уголовному преступлению.

— У меня тоже есть друзья в полиции, — нашелся он. — Но вы-то ведь, я знаю, не оттуда. Эти ребята не позволят вам так со мной обращаться.

— Может, у тебя и есть друзья в полиции, и ты действительно имеешь сейчас дело с человеком не из полиции. Но скажи, среди твоих знакомых найдется хороший судья?

При этих словах парня словно передернуло.

— Хороший друг из судейских тебе бы сейчас очень не помешал. Да, ты прав, я не служу в полиции. Я частный детектив и очень суровый.

— Да что вы ко мне пристали, что я такого сделал?

— Отвечай, кто тебе заплатил за молчание?

— Никто мне не платил.

— Может, ты хочешь заняться вымогательством?

— Имейте совесть, мистер. Да, меня хотели подкупить, но я понял, что не смогу пойти на это.

— Почему же?

— Потому что у меня уже были неприятности в Лос-Анджелесе. Я был освобожден под честное слово и сбежал снова. Продавать газеты мне тоже нельзя легально. Там, в Лос-Анджелесе, надо было отмечаться у полицейского, условно выпустившего меня на поруки, каждые тридцать дней. Но мне это не нравилось, и я сбежал сюда, в этот город, и стал продавать газеты тут.

— И все-таки почему ты не рассказал о том, что видел во время этого несчастного случая?

— Как я мог? Мне казалось, что я правильно себя повел. Я записал номер машины этого парня и хотел передать его полицейским, когда вдруг понял, что не могу этого сделать. Чем бы это для меня кончилось? Окружной прокурор вызвал бы меня в суд как свидетеля, и адвокат обвиняемого тут же начал бы меня терзать. Сразу бы обнаружилось, что я нарушил все правила и сбежал, когда меня выпустили на поруки. Суд тоже не поверил бы мне, и меня бы отослали обратно в Лос-Анджелес, в приемник для нарушителей.

— Ты очень умен для парня твоих лет! — сделал я ему комплимент.

— Да, я уже не ребенок.

Посмотрев на лицо рано повзрослевшего мальчика с острым, умным взглядом быстро бегающих глаз, проницательно меня рассматривающих, как будто старающихся обнаружить мое самое слабое место, я почувствовал под своими пальцами худенькое плечо.

— Ну, ладно. Ты был со мной честен, и я буду с тобой откровенен. Сколько тебе лет?

— Семнадцать.

— И как же ты здесь живешь? Как справляешься с жизнью?

— У меня все прекрасно. Больше никаких нарушений закона... Там, в даунтауне[1] Лос-Анджелеса, у меня слишком много друзей. Я состоял членом одной банды, и ребята надо мной потешались, если я не грабил и не делал того, чего они от меня требовали.

— А чем они занимались?

— Поверьте мне, мистер, они не брезговали ничем. Мы все начинали еще маленькими детьми, но когда во главе банды стал Батч, он потребовал от всех, чтобы члены банды работали на нее как бы на постоянной основе. Он был жесток, и его все боялись.

— Почему же ты не рассказал все это офицеру полиции, который тебя условно выпустил на поруки?

— Думаете, я могу быть предателем?

— Ну почему бы тебе, парень, просто не оставаться дома и не заниматься своими делами?

— Не говорите глупостей!

— И ты сбежал сюда, чтобы больше с ними не связываться?

— Ну да, так я и сделал.

— И теперь ты в самом деле ни с кем не связан?

— Ни с кем.

— Дай мне номер машины, а я попытаюсь вытащить тебя из этих неприятностей.

Он достал из кармана клочок бумаги, оторванный от края газеты, на котором твердым карандашом был нацарапан номер. Я внимательно рассматривал его, а парнишка в это время продолжал рассказывать энергичным, слегка подвывающим голосом:

— Эта машина, что сбила того парня... Водитель ее на огромной скорости скатился с холма и чуть не

---

[1] Д а у н т а у н — центр города.

сбил меня самого. Именно после этого я пришел в бешенство и вынул карандаш, чтобы записать его номер. За рулем сидел толстый мужчина средних лет, рядом, прижавшись к нему, — маленькая блондинка. В тот момент, когда они подъехали к перекрестку, она пыталась его поцеловать, или он целовал ее, или они оба сразу целовались... Я не совсем понял, как это было.

— И что ты сделал в этот момент?

— Я отпрыгнул в сторону и подумал, что этот малый сейчас врежется в край тротуара. Я записал номер машины на клочке бумаги, когда он врезался в этого парня, стоявшего у обочины.

— И что случилось потом?

— Потом он на минуту совсем сбавил скорость, женщина что-то ему сказала, и он помчался дальше не останавливаясь.

— И никто за ним не погнался?

— Один парень попытался, но едва он вырулил на дорогу, как какой-то дуралей начал отъезжать от тротуара. Именно в этот момент они и столкнулись с такой силой, что потом все кругом было засыпано битым стеклом. В это время уже вовсю кругом забегали люди, старались помочь сбитому старику, и тут-то я внезапно понял, что нахожусь в центре этой самой заварухи. Если полиция приедет и начнет свои расспросы, я окажусь конченым человеком.

— Так кто это был, тот водитель?

— Я же вам сказал, не знаю. Все, что мне известно, это то, что он был за рулем темного седана, мчался с огромной скоростью и что он и его девица целовались в тот момент, когда все это случилось на перекрестке.

— Он был пьян?

— Как я могу утверждать? Просто он был занят другими вещами, помимо вождения автомобиля. Ну, вот я вам и помог, мистер. Теперь дайте мне уйти.

Я протянул ему пять долларов:

— Иди купи себе кока-колу, приятель, и больше ни о чем не беспокойся.

Он посмотрел на протянутую пятерку с некоторым колебанием, потом схватил ее и засунул в карман.

— Ты бы узнал этого подонка, если бы его снова увидел, — того, что вел машину?

Он посмотрел на меня сразу ставшими хитрыми и жестокими глазами.

— Нет, — был его ответ.

— Думаешь, не смог бы его узнать, даже если бы он стоял в одном ряду с другими на опознании?

— Нет.

Расставшись с продавцом газет, я стал просматривать список регистрационных номеров машин и вскоре определил, что автомобиль-нарушитель принадлежал Харви Б. Лудлоу, который жил недалеко, в доме около пляжа. Машина оказалась «кадиллаком»-седаном.

Глава 9

В воскресенье я проспал до полудня в своей трущобе на южной окраине города. Мой завтрак в небольшом ресторанчике состоял из яичницы, жаренной на неизвестном масле, мутного кофе и остывшего, непрожаренного тоста.

Купив воскресные газеты, я вернулся к себе в комнатушку с потертым ковром, жестким стулом и стареньким столом.

Наконец-то в газете появились новости о Габби Гарванза. Он выписался из госпиталя сам, и его внезапное исчезновение свидетельствовало о том, что он опасался за свою жизнь. Его сиделки и врач утверждали, что они ничего не знают, когда он исчез. Гарванза быстро поправлялся после ранения и уже мог передвигаться без посторонней помощи. В тапочках, пижаме и домашнем халате он отправился в конец коридора, где был расположен солярий. Когда через некоторое время его сиделка отправилась туда за ним, его уже в солярии не было.

Обыскали весь госпиталь, но Габби Гарванза словно испарился. Тогда предположили, что игрок и гангстер предпочел побег перспективе быть украденным своими многочисленными врагами.

В палате остались все его вещи, которые ему туда принесла Морин Обэн на следующий день после того, как на него было совершено нападение. Среди вещей остался костюм стоимостью в триста пятьдесят долларов, шелковая рубашка, двадцатипятидолларовый галстук ручной росписи, который был на нем в тот роковой день и который был приобщен к делу в качестве улики. Пятна крови вокруг отверстий от пуль на костюме и рубашке оставляли надежду, что спектрографический анализ опаленных по краям нитей ткани что-либо покажет.

На следующий день после случившегося Морин Обэн принесла целый чемодан вещей, среди которых был еще один трехсотпятидесятидолларовый костюм, сшитый портным, сделанные по специальному заказу семидесятидолларовые туфли, еще один двадцатипятидолларовый галстук ручной работы и несчетное число модных шелковых рубашек, носков, платков. Все это она оставила в госпитале. Исчезнувший же потерпевший ушел в одной пижаме, больничном халате и шлепанцах.

Персонал госпиталя был уверен в том, что человек в такой одежде не мог пройти ни через один из выходов госпиталя, тем более не смог уехать на такси.

Полиция между тем констатировала, что, несмотря ни на что, Габби Гарванза исчез, просто растворился в воздухе.

Многие критиковали полицию за то, что у палаты не был выставлен специальный пост охраны, однако она отвергала всякую критику, приводя неопровержимый довод о том, что Гарванза сам являлся объектом охоты. Однако не стрелял и вообще не был вооружен, когда находился в ресторане. У полиции было и так немало обязанностей, не менее важных, чем охрана известного гангстера, который, похоже, оказался жертвой тех, кого пресса назвала участниками «прибыльного рэкета». И все это происходило на глазах у многих, несмотря на заявления полиции о том, что в городе запрещены азартные игры и что он очищен от рэкетиров подобного рода.

Я взял ножницы, вырезал статью из газеты и, сложив ее, спрятал в бумажник. Я мог себе позволить в этот день не работать и провести его в постели, читая и обдумывая сложившуюся ситуацию.

В понедельник утром я отправился за газетами.

На первой полосе была изложена в подробностях вся история. Тело Морин Обэн было найдено в неглубокой яме, присыпанной песком, около Лагуна-Бич, известного океанского курортного местечка к югу от Лос-Анджелеса. Последний приют красавица обрела в могиле, вырытой выше уровня прибоя, но ветер разметал легкий земной покров, и запах разложившегося тела ощутили купающиеся; вскоре было найдено и тело самой Морин.

Судя по небрежности, с которой все это делалось, полиция предполагала, что могила была вырыта в спешке ночью и что молодая женщина была уже мертва, когда ее тело привезли на пляж в машине и выбросили из нее с песчаного откоса вниз. Затем убийца торопливо вырыл могилу и был таков.

Следователь, производивший дознание по делу о насильственной смерти, полагал, что женщину лишили жизни неделю назад. Эксгумация показала, что в нее стреляли, и оба раза в спину. Хладнокровное и безжалостное убийство. Каждая из пуль могла оказаться для нее смертельной, и кончина ее была мгновенной.

Обе пули были найдены. Полицейские Лос-Анджелеса, которые сначала делали вид, что умывают руки в связи с отказом Морин помочь дать информацию по поводу нападения на Габби Гарванза, теперь предпочли помалкивать, воздерживаясь от комментариев. Шериф графства метал громы и молнии в адрес гангстеров.

Ввиду такого оборота событий был объявлен розыск молодого человека, с которым в последний раз видели Морин Обэн той ночью, когда, по предположению полиции, Морин была убита. В распоряжении полиции имелось описание внешности этого молодого человека, поэтому всех тщательно проверяли.

Я пошел к телефону и позвонил в офис Элси Бранд, заказав разговор с оплатой за счет абонента. Я слышал, как оператор на другом конце провода сказал: «Миссис Кул оплачивает все звонки Дональда Лэма».

Через мгновение в трубке раздался истерический голос Берты:

— Ты, чертов слабоумный идиот! Интересно, чем это ты там занимаешься? Кто, по-твоему, ведет наши дела?

— Ну, что еще случилось? — еще не понимая, о чем идет речь, спросил я.

— И ты еще спрашиваешь, в чем дело? — продолжала кричать она. — Мы в ужасном положении. Ты пытался шантажировать клиента; он собирается аннулировать наши права. Клиент отложил оплату пятисот долларов по чеку... И он еще спрашивает, в чем дело!.. В чем дело?.. Зачем ты сунул свой нос в Сан-Франциско? Полиция города ищет тебя, агентство в опасности, пятьсот долларов ушли в песок, и ты еще названиваешь за счет агентства? В чем, черт возьми, ты полагаешь, дело?

— Мне нужно получить кое-какую информацию от Элси Бранд, — сумел прорваться я сквозь ее истерику.

— Тогда сам плати за свои звонки! — заорала Берта. — Больше я не собираюсь оплачивать твои звонки! — С этими словами она бросила трубку с такой силой, что та неминуемо должна была соскочить с рычага.

Я тоже повесил трубку, сел тут же в будке и посчитал оставшиеся у меня деньги: моей наличности не хватало даже на то, чтобы перезвонить Элси Бранд. Я пошел на телеграф и послал ей телеграмму, которую оплатить, получив, должна была она сама:

«СООБЩИ МНЕ ИНФОРМАЦИЮ, ЗАРАНЕЕ ОПЛАТИВ. ПОЗВОНЮ ЧЕРЕЗ «ВЕСТЕРН ЮНИОН».

Берте, надеюсь, не придет в голову проверять наличие неоплаченных телеграмм.

Я вернулся в свою крысиную дыру, в отель, бросился на кровать и стал ждать свежих газет и сообщений от Элси.

Появившаяся в полдень пресса Сан-Франциско была полна нужной мне информацией. Убийство Морин Обэн внезапно приобретало серьезное значение. Первые страницы пестрели заголовками типа:

«СЫН ИЗВЕСТНОГО БАНКИРА СОГЛАСИЛСЯ ДАТЬ ИНФОРМАЦИЮ ПО ПОВОДУ УБИЙСТВА ГАНГСТЕРА».

Я внимательно прочел откровения Джона Карвера Биллингса Второго, который добровольно поведал полиции, что именно он пригласил потанцевать Морин Обэн в полдень в небольшом ресторанчике и именно его привлекательность побудила красивую любовницу гангстера бросить свою компанию. Далее он рассказал, как его успех быстро сменился унижением, когда красотка пошла попудрить нос в женскую комнату и более не появилась. Далее молодой Биллингс откровенничал по поводу того, как он познакомился в этом же ресторанчике с двумя девушками из Сан-Франциско и провел остаток вечера с ними. Он не знал имен девиц, пока не разыскал их с помощью детективного агентства в Лос-Анджелесе.

Биллингс дал полиции имена этих женщин, но так как они были уважаемыми молодыми особами, работающими в деловых кругах Сан-Франциско, и, принимая во внимание, что их контакт с Биллингсом ограничился лишь несколькими бутылками выпитого вместе дринка и тем, что он показал им ночной Лос-Анджелес, полиция сочла возможным не называть их имена. Однако известно, что с ними встречались и они подтвердили рассказ Биллингса во всех деталях.

Все газеты напечатали прекрасную фотографию Джона Карвера Биллингса, хорошо исполненную, четкую фотографию, сделанную газетным репортером.

Я зашел в редакцию газеты и в отделе искусства за пару хороших сигар получил добротный отпечаток этой фотографии — с настоящим, живым Джоном Карвером Биллингсом Вторым на ней.

Потом опять отправился на телеграф. От Элси не было ни слова. Тогда я взял такси и поехал к Милли Родес. Она оказалась дома.

— Привет, — сказала она, открывая дверь, — входи!

Глазки у нее блестели от возбуждения. На ней было нарядное платье, которое явно было только что вынуто из коробки с названием одного из самых дорогих магазинов Сан-Франциско.

— Не работаешь? — поинтересовался я.

— Сегодня нет, — ответила она, загадочно улыбаясь.

— Я думал, твой отпуск закончился и ты уже должна ходить на службу.

— У меня изменились планы.

— И работа, чувствую, тоже?

— Я теперь домашняя хозяйка.

— С каких это пор?

— С тех, как мне этого захотелось.

— Ну и как тебе нравится?

— Не говори глупостей.

— Ты сжигаешь за собой мосты, Милли.

— Пусть они себе горят!

— А если захочешь вернуться обратно?

— Только не я. Я никогда не вернусь к прошлому, бери выше — я живу ради будущего!

— У тебя новый наряд?

— Не правда ли, он великолепен? И идет мне. Я его отыскала в одном магазине, он сидит на мне, будто я для него рождена. Представляешь, не понадобилось ничего исправлять и подгонять. Я просто в восторге от него. — При этих словах она подошла к зеркалу, которое отражало ее в полный рост. Слегка подняв руки, она повернулась медленно вокруг, так, чтобы я мог рассмотреть каждую линию и строчку.

— В самом деле, хорошо сшито и очень тебе идет.

Милли села, скрестив ноги и разглаживая на коленях юбку легкими ласкающими движениями.

— Ну, так что ты хочешь от меня на сей раз? — спросила она.

— Я не хочу, чтобы ты сжигала за собой все мосты, Милли. Достаточно было твоего вранья мне по поводу алиби Джона Карвера Биллингса.

— Джона Карвера Биллингса Второго, — поправила она меня с улыбкой.

— Второго, — признал я ошибку. — Говорить мне неправду — одно, но врать полиции — совсем другое дело.

— Послушай, Дональд, ты кажешься внешне хорошим парнем. Ты ведь детектив, поэтому у тебя такая подозрительная и мерзкая натура. Ты сам пришел сюда и предположил, что я лгу из желания создать Джону Карверу Биллингсу алиби. Я согласилась с тобой исключительно из желания посмотреть, что ты скажешь в дальнейшем.

— Ты не выдержишь перекрестного допроса и не сможешь придумать сколько-нибудь состоятельной истории.

Она засмеялась, будто все, что я говорил, было чрезвычайно забавным.

— Я просто хотела, чтобы ты высказался, Дональд, неловко было как-то затыкать тебе рот.

Она села на диван рядом со мной, положила одну руку мне на плечо и мягко, доверительно сказала:

— Дональд, когда же ты наконец повзрослеешь?

— Я уже повзрослел.

— Пойми, невозможно иметь деньги и влияние одновременно, во всяком случае — не в этом городе.

— У кого они водятся, деньги? — бросил я раздраженно.

— В настоящий момент они есть у Джона Карвера Биллингса Второго.

— Хорошо. А у кого влияние?

— Я отвечу тебе на вопрос: у Джона Карвера Биллингса.

— Ты упустила «Второго», — саркастически заметил я.

— Нет, не упустила.

— Ты хочешь сказать, что...

Она кивнула.

— Я имею в виду Джона Карвера Биллингса старшего. Влияние — у него.

Я задумался на мгновение.

— Ты слишком далеко высунулся, — между тем продолжала она. — Ты сделал многое, чего делать тебе не следовало. Говорил вещи, о которых надо было помолчать. Почему ты не можешь не ввязываться и не противоречить, когда не надо, Дональд?

— Потому что я не так устроен.

— Ты потерял пятьсот долларов, рассорился с полицией. Отдан приказ разыскать тебя, и у тебя будут неприятности. Не будь же ребенком, веди себя соответственно возрасту, надо все это немедленно уладить, тогда полиция аннулирует ордер на твой арест, чек на пятьсот долларов будет опять подтвержден.

— Значит, ты снова возвращаешься к этой злополучной версии с алиби?

— Я и не отказывалась никогда от этой версии, — мечтательно произнесла она и продолжала: — Джон Карвер Биллингс Второй, Сильвия Такер и я — мы придерживаемся ее. Ты же явился ко мне, выслушал и потребовал, чтобы я изменила ее содержание. Для тебя. А теперь ты заявляешь, что я рассказывала что-то другое. Я это целиком отрицаю! Джон Карвер Биллингс Второй говорит, что ты пытался его шантажировать. В полиции тоже заявляют, что ты все время что-то вынюхивал, чтобы отыскать какие-то улики и шантажировать своего клиента. Поверь мне, ничего умного ты не делаешь, Дональд.

— Значит, ты уже решила заложить меня?

— Нет, я просто захотела кое-что приобрести для себя.

— Милли, тебе не открутиться, и не пытайся даже!

— Занимайся своими делами и не лезь в мои. Я как-нибудь сама их решу.

— Милли, не делай этого. Тебе в любом случае не уйти от ответа. Произойди перекрестный допрос, и ты поймешь, во что ты замешана, но будет, увы, поздно.

— Ну давай, устрой здесь, прямо сейчас этот свой перекрестный допрос!

— Что хорошего в том, если я тебя, Милли, загоню в ловушку? Ты что, поумнеешь от этого или сумеешь вывернуться, наврав с три короба?

— Я и сейчас достаточно благоразумна, Дональд. Почему бы и тебе не последовать моему примеру?

— Пойми же наконец, ты имеешь дело с шайкой любителей, а не профессионалов. Они думают, что в состоянии все уладить. Ты же хорошая девчонка, Милли, и мне будет крайне неприятно видеть тебя замешанной в эту криминальную историю. Для тебя все может кончиться очень плохо.

— Напротив, думаю, что все плохо кончится для тебя.

Направляясь к двери, я зло бросил на прощанье:

— Очень скоро мы увидим, у кого начнутся серьезные неприятности.

Она побежала за мной:

— Не уходи так, Дональд! Не уходи!

Я оттолкнул ее. Но она обняла меня за шею:

— Дональд, ты же такой замечательный парень! И мне так не хочется узнать, что на тебя свалятся неприятности. Не забывай, ты имеешь дело с силой, влиянием и деньгами. Они раздавят тебя и выбросят, если не хуже... Дискредитируют твое имя, заявив, что ты занимался вымогательством, тебя лишат твоих прав на работу... Дональд, ну пожалуйста! Я могу все для тебя устроить наилучшим образом. Я уже поставила им условие: или они все должны с тобой уладить, или я не буду иметь с ними никаких дел. Они мне обещали, Дональд.

— Милли! — ответил я. — Давай посмотрим на это дело хладнокровно, с точки зрения логики. Джону Карверу Биллингсу пришлось заплатить за свое алиби тысячу долларов, и это не считая того, что они заплатили тебе. Я подозреваю, что Сильвия — более мягкий человек, и ей они много не дали. В первый раз тебе вручили двести пятьдесят долларов. Во второй они, похоже, заплатили тебе более щедро, и ты сразу начала покупать себе наряды и чемоданы. Похоже, ты даже под присягой собираешься подтвердить то, что они от тебя требуют, а потом с легким сердцем отправишься путешествовать, может быть даже в Европу.

— Так и быть, расскажу тебе, как на самом деле все это произошло. Они послали за мной, заплатили, заплатили очень большие деньги и обещают мне свое покровительство и поддержку впредь. Я не еду в Европу. Я отправляюсь в Южную Америку. Ты понимаешь, что это значит для меня?

— Конечно, понимаю, это и значит, что ты делаешь под присягой свое заявление, Биллингс оказывается невиновным, и ты уплываешь на корабле в страну, где будешь недосягаема для юрисдикции суда. По крайней мере, временно. При желании они смогут тебя допросить только через американское консульство той страны, куда ты отбываешь...

— Все совсем не так, Дональд, ты смотришь на это со своей колокольни. Я — со своей. Ты знаешь, каково приходится девушке, попавшей в большой город и оставшейся одной, без всякой поддержки? Она встречается со множеством мужчин, плейбоев. Все только и хотят одного — поиграть с ней. Вначале кажется, что ты просто флиртуешь и тебе даже нравятся эти игры. Впервые в жизни ты себя чувствуешь взрослой, тебе дозволено все, что прежде было запрещено. Ты личность, абсолютно свободна, и никто тебя не опекает. Ты снимаешь квартиру, сама себе хозяйка, сама зарабатываешь на жизнь и не обязана ни у кого спрашивать разрешения, как себя вести. Тебе кажется, что у тебя полно времени, чтобы устроить свою жизнь, когда ты сама будешь к этому готова. У тебя есть работа, постоянная и регулярная зарплата. Ты сама покупаешь себе одежду и можешь делать что угодно и когда угодно... Первое время чувствуешь удивительную свободу и радость, но потом сахарная оболочка постепенно облетает, а под ней остается горькая действительность.

Ты совсем не так свободна, как тебе казалось. Ты понимаешь, что являешься просто винтиком в экономической и социальной машине общества и можешь достигнуть только определенного уровня: дальше тебя не пустят. Хочешь поиграть? Пожалуйста, тебя познакомят с богатыми бездельниками. Но если ты будешь стремиться к чему-то более серьезному, тебя загонят в угол. Через какое-то время ты начинаешь мечтать о стабильности своей жизни, о том, чтобы иметь свой дом, детей, о том... чтобы добиться уважения, стать респектабельной женщиной с положением. Тебе хочется иметь рядом мужчину, которого ты можешь любить и уважать, кому ты можешь стать верной и преданной женой, посвятить свою жизнь. Ты хочешь иметь мужа, свой дом и видеть, как растут твои дети.

Но ты не встречаешь на своем пути никого, кто бы пожелал стать твоим верным спутником жизни или стремился иметь с тобой общий дом. Потому что на тебе клеймо проститутки. Ты получала удовольствие от жизни — теперь расплачивайся. Маленькая бухгалтерша находит себе в мужья холостого парня из департамента статистики. Тебе же никто не предлагает руку и сердце. У тебя предложения иного рода. Тебя хорошо знают даже старшие официанты, и они могут оказать тебе внимание, но на тебе клеймо.

Женатые мужчины в офисе в свободное время ухаживают за тобой, твой босс может хлопнуть тебя по мягкому месту, проходя мимо, может рассказать тебе анекдот сомнительного свойства и при этом считать себя неотразимым. Ты встречаешь на своем пути множество парней, которые на первый взгляд кажутся очень нормальными, которые клянутся, что они все холостяки. Но после пятого дринка они вытаскивают свой бумажник и показывают тебе фотографии детей и жены...

Дональд, я поеду на этом корабле... Там никто обо мне ничего не знает — ничего о моем прошлом. У меня красивые вещи, я интересная, шикарная женщина... Буду сидеть весь день в шезлонге на палубе и рассматривать пассажиров. Среди них я отыщу того, кто будет по-настоящему свободным и... холостым.

— Ты собираешься забросить крючок в первого, что попадется тебе на пути? — спросил я.

— Ну, я уж не настолько нетерпелива, как ты думаешь. И еще не так низко пала. Но я найду того, кто мне будет интересен и кто заинтересуется мной. У меня будет возможность с ним поговорить, понять, что он за человек, чего он хочет в жизни. Я поближе с ним познакомлюсь, по-настоящему узнаю его. Словом, все будет так, как у всех порядочных женщин.

А что сейчас? Кто-то наспех, между прочим знакомит тебя с симпатичным мужчиной, он приглашает отобедать в ресторан. Я мчусь домой, принимаю душ, надеваю вечернее платье, накладываю убойную косметику, чтобы выглядеть на все сто. Мы идем обедать, но ровно через десять минут мне становится ясно, чего он хочет и ждет от меня. И с этого момента все катится, как всегда, и выясняется, что он покупатель-оптовик из Лос-Анджелеса, у которого жена и двое детей. Он обожает свою семью и думает, что он в сексе — волк, и мне приходится прикидываться, что это так и есть на самом деле...

А мне бы хотелось провести один день с понравившимся мне мужчиной, пойти с ним в гости, познакомиться с новыми интересными людьми, поехать в Рио-де-Жанейро, бродить там по маленьким магазинчикам... И он не будет думать обо мне как о случайной знакомой, не будет красть минуты у семьи, у домашнего очага, не будет приставать, а получив желаемое, в спешке бежать домой...

— Похоже, тебя кто-то будто околдовал, показав проспект туристического путешествия, на котором изображены девушка и парень, танцующие под лунным светом, отражающимся в темных тропических водах океана, — фото счастливой пары, с замиранием сердца танцующей под звуки романтической музыки в объятиях друг друга. Ты...

— Перестань, Дональд! — сказала она, рассмеявшись. — Ты способен одним словом уничтожить всю радость от описанной мной картины.

Что-то в ее смехе, интонации вдруг насторожило меня. Я повернулся и посмотрел на девушку: у нее в глазах стояли слезы.

— Перестань, Милли. Ну что с того, что тебе до сих пор приходилось сталкиваться с такого рода экземплярами и что все твои друзья только такие. Что с того, что, как тебе кажется, на тебе ярлык? Ну почему просто не сменить место жительства, познакомиться с новыми людьми, найти новую работу?

— О чем ты толкуешь, Дональд? Бросить все, ради чего я столько времени работала, начинать опять с нуля на зарплату Армии спасения?.. Да я умру от этого! Мне нужно действовать, Дональд. Я хочу выбраться отсюда и быть в новом, светском обществе, хочу видеть новых людей. Я не люблю быть привязанной к одному месту, не такой я человек: хочу видеть в театре новые интересные спектакли, слушать красивую музыку, танцевать в лучших ночных клубах, хочу жить в роскоши!..

— Ты не сможешь все это иметь, ведь у тебя нет ни связей, ни денег.

— Смогу, если буду путешествовать первым классом.

— Милли, ты строишь роскошные воздушные замки, но должна будешь за все расплачиваться.

— Перестань мне напоминать, что я должна делать!

— И не забудь: тебе предъявят обвинение в даче ложных показаний...

— Дональд, не лей на меня холодную воду. У меня свидание с моим будущим. И я намерена с ним повстречаться. Да! Тысячи раз в своей жизни я не делала каких-то вещей, которые мне хотелось делать, боясь последствий. И всегда приходила к выводу, что случалось множество событий, но не тех, которых я боялась, которые должны были произойти. Если ты не сделаешь в своей жизни чего-то, что хочешь сделать, ты совершенно точно этого никогда не совершишь. Это окончательно и сомнению не подлежит, и ты, возможно, пожалеешь, что не сделал чего-то. А если сделаешь то, что хочется сделать, может быть, и угодишь в какие-то неприятности. Но уж лучше ввязаться в них и выйти победителем, чем запереться у себя в чулане и прозябать, спрятавшись от жизни... Дональд, я все для себя решила: еду в Рио.

— Когда? — спросил я.

— Когда и как — это пока секрет, я не собираюсь это обсуждать, но еду. И ты будешь удивлен, если узнаешь, как скоро это произойдет.

— Ну что же, — сказал я, — торопишься на свои похороны, не мои...

— Опять ошибаешься, это моя свадьба.

— Тогда не забудь прислать мне приглашение!

— Конечно, Дональд... Дональд?

— Что, Милли?

— Ты женат? — У нее на губах заиграла улыбка.

— Нет, — сказал я и открыл дверь, чтобы теперь уже и в самом деле попрощаться. И уже за спиной, когда был в коридоре, вдруг услышал:

— Так и знала, Дональд, что ты холостой.

От Милли я направился прямо в офис «Вестерн Юнион» и послал Элси Бранд телеграмму:

«МЕНЯ ИНТЕРЕСУЮТ ТОЛЬКО УБИЙСТВА. СТАВКИ СЛИШКОМ ВЕЛИКИ ДЛЯ ЧЕГО-ТО НЕЗНАЧИТЕЛЬНОГО. ТЕЛЕГРАФИРУЙ ОТВЕТ. ПОСПЕШИ».

Глава 10

Я съел большую тарелку «чили» и отправился на телеграф. Там меня ждала телеграмма:

«НЕ БЫЛО СОВЕРШЕНО НИ ОДНОГО УБИЙСТВА. ОДНО ПОКУШЕНИЕ НА УБИЙСТВО В ОФИСЕ. ТЫ ЧИТАЛ О МОРИН. МОЖЕТ ЛИ ЭТО БЫТЬ ОТВЕТОМ НА ВОПРОС ИЛИ ЭТО СЛИШКОМ ПРОСТО? С ЛЮБОВЬЮ *ЭЛСИ*».

Я уже положил было телеграмму в карман, когда меня окликнул оператор:

— Подождите минутку, мистер Лэм, мы принимаем сейчас еще одну телеграмму для вас. Она длинная.

Я сел и стал ждать, пока одна из операторов снимала ленту с телетайпа и наклеивала ее на бумагу.

Когда она протянула ее мне, я заметил любопытствующий взгляд, которым обыкновенный обыватель смотрит на известных преступников, частных детективов и проституток.

— Распишитесь здесь, — показала она мне место на листе бумаги.

«ДЛЯ ТВОЕЙ ИНФОРМАЦИИ, УДРАВШИЙ ИЗ ГОСПИТАЛЯ Г.Г. СЕЙЧАС НАХОДИТСЯ НА БОРТУ ЮНАЙТЕД ЭРЛАЙНС, РЕЙС 665, УЛЕТАЮЩИЙ ИЗ ЛОС-АНДЖЕЛЕСА В ТРИ ЧАСА И ПРИБЫВАЮЩИЙ В САН-ФРАНЦИСКО В ЧЕТЫРЕ ТРИДЦАТЬ СЕГОДНЯ. ОН ПУТЕШЕСТВУЕТ ПОД ИМЕНЕМ ДЖОРДЖА ГРЕНБИ И ДУМАЕТ, ЧТО ЭТО НИКОМУ НЕИЗВЕСТНО. Я УЗНАЛА ОБ ЭТОМ ЧЕРЕЗ СВОЕГО ЗНАКОМОГО, С КОТОРЫМ ГОВОРИЛА ПО ТЕЛЕФОНУ. ЭТО СТРОГО КОНФИДЕНЦИАЛЬНОЕ СООБЩЕНИЕ. БЕРТА ВЗРЫВАЕТСЯ КАЖДЫЕ ТРИДЦАТЬ МИНУТ КАК СТАРЫЙ ГЕЙЗЕР В ЙЕЛЛОУСТОНЕ. ПОСЫЛАЮ ТЕБЕ ДЕНЬГИ ИЗ СВОИХ СБЕРЕЖЕНИЙ, ПОСТАРАЙСЯ ИХ НЕ СЛИШКОМ ТРАТИТЬ, БОЛЬШЕ У МЕНЯ НЕТ. ВСЯ МОЯ ЛЮБОВЬ С СИЛЬВИЕЙ. ТВОЯ *ЭЛСИ*».

— У вас есть какой-нибудь документ, кредитная карточка, водительские права или что-нибудь в этом роде? — спросила меня служащая.

Я предъявил водительские права и удостоверение частного детектива.

— Вот здесь еще распишитесь, — указала она на строчку ниже.

Я расписался. Она стала считать деньги: триста пятьдесят долларов двадцатками и десятками. Это было одно из самых приятных зрелищ, которые я когда-либо наблюдал в своей жизни.

Габби Гарванза должен был уже приземлиться в аэропорту, и я составил список пяти самых престижных отелей, начав обзванивать их и спрашивая, не остановился ли у них мистер Джордж Гренби. В третьем по счету мне ответили, что мистер Гренби остановился у них. Я попросил соединить меня с ним, подождал, пока в трубке не раздался сердитый, раздраженный голос:

— Алло?

— Я хочу поговорить с вами о Морин Обэн, — сказал я. — Я частный детектив из Лос-Анджелеса. Полиции не нравится то, как я провожу расследование, и они хотят меня схватить. Я к этому, естественно, не стремлюсь. Я хочу поговорить с вами.

Габби Гарванза подтвердил свою репутацию человека неразговорчивого.

— Приходите, — коротко бросил он и повесил трубку.

Взяв такси, я поехал в отель, и мне удалось подняться в его номер незамеченным. Постучав в дверь, услышал:

— Входите.

Поколебавшись секунду, я распахнул ее. Комната оказалась пустой. Тогда я сделал несколько шагов вперед, но опять никого не увидел. В ту же секунду дверь захлопнулась с помощью здоровенного охранника, который стоял за нею и не был виден. Он сразу подступил ко мне. Одновременно открылась дверь из ванной, и в комнату вошел болезненного вида человек, который, очевидно, и был Габби Гарванза.

— Руки вверх! — произнес охранник. Я немедленно поднял руки. Это был здоровенного вида парень, с ушами, напоминающими листья цветной капусты, и лицом, носившим следы былых нелегких сражений; он обыскал меня самым тщательным образом.

— Он чист, — резюмировал охранник.

— Садитесь и скажите мне, кто вы такой и что вам от меня нужно? — сказал Габби.

Я сел, сказал, глядя ему в глаза:

— Меня интересует, что случилось с Морин Обэн?

— Меня тоже.

— Я частный детектив и расследую совершенное преступление. — С этими словами я протянул ему свое удостоверение. Едва взглянув, он сначала отложил его, потом, задумавшись на миг, снова взял в руки, внимательно стал рассматривать и тут же положил его в карман.

— У вас крепкие нервы, Лэм.

Я промолчал.

— Как вы меня нашли?

— Я детектив.

— Это ни о чем еще не говорит.

— Подумайте лучше, может быть, все-таки вам придет что-нибудь в голову.

— Не люблю думать. Я здесь скрываюсь. Инкогнито, — продолжал Габби. — И если так легко обнаружить мое прикрытие, я хочу знать, как вы этого добились.

— Я у вас в номере. Таким образом, как видите, это оказалось не так уж трудно сделать.

— Каким образом?

— Я ничего не могу сказать вам на это. У меня есть связи, и я не вправе раскрывать их.

— Вы возомнили о себе при всей вашей ничтожности бог знает что! — начал выходить из себя Гарванза.

— Мне нравится ваша наглость, — засмеялся я ему в лицо.

— Спасибо.

— Что у вас за проблема, мистер?

Он недовольно поморщился и сквозь зубы процедил:

— В дело замешан Джон Карвер Биллингс Второй — парень, который заявил, что он был с Морин, когда она ушла от нас с вечеринки.

— Продолжайте.

— А это все. — Он покачал головой. — И я хочу выяснить, где на самом деле находился в ту ночь Джон Карвер Биллингс Второй.

— Что же вам мешает это сделать?

— Да ничего.

— Ну, тогда идите и выясняйте.

— Это, господин детектив, именно то, что я сейчас и делаю.

— Тогда вы не очень-то далеко продвинулись в этих поисках. — Усмехнувшись, я достал сигарету.

Охранник посмотрел на Габби, как бы вопрошая, выбросить ли меня за мою наглость в окно или вышвырнуть в коридор через дверь.

Спокойно прикурив сигарету и задув спичку, я сказал:

— Молодой Биллингс говорит, что он сначала познакомился с Морин, а уже потом отправился с ней посидеть в другое место. И там, едва войдя, она ушла в дамскую комнату и оттуда уже не появилась.

— И тебе это кажется достаточно правдоподобным?

— Отнюдь нет.

— Тогда продолжай, — милостиво разрешил Габби, настойчиво разговаривая со мной на «ты».

— Мне кажется, мистер, все произошло следующим образом: Морин была в ресторане со своими знакомыми. Весьма состоятельными знакомыми. Они же ее и охраняли. Молодой Биллингс придумал миленькую историю о том, как просто с ней познакомился и так же просто она ушла с ним с этой вечеринки, будто Морин Обэн какая-то дешевая секретарша, приглашенная туда своими знакомыми клерками или бухгалтерами из офиса. Не думаю, что все происходило именно так. Это одна сторона вопроса.

— Продолжай думать вслух, — попросил Габби уже более спокойно.

— Другая состоит в том, что мне совсем не хочется, чтобы молодой Биллингс брал на себя вину за то, чего он не совершал и чего не смог бы сделать никогда... Вот я и подумал: может быть, мистер Гарванза, вы прилетели сюда, чтобы задать ему парочку вопросов?

Габби громко рассмеялся, а я замолчал.

— Нет, ты продолжай!

— Я сказал все.

— Тогда дверь вон там, — ткнул он пальцем на выход из номера.

Я покачал головой:

— Я не уйду, пока вы мне не скажете, собираетесь ли порасспросить молодого Биллингса, проверить истинность его показаний и не по этим ли причинам вы вернулись сюда, мистер...

— Иди копайся в своих бумагах, — жестко бросил мне телохранитель, поймавший гневный взгляд своего хозяина.

Я не двинулся с места. Габби Гарванза на этот раз кивнул, и телохранитель сразу же двинулся ко мне.

— Не спешите! — предупредил я. — Может быть, мистер Гарванза, я смогу оказать вам когда-нибудь необходимую услугу.

— Подожди, — внял разумному доводу Габби.

— Нет, я имею в виду не сейчас, позже.

— Когда же?

— Когда я узнаю, что за человек отваживается прыгать на раскаленную сковородку.

— Ну, и когда же ты узнаешь причину этого?

— Существует только одно объяснение: он прыгнул, чтобы вытащить кого-то из огня.

— Какого огня?

— Вот это я и хочу разузнать, мистер.

— Если ты вдруг это выяснишь, смотри не обожги свои пальцы! — зловеще предостерег он.

— Я и раньше их обжигал. Теперь я ношу перчатки.

— Что-то я их на тебе не вижу.

— Я снял их, когда шел сюда.

— Клянусь, тебя вынудили это сделать. — Немного подумав, Габби Гарванза продолжил: — Ты даже не можешь себе представить, насколько меня не интересует этот парень, Биллингс.

— То, что он рассказывает, думаю, все же должно вас заинтересовать.

— От его истории дурно пахнет.

— Вы не верите тому, что он рассказывает?

— Ты доверчивый парень! Голливудский красавчик приходит и рассказывает тебе, детективу, как он врывается в клетку к разъяренному льву и вырывает у того кусок конины прямо из-под носа, лупит льва по морде и спокойненько так выходит из клетки, а ты потом сам приходишь к нему в клетку и спрашиваешь, действительно ли все так и было.

— Так лев — это кто? Вы? — не выдержал я.

Габби спокойно встретил мой ироничный взгляд.

— Ты задаешь слишком много вопросов, парень, но твое спокойствие мне нравится. Я тебе сказал все, что хотел сказать. А теперь пошел отсюда к черту.

Телохранитель распахнул передо мной дверь номера. Я не оглядываясь вышел. Спускаясь в лифте, обдумывал детали состоявшейся встречи. Джон Карвер Биллингс Второй, видимо, должен был выбрать тот способ убийства, который, как он думал, поможет выйти сухим из воды, потому что в противном случае он боялся оказаться замешанным в преступлении, из которого ему было не выпутаться.

В Сан-Франциско в этот день не было зарегистрировано ни одного убийства, но я чувствовал: что-то я упустил из виду, и решил на всякий случай проверить список пропавших без вести людей. У меня был шанс, что я найду кого-то, кто исчез именно во вторник ночью.

Я позвонил нашему корреспонденту в Сан-Франциско и попросил проверить список пропавших, обратив особое внимание на вторник; счет просил прислать в наш офис в Лос-Анджелесе. Еще я сказал ему, что перезвоню позже, чтобы узнать результаты.

Глава 11

Но мне не пришлось ему звонить. Я прочел заголовки вечерних газет. Это и был ответ на мой вопрос. Единственно возможный ответ. Богатейший шахтовладелец, Джордж Бишоп, выехал на машине из Сан-Франциско ночью во вторник, направляясь к себе на шахту в Северной Калифорнии. Туда он не прибыл. Сегодня рано утром его «кадиллак» был найден в стороне от основной дороги, недалеко от Петалумы. На левом переднем сиденье были обнаружены следы крови. Кровь была и на внутренней поверхности стеклоочистителя ветрового стекла.

Следы на земле вокруг свидетельствовали, что машина стояла здесь по крайней мере уже дней пять, а может быть, и больше. Похоже, Бишопа лишили жизни именно во вторник. Возможно, это дело рук хитихайкера, которого он любезно подвез и который ограбил и убил своего благодетеля.

Было известно, что Бишоп, отправляясь в деловые поездки, всегда имел при себе крупные суммы денег. На этот раз он должен был ехать всю ночь, чтобы прибыть на шахту в Сискийо-Каунти рано утром в среду.

В багажнике машины полиция обнаружила чемодан и кожаную сумку из очень дорогого фирменного магазина, в которых были сложены личные вещи Джорджа Бишопа и туалетные принадлежности. Жена его опознала все вещи. В настоящее время полиция усиленно разыскивала тело самого Бишопа. Судя по запекшимся пятнам крови, было ясно, что его убили несколькими выстрелами в затылок. Это сделал кто-то из ехавших на заднем сиденье, что навело полицию на мысль: Бишоп посадил в машину не одного, а двух человек; возникло также и предположение о том, что один из пассажиров сидел впереди, рядом с Бишопом. Возможно, посторонних было даже трое.

Судя по обилию кровавых пятен, полиция была совсем не уверена, что и сидевший рядом с Бишопом человек тоже был жив. То же утверждал и один из экспертов: сидевший на переднем сиденье рядом с водителем был или ранен, или убит.

Стараясь восстановить детали проделанного миллионером пути, полиция обнаружила, что после убийства кто-то вел автомобиль еще несколько километров, и только потом тело Бишопа было выброшено, но его пока так и не удалось найти.

Наиболее интенсивные поиски трупа велись вдоль основной дороги, исходя из предположения, что убийцы постарались как можно быстрее избавиться от него. И только после того, как это было сделано, они отогнали машину подальше на боковую дорогу, а потом вниз, на узкую проселочную, где его и обнаружили. Вряд ли убийцы рискнули бы ехать с трупом на сиденье более длительное расстояние.

В газете была напечатана фотография жены Бишопа, снятой в тот момент, когда она просматривала вещи покойного мужа. На фотографии — очень миловидная женщина, не похожая на убитую горем вдову, скорее кокетка, пытавшаяся выбрать наиболее выгодный ракурс для снимка. Возможно, конечно, что это сам фотограф сумел ее так удачно снять.

Тут же был указан адрес убитого, жившего в Беркли, и я решил отправиться туда и самому на все посмотреть. Берта бы оценила мою экономность: я поехал не на такси, а автобусом, стараясь все последние дни как можно дольше не прикасаться к деньгам Элси Бранд.

Остановка была в трех кварталах от их дома, поэтому я сразу увидел несколько полицейских машин, припаркованных около дома Бишопов. Мне пришлось не менее получаса бродить вокруг да около, пока они не разъехались.

Это был не просто дом, а настоящая вилла, расположенная на склоне холма. Позади нее — бассейн, и повсюду пейзаж дополняли в изобилии привезенные сюда мелкие, декоративно разбросанные обломки скал. Я не мог не чувствовать, что на это великолепие было затрачено уж никак не менее семидесяти пяти тысяч долларов, не говоря о стоимости самого дома...

Когда последний автомобиль скрылся из виду за углом круто поворачивающей дороги, я уверенно поднялся по ступенькам парадного и позвонил. Мне открыла чернокожая горничная. Я не растерялся. Легким движением руки отогнул левый лацкан своего костюма, сделав вид, что у меня там полицейский значок, и со словами: «Скажите миссис Бишоп, что я хочу ее видеть», я решительно вошел в дом, не сняв своей шляпы.

— Она очень устала, — предупредила горничная.

— Я тоже, — заявил я, решительно проходя к столу красного дерева и все еще не снимая своей шляпы.

Будучи уверенным, что никто и никогда не сможет уличить меня в том, что я выдал себя за офицера полиции, я легко мог себе представить досаду полицейского, если бы цветная служанка была вызвана на помост и заявила: «Да! Я подумала, что он полицейский, по тому, как он себя вел. Он ничего толком мне не сказал, просто вошел, не снимая шляпы, поэтому я и решила, что он офицер полиции».

Минуты через три в приемную вошла женщина, и я сразу понял, что она и в самом деле так устала, что находится на грани нервного срыва. На ней было простое платье темного цвета с треугольным глубоким вырезом, который достаточно смело открывал ее безупречную шею и оттенял прекрасную гладкую кожу цвета взбитых сливок. Это была брюнетка лет двадцати пяти, с прекрасной фигурой и серо-голубыми глазами.

— В чем дело? — холодно спросила она, не глядя на меня.

— Я бы хотел кое-что проверить о некоторых компаньонах вашего мужа.

— Это уже было сделано, мистер, по крайней мере раз десять.

— Знал ли он человека по имени Мередит? — спросил я.

102

— Понятия не имею. Никогда от него этого имени не слышала. Это кто — мужчина или женщина?

— Мужчина.

— Не припомню, чтобы он упоминал при мне когда-то имя Мередит.

— А имя Биллингс? — задал я другой вопрос.

На какое-то мгновение я уловил в ее глазах огонек удивления, но он сразу же погас, и она ответила равнодушным, утомленным голосом:

— Биллингс... Знакомое имя... Возможно, я его и слышала от Джорджа.

— Можете вы мне, миссис, рассказать немного о цели его последней поездки?

— Меня уже об этом спрашивали не один раз.

— Но не я. Расскажите мне, пожалуйста.

— Ну, а что именно вас интересует?

— Я работаю над раскрытием одного преступления. Поверьте, я не беспокоил бы вас по мелочам.

— Послушайте, еще нет никакого дела. Они ведь не нашли... не нашли ничего, чтобы прийти к какому-то определенному выводу... Может быть, Джордж заключил секретную сделку и пользовался любыми средствами, чтобы скрыть ее?

Слушая миссис Бишоп, я все ждал, когда она оторвет, наконец, взгляд от ковра и взглянет на меня.

— Вы и в самом деле серьезно в это верите, миссис?

— Нет, — ответила она прямо и медленно подняла глаза, взглянув наконец на меня. — Продолжайте же, — сказала миссис Бишоп, и я увидел, что голова ее постепенно начинает освобождаться от тумана усталости, и она обретает способность мыслить более ясно.

— У мужа была шахта на севере?

— В Сискийо-Каунти.

— Шахта себя оправдывала?

— Я не в курсе его рабочих дел.

— Он уехал из дома во вторник?

— Да, примерно в семь вечера.

— Почему так поздно?

— Он собирался вести машину всю ночь.

— У него была привычка подбирать на дороге попутчиков?

— Послушайте, вы опять спрашиваете о том, о чем я уже рассказывала много раз. Кто вы, в конце концов?

— Мое имя Лэм, — ответил я и без передышки задал ей следующий вопрос, чтобы у нее не оставалось времени над чем-либо задуматься: — Что вам говорил муж перед самым отъездом?

Она не попалась на эту удочку незадачливого детектива, а только внимательно меня рассматривала.

— Полагаю, миссис, ваш муж редко бывал дома?

— А я хотела бы задать вам такой вопрос: какое отношение вы имеете к полиции и каково ваше там положение, то есть какой у вас чин?

— На все вопросы один ответ: ноль-ноль-ноль... Но если вы ответите на мой вопрос, миссис Бишоп, вместо того чтобы задавать вопросы мне, мы покончим с этим делом очень быстро.

— Если вы не ответите на мой вопрос, вместо того чтобы задавать мне все новые и новые, то мы, видимо, сразу и покончим с этим интервью, — ответила она весьма раздраженно и все более настораживаясь. — Так кто же вы в таком случае?

Я понял, что мне придется ей ответить, если я хочу продолжить этот допрос, и никакие уловки мне уже не помогут.

— Я Дональд Лэм. Частный детектив из Лос-Анджелеса. Работаю над раскрытием одного преступления, которое, думаю, связано как-то с вашим мужем и может мне помочь.

— Кому помочь?

— Мне.

— Я так и думала.

— И возможно, вам тоже, миссис.

— Каким образом?

— Только потому, что вы красивы, совсем не значит, миссис, что вы должны быть не слишком умной.

— Спасибо, но можете не утруждать себя подобной чепухой.

— Ваш муж был богатым человеком?

— Что, если так?

— В газете написали, что ему было пятьдесят шесть?

— Да, правильно.

— Очевидно, вы его вторая жена?

— Я сейчас же с этим покончу! — решительно повернулась она, чтобы уйти. — И потом попрошу выбросить вас отсюда.

— Наверное, существует еще и страховка, — продолжал рассуждать я вслух, будто ничего не произошло. — Если вы настолько неумны, что не понимаете, что полиция обязательно заподозрит вас и вашего молодого любовника в желании избавиться от скучного, престарелого мужа, чтобы наследовать его деньги и жить с вашим парнем как вам хочется, то вы, миссис, по уши в дерьме.

— Полагаю, мистер Лэм, что цель этой вашей тирады — запугать меня и получить приличные деньги?

— Очень ошибаетесь.

— Ну тогда скажите, какую цель вы преследуете?

— Я работаю еще над одним делом. И думаю, что разрешение его, безусловно, связано во многом с вашим мужем и с тем, что на самом деле случилось с ним. Вас это интересует?

— Нет, — сказала она откровенно, но на этот раз уже не сделала попытки немедленно выйти из комнаты.

— Если вы хоть в чем-то виновны, то не отвечайте на мои вопросы. Вон там на столике стоит телефон. Если у вас что-то есть на совести, позвоните своему адвокату и расскажите ему, что произошло. Только ему, и больше никому.

— А если я ни в чем не виновата?

— Если вы ни в чем не виноваты, если вы не боитесь, что полиция до чего-то докопается, то поговорите со мной, и, может быть, я смогу вам помочь.

— Если я ни в чем не виновата, то мне не нужна ваша помощь.

— Это свидетельствует лишь о том, что вы большая оптимистка. Как-нибудь потом, когда вам нечего будет делать, почитайте книгу профессора Борчарда «Осуждение невиновных», где вы найдете рассказ о шестидесяти трех совершенно достоверных случаях неправильно осужденных, которые описываются в этом исследовании. И поверьте мне, это только те случаи, что лежат на поверхности.

— У меня нет времени читать книги!

— Оно у вас появится, поверьте.

— Что вы имеете в виду?

— Если вы не проявите немного сообразительности, то вам, возможно, придется провести долгие послеполуденные часы в тюремной камере.

— Это дешевая попытка меня напугать.

— Да, это так, — не отпирался я.

— Зачем вы это делаете, если не хотите получить от меня деньги?

— Мне нужна информация.

— Вы же сами только что сказали, что я не должна никому ничего рассказывать, кроме моего адвоката.

— Я сказал: в том случае, если вы виновны.

— Что еще вы хотели бы знать, мистер Лэм?

— Гарванза, — произнес я. — Когда-нибудь слышали от мужа это имя?

На этот раз уже не было никакого сомнения, что в глазах ее мелькнул неподдельный интерес, но тут же лицо опять стало бесстрастным.

— Гарванза, — медленно произнесла она. — Я где-то уже слышала это имя.

— Ваш муж никогда с вами не говорил о Гарванза?

— Нет, не думаю. Он очень редко обсуждал со мной свои дела. Не знаю, я совсем не уверена, знал ли муж мистера Гарванза или нет.

— Когда я назвал имя Мередит, вы спросили, мужчина это или женщина. На вопрос о Гарванза вы сразу стали отрицать, что слышали его, не поинтересовавшись, мужчина это, женщина или девушка.

— Или маленький ребеночек Гарванзочка, — с сарказмом съязвила она.

— Совершенно верно!

— Я боюсь, мы с вами не сможем поладить, мистер Лэм.

— Не вижу причин, почему бы и не поладить. По-моему, мы уже почти поладили.

— Я так не считаю.

— Как только вы перестанете строить из себя оскорбленную добродетель, чтобы как-то прикрыть промашку, которую вы совершили, когда я произнес имя Гарванза, чувствую, что мы с вами сразу станем друзьями.

Ее серо-голубые глаза внимательно, изучающе рассматривали меня, и эти пять секунд показались мне несколькими длинными минутами. Потом она сказала:

— Да, мистер Лэм. Он знал Габби Гарванза. Я не в курсе, насколько близко они были знакомы, но слышала, как он говорил о Гарванза. Когда же прочел в газетах, что Гарванза ранен в Лос-Анджелесе, то был очень обеспокоен. Я точно знаю. Он старался, чтобы я этого не поняла, но я-то видела, что это так. Ну вот и ответ на ваш вопрос. Теперь в какую сторону двинемся?

— Теперь-то мы только и начнем говорить по-настоящему, миссис. Гарванза когда-нибудь звонил сюда, к вам домой?

— Я слышала, как муж упоминал однажды это имя, они были знакомы. Кстати, не знаю, когда точно был ранен Гарванза... Дайте подумать... Это было в четверг,

107

перед тем, как исчез мой муж. Он читал газету и внезапно удивленно вскрикнул, издав какой-то звук, будто его душат. Это случилось во время завтрака. Я посмотрела на мужа, и мне показалось, что он чем-то подавился, стал кашлять, схватил чашку с кофе, стараясь запить застрявший кусок жидкостью, но кашель продолжался, — он, делая вид, что кусок не проходил, притворялся.

— И как вы поступили?

— Я сделала вид, что поверила ему, поднялась и несколько раз постучала его по спине, посоветовав, что надо пониже опустить голову между колен, и приступ пройдет. Он так и сделал. Через несколько мгновений перестал наконец кашлять, улыбнулся и сказал, что кусочек тоста попал ему в дыхательное горло.

— Вы знали, что он говорит неправду?

— Конечно!

— И что же вы сделали?

— После того как он уехал в офис, я взяла газету, развернула ее на том месте, где он ее сложил, когда читал, и сразу увидела статью, которая его так разволновала. Это была статья о гангстере из Лос-Анджелеса, которого ранили накануне. Невозможно представить, почему это могло так огорчить Джорджа, но я запомнила тот случай. В газете было сказано, что рана не смертельна и что гангстер выживет. Я видела, что муж чем-то сильно расстроен, так было и в воскресенье, и в понедельник. Когда он мне сообщил, что собирается ехать на шахту во вторник, то окончательно убедилась, что нападение как-то связано с тем, что его беспокоило все последние дни.

— Может быть, я все-таки прав, и у вас есть молодой любовник? В любом случае в ваших интересах, миссис Бишоп, чтобы дело было расследовано до того, как вмешается полиция.

— Я не могу понять, — ответила она задумчиво, — что в вас такое есть, что вы позволяете себе говорить

108

вещи, за которые хочется вам влепить пощечину... Но вам это сходит с рук. Мне даже кажется, что порой в нашем разговоре вы вполне искренни.

— Да, это так, но вы все-таки не ответили на мой вопрос. Насчет любовника.

— Нет, мистер Лэм, вы не правы... У меня нет никакого любовника, и мне абсолютно наплевать, что предпримет полиция.

— Поговорим о вашем прошлом?

Она опять внимательно посмотрела мне прямо в глаза, надолго задержав свой взгляд:

— Мне не нравится этот вопрос.

— Вы столь ранимы?

— На такие вопросы предпочитаю не отвечать. В любом случае вам дана вся информация, которая у меня была, потому что, как мне кажется, вы на правильном пути. Пока полиция не начала меня подозревать — а очень скоро это случится, — мне бы хотелось избежать подобного неприятного момента. Да, это так: шесть недель назад мой муж завещал свою страховку мне.

— Вы этого еще не говорили полиции?

— Меня об этом не спрашивали.

— Расскажите об этой шахте в Сискийо-Каунти.

— Она принадлежит одной из компаний моего мужа, — дело в том, что у него несколько компаний.

— А в каком месте, скажите поточнее, расположена эта шахта?

— Где-то в долине Сейад, в малоосвоенных местах. Это — дальняя часть графства Сискийо.

— Что там стряслось, на этой шахте?

Она улыбнулась. Ее голос приобрел интонацию родителя, терпеливо объясняющего непонятное своему неразумному дитяти:

— На шахте работают люди. Они добывают руду, которую конвейерами поднимают на поверхность и грузят в стоящие на путях вагоны. Затем руду доставляют на сталеплавильные заводы.

— Они тоже принадлежат корпорации вашего мужа?

— Да. Он их контролировал.

— А что происходит потом?

— Он получает чек от сталеплавильной компании за то количество металла, которое содержалось в руде.

— Чеки бывали на большие суммы?

— Думаю, что да. Мой муж делал большие деньги.

— У вашего мужа есть офис? Кто ведет его бухгалтерские книги?

— У него нет офиса в обычном, привычном смысле этого слова. Его офис — в его голове. Что же касается его счетов, их контролирует человек, отвечающий за подоходные налоги, — мистер Хартли Л. Чаннинг. Вы найдете его имя в телефонной книге.

— Вы можете еще что-нибудь рассказать, что могло бы помочь нам в расследовании?

— Есть одна необычная вещь, о которой я хочу сообщить вам: мой муж был очень суеверным человеком.

— В каком смысле?

— Он очень верил в счастливый случай.

— Большинство шахтеров в это верят.

— Но у него был еще один пунктик. Сколько бы шахт он ни открывал или ни закрывал, одна из них, обычно самая доходная, должна была называться «Зеленая дверь» — записи можно найти в его документах.

Это сообщение навело меня на одну мысль. В Сан-Франциско существует известное казино, которое тоже называется «Зеленая дверь». Я подумал: знает ли жена Бишопа о нем и знал ли о нем ее муж? Не исключено, что однажды ему крупно повезло в этом казино, и он стал считать, что и впредь это название принесет ему удачу в деле добычи руды.

— Что-нибудь еще? — спросил я.

— Ну, да... в некотором роде...

— Расскажите.

— Когда мой муж уезжал во вторник вечером, он уже знал, что ему грозит опасность.

— Откуда вам это стало известно?

— Он всегда тревожился, когда уезжал и оставлял меня одну.

— Почему?

— Я тоже всегда пыталась это понять. Думаю, потому, что я была намного моложе его, а он уже в преклонном возрасте... В его положении мужчина становится собственником, вот он всегда и волновался. С некоторых пор у него вошло в привычку держать в ящике стола пистолет; уезжая, он каждый раз инструктировал меня, как им пользоваться... Когда он уехал в тот, последний вторник, то взял пистолет с собой. Это случилось впервые, никогда раньше, отправляясь в путь, он так не делал.

— Но ведь он собирался ехать всю ночь?

— Большую часть ночи.

— Тогда вполне закономерно, что он решил взять с собой оружие.

— Много раз и до этого он предпринимал ночные поездки, но никогда прежде не брал пистолет, а оставлял его мне.

— Он сказал вам, что берет оружие с собой?

— Нет.

— Как же вы узнали?

— Я просто посмотрела в ящик стола, его там не оказалось после отъезда мужа.

— А до этого он там был?

— За два дня до отъезда — да.

— Вы не знаете, муж взял его с собой в карман или положил в чемодан?

— Нет, этого не знаю.

— Вы знали содержимое его чемодана?

— Да, знала.

— Как, когда и где вам стало известно о случившемся?

— Они отвезли меня в Петалуму. Машину привезли туда.

— Вы сразу узнали машину вашего мужа?

— Да.

— И все-таки, миссис, может быть, это ваш любовник приложил руку к этому делу?

— Не говорите глупостей! Расследуют разные мотивы убийства. Если бы у меня был молодой любовник, как вы все время настаиваете, и мы бы задумали вместе убить Джорджа, этот план, согласитесь, надо было бы осуществлять здесь, дома, и любовник тоже был бы здесь. Поэтому именно полиция Беркли и работает над этим делом, и они лишь делают вид, что работают совместно с шерифом графства Сонома, но я-то сразу поняла, что у них на уме.

— Расскажите мне о чемодане.

— В нем все лежало так, как я положила.

— Вы сами собирали вещи мужа?

— Это была одна из обязанностей, которую я взяла на себя, когда вышла за него замуж.

— А сколько времени вы были замужем?

— Недолго, около восьми месяцев.

— Где вы с ним познакомились?

Она засмеялась и покачала головой.

— Бишоп был вдовцом?

— Нет. Есть первая миссис Бишоп.

— А что произошло с ней?

— Ничего. Он откупился от нее.

— Когда?

— После того, как... она стала нас подозревать в связи.

— Он получил развод?

— Да.

— Окончательный?

— Конечно. Я же сказала, что мы женаты официально.

— Вы бы не согласились ни на какие другие условия, не так ли?

Она опять посмотрела мне пристально прямо в глаза.

— А вы бы? — с вызовом спросила она.

— Не знаю, я спрашиваю вас.

— Я давно держала глаза открытыми и согласилась на этот брак, все обдумав, сознательно. Я была намерена вести честную игру.

— И с вами тоже играли честно?

— Думаю, что да.

— Вы когда-нибудь ревновали своего мужа?

— Нет.

— Почему же?

— Не думаю, что было к кому ревновать, а даже если бы и было, я бы не позволила моему давлению подняться выше нормы из-за того, с чем не можешь справиться и чего нельзя избежать.

— Вы рассуждаете вполне здраво, — сказал я. — Ну что ж, увидимся позже.

— Когда же это — позже?

— Пока не знаю.

— Должна вас предупредить, думаю, что полиция держит дом под наблюдением. Похоже, они считают, что есть что-то сомнительное во всей этой ситуации. Меня ни в чем не обвинили, и теперь они собираются последить, не вернется ли Джордж домой тайно, а может быть, какой-нибудь другой мужчина случайно заглянет сюда.

— Ну, значит, я тоже уже у них на подозрении.

— Вполне возможно, — ответила она.

— Вы сказали, что вещи в чемодане лежали так, как вы их положили?

— Да.

— Муж его при вас открывал?

— Нет.

— И никто не заглядывал в него?

— Что вы имеете в виду?

— Как по-вашему, кто-нибудь обыскивал чемодан или сумку?

— Похоже, этого не делали.

— Как вы думаете, у полиции есть представление, кто убил Джорджа Бишопа? Они кого-то подозревают?

— Трудно сказать.

— Они задавали вам вопросы о вашей замужней жизни?

— Да, вопросы задавали, но не об этом.

— Сколько денег было у вашего мужа с собой?

— Он всегда имел при себе несколько тысяч долларов в специальном поясе.

— Вы знаете еще какие-нибудь подробности, которые могли бы нам помочь?

— Ничего, кроме того, что я уже вам рассказала.

— Спасибо, — сказал я и на этот раз направился к двери.

— Вы не расскажете в полиции о том, что я вам говорила о Гарванза?

Я отрицательно покачал головой.

— В конце концов, это только моя догадка, подозрение, предположение, — произнесла напоследок миссис Бишоп.

— И ничего более.

— И все-таки я чувствую, что в каком-то отношении права.

— Я тоже, — сказал я, решив оставить последнее слово за собой, и вышел.

Глава 12

Джону Карверу Биллингсу Второму потребовалось два дня упорного мыслительного процесса, чтобы с нашей помощью создать себе алиби.

Полиции потребовалось только два часа, чтобы доказать полную его несостоятельность.

В последних вечерних новостях было объявлено, что полиция Лос-Анджелеса, ставя под сомнение невиновность молодого Биллингса в деле об убийстве Морин Обэн, просила полицию Сан-Франциско кое-что проверить, что та и сделала. Две девушки, которые были найдены частным детективным агентством по просьбе Джона Карвера Биллингса Второго, были вызваны в полицию.

Одна из девушек, Милли Родес, только что купила себе целиком новый гардероб и уехала в туристическую поездку по Южной Америке. Разыскать ее оказалось непросто. Вторая девушка, Сильвия Такер, двадцати трех лет, работающая маникюршей в небольшой парикмахерской, постаралась вначале поддерживать алиби, но когда полиция предъявила ей конкретные факты, свидетельствующие о том, что она находилась в Сан-Франциско в тот вторник, она сразу призналась, что алиби было фальшивым и что ей и ее подружке хорошо заплатил за это сын банкира.

Она заявила, что не знает, для чего это ему понадобилось.

Джон Карвер Биллингс сказал, что это бесстыдная ложь, попытка со стороны Сильвии Такер вовлечь его в неприятности. Но полиция располагала неопровержимыми доказательствами того, что девушка говорила правду, и молодой Биллингс угодил в расставленную им же самим ловушку. Таким образом, Джон Карвер Биллингс Второй, сын хорошо известного финансиста из Сан-Франциско, стал подозреваемым номер один в деле об убийстве Морин Обэн.

Я в этот час уже облачился в пижаму и собирался ложиться спать в маленьком, тесном номере дешевого отельчика. Но после того как по радио были переданы такие новости, немедленно оделся, вызвал такси и поехал к резиденции Биллингсов.

Почти во всех окнах ярко горел свет. Перед домом стояли машины полиции и журналистов. Время от времени видны были яркие вспышки ламп фоторепортеров, ослепляющие нестерпимо ярким светом.

Заплатив таксисту, я переждал в тени, пока последняя машина не отъехала от виллы. Не представляя, следит ли полиция за домом, я решил рискнуть и прошел боковой аллеей в гараж; подергал заднюю дверь, она оказалась запертой. Я вытащил свой перочинный нож, открыл его и, орудуя острием, определил, что ключ вставлен в замочную скважину изнутри. Под дверью темнела большая щель. Тут же рядом была незапертая кладовка, где на полках стояли банки с консервированными фруктами, а сами полки были покрыты толстой оберточной бумагой. Пришлось переставить на пол банки с одной из них, потом снять с полки плотный лист бумаги, подсунуть его под дверь гаража и острием ножа вытолкнуть из замочной скважины ключ. Он упал точно на бумагу, я осторожно потянул лист к себе вместе с ключом... Отперев дверь черного хода, осторожно воткнул ключ на место, а бумагу водворил на полку, поставил обратно банки и спокойно прошел через пустую кухню в освещенную часть дома.

В большой столовой было темно, но дальше, в библиотеке, уютно светились настольные лампы, стояли глубокие, комфортабельные кресла. Дверь, ведущая дальше, в кабинет, была приоткрыта, и я расслышал приглушенные голоса разговаривавших там мужчин. Постояв с минуту, прислушался. Очевидно, Джон Карвер Биллингс Второй и его папаша совещались в соседней комнате, говорили они вполголоса, еле слышно. Я не разобрал, о чем шла речь, и не пытался понять. Внезапно решившись, я плюхнулся в одно из кресел, необычайно глубокое, с высокой спинкой, повернутое лицом к стене, утонул в нем, и меня со стороны почти не было видно.

Через несколько показавшихся мне долгими минут Биллингсы вошли в библиотеку. Я слышал, как сын что-то сказал отцу, но не понял что. Отец ответил односложно, и тут я уловил конец фразы Биллингса: «...этот чертов детектив».

Не поворачиваясь, я произнес:

— Я же вам говорил, что вы похожи на пациента, пришедшего в офис к доктору и требующего пенициллин.

Я не мог видеть их лиц, но по наступившей внезапно тишине понял, что они от неожиданности потеряли дар речи. Потом Биллингс-отец оторопело произнес:

— Кто это? Что за глупые шутки?

— Вы попались и понимаете это, — сказал я. — Теперь давайте поговорим и обсудим, что можно для вас сделать.

Наконец они догадались, откуда шел голос. Сын обежал вокруг стола и стал лицом ко мне.

— Ты, чертов жулик! — закричал он.

Я закурил сигарету.

Молодой Биллингс сделал навстречу мне угрожающий шаг.

— Будь ты проклят, Лэм! Хоть это удовольствие я могу себе позволить. Я собираюсь...

— Подожди, Джон. — Голос отца звучал властно и уверенно.

— Если бы вы, джентльмены, выложили на стол ваши карты и попросили бы помочь отмазаться в деле Бишопа, то мы бы сэкономили массу времени, — заявил я.

Похоже, молодого Биллингса, стоявшего со сжатыми кулаками, будто укололи шилом.

— Что, черт возьми, вы имеете в виду под делом Бишопа? — спросил отец.

— Бишоп исчез, — ответил я. — Ваш сын старался состряпать себе алиби. Для чего? С моей точки зрения, в этом повинен Джордж Бишоп. Что бы вы могли мне сказать по этому поводу?

— Ничего, — ответил молодой Биллингс, придя немного в себя от шока. — Как вы, между прочим, сюда проникли?

— Я просто взял и вошел.

— Как?

— Через черный ход.

— Это неправда! Дверь была на замке.

— Была... но не тогда, когда я входил.

— Джон, пойди проверь, — низким уверенным голосом приказал отец. — Если она открыта, то, ради бога, запри ее. Мы не желаем, чтобы сюда зашел кто-нибудь еще.

— Я знаю, что она заперта, отец, — сказал сын, поколебавшись мгновение.

— Удостоверься в этом сам, — жестко еще раз приказал отец.

Сын прошел через столовую и комнату дворецкого в кухню.

— У него большие неприятности, — констатировал я. — Возможно, я смогу ему помочь, если успею.

Биллингс-старший хотел было мне ответить, но передумал и промолчал. Через минуту вернулся сын.

— Ну что?

— Ключ в дверях, папа. Наверно, я забыл его повернуть, но совершенно точно, я закрывал эту дверь, когда уходили слуги.

— Думаю, нам надо поговорить, Джон, — сказал отец.

— Если бы Лэм не наболтал полиции бог знает чего, то с нами было бы все в порядке, — ответил Джон. — Мы...

— Джон! — резко остановил его старик.

Сын сразу замолчал, — голос отца был похож на удар хлыста. Несколько секунд прошло в молчании. Я продолжал дымить сигаретой. Несмотря на все мои усилия, у меня дрожали руки, но очень хотелось надеяться, что никто этого не заметил. Теперь можно было или утонуть, или выплыть. Если они опять позвонят в полицию, со мной будет кончено. На сей раз это действительно сочтут за шантаж, и меня без раздумий выкинут с работы.

— Думаю, Лэм, нам надо кое-что обсудить, — сказал Биллингс-отец, и они с сыном направились в кабинет, оставив меня одного.

Появился большой соблазн встать и уйти. Теперь, когда фишки-ставки были на середине стола, я начал сомневаться, хороши ли у меня карты. Если они все-таки решатся позвонить в полицию, то я окажусь поверженным в прах. Если же этого не сделают, мне придется работать над делом, которое было так ужасно, так безнадежно запутано, что выигрыш можно было оценить как один шанс из тысячи.

В этом удобном кресле — увы — я чувствовал себя как на электрическом стуле. На лбу выступили капли пота, ладони вспотели. Я был зол на себя за то, что не мог держать в узде свою нервную систему, но пот продолжал буквально струиться.

Джон Карвер Биллингс Первый вскоре вернулся и уселся в кресло напротив меня.

— Лэм, — сказал он, — мы готовы вам все рассказать, но нужно заранее обговорить один пункт.

— Что такое?

— Мы бы хотели быть уверены, что активность полиции, поставившей под сомнение алиби моего сына, не является результатом действий вашего агентства. Это так?

— Пора бы вам повзрослеть, — с горечью воскликнул я. — Ваш сын потратил столько усилий и средств, чтобы создать себе это алиби. Но с самого начала оно было прозрачным, как папиросная бумага. Оно бы все равно долго не продержалось. Я-то знал, что оно не продержится. И сыну вашему следовало понимать, что оно не устоит под натиском полиции. Я пытался докопаться до проблемы, зачем ему понадобилось это алиби, и затем предпринять что-нибудь, что его могло бы как-то оградить от дальнейших неприятностей, ни в коем случае не полагаясь на сфабрикованные им факты, — все это, поверьте, было очевидно с самого начала. В результате мне не заплатили пятьсот долларов, выданных нам в качестве компенсации за проделанную работу. Полиция разыскивает Лэма как шантажиста. И вообще, я могу лишиться работы... Моя коллега в бюро, Берта Кул, так напугана, что в любую минуту может расторгнуть наше партнерство: она уже дала поручение банку не оплачивать больше подписанные мною счета... Вот что получилось, и все из-за моего искреннего желания помочь вашему сыну, вместо того чтобы просто тянуть без зазрения совести из него деньги и называть это работой... Ну, мистер, теперь я ответил на ваш вопрос?

Джон Карвер Биллингс-старший с достоинством кивнул.

— Спасибо, мистер Лэм, это безусловно исчерпывающий ответ на мой вопрос.

— Мы с вами потеряли три или четыре дня и, возможно, несколько тысяч долларов наличными. Может быть, теперь пора поговорить серьезно и о деле?

— Что вы знаете о Бишопе? — задал вопрос Биллингс.

— Не много. Скорее всего то, что печатала пресса: всю информацию я получил из газет.

— В газетах не было упоминания нашего имени в связи с делом Бишопа.

— Да, вы правы, этого в газетах не было. Но полиция в курсе всех ваших усилий по установлению алиби на вечер вторника. Я тоже в курсе. Спрашивается: зачем это было вам нужно? Вначале я считал, что это связано с несчастным случаем на дороге, с наездом. Сейчас думаю, что это что-то посерьезнее... Полиции пока неизвестно ни одного случая убийства, совершенного во вторник ночью, поэтому я стал разыскивать такое убийство, до которого она еще пока не докопалась.

— И вы его нашли?

— Я нашел Джорджа Бишопа.

— Вы хотите сказать, что нашли его самого, вы нашли...

— Нет, не поймите меня превратно. Я нашел дело Бишопа. Я побывал у его вдовы.

— И что же она вам рассказала?

— Я хотел узнать, не имела ли она молодого любовника, не спланировала ли заранее убийство своего мужа. И подумал, что именно в этом месте ваш сын должен появиться в этом деле. Он не мог себе позволить скандала и он хотел эту женщину.

— И что же она все-таки рассказала?

— Все, что вы могли от нее ожидать.

— Может быть, то, что я жду от ее рассказа, и то, что ожидали вы, — абсолютно разные вещи.

— Можете считать и так. Я получил ответ на свой вопрос — именно это я и ожидал от ее рассказа.

— Для меня это пока не имеет большого значения, — сказал Биллингс-старший.

— Для меня тоже.

Он помолчал, глядя на меня с опасением.

— Теперь вы будете, мистер Лэм, уклончивы в своих ответах?

— Поставьте себя на мое место.

Он опять долго обдумывал мой ответ.

— Дайте мне возможность поговорить с вашим сыном о миссис Бишоп и выслушать, что он будет говорить.

— Вы опять на ложном пути, Лэм, — усмехнулся Биллингс. — В этой ситуации молчание было моим лучшим оружием, поэтому я не открывал рта. — Биллингс откашлялся. — То, что я собираюсь вам рассказать, Лэм, должно быть строго конфиденциально.

Я кивнул, продолжая молча курить сигарету.

— Вся ситуация становилась очень неприятной и привела в замешательство лично меня, — сказал Джон Карвер Биллингс-старший.

— Ваше заявление — это, на мой взгляд, шедевр по умению уходить от ответа. Так что же все-таки случилось во вторник ночью?

— У меня есть лишь сведения, полученные от моего сына. Сам я при этом не присутствовал.

— Так что же он вам рассказал, ваш сын?

— У нас есть яхта, слегка претенциозная, большая, длиной в шестьдесят пять футов. Мы зовем ее «Биллингс-бой», и она стоит на причале одного из самых престижных яхт-клубов нашего залива. Вторник мой сын провел с Сильвией Такер, молодой, привлекательной женщиной. Она маникюрша. Они договорились, что та позвонит к себе на службу, притворившись, что у нее разыгралась головная боль и она не сможет в этот день работать. Дело было сделано, и она отправилась с моим сыном на нашу яхту, они плавали весь день и вернулись только к вечеру. Мой сын после морской прогулки довез девушку до ее квартиры. Потом они выпили у нее по паре стаканчиков, и мой мальчик ушел. Он знал, что мне Сильвия не нравится и я не одобряю такого рода путешествия, поэтому, полагаю, ему просто не хотелось со мной встречаться. По дороге домой он останавливался еще в нескольких барах и везде брал по стаканчику, чтобы как-то успокоить свои нервы. Себя он уговорил, что мне ничего не станет известно об этом путешествии, так как ему удастся на яхте все привести в порядок. С этой мыслью он вернулся обратно, собираясь сменить одежду и убрать все кругом, чтобы казалось, что он целый день работал на борту яхты... Далее, мистер Лэм... для того, чтобы вам было ясно, что же произошло дальше... мне придется объяснить вам, как работают в яхт-клубе.

— Пожалуйста, объясните.

— Клуб расположен в таком месте, где кругом полно праздно шатающегося народа, и, конечно, члены клуба отнюдь не желают, чтобы обычная публика лазила по нашим яхтам. Они не понимают и не могут оценить, какой требуется уход за яхтой, чтобы она была в отличном состоянии. Скажем, тонкие каблучки женских туфелек могут испортить прекрасно отполированную поверхность палубы дорогой яхты... Ну и так далее.

— Вы пытаетесь мне сказать, что яхт-клуб — это совершенно закрытое для обычной публики заведение?

— Именно это я и хочу вам объяснить.

— Что еще?

— Участок земли, который принадлежит клубу, за высокой оградой, по верхнему краю которой натянута колючая проволока, так что перебраться через нее практически невозможно. Верхние три ряда колючей проволоки расположены под углом к обычной сетке и на поворотах ограды перехлестываются. Так что практически вряд ли кто решится перелезть через верх. В ограде только одни ворота, где постоянно дежурит сторож, проверяющий каждого входящего на территорию и выходящего оттуда. Это необходимо для охраны, а также для того, чтобы сторож знал, кто из его членов в настоящее время находится в клубе, чтобы в случае необходимости пригласить того к телефону.

— Другими словами, когда бы вы ни появились в клубе, служитель фиксирует время и сам факт вашего появления?

— Время прихода и время ухода записывается в специальной книге, которая заведена для этой цели, точно так же, как в официальных учреждениях, где расположены фирмы.

Не кажется ли вам, что иногда это просто неудобно? Может быть, в ином клубе, который состоит из самой разнообразной публики, это именно так, но наши члены клуба — люди очень консервативные. Те, кто устраивает вечеринки и гулянки на своих яхтах, предпочитают быть членами других клубов с правилами более либеральными.

— Продолжайте. Что же случилось?

— Теперь вернемся к вечеру вторника. Мой сын вернулся обратно к нам на яхту, собираясь прибрать на ней, чтобы все выглядело достаточно убедительно, будто он работал там весь день. Когда Джон проходил через ворота, сторож разговаривал по телефону, повернувшись спиной к проходу, и у сына сложилось впечатление, будто само провидение решило ему помочь. Так он прошел через ворота незамеченным. Когда вы переступаете через борт яхты, раздается громкий звук электрического сигнала. По непонятным причинам и сигнал в тот день не работал, так что мой сын прошел на яхту вообще никем не замеченный. Никто не знал, что он там, никто бы не смог доказать, что он там был. Вы должны это запомнить, мистер Лэм. Это важно!

— Хорошо, что же было дальше?

— На полу каюты лежало тело Джорджа Бишопа. Мой сын обнаружил его, как только переступил порог яхты и открыл своим ключом дверь основной кабины. Было очевидно, что он застрелен, и убийство произошло примерно за час до прихода туда сына...

Я переваривал только что полученную информацию. Пот опять заливал мой лоб. Ладони стали мокрыми. Да, крепко же я влез в это дело!.. Миленькое убийство — и вот я уже связан с младшим Биллингсом, его фальшивым алиби и со всей этой компанией.

— Мой сын принял решение, — продолжал между тем Биллингс-старший. — Это решение не достойно похвалы, однако он так решил, а наше дело — принять все, как было.

Мое молчание ярче всяких слов свидетельствовало о моем отношении ко всему происшедшему.

— Для того чтобы вы лучше поняли все, мистер Лэм, вы должны себе представить, — заговорил Биллингс извиняющимся тоном, — что мой сын предполагал, будто я мог быть невольным соучастником случившегося.

— Каким образом он мог так подумать?

— У меня были трения с Бишопом.

— Какого рода трения?

— Это, скорее, не трения, а финансовые разногласия.

— Вы должны были ему деньги?

— Боже мой, мистер Лэм, о чем вы говорите? Я никогда никому не бываю должен!

— Тогда что же это были за неприятности?

— Бишоп был посредником.

— Он вам должен был деньги?

— Да, но дело совсем не в этом. Он был должен банку. Не как частное лицо, а как держатель контрольного пакета акций «Скайхук майнинг энд девелопмент синдикат».

— Продолжайте.

— Боюсь, что описание всех деталей дела займет слишком много времени.

— Продолжайте, мистер Биллингс, позже у нас его может и не быть.

— Это длинная история.

— Опишите мне основные факты.

— Бишоп был странным человеком. Он состоял постоянным вкладчиком в банке, президентом которого являюсь я. Обычно вкладывал туда большие суммы. Помимо этого, он имел высокие проценты с капитала различных компаний по разработке рудников и приисков, существо которых нам до сих пор не совсем понятно. Более того, как только мы начинали расследование его деятельности во всех этих компаниях, его участие в них и его интерес к их работе становились для нас еще более непонятными.

— Что вы скажете о тех деньгах, что он был должен вам?

— Как я уже только что упомянул, у него было свыше дюжины различных компаний, где он обладал контрольным пакетом акций, но в которых акции предлагаются для покупки широкой публике.

— С разрешения правления корпораций?

— О да, конечно! У него было разрешение на продажу акций, хотя это считается крайне рискованными операциями, скорее спекуляцией, и существуют различного вида гарантии и предосторожности, не дающие возможности посредникам делать деньги за счет этой широкой публики. Однако теперь, когда банк начал проводить свое, частное расследование его деятельности, обнаружили странную общую закономерность, некий шаблон в отношении этих корпораций.

— Какую же?

— При их формировании в банке развития занимались деньги, вначале проводилась некоторая деятельность по разработке рудников, но вскоре постепенно работы на шахтах сворачивались, объем вырабатываемой руды уменьшался.

— А как же насчет взятых займов?

— Взятые кредиты выплачивались вовремя, точно, когда приходило время платежей.

— А как насчет держателей акций?

— Вот здесь-то и существовала какая-то странность, Лэм, которую я не смог понять... Публике в открытой продаже предлагался определенный объем акций, но не очень большой пакет: бо́льшая же часть акций держалась на депоненте в банке. Затем, очевидно — и, поверьте, я не знал этого еще сорок восемь часов назад, когда наши расследователи доложили мне об этом, — весь объем акций покупается кем-то, кто оплачивает держателям акций за них те же суммы, что они раньше платили за эти акции.

— Предположим, что держатели акций не захотят их продавать?

— Акция, которая обратно не была продана...

— Подождите минуту, вы сказали «обратно». Что вы имели в виду, говоря это?

— У нас есть все основания полагать, что человек, скупавший акции, являлся представителем Джорджа Тастина Бишопа.

— Хорошо, а как же все-таки с теми людьми, кто не хотел продавать свои акции?

— Им разрешается держать свои акции еще полгода или год, а затем вновь предлагается их продать. В конце концов или они продавали акции, или те обесценивались. Постепенно и рудник начинал чахнуть, так как на нем прекращались всякие разработки.

— Наверное, все это требовало значительных накладных расходов?

— Безусловно, не только юридически законных расходов, но и сумму вознаграждения, расходы на продажу. И все равно у многих держателей не появлялось особого желания продавать свои акции. Когда же проект вступал в силу, основные акции начинали продаваться немедленно по почте. После продажи небольшого процента акций лихорадка их сбыта прекращалась, и корпорация вступала в очередной период покоя, после которого акции покупались вновь.

— До меня как-то не доходит смысл всего этого, — откровенно признался я. — Ну хорошо, а теперь поподробнее расскажите мне об этом «Скайхук майнинг».

— Здесь тоже создалась крайне странная ситуация. Организация этой корпорации происходила по шаблону. Было дано разрешение продавать акции по их стоимости, предполагая пятнадцать процентов комиссионных для продавца. Однако подразумевалось, что весь баланс денег непременно попадет в казначейство корпорации, и не должны выплачиваться никакие суммы, пока вновь не возникнут необходимые предпосылки в деле расширения работ.

— Откуда же брали деньги для расширения работ?

— Специальная комиссия корпорации решила, что продажа акций будет проводиться самим синдикатом и пятнадцать процентов вместе с вложениями, сделанными в форме займа самими организаторами, будут идти на расширение этих работ.

— Так что держатели акций были вольны делать, что они пожелают?

— Можно сказать, что так.

— Это было сделано. Корпорации было разрешено сделать на выпущенных векселях, подписанных Джорджем Бишопом, банковскую передаточную подпись, предполагающую, что все полученные от этого деньги пойдут в казначейство корпорации.

— Куда же девались деньги из казначейства корпорации?

— Они тратились на расширение работ. Теперь послушайте, мистер Лэм, мне очень не хочется более глубоко вдаваться в подробности всего этого, потому что, если подобные детали станут известны публике, это станет началом нашего конца.

— Почему?

— Через свои каналы банк провел очень интересное расследование, которое недоступно обычным следователям и в отношении которого я не хотел бы делать каких-либо заявлений.

— Хорошо, и каковы же были результаты вашего расследования?

— Руду доставляли железнодорожными платформами на плавильные заводы корпорации, принадлежащей Джорджу Т. Бишопу.

— Что же происходило потом?

— А потом происходило нечто самое невероятное во всем этом деле, — сказал Биллингс. — Руду там дробили и использовали для мощения дорог, в иных случаях — как наполнитель в качестве балласта.

— Вы хотите сказать, что руда добывалась в горах, транспортировалась по железной дороге лишь для того, чтобы быть потом раздробленной на мелкие кусочки?

— Совершенно точно.

— Где-то, возможно, произошла какая-то ошибка?

— Ошибки не было. Мы обнаружили, что такая же процедура происходила практически на каждой шахте и руднике, где разрабатывались копи. Руда доставлялась на сталеплавильные и обогатительные фабрики, и там, на этих фабриках, она превращалась в дорожный балласт.

— Другими словами, Бишоп был обыкновенным мошенником?

— Я не могу делать такого категорического обвинения. Безусловно, происходило что-то... Что-то совершенно далекое от нормального процесса развития делового предпринимательства.

— Сколько же платили сталеплавильные компании за эту руду, которая вместо металла превращалась в дорожный балласт?

— Различные суммы, пока рудодобывающая корпорация получала достаточно денег, чтобы выплатить взятый в банке заем. После этого она прекращала свою деловую активность, больше не посылались транспорты с рудой: заем оплатили, и компания как бы растворилась, исчезла, а всем держателям акций предоставлено право выбора специальными уполномоченными корпораций: или забрать всю сумму денег, которую они вложили в акции, или держать акции на хранении в банке.

— Вы, конечно, мистер Биллингс, отправились к уполномоченному корпорации?

— Нет, сэр, я этого не сделал.

— Почему же?

— Потому что до определенных пределов наш банк участвовал в урегулировании спора. Возможно, нам следовало более подробно изучить варианты афер этих корпораций; но ведь обычно мистер Бишоп держал в нашем банке очень большие суммы денег на многих счетах, которые не лежали пассивно — они работали. Нам приходилось с этим считаться.

— Но когда вы обнаружили... что тогда сделали вы?

— Мы потребовали от мистера Бишопа объяснений.

— Вы рассказали ему о том, что выяснилось при расследовании?

— Большую часть этого мы выяснили уже после... слишком поздно. Но Бишоп знал о проводящемся нами расследовании.

— Вы хотите сказать, что многое из этого вы обнаружили до прошлого вторника?

— Да, к прошлому вторнику мы знали достаточно, чтобы уже быть начеку, чтобы... заподозрить его.

— И вы попросили Бишопа о встрече с вами, чтобы он кое-что вам объяснил?

— Да.

— Когда вы попросили о встрече?

Биллингс закашлялся.

— Так когда же?

— В тот вторник, вечером.

— Где?

— У меня дома.

— Хорошо. А теперь вернемся опять к вашей яхте. Ваш сын нашел тело Бишопа там, на полу... Что он сделал после этого? Как поступил?

— Сын понимал, что практически никто не знал о том, что он находится в клубе на своей яхте.

— В какое время все происходило?

— После того, как стемнело.

— И что же он сделал?

— Он разделся. У каждого из нас на яхте есть своя каюта и в ней стенной шкаф, полный разной одежды. Таким образом, Джон мог полностью изменить свой внешний вид и остаться никем не замеченным.

— Что он сделал потом?

— Надел плавки, положив в карман ключи от машины, закрыл яхту на замок и, тихо соскользнув с ее борта в воду, поплыл к каналу. Прямо по каналу он обогнул территорию яхт-клуба и незамеченный, достигнув пляжа, вышел на берег. Он производил впечатление человека, решившего просто поплавать перед сном. Он прошел мимо нескольких парочек, сидевших в машинах и любовавшихся игрой волн, направившись к тому месту, где он оставил свой автомобиль. Он сел в машину, повернул ключ зажигания и поехал домой, где принял душ, насухо вытерся, высушил плавки и переоделся.

— Что же было потом?

— К сожалению, меня в тот час не было дома: деловое совещание заняло весь вечер, и ему пришлось меня долго ждать, пока я не вернулся. Было почти одиннадцать, когда я приехал домой.

— И что вы сделали?

— Мой сын рассказал мне о том, что произошло. Я без обиняков высказал ему свое недовольство тем, как он повел себя, что ему надо было сразу сообщить о происшествии в полицию.

— Полагаю, вы сами позвонили?

— Да, но не в полицию... Я решил, что будет лучше, если тело Бишопа обнаружит кто-то из сторожей яхт-клуба. Поэтому позвонил в яхт-клуб ночному охраннику и попросил его пойти на мою яхту, взять там оставленный мной в главной каюте чемоданчик с деловыми бумагами и прислать его мне с таксистом.

— Что же произошло дальше?

— Я полагал, что когда он попадет на яхту, то сразу обнаружит тело и сообщит в полицию

— И что, он этого не сделал?

— Нет, просто... тела там не оказалось.

— Откуда вы об этом узнали?

— Ночной охранник прислал мне чемоданчик с бумагами, как я просил, с таксистом, и я очень расстроился. Тут же детально расспросил сына еще раз, даже предположил, что, может быть, он перепутал яхты или ему просто все случившееся приснилось. На следующее утро я отправился на яхту сам и внимательно ее осмотрел.

— Вы обнаружили там что-нибудь?

— Я не нашел ничего, что бы говорило о том, что здесь лежало тело убитого. Все вещи стояли на своих местах, там, где я их оставил.

— Как ночной сторож попал на вашу яхту?

— У него хранится запасной ключ. Правила яхт-клуба не требуют, чтобы владелец яхты обязательно оставлял от нее ключи охранникам, но многие предпочитают это делать на случай пожара или какой-то срочной необходимости: сторож может взойти на борт яхты и в случае надобности даже передвинуть ее.

— Что было потом?

— Мой сын волновался, так как не понимал, что произошло. Поэтому решил, что ему не помешало бы на всякий случай надежное алиби на ночь вторника.

— А у вас, мистер Биллингс, оно есть?

— Да, конечно. Я ведь был на конференции со своими деловыми партнерами. Один из них — директор нашего банка.

— Дайте мне его имя и адрес.

— Конечно, мистер Лэм. Надеюсь, вы не сомневаетесь...

— Я не сомневаюсь. Я расследую. Как его имя? Его адрес?

— Вальдо В. Джефферсон. Его офис находится в здании нашего банка.

— К вам на яхту приходили гости? Они как-нибудь регистрируются при этом?

— Нет, гости не должны регистрироваться, только владельцы яхт. Но количество гостей фиксируется — один, два, трое, четверо...

— Хорошо, вернемся к яхте. Поедем сейчас туда, и вы запишете меня как своего гостя.

— Но ведь я уже тщательно осмотрел ее, мистер Лэм. Там ничего нет.

— Может быть, вы не обнаружили никаких улик, но если тело мертвого человека находилось на яхте и полиция будет иметь все причины подозревать вас, то, поверьте мне, они найдут множество улик, о которых вы даже и не подозреваете.

Выражение довольства собой появилось на лице Биллингса-старшего.

— Там нет никаких улик, мистер Лэм, уверяю вас.

— Возможно, и нет.

— Что вы все-таки собираетесь там найти, мистер Лэм? Что вы будете там искать?

— Знаете, однажды я посетил семинар известного Френсиса Г. Ли о расследовании убийств...

— Мне казалось, у вас достаточно высокая профессиональная квалификация, мистер Лэм. Однако я не вижу причин, почему мы сейчас должны это обсуждать...

Я продолжал рассказывать, будто не слышал, как меня пытался одернуть Биллингс:

— На семинаре предложили кому-нибудь из нас помочь следствию. Согласившемуся закатали рукав и измазали руку и ладонь человеческой кровью.

— На моих руках не было никаких брызг крови! — оскорбленно воскликнул Биллингс.

— После этого, — как ни в чем не бывало продолжал я, — ему предложили помыть руки с мылом горячей водой, потереть их щеткой — словом, сделать все, чтобы смыть следы крови.

— Она сразу отмылась?

— Конечно.

— И что потом? — спросил Биллингс.

— Ничего.

— Что вы имеете в виду, говоря «ничего»?

— Он ушел вместе со всем классом.

— Вы хотите сказать, что они брызнули кровью ему на руки, заставили потом ее смыть — и это все?

— На следующий день его спросили на семинаре, принимал ли он дома душ, и он ответил, что принимал, причем особенно тщательно тер щеткой руки в тех местах, куда попала кровь.

— И что же потом?

— Ничего, говорю я вам.

— Лэм, вы шутите?

— Нет. На третий день его опять спросили, принимал ли он ванну и тер ли он с мылом руки?

— Лэм, я не понимаю, к чему вы клоните?

— После этих расспросов ему закатали рукав и смазали реактивом те места, где была прежде кровь. И знаете, что случилось? Везде, где два дня назад на

133

руках и ладонях алела кровь, выступили темно-синие пятна.

Джон Карвер Биллингс неподвижно застыл в кресле, как застывает иногда мышь на полке в кладовой при виде внезапно открывающейся двери... Я видел, как он переваривает только что полученную информацию, и она ему совсем была не по душе.

Внезапно он выпрямился и произнес своим спокойным, уверенным голосом опытного банкира:

— Хорошо, мистер Лэм, а сейчас мы отправимся с вами на нашу яхту.

Глава 13

Плавающие дворцы из красного дерева и тика, сверкающие лаком и глянцем, начищенной до блеска бронзой, спокойно поднимались и опускались на волнах, терпеливо дожидаясь уик-энда, когда их владельцы возьмут их на несколько часов отдыха на воды залива или в открытый океан, кативший свои бесконечные волны. Некоторые яхты были таких огромных размеров, что для управления ими требовалась целая команда. Другие имели на своем борту новейшее навигационное управление, что позволяло владельцу в случае необходимости вести яхту одному в открытом море.

Все было так, как мне рассказал Биллингс-отец. Яхт-клуб принимал только своих членов. Высокая стена из стальной сетки с тремя рядами колючей проволоки окружала территорию клуба, и в воротах стояла специальная платформа, при вступлении на которую раздавался сигнал, а ночной охранник уважительно поздоровался с Биллингсом, пожелав ему доброго вечера и протянув специальную книгу, в которой Биллингс расписался, а в отдельную колонку сделал запись: «Один гость». Охранник посмотрел на часы, проверив время нашего прибытия. Он хотел, как мне показалось, сказать еще что-то Биллингсу, но тот оборвал его:

— В другой раз, Боб.

Взяв мою руку, он повел меня по длинной дорожке к яхте. Пока мы шли, нас сопровождал приятный звук плескавшейся воды и игра световых бликов на ее поверхности. Вокруг царила какая-то мрачная, зловещая атмосфера. Ни он, ни я не произнесли ни слова. Мы подошли к белой яхте, палубы которой были сделаны из тикового дерева; кругом в свете луны сверкали бронзой начищенные поручни и ручки. В верхней кабине окна были квадратными, с тяжелыми непробиваемыми стеклами. В нижней — круглые небольшие иллюминаторы.

— Это здесь, — остановился Биллингс. — Пожалуйста, наступайте не на палубу, а на ковер. Я сейчас отопру каюту.

Мы взошли на борт. Биллингс вставил ключ в замок. Скользящая панель отъехала в сторону, и мы очутились в залитой светом каюте: Биллингс успел, входя, щелкнуть выключателем.

— Это произошло здесь, — произнес он.

Я впитывал атмосферу, царящую тут. Вокруг все дышало роскошью и богатством. Мои ноги утопали в толстом ворсистом ковре, и казалось, я иду по мху в глубине нетронутого леса. Цветовая гамма интерьера в кабине подбиралась тщательно. Дорогие шторы прикрывали окна от любопытных взглядов внешнего мира. Кресла, стулья, классный радиоприемник — все здесь создавало комфорт в миниатюре.

— Где лежало тело? — спросил я.

— Как я понял из рассказа моего сына, оно лежало здесь. Вы видите, на ковре нет ни единого следа.

Я опустился на четвереньки.

— Вы можете этого не делать, — предостерег Биллингс. — Здесь, на ковре, вы не найдете и крохотного пятнышка, — повторил он.

Я продолжал ползать на коленях, замечая краем глаза, что Биллингс начал раздражаться.

— Ни одного, ни малейшего... — согласился я с ним.

— Уж можете поверить мне на слово, — повторил он.

— На ковре нет ни пятнышка, потому что он совершенно новый и только недавно был заменен.

— О чем, черт возьми, вы толкуете? — потребовал ответа Биллингс. — Этот ковер лежит здесь с тех пор, как...

Я покачал головой и сдвинул в сторону одно из кресел. Там, где от его ножек должны были остаться глубокие вмятины, лишь слегка примялся ворс.

— Ковер лежит здесь с тех пор, как сюда были поставлены кресла, — констатировал я.

— Это очень дорогой ковер. Его ворс не в состоянии придавить даже самая тяжелая мебель — он сразу принимает прежнее положение, едва вы убираете ее.

— Знаю, мистер Биллингс, об этом, но невозможно полностью уничтожить следы от ножек постоянно стоящей мебели. Вы забыли и об этой вот фотографии, — я кивнул на стену, — где вы сидите и читаете в этой каюте. Здесь, естественно, нельзя определить цвет ковра, но легко различить его рисунок: он совсем другой.

На лице Биллингса мгновенно появилось выражение ужаса, когда он взглянул на снимок. Я же прошел, заглядывая во все углы и проводя пальцами там, где было трудно достать рукой.

— Видите, по углам еще ощутимы следы вязкого вещества, которым старый ковер приклеивался к полу. Одну минутку, мистер Биллингс, а это что такое?

— Что, что?

— Вот там, в углу, на два фута ближе к стене.

— Я этого не заметил, — сказал он, наклоняясь.

— Рад, что вы раньше не заметили, но вам лучше увидеть это сейчас.

— Что это такое?

— Это маленькая, круглая дырочка с очень странными темными краями вокруг ее внешнего края. Она размера пули 38-го калибра, — похоже, там есть даже крохотный кусочек какой-то ткани, которая, видимо, пристала к пуле.

Побледнев, Джон Карвер Биллингс неподвижно уставился на меня и молчал.

— А теперь объясните мне, если, как вы мне рассказывали, вы договорились встретиться с Бишопом во вторник у вас дома, — как получилось, что вы провели этот вечер с мистером Вальдо В. Джефферсоном? Как вы могли знать, что мистер Бишоп не сможет встретиться с вами в вашем доме?

Было такое впечатление, что на Биллингса вылили ведро ледяной воды. Он издал какой-то непонятный звук и стоял по-прежнему молча, с сразу осунувшимся лицом. И именно в этот момент я услышал какой-то звук: это был странный, стучащий звук, как будто бежало много людей. Потом стал слышен гул многих голосов, они звучали где-то за пределами яхты и были слегка приглушены стенами каюты.

Джон Карвер Биллингс Первый взобрался по ступенькам и вышел на палубу.

— Кто вы такой? — спросил незнакомый голос.

И прежде чем Биллингс успел что-либо ответить, я услышал голос охранника:

— Это мистер Биллингс, Джон Карвер Биллингс. Он пришел на свою яхту всего несколько минут назад до того, как вы приехали.

— Куда-то собираешься отплывать, приятель? — спросил тот же голос.

— Мистер Биллингс — известный банкир, — продолжал ночной охранник.

Шаги слышались уже где-то в стороне, люди бежали дальше, но охранник остался около нас.

— Сэр, случилась неприятность. Я хотел рассказать вам, когда вы проходили мимо, но вы не стали

137

меня слушать. На борту яхты «Эффи А» нашли тело убитого. Ночной охранник прошлой смены почувствовал неприятный запах. Хозяин яхты, как вы знаете, уехал в Европу. Похоже, что кто-то сорвал замок и... Боюсь, что это отразится на репутации яхт-клуба, сэр, но мы ничего не могли поделать: мы должны были сообщить в полицию.

— Хозяин яхты, говоришь, уехал?

— Он в Европе, сэр. Яхта была заперта и...

— Ее никто не снял?

— Нет, сэр, никто.

— Идите к ним, я не хочу ни во что вмешиваться, — нетерпеливо бросил Биллингс. — Надо всячески помогать полиции. — Он задвинул скользящую панель и спустился вниз, в кабину. Лицо Биллингса было почти зеленого цвета, он избегал моего взгляда.

— Мне предстоит очень много работы, сэр, и я должен сделать ее как можно скорее, — объяснил я.

Он вытащил из кармана бумажник, открыл его и вытащил стодолларовый банкнот.

— Ваш сын приостановил действие выданного им чека, который я получил вместе с партнером в Лос-Анджелесе и...

— Я приношу извинения за тот его шаг. И немедленно это исправлю, мистер Лэм. Я дам банку поручение...

— Не надо давать банку никаких поручений, — попросил я. — Оплата по чеку была приостановлена. Оставим все как есть. Но вы можете добавить пятьсот долларов к той сумме, которую дадите мне на расходы по расследованию вашего дела.

— Деньги на расходы?

— Да, у меня может оказаться очень много расходов, сэр. Добавьте пятьсот долларов.

Он кивнул и продолжал отсчитывать деньги. Посмотрев на необъятных размеров его бумажник, я понял, что он заранее подготовился к такому повороту событий. Это были деньги, предназначенные для того, чтобы откупиться, и их было у него очень много, целая пухлая пачка. Бумажник плюс дырка от пули на яхте плюс новый ковер на полу сказали мне все, что мне нужно было узнать.

Глава 14

Как-то я сделал одолжение знакомому брокеру — одолжение, за которое он был до сих пор благодарен мне, поэтому-то я сразу позвонил ему в восемь утра на следующий день, и он сразу с радостью откликнулся на мою просьбу.

— У меня есть тысяча триста пятьдесят долларов, — сказал я, — наличными.

— Да, Лэм.

— Я хочу, чтобы триста пятьдесят долларов ты вложил в акции компании «Скайхук майнинг энд дивелопмент синдикат».

— Никогда о такой не слышал, Лэм.

— Узнай о ней все. Найди ее фонды. Мне это очень нужно. И нужно очень быстро.

— Хорошо, а еще тысяча долларов, их куда?

— Триста пятьдесят долларов вложи на имя Элси Бранд. Тысячу долларов вложи в те же акции, но на имя агентства «Кул и Лэм», партнеров. Хочу, чтобы ты нашел эти акции и чтобы их купил утром, как только начнется рабочий день, и...

— Подожди минутку, — перебил он меня. — Я листаю справочник индексов... Вот, кажется, нашел. Это одна из тех компаний, акции которой заказывают и рассылают по почте, Лэм. Мне придется, видимо, повозиться, чтобы выяснить, кто держатели ее акций, и...

— Мы не располагаем временем, — ответил я. — Они получили разрешение на проведение операций через комитет по корпорациям. Акции должны быть положены на хранение в банк на год, в течение этого срока владелец акций по своему желанию может их забрать. В течение того же срока должны проводиться работы по техническому развитию рудников, в противном случае продажа акций будет считаться недействительной и покупатель может аннулировать сделку.

— Итак, что я должен делать?

— Постарайся связаться с кем-нибудь из тех, у кого есть такие акции. Скажи им, что ты имеешь право предложить своим клиентам разумную прибыль и что тебе необходима определенная информация. Но не говори им, для кого она тебе нужна и для чего. Скажи, что ты должен получить информацию любым способом. Начинай же, друг, работай, звони по междугородному телефону, покупай акции!

— До какого верхнего предела цены я могу покупать?

— Можешь за двойную стоимость. Если не будет получаться, прекращай, выше не бери. Помни, что есть в большом количестве векселя корпорации, но банк ничего не предпринимал, потому что на них стояла подпись Бишопа. Теперь он умер, и банку придется с ними что-то делать. Держатели депонированных акций должны об этом знать. И держатели обычных акций тоже должны быть поставлены об этом в известность. Если это еще не сделано, то постарайся, чтобы они об этом узнали.

— Хорошо, я все сделаю, — обещал мой знакомый брокер.

— Начинай работать немедленно.

Положив телефонную трубку, я взялся за утренние газеты. Крупные заголовки во всех них просто кричали о случившемся:

«ТЕЛО УБИТОГО ВЛАДЕЛЬЦА РУДНИКОВ НАЙДЕНО НА ЯХТЕ МИЛЛИОНЕРА!»

Все это было совершенно естественно — репортеры уголовной хроники зарабатывали свой хлеб.

Как оказалось, Эриксон Б. Рейн, миллионер, владелец яхты, холостяк, проводил каникулы в Европе. Не было никаких сомнений в том, что он последние четыре недели находился за пределами Соединенных Штатов. Кроме того, помимо дубликата ключа от яхты, который лежал в сейфе яхт-клуба, другого просто не существовало.

Однако полицейское расследование показало, что замок на яхте — было совершенно очевидно — сбит и заменен новым, поэтому делавший очередной обход ночной сторож ничего подозрительного не заметил.

Полиция в это время разрабатывала версию о том, что Джордж Бишоп был убит в каком-нибудь другом месте и уже потом его тело было привезено в яхт-клуб. Но вот каким образом оно туда попало, оставалось для всех загадкой.

Я уже третий раз прочел отчет о событиях, пока сидел в офисе Хартли Л. Чаннинга, ожидая приема. Это был вполне респектабельный офис, на его матовом дверном стекле красовалась надпись:

«ХАРТЛИ Л. ЧАННИНГ.
ВЕДЕНИЕ БУХГАЛТЕРСКИХ КНИГ».

В приемной сидела симпатичная секретарша, миловидная, с большими голубыми глазами и цветом лица, похожим на персик со взбитыми сливками, но холодная и неприступная.

Когда я вошел, она читала модный журнал, держа его в ящике стола, который сразу задвинула, едва я появился и сказал, что хочу видеть мистера Чаннинга. После этого она утомленным жестом потянула к себе другой ящик, вынула из него лист бумаги, вставила его в пишущую машинку и начала стучать по клавишам с механической точностью, но без всякого энтузиазма.

Было пять минут десятого, когда я вошел в контору, и девица, не отрываясь, печатала уже пятнадцать минут, не произнося ни слова.

Хартли Чаннинг появился ровно в девять тридцать.

— Здравствуйте, — сказал он, — чем могу вам помочь?

— Моя фамилия Лэм. Я хочу проконсультироваться с вами по вопросу о некоторых моментах налогообложения.

— Хорошо, входите.

Он пропустил меня в свой кабинет. Стук на машинке сразу прекратился, едва я переступил его порог.

— Садитесь, мистер Лэм. Так чем я могу быть вам полезен?

Чаннинг — ухоженный, элегантно одетый человек, ногти которого были явно обработаны маникюршей немногим более двух дней назад, в добротно сшитом костюме из импортной ткани, дополненном дорогим модным галстуком ручной росписи, и туфлях, похоже тоже сшитых на заказ.

— Вы занимаетесь делами мистера Бишопа? — спросил я.

Мгновенно глаза Чаннинга стали как две ледышки, и между нами словно опустился невидимый занавес.

— Да, — ответил он и выжидающе посмотрел на меня.

— Жаль его, — выразил я соболезнование.

— Есть что-то загадочное в том, что произошло, — тотчас же холодно прозвучало в ответ.

— Вы видели сегодняшние утренние газеты? — поинтересовался я.

— Нет еще, — ответил он, и мне сразу стало ясно, что он говорит неправду. — Я был очень занят все утро.

— Уже, кажется, не осталось ничего загадочного в этой истории.

— Что вы имеете в виду, мистер Лэм?

— Его тело было найдено на борту одной из яхт в местном яхт-клубе.

142

— Значит, он мертв?

— Да.

— Его смерть зарегистрирована?

— Да.

— Как же он умер, это было известно?

— От двух пуль: одна из них попала в грудь, другая — в голову.

— Очень жаль, конечно. Однако вы, мистер Лэм, кажется, собирались проконсультироваться со мной по каким-то вопросам?

— Я хотел поговорить о налогах.

— О чем именно, мистер Лэм?

— Я хотел бы знать, насколько вы в курсе того жульничества, которым занимался Бишоп.

— Что вы имеете в виду, сэр?

— Если вы вели его дела и занимались налогами, которые он платил, то должны знать совершенно точно, что я имею в виду.

— Мистер Лэм, мне не нравится ваше поведение. Могу ли я узнать, это официальный визит?

— Это визит неофициальный, скорее личный и дружеский.

— Кто вы такой на самом деле?

— Сыщик из Лос-Анджелеса, частный детектив.

— Я не собираюсь что-либо с вами обсуждать, мистер Лэм.

— Послушай, приятель, — отбросив всякие церемонии, жестко сказал я, — карты на стол и кончай паясничать! Ты тоже в этом замешан, и я хочу знать, насколько глубоко ты увяз.

— Я абсолютно уверен, что не имею ни малейшего представления, о чем вы толкуете, мистер Лэм, и мне не нравится ваш тон. Мне хотелось бы, чтобы вы сейчас же покинули мой офис.

— Бишоп, — продолжал я, не обращая внимания на его гнев, — занимался разнообразной деятельностью; он был достаточно умен и решил, что ему выгоднее не держать в секрете суммы своих доходов, но он никогда не выдавал источников их получения, поэтому занимался всем чем угодно — шахтами, рудой, сталеплавильными заводами, но, как оказалось, все это было полной мистификацией, надувательством.

— Бишоп в своей жизни не обманул ни одного человека.

— Конечно, он в общепринятом смысле этого слова не обманывал. Для этого был слишком осторожен, и если бы попытался это сделать в открытую, был бы арестован и выброшен из бизнеса. Нет, он никого не обманул, он просто присваивал чужие капиталы, владел различными компаниями и докладывал о своих доходах в этих компаниях, а затем ловко жонглировал фондами и ценными бумагами. Однако, как я уже сказал, он был предельно осторожен и старался ни в чем не быть замешанным, всегда регулярно отчитывался о своих доходах. Теперь, с моей точки зрения, этому может быть только одно объяснение.

Чаннинг схватил со стола карандаш и стал нервно крутить его в руках.

— Я абсолютно уверен, сэр, что не желаю обсуждать дела мистера Бишопа с кем бы то ни было, кто не является официальным лицом.

— Вам придется обсудить это сначала со мной, мистер Чаннинг, а потом и с полицией. Очевидно, вы еще не поняли всей серьезности положения, в котором оказались.

— Вы уже несколько раз намекаете на это, Лэм, и я сказал вам, что мне это не нравится. — С этими словами Чаннинг оттолкнул свое кресло и встал из-за стола — большой, атлетического сложения парень, немного толстоватый в талии, но с мощными, широкими плечами.

— Убирайтесь отсюда, — приказал он угрожающе, — и постарайтесь держаться от меня подальше.

— Бишоп планировал действовать быстро и, конечно, не мог обойтись без вашей помощи. Насколько я в вас разобрался, вы бы не занялись подобного рода бизнесом за обычную вашу зарплату. Уверен, что и от этого пирога вы имели свой солидный кусок.

— Ну ладно, достаточно, мне надоело это выслушивать. Сейчас я вас выброшу за дверь.

С этими словами он обошел вокруг стола и левой рукой схватил меня за воротник пальто.

— Поднимайся! — угрожающе процедил он сквозь зубы, поднимая указательным пальцем правой руки мой подбородок. Этот парень знал свое дело, знал, где расположены нервные центры. Нестерпимая боль подняла меня с кресла. Сильным движением он развернул меня по направлению к двери:

— Ты сам напросился на это! — С этими словами одной рукой он взялся за ручку двери, а другой, крепко держа воротник моего пальто, вытолкнул меня за порог. Ручка при повороте издала лязгающий звук, и, выскочив за дверь, я услышал тут же возобновившийся стрекот машинки. Но не сдался: повернувшись к Чаннингу, я прокричал ему в лицо:

— Может быть, у вас лично и есть алиби и вы непричастны к убийству Бишопа. Но это еще не значит, что оно у вас есть в связи с убийством Морин Обэн. Да и насчет Габби Гарванза вам трудно будет все объяснить. Когда я ему расскажу...

Его пальцы при этих словах сразу разжались, и он отпустил наконец меня. Чаннинг стоял посредине комнаты абсолютно неподвижно, разглядывая меня холодными, ничего не выражающими голубыми глазами. Потом вернулся к письменному столу, опустился в кресло и тихо произнес:

— Садитесь, мистер Лэм.

Я сел и, не дав ему раскрыть рта, сказал:

— Если вы хотите избавить себя от крупных неприятностей, начинайте рассказывать! Прямо сейчас!

— Вы должны передать Габби, что я ничего не знаю об убийстве Морин. Это абсолютнейшая правда.

— Небезопасно для собственного здоровья становиться у Габби на пути, — ответил я.

— Я никогда не становился на его пути.

Схватив карандаш, Чаннинг нервно стал крутить его между пальцами, потом вытащил носовой платок и высморкался, вытер вспотевший лоб, засунул платок снова в карман пиджака и откашлялся.

— Начинайте говорить, — посоветовал я.

— Что говорить? Я ничего не знаю о Морин.

— Вы сможете убедить в этом судью, мистер Чаннинг?

— К черту судью! Какое он к этому имеет отношение?

Я улыбнулся ему в лицо злорадной улыбкой победителя:

— Если ты встанешь на пути Габби, он обвинит тебя в убийстве и, будь уверен, поможет пойти под суд. И ты это знаешь не хуже моего.

Странное дело: костюм этого парня продолжал сохранять безупречность линий, но тело, видел я, тело внутри него сразу уменьшилось в объеме. Казалось, костюм стал сразу велик ему по крайней мере на два размера.

— Теперь послушай меня, — проговорил он медленно. — Ты работаешь на Гарванза и...

— Я не говорил тебе, на кого работаю, — прервал я его и тут же увидел, как расширились его глаза, в них появилось выражение явного облегчения. — Но теперь у меня есть информация, которую Гарванза очень захочет получить. А я хочу узнать от тебя о Бишопе. Начинай же рассказывать.

Мои слова возымели свое действие. Вскользь брошенное сообщение о Габби, обвиняющего Чаннинга в убийстве, как бы лишило его какого-то последнего жизненного стержня, и он теперь сидел передо мной, буквально объятый ужасом, не готовый к тому, чтобы ясно мыслить, чтобы даже попытаться понять, какой же существует у меня лично интерес в этом деле. Он выглядел загипнотизированным, объятым ужасом.

— Все, что я могу рассказать, Лэм, это о бухгалтерских книгах. Мы подробно все в них записывали, и по этим книгам можно понять, что все доходы Бишопа шли от его рудных компаний.

— А что происходило с этими компаниями?

— Среди всех видов их деятельности числились и операции за «Зеленой дверью». В их уставе ничего не говорилось о том, что они не имеют права этого делать: не было никаких причин, по которым компания не может заниматься тем, чем хочет. Теперь я могу рассказать вам, что, когда Габби Гарванза хотел перевести все свои дела в Сан-Франциско, некоторые дельцы решили его туда не пускать, но это не была идея Бишопа. Мы с Бишопом не хотели с ним ссориться. Если он захотел бы организовать для себя защиту, мы были готовы заплатить за его охрану. Нас не интересовало, куда и кому шли деньги. Нам нужен был товар. И мы были готовы покупать его у того, кто нас лучше обслужил. Вот в этом вся правда, мистер Лэм. Ни я, ни Бишоп никогда не выступали против Габби.

— Насколько близко вы знали Морин?

— Вы хотите знать, насколько близко я был с ней знаком? Да, я познакомил Габби с Морин. Я ее знал очень хорошо, но Бишоп — очень близко.

— А что вы скажете о миссис Бишоп?

— Ирен не вмешивалась в бизнес.

— Я хочу узнать от вас о ее прошлом.

— Разве вы о нем ничего не знаете?

— Нет.

Чаннинг по-прежнему старался взять себя в руки, и ему это почти удавалось.

— Поверьте, Лэм, если участвуешь в делах с Гарванза, всегда многого не знаешь до конца.

— Но я многое знаю. У меня есть для Габби очень интересная информация. А теперь расскажите мне об Ирен.

Пока еще по непонятным причинам, но Чаннинг до смерти боялся Габби. Мой приход и вопросы, касавшиеся Морин, были ему, видел я, крайне неприятны.

— Ирен работала в бурлеске, — начал он рассказывать. — Она занималась стриптизом. Однажды Бишоп был приглашен в ресторан, где она работала, увидел ее и влюбился... Ну а она оказалась достаточно умна в игре с ним..

— Они что, состояли в законном браке?

— Законном? Ну конечно! Ирен уж сделала все, чтобы он был законным: она настояла на его разводе с женой, и ему этот развод влетел в копеечку — пришлось откупаться от нее. Ирен, может быть, и кажется нежным ягненком, но она очень умна.

— А кто убил Морин Обэн?

— Лэм, клянусь, я этого не знаю! Я был просто в шоке, когда услышал... Эта женщина мне очень нравилась.

— А кто убил Бишопа?

— Тоже не знаю! Но очень хотел бы узнать. Поставьте себя на мое место... Кругом убийства... Я и сам не знаю теперь, в каком положении нахожусь. Судя по всему, кто-то попытается убрать и меня. Должен вам признаться, это неприятное чувство. Вы можете передать Габби, что я не прочь с ним встретиться. Я пытался с ним связаться, но не смог, а он бы мне мог помочь.

Я ухмыльнулся открыто ему в лицо. Он опять начал вытирать платком вспотевшее лицо.

— Что теперь произойдет с «Зеленой дверью»? — поинтересовался я.

— Что касается меня, то я не стану противодействовать тому, что захочет делать Габби. Конечно, лишь в том случае, если он договорится с остальными... Но, думаю, он сможет договориться.

— Что вы знаете о Джоне Карвере Биллингсе?

— Биллингс — известный банкир. Иногда мы пользовались его услугами. Он никогда не задавал лишних вопросов, для него было самым важным, чтобы мы держали наши деньги в его банке.

— У Биллингса могут быть к вам какие-то вопросы?

— Не думаю, Лэм. Джордж крепко держал его за горло из-за его сына.

— Расскажите мне поподробнее об этом деле с лишением акционеров «Скайхук майнинг энд дивелопмент синдикат» права выкупа заложенных ими акций.

— Вот здесь вы меня поймали! Я сотни раз говорил Джорджу Бишопу, что это была одна из самых неразумных его идей. Этого нельзя было делать! Это в любой момент могло кончиться расследованием специальной комиссии... Могло вообще разрушить все наше дело.

— И он вас не послушал?

— Нет, он требовал принять к реализации свою бредовую идею, говорил, что ему наплевать, что будет потом, требовал лишить должников права выкупа заложенного имущества... Скажите все же Габби, что мне надо с ним поговорить — в любое удобное для него время.

— А как насчет вдовы?

— Она не имеет к этому никакого касательства! — засмеялся Чаннинг.

— Может быть, она как раз и имеет к этому непосредственное отношение?

— Не заблуждайтесь на этот счет, мистер Лэм. Все имеет свой предел. Можете передать Габби Гарванза, что я беру на себя управление казино «Зеленая дверь».

— Что с этого будет иметь Ирен?

— Ирен получит свою долю имущества. Видите ли, она была очень хорошей танцовщицей в бурлеске. Получила то, что хотела, и отдала то, что имела, но она ничтожный винтик. Она возьмет свое и исчезнет. Что касается сегодняшнего вечера, то я беру его на себя.

К нему явно возвращалась его самоуверенность.

— А что же будет с корпорациями?

— Корпорации исчезнут в густом тумане цифр.

— Оставайтесь у себя до двух часов пополудни, — попросил я его. — Ни при каких обстоятельствах не выходите из офиса и не покидайте контору, а главное, никому не давайте никакой информации. Если Габби захочет вас увидеть, он сам даст об этом знать.

Это явно опять напугало Чаннинга. Мысль о том, что он снова может попасть в жесткие объятия Габби Гарванза, совсем ему не улыбалась.

— Попросите его позвонить мне, — сказал он.

— Мне казалось, что вы хотели его увидеть, мистер Чаннинг?

— Да, я хотел, но в ближайшие часы буду очень занят. Теперь, когда выяснилось, что Джордж мертв, полиция скоро будет здесь и...

— Но вы же хотели увидеться с Габби?

— Я хотел, я хочу, но мне надо, поверьте, сделать тысячу дел.

— Мне, очевидно, стоит сказать Габби, что вы слишком заняты и у вас нет времени с ним увидеться?

— Нет, нет, ради бога, я не это имел в виду!

— Но это прозвучало именно так.

— Лэм, поставьте себя на мое место.

— Чертовски уверен, что я бы не хотел быть на вашем месте! — сказал я, поднимаясь и выходя их кабинета; Чаннинг же все это время промокал платком свой мокрый лоб.

Когда я вышел, его машинистка опять печатала, не отрываясь, и даже не подняла головы.

Глава 15

Миссис Джордж Тастин Бишоп утомленно взглянула на меня.

— Опять вы, — сказала она устало.

— Да, опять я, — пришлось подтвердить мне.

На ее лице появилась скучающая улыбка.

— Никуда не годный полицейский!

— Нет, миссис ошибается, просто бойскаут, — покачал я головой. — Я вчера хорошо поработал, собираюсь то же самое сделать и сегодня.

— Со мной?

— Да.

— Полагаю, абсолютно бескорыстно, — с большой долей сарказма произнесла она.

— Опять ошибаетесь.

— Послушайте, Лэм, я не спала всю ночь. Меня допрашивали несчетное количество раз, а мне еще надо ехать идентифицировать тело моего мужа. Мой врач хочет сделать мне укол успокаивающего со снотворным, чтобы я немного отключилась. Правда, я сказала ему, что смогу все выдержать и обойтись без укола: всегда трудно представить себе, что могут со мной сделать, пока я буду спать. Но я устала, ужасно устала.

— Попробую, миссис, вам кое в чем помочь. Приготовьтесь услышать странную новость: ваш муж не был владельцем рудников.

— Не говорите глупостей! Он был владельцем полудюжины различных шахтных корпораций разного профиля в разных штатах и...

— И он просто прикрывался ими, чтобы настоящий источник его доходов оставался неизвестным.

— И что же это, как вы изволили выразиться, за «настоящий источник доходов»?

— Одно местечко в Сан-Франциско под названием «Зеленая дверь».

— Что это такое, мистер?

— Игорный дом!

— Садитесь, — пригласила она меня неуверенно.

Я сел, она расположилась напротив.

— Дело в том, что Хартли Л. Чаннинг собирается прибрать этот дом к рукам, — сказал я.

— Мне всегда казалось, что Чаннинг приятный человек.

— Послушайте, Ирен, вы всегда были как-то включены в этот бизнес, занимались стриптизом и вообще были королевой бурлеска. Уверен, вы должны быть в курсе, какой в настоящее время счет и в чью пользу.

— Похоже, вы сами потеряли покой и сон, мистер Лэм! Кто вам наплел все это?

— Вы были бы очень удивлены, если бы узнали.

— А может быть, и нет.

— В любом случае у нас есть что обсудить, помимо этого. Как обстоят ваши финансовые дела?

— Вы хотите быть в курсе их?

— Почему бы и нет?

— Почему это, мистер Лэм, я должна вам докладывать, как обстоят мои финансовые дела?

— Потому что, похоже, только один я собираюсь быть с вами честным. В одном, Ирен, вы можете быть уверены: я не предам вас.

— Нет, думаю, вы этого не сделаете. Как вас зовут?

— Мое имя Дональд, миссис.

— Хорошо, Дональд. Когда вы по четыре или пять раз за ночь должны раздеться перед целой кучей идиотов, то, поверьте, вы очень от этого устаете. И вдруг является Джон и сразу влюбляется в меня — это обрушилось с силой падающей тонны кирпича. Вначале я не поняла, что его чувства серьезны, что он не играет, но он предложил мне руку и сердце, и я поверила, что все это не сон наяву. И я сыграла так, как ему того хотелось. Его жена стремилась оставить его без копейки, а он ужасно боялся, что она потребует выплаты огромных алиментов. Я ему объяснила, что хочу лишь дать ему бо́льшую уверенность в себе, чтобы ему еще раз не проходить через все это — ведь в жизни всякое бывает, — и предложила перед нашей женитьбой составить брачный контракт. Идея ему очень понравилась.

— И что потом?

— Потом он поручил своему адвокату составить этот контракт, в котором оговаривалось условие полного соглашения в разделе имущества.

— Сколько же вам полагалось по этому контракту?

— Десять тысяч долларов в качестве моей личной и отдельной от него собственности.

— На что же в свою очередь согласились вы?

— Он должен был оплатить временные алименты, зарплату адвокату, постоянные алименты... ну, словом, полный раздел имущества.

— А в случае его смерти?

— Не знаю, никогда не смотрела на наше соглашение с этой точки зрения, но, насколько я помню, он имел право распоряжаться своей собственностью по своему усмотрению.

— Он оставил завещание?

— Я этого не знаю.

— Где оно может храниться в случае, если он его оставил?

— Думаю, у адвоката.

— Есть у него еще кто-нибудь, кому он мог оставить свою собственность, вы не знаете?

Она пожала плечами.

— Значит, он продолжал соблюдать условия соглашения?

— Да, я следила за этим.

— Вы умница.

— Не ошибитесь, Дональд, на мой счет. Может быть, я и не такая, как вам кажется, но знаю, как надо поступать в том или ином случае. Я владею искусством раздевания в совершенстве — так, что всех зрителей в первых рядах неведомая сила поднимает с кресел и они бросаются к сцене. Поверьте, и в жизни нужно обладать подобным искусством, все надо делать красиво. Если не верите, сравните, как одно и то же делают неопытная девушка и настоящая, имеющая опыт работы, артистический опыт, девушка-страйпер.

— Ну а теперь, миссис, вернемся к первому вопросу. Так как же у вас обстоят дела с финансами?

— У него была страховка, а у меня мои десять тысяч долларов.

— Кто платил последнее время за вашу одежду и другие покупки?

— Это всегда делал Джордж. Он хотел, чтобы я не прикасалась к своим десяти тысячам как можно дольше.

— Боюсь, что когда развеется туман над различного рода деятельностью вашего мужа, вы, возможно, обнаружите, что единственный бизнес, который он имел на самом деле, — это игорный дом «Зеленая дверь», что именно оттуда поступали деньги, чтобы платить за все остальное. Это был основной источник его доходов. Вы когда-нибудь слышали об игорном бизнесе? Доходы от него как-то отражены в утвержденном судом завещании?

— Нет.

— И, наверно, никогда и не услышите.

— Ну и что?

— Ваш муж был очень осторожный человек, поэтому его личные связи с казино «Зеленая дверь» никто не сможет доказать. А дело в том, что все его финансовые дела держал в руках человек, который считает себя натурой исключительной... Ваш муж, возможно, поместил часть денег в банк, в депозитный сейф. И наверное, Хартли Чаннинг знает, где этот сейф находится. Возможно, окажется, что в этом сейфе обнаружатся наличные деньги, а может быть, и нет. Но, если принимать во внимание ваше прошлое, может возникнуть множество вопросов, огромное количество вопросов, а то, что он завещал вам страховку, вообще может стать моментом довольно сомнительным, вызвать подозрение.

— Я это знаю. Именно поэтому не хочу, чтобы мой врач давал мне снотворное: сейчас нельзя ничего выпускать из виду. Да и самой мне хочется иметь ответы на некоторые вопросы.

— Хочу вас спросить: на холме, возле дома, есть площадка, она принадлежит вам?

Ирен кивнула.

— У вас там, видел я, свалено огромное количество гранита — в основном это небольшие куски, крошка... Зачем это?

— Да, знаю. Джордж собирался соорудить там теннисный корт, и в его основание он собирался заложить именно гранит, чтобы образовался добротный дренаж, не доступный подземным водам.

— Ну хорошо... Давайте, Ирен, спустимся в гараж и посмотрим на вещи вашего мужа.

— Зачем?

— Думаю, мы там обнаружим золотую кастрюлю.

— Ну уж конечно!.. Там у Джорджа лежало несколько спальных мешков, ступка и пестик, которыми он пользовался во время командировок, чтобы дробить породу, своего рода реактивный двигатель для опытов и кое-что еще в том же роде. Он все это держал в гаражной кладовой, в специальном шкафу, запертом на ключ.

— Давайте пойдем и посмотрим.

— Зачем, опять спрашиваю я вас?

— Мне просто любопытно посмотреть.

— А мне совершенно нет.

— Ирен, я хочу вам подсказать разгадку тайны.

— В обмен на что?

— Возможно, я ничего взамен не потребую.

— Не говорите глупости! За эти годы я достаточно хорошо изучила мужчин — они все чего-то хотят. Так чего же хотите вы, Лэм?

— Может быть, и мне достанется кусочек пирога.

— И с чем после этого останусь я?

— Со всем остальным пирогом.

С минуту она пристально рассматривала меня, потом сказала:

— Полагаю, в вашей профессии сыщика тоже надо обладать долей артистизма, как в профессии артистки стриптиза. Вам еще требуется кое-какая амуниция, реквизит, так сказать, и все это находится в разных местах. Трудно... Ну ладно, Дональд, пошли в гараж.

Мы спустились с Ирен по ступенькам, и она открыла дверь. В гараже было навалом всякого мусора и старья. Прежде всего я увидел ступку и пестик в ней.

— Ирен, — сказал я, — если мы выйдем отсюда вместе и нас кто-нибудь увидит, это, несомненно, привлечет внимание. Возьмите эту корзину и идите на площадку, где разбросаны куски... скал. Соберите по нескольку небольших сколков в разных местах. Старайтесь подбирать разного цвета и фактуры. Если увидите на куске разноцветные прожилки, возьмите по одному образцу каждого цвета.

Ирен с удивлением посмотрела на меня, потом, не говоря ни слова, взяла корзину, вышла во двор, обогнула бассейн, подошла к площадке, где в изобилии валялись осколки породы, сброшенные с привозивших ее туда грузовиков, и стала подбирать образцы, следуя моим рекомендациям.

К тому времени, когда она вернулась, я уже оборудовал свое рабочее место: брал куски породы, складывал в ступку и крошил их пестиком, пока та не превращалась в размолотую пудру.

— Можете вы мне наконец сказать, что за замечательная идея пришла вам в голову?

— Я шахтер, добываю полезные ископаемые.

— Вы что, ждете, что порода, доставляемая рудной компанией, нашпигована бриллиантами?

— Не совсем так, Ирен. Думаю, мы напали на золотую жилу... Очень надеюсь на это. Если же ничего не обнаружим, то мне можно выходить из игры.

В углу гаража была установлена водопроводная раковина. Я наполнил кастрюлю, которую нашел тут же, водой, встал на ящик и начал промывку, как я подозревал, золотоносной породы. Ирен внимательно следила за моими действиями. Она напряженно склонилась, наблюдая за работой через мое плечо.

Размолотая в пыль порода легко смывалась водой, и на дне кастрюли оседал черный песок. Мне надо было манипулировать весьма осторожно, чтобы не смыть вместе с породой крупицы драгоценного металла. Поэтому промывку надо было делать небольшими порциями. Определить же качество золота можно по оттенкам его цвета, что, в свою очередь, будет свидетельствовать уже об оценке месторождения в целом. Кроме того, мне казалось, что я смогу оценить то, что у нас оставалось в корзине, просто глядя, как промывается порода. Ведь золото само по себе — прекрасный драгоценный металл, но ни один ювелир не в состоянии сделать его еще более красивым, чем то, которое лежало теперь на дне промывочной кастрюли на ложе из черного песка.

Я осторожно, кругами вертел воду в кастрюле, и, по мере того, как черный песок уносила вода, на дне ее оседали крупинки золота. Мое предчувствие оправдалось: я знал, что золото будет, но не в таком количестве. Казалось, порода на треть состояла из черного песка и на треть из золота. За моей спиной раздался удивленный возглас Ирен, и я позволил себе пошутить:

— Есть одна интересная особенность промывки золота в кастрюле. Если в ней лежит кусочек золота достоинством в десять центов, вам может показаться, что оно стоит два миллиона.

— Дональд, — тем временем продолжала восклицать Ирен, а потом перешла на шепот: — Дональд!..

Я в последний раз крутанул кастрюлю и вылил содержимое в раковину, ополоснув ее и поставив на место.

— Дональд, вы что, не собираетесь спасать золото-то? — изумилась Ирен.

— От него у нас будут одни неприятности, поверьте.

Я промыл раковину и попросил Ирен отнести остатки породы в сад, откуда все это было взято.

Она взяла корзину и, выйдя во двор, высыпала ее содержимое, потом вернулась и посмотрела на меня с выражением любопытства и сомнения на усталом лице.

— Возьмите ваши десять тысяч долларов и купите на них акции «Скайхук майнинг энд дивелопмент синдикат», — посоветовал ей я.

— Но ведь это компания моего мужа?

— Конечно, последняя его компания. Эта порода именно из шахт этой компании.

— Откуда вы это знаете, Дональд? У него еще пять или шесть таких же...

— Она должна быть именно из шахты этой компании, так как ваш муж пытался повлиять на банк, чтобы он лишил должников права на заем.

— Но почему же он стремился сделать это?

— Чтобы потом написать оптимистическое письмо держателям акций, сообщая им, что компания испытывает временные финансовые трудности из-за того, что банк настаивает на оплате займа, что держатели акций не должны впадать по этому поводу в уныние, что, по всей видимости, шахта имеет большую ценность, и они должны придерживать свои акции.

— И что же?

— Эффект от всего этого будет самый негативный: среди держателей акций начнется паника. И сразу после этого каждый из них помчится на рынок и постарается сбыть свои акции за бесценок.

— Можете вы мне, Дональд, объяснить все-таки, о чем идет речь? — по-прежнему недоумевала Ирен.

— Конечно, могу. У людей существуют наработанные в процессе жизненного опыта стереотипы мышления. Если человек получает деньги от акций рудных компаний, он считает, что их зарабатывают на шахте, их дает непосредственно шахта. Если он получает чек от сталеплавильной компании, то делает вывод, что они заработаны от плавки металла из руды. Ваш муж имел сталеплавильную компанию. Он получал от нее неплохие доходы. Ему платили неплохие деньги.

Это так. Он владел шахтами, которые поставляли руду на его сталеплавильные заводы. И никогда никому не приходило в голову, что руда была просто разбитой на куски скальной породой и что сталеплавильные компании владели очень доходным казино...

Она смотрела на меня изучающе.

— Тогда мне следует купить акции сталеплавильной компании? Так, Дональд?

— Нет, акции шахт, Ирен. Активы сталеплавильных компаний были прибраны к рукам мафией. Игорные дома не проходят испытательный срок.

— Но как я добуду эти акции? Я не знаю, где их покупают.

— Мне пришла в голову мысль, что ваш муж подумал об этом заранее. Давайте пойдем и убедимся в этом.

Нам не пришлось далеко ходить. В столе Джорджа Бишопа мы сразу обнаружили черновик письма, обращенного к держателям акций его предприятий, в котором содержалась просьба не терять веры в компанию; если они наберутся терпения и переждут период финансовых трудностей, через который она проходит, то они окажутся на вершине холма. Банк может подать в суд на держателей долговых расписок. Но шахта работает все лучше и лучше, так что те, кто сможет продержаться еще некоторое время, в скором времени получат причитающуюся им прибыль, может, до ста пятидесяти процентов от первоначальной стоимости акций, а может быть, и больше...

Это было очень умно составленное письмо. Мы с Ирен нашли также список адресатов, по которому оно рассылалось; рядом стояли цифры, показывающие количество акций, которые принадлежали каждому из их держателей.

— Хотите попробовать? — спросил ее я. — Похоже, акций было продано на тридцать тысяч долларов. Компания может их скупить обратно тысяч по пятнадцать — двадцать. Но если вы узнаете, что ваш муж являлся держателем контрольного пакета акций компаний, если наследуете его имущество, то вам нет надобности скупать эти акции. Если нет — вам будет лучше вложить ваши деньги в них.

— Мне кажется, скорее я их наследую...

Я обошел вокруг стола и увидел на другом его конце папку солидных зеленых карточек, красиво оформленных и написанных сложным, замысловатым шрифтом. Это оказались пропуска в игорный дом «Зеленая дверь», на них стояла подпись Хартли Чаннинга.

Ирен молча их рассматривала. Я взял и засунул всю пачку в карман.

— Это может мне пригодиться, — объяснил я.

Она ничего не ответила.

— Скажите, Ирен, — внезапно спросил я ее, — у вас есть алиби на вечер прошлого вторника?

— Ничего... Ничего, что бы я могла предъявить в качестве убедительного доказательства.

— У вас есть приятель?

Она колебалась, видел я, отвечать ли мне на этот вопрос.

— Так есть или нет, Ирен?

— Есть, но не в том смысле, в каком это принято считать. Я сразу решила, что буду вести себя честно с Джорджем, когда выйду за него замуж.

— И вам не было одиноко? Ведь он всегда был в разъездах?

Она посмотрела мне прямо в глаза.

— Дональд, — сказала она тихо, — я девушка из стриптиза, а не экзистенциалист. Если эта бацилла попадает вам в кровь, от этого трудно избавиться. У меня просто отвращение к отдельным типам в толпе, которая смотрит на меня, но ведь кучка презираемых мною индивидов и составляет толпу. Я люблю гром обрушивающихся на голову аплодисментов, который накатывается из темного зала. Я знаю, почему они аплодируют и так беснуются: это не моя актерская игра, это мое тело приводит их в такое неистовство. Они стараются заставить меня снять с себя еще что-нибудь, хотя больше уже снимать нечего — запрещено законом. Они стучат ногами, хлопают и, выходя из себя, становятся просто сумасшедшими...

— Разве они не знают, что вы не можете снять с себя больше, — за это ведь могут отправить в тюрьму?

— Вот в этом-то все и дело, Дональд. Они знают, но мое представление на сцене заставляет их об этом забыть. Настоящий стриптиз дает возможность зрителям поверить, что сию минуту вы готовы перейти ту заветную черту, что вы сейчас готовы снять с себя все именно для этой аудитории. Стриптизерша стоит на сцене, будто сама с собой решая, перейти ли ей заветный рубеж. И это вызывает у аудитории дикие аплодисменты... Говорю вам, Дональд, поверьте, — это настоящее искусство.

— И вы скучаете, вам не хватает и этой сцены, и этой аудитории?

— Дональд, мне ужасно грустно без моей работы.

— Но как это, Ирен, связано с тем, где вы были во вторник вечером?

— Очень даже связано, Лэм!

— Каким образом?

— Я знала, что Джордж уезжает. Среди группы бурлеска у меня осталось много друзей, наша прежняя банда... После отъезда Джорджа я поехала в театр, надела маску и выступила на сцене в номере «Таинство и маска». Я очень любила эту роль, наш режиссер — тоже. Публика была в экстазе. Вот почему мое абсолютное алиби могут подтвердить несколько сотен человек.

— Вы были в маске, Ирен, никто не видел вашего лица.

— Они не видели, но дюжина моих друзей-актеров знали, что под маской — я, да и публика это знала. Я провела подряд два представления.

— А раньше вы выступали с этим номером?

— Вы хотите спросить: с тех пор как вышла замуж за Джорджа?

— Да.

— Нет, это было впервые.

— А вот это как раз и плохо. Все выглядит так, будто вы специально создали себе алиби. Как алиби оно слишком безупречно.

— Да, знаю, — признала она справедливость моих слов. — Я об этом уже думала.

— И в полиции подумают так же. Вот что главное. Что вы рассказали в полиции?

— Я объяснила им, что была дома в постели.

— Вы не ложились всю ночь?

— Да.

— Значит, вы не спали уже несколько ночей подряд?

— Да, не спала.

— Обратитесь к вашему врачу, Ирен. Скажите ему, что вы стали очень нервной, дерганой. Скажите, что вы хотите как следует выспаться, по крайней мере в течение суток. Если вам начнут задавать вопросы и у вас не будет на них правильных ответов, вас могут арестовать.

— Да, это я тоже знаю.

— Вы всегда можете сослаться на действие таблеток, которые вызывают у вас галлюцинации и потерю памяти... И с вашей фигурой... да любой присяжный заседатель будет на вашей стороне. А вот если вам не будут давать лекарств, снотворного и вы не сможете спать по ночам, да потом будете неправильно отвечать на вопросы, то это станет труднее объяснить. Поэтому дайте мне этот список держателей акций и столько денег, сколько желаете вложить в акции этих компаний, и вы убедитесь сами, смогу ли я добавить приличную сумму к вашему состоянию.

— А что вы хотите, Лэм, выиграть в этой ситуации для себя?

Я посмотрел ей прямо в глаза.

— Пятьдесят процентов от всех доходов.

162

— Вот теперь я могу вам доверять, — сказала Ирен со вздохом облегчения.

— Почему?

— Раньше мне было не совсем ясно, что вам было нужно, и я была очень раздражена по этому поводу, потому что не доверяю тем мужчинам, которые не знают, чего хотят.

Глава 16

Газеты Сан-Франциско сделали экстренный выпуск, когда Джон Карвер Биллингс и его сын были арестованы. Одна из них даже напечатала заголовок красной краской:

«БАНКИР АРЕСТОВАН ПО ОБВИНЕНИЮ В УБИЙСТВЕ ДЖОРДЖА БИШОПА».

Полиция получила неопровержимые косвенные доказательства вины обоих и была уверена, что Бишоп не был убит на яхте, где нашли тело миллионера. Эксперт обнаружил отпечатки пальцев на бронзовой ручке — отпечатки трех пальцев правой руки Джона Карвера Биллингса, и они были в пятнах крови... Висячий замок на лодке оказался сбитым и заменен на новый. Полиция проверила все хозяйственные магазины в округе и отыскала тот, в котором был куплен новый замок. Хозяин магазина вспомнил, что он продал его в среду после полудня. Полиция показала ему фотографию Джона Карвера Биллингса, и он немедленно сделал, как называет это полиция, «положительную идентификацию».

Ныряльщики-полицейские нашли на глубине в заливе пистолет 38-го калибра, прямо под днищем яхты банкира. Номер его был определен и показал, что данный пистолет был продан Джону Карверу Биллингсу по разрешению полиции для личной охраны банкира.

Баллистическая экспертиза показала, что пуля, обнаруженная в теле Джорджа Бишопа, была выпущена именно из этого пистолета. Она прошла насквозь через тело убитого и была найдена в углублении, которое она проделала в углу основной каюты яхты Биллингсов «Биллингс-бой». Полицейские сняли ковер в салоне и нашли пятна крови на полу, хотя были, очевидно, приложены все усилия, чтобы их уничтожить. Однако используемые полицией химикаты помогли обнаружить эти пятна.

Положенный на пол в салоне ковер оказался совершенно новым, купленным Джоном Карвером Биллингсом в четверг утром. После обыска в гараже банкира был найден и старый. Микроскопические исследования показали, что на нем тоже есть пятна крови и волосы, которые по текстуре, диаметру и цвету были с головы Джорджа Бишопа. Это полицейские эксперты определили с полной уверенностью.

Однако полиция все еще не докопалась до мотивов преступления. Но, как оказалось позже, всем были известны разногласия, имевшие место между Бишопом и Биллингсом и вызванные финансовыми операциями, связанными с рудниками и тем займом, который был сделан в банке Бишопа.

Во время допроса оба Биллингса представили свое алиби, которые полиция сразу опровергла. Старший Биллингс заявил, что он во вторник поздно вечером присутствовал на конференции с одним из директоров банка, Вальдо В. Джефферсоном, когда и было совершено убийство. Однако Джефферсон после допроса в конце концов раскололся и признал, что Джон Карвер Биллингс попросил его как о личном одолжении поклясться, что они вместе были на конференции во вторник вечером, — на тот случай, если ему потребуется алиби.

Необходимость же иметь подобное алиби Биллингс объяснил своему коллеге серьезными личными мотивами, а Джефферсон так несокрушимо верил в непогрешимость президента своего банка, что подумал только о сложных мотивах, связанных с его семейной жизнью, но все-таки согласился без лишних вопросов подтвердить алиби того. Однако узнав содержание обвинительного акта, Биллингс очень быстро признал свою ошибку.

После того как мною были прочитаны газеты, я сразу отправился в яхт-клуб. Вокруг уже толпилось не менее трех сотен зевак, пытающихся рассмотреть что-нибудь сквозь густую сетку ограды и слоняющихся бесцельно вдоль нее, всматриваясь в стоящие на причале яхты. Полицейские между тем приезжали и отъезжали. Технический персонал делал свою обыденную работу сразу на двух яхтах, искал новые отпечатки пальцев, обсыпал не только металлические, но и все другие поверхности специальным порошком. Время от времени кто-нибудь из фотографов-любителей старался прорваться за ограду, но охрана требовала пропуск. Если его не оказывалось, охранник кивал полицейскому, и тот быстро отправлял любопытного прочь.

Я простоял там около двух часов, пока у меня от стояния не затекли ноги. Наконец один из полицейских отпустил охранника попить кофе, а я пристроился следом за ним.

— Мне бы хотелось получить от вас кое-какую информацию, я не из тех, кто не платит, — сказал ему я.

Он посмотрел на меня исподлобья.

— В полиции меня предупредили, чтобы я не давал никакой информации.

— О, это не касается убийства, об этом я бы вас и не спрашивал. Это о другом.

— О чем же?

— Я пытаюсь кое-что выяснить о яхте.

— О которой из них?

— Точно не уверен в ее названии и имени владельца, но знаю, что неделю назад, еще во вторник, она была в море до полудня. Мне кажется, не так уж много яхт выходит в море среди недели.

165

— Вот вы и ошибаетесь. В среду после полудня многие выходят в море.

— Ну, а как насчет понедельника?

— Вряд ли, но хоть одна — да выходит.

— А во вторник?

— О да, вполне может быть несколько.

— У вас ведется запись выходящих в море яхт?

— Нет, не ведется.

— Однако вы записываете, кто из хозяев прошел к вам на территорию через ворота?

— Да, это так.

— Тогда, проверив, кто во вторник утром проходил через ворота, вы, возможно, скажете, кто выходил из них в открытое море.

— Полиция забрала себе все эти записи. Они взяли книгу как улику. И теперь мне придется начинать новую.

— Очень жаль.

— Это не имеет значения, просто мне теперь невозможно ссылаться на старые записи.

— Вторник после полудня, — сказал я и протянул ему двадцать долларов.

— Мне нравятся эти двадцать, — пошутил он, — но я ничем не могу вам помочь. Увы.

— Почему?

— Мои книги пропали, их забрали законники.

— Как вас зовут, мистер?

— Дэнби.

— Может быть, мистер Дэнби, вы все же хотите заработать?

— Каким образом?

— Когда вы завтра кончаете службу?

— В шесть вечера.

— Я вас встречу, и мы вместе, если не возражаете, проедемся в моей машине, а вы мне кое-кого покажете.

— Кого же?

— Человека, с которым вы знакомы. Я, правда, не знаю его имени и хочу это выяснить. Сейчас я дам вам двадцатку. Потом добавлю еще.

Дэнби молча обдумывал предложение.

— А сейчас мне бы хотелось кое-что узнать о ваших обязанностях.

— Что именно?

— Вы не можете каждую минуту неотлучно сидеть в проходной. Есть моменты, когда вам приходится повернуться спиной, иногда отойти от ворот, когда вы...

— Послушайте, — перебил он меня, — вы рассуждаете точно так же, как и полицейские. Никто не может забраться на борт ни одной из яхт без того, чтобы этого не заметил охранник у ворот. Если ты иногда вдруг покинешь эту маленькую кабинку даже на тридцать секунд, то обязательно опускаешь шлагбаум и ставишь замок-сигнал, который начинает звенеть, едва кто-то попытается ступить на платформу у ворот. Члены клуба категорически настаивают на том, чтобы никто, кроме них самих, не имел возможности попадать на территорию. Если случаются бракоразводные процессы, у нас от этого тоже возникают неприятности. Это было несколько лет назад. Жена одного из членов клуба решила собрать против своего мужа улики. Полицейские просочились на территорию клуба и попали на яхту, где в это время находился хозяин с любовницей. Был ужасный скандал. С тех пор, по настоянию членов клуба, так изменились правила в сторону их ужесточения, что никто, кроме них самих, не может пройти сюда — никто и никогда.

— Разве это всегда удобно, если вас вдруг не окажется на месте?

— Я всегда на своем месте. Это моя обязанность — все время находиться в проходной. Не думаю, чтобы кто-нибудь когда-нибудь из членов яхт-клуба ждал меня больше, чем две минуты. Я всегда на месте. Мне за это платят.

Я протянул ему двадцать долларов:

— Буду вас ждать в шесть вечера, Дэнби. Просто подойдите к моей машине.

Он со всех сторон осмотрел двадцатку, будто опасался, что она может быть фальшивой, и быстро скрылся за дверью ресторанчика, не сказав больше ни слова.

И тут я неожиданно увидел своего брокера.

— Ну, как? Ты покупаешь акции рудников? — спросил я.

— Я покупаю... дешево... Лэм, но я бы хотел, чтобы ты этого не делал.

— Почему?

— Во-первых, мне не нравится, что они распространяются по почте. Во-вторых, шахта теряет деньги на каждом вагоне руды. В-третьих, они в долгу у банка. Ну, а в-четвертых, мне вообще не нравится, что за всем этим стоял этот парень, Бишоп. Если бы ты, Лэм, хотел найти самое худшее вложение денег на земле, то не отыскал бы более подходящего объекта. Ей-богу!

Я усмехнулся.

— Это все, что я хотел сказать тебе, Лэм.

— Смотри не поднимай на них цену, — предупредил я.

— Черт, Дональд, ты же не сможешь вложить достаточно денег, чтобы поднять в цене эти акции, даже если будешь пользоваться ковшом экскаватора для их сгребания в кучу.

— Ты сам-то много ли купил?

— Да полно!

— Продолжай скупать, — порекомендовал я, и мы расстались.

В назначенное время я подъехал, чтобы подобрать Дэнби. Он, похоже, не очень-то обрадовался моему появлению.

— А полицейским это может совсем не понравиться, — предрек он, хотя я не сказал ни слова.

— Полицейские не платят денег.

— У них существуют свои собственные методы, чтобы не понравиться кому-то.

— Пятьдесят долларов, Дэнби. Это немало, чтобы оплатить то неприятное, что вам предстоит сделать?

Его глаза сразу стали хитрыми и жадными.

— Ну, пожалуй, не хватает еще десяти долларов.

Я добавил еще десять.

— Что вы хотите? — спросил он, сунув деньги глубоко в карман.

— Мы кое-куда с вами поедем.

— Куда же это?

— Вы будете сидеть в машине, и если узнаете кое-кого, кого вы, я уверен, знаете, то скажете мне об этом.

— И это все?

— Это все.

Я быстро повел машину вниз по Ван-Несс-авеню, пересек Маркет-стрит по направлению к Дейли-Сити и сбавил скорость, подъезжая к казино «Зеленая дверь». Надо признаться, место было малопривлекательное. Много лет назад в Сан-Франциско стали строить дома определенного типа: на первом этаже размещались склады для малого бизнеса; над ними два этажа с рядовыми квартирами; и все это со стандартными окнами и архитектурой, столь типичной для Сан-Франциско, что ее всегда можно отличить. Казино располагалось в одном из таких домов.

С одной стороны в нем был небольшой продуктовый магазин, куда ходили лишь живущие поблизости люди и который разрешал постоянным посетителям записывать купленное в долг: кредит был единственным способом, благодаря которому мог выжить одинокий хозяин подобной лавки рядом с большими супермаркетами.

С другой располагалась чистка, а между магазином и чисткой — казино «Зеленая дверь», обычное злачное место без особых претензий, дверь которого выкрашена в зеленый цвет.

Я объехал вокруг этого дома несколько раз. Очевидно, хозяева казино требовали, чтобы гости оставляли свои машины за несколько улиц, так как рядом их почти не было. Такси же останавливались прямо у дверей и тут же отъезжали. Однако я заметил, что три больших дорогих автомобиля все же были запаркованы невдалеке. Рядом и напротив стояло несколько сломанных машин, которые, очевидно, принадлежали жильцам ближайших домов, а два этажа квартир над казино казались совсем такими же, какими они были в соседних домах. На одной из них была табличка: «Сдается в аренду», однако названное на этой табличке агентство по продаже квартир не существовало в природе уже несколько лет. На других окнах, правда, хоть и висели занавески и стояли на подоконниках цветы, но все в целом производило впечатление запустения, и, видно по всему, жильцы этих квартир имели явно очень низкий доход. Внешний вид этого дома был, совершенно очевидно, лишь декорацией, словно на сцене — фальшивый фасад. Но, судя по всему, то была артистическая работа.

Мы запарковали машину в таком месте, с которого удобно наблюдать за входящими и выходящими из казино, и сидели на своих местах, ожидая дальнейшего развития событий. Ждать пришлось долго. Вначале Дэнби пытался задавать мне вопросы. Я дал ему понять, что человек, которого он должен опознать, выйдет из дверей продуктового магазина. С холмов начал спускаться туман. Его легкие белые полотнища подталкивал едва ощутимый ветерок с моря. Перед «Зеленой дверью» остановилось такси, из которого вышли двое. Они толкнули дверь казино и вошли туда. Казалось, что там, за дверями, нет охранников и нет запора изнутри.

— Знаешь их? — спросил я Дэнби.

— Никого из них прежде не видел. Они же не пошли в магазин, они направились куда-то в квартиры, — ответил он.

Мы продолжали ждать дальше.

Шикарная машина с сидящими в ней мужчиной и женщиной появилась из-за угла, запарковалась, и эти двое тоже вошли в дверь.

Я вышел из машины и купил нам с Дэнби пару бутербродов. Дэнби, видел я, занервничал.

— Сколько это может продолжаться? — не выдержал он.

— Думаю, не менее чем до полуночи.

— Одну минутку, Лэм. Я не собираюсь долго здесь сидеть. Никогда не думал, что все это будет происходить подобным образом.

— А что, ты думал, будешь делать?

— Я думал, мы походим вокруг и...

— Вылезай из машины и походи вокруг, — предложил я. Но ему эта идея тоже не понравилась.

— Вы имеете в виду, Лэм, ходить по улице до полуночи?

— Если тебе это больше нравится.

— Тогда я лучше посижу в машине.

Потом Дэнби немного помолчал. Подъехало еще одно такси. Подошли четверо мужчин, очевидно, машину они оставили где-то в другом месте; один из них подозрительно взглянул на нас, потом они перешли улицу и скрылись за зеленой дверью. Мне все это не нравилось: из казино нас могли уже заметить и подослать к нам делегацию. Я посмотрел на Дэнби и подумал о том, что бы он сказал, если бы понял, что его гонорар включал также и плату за увечья...

— Все это мне не нравится, — вдруг решительно заявил Дэнби. — Если в клубе узнают, кто мы, особенно я, мне будет трудно им что-либо объяснить.

— Ну и что? Где еще клуб найдет кого-нибудь с вашим опытом, кого-то, кто так хорошо знал бы всех и вся в этой подпольной кухне? И что случится, если даже они что-то узнают? Они вам повышали хоть раз зарплату? Наверное, держат вас на одной и той же уже давно?

— Да нет, они несколько раз мне повышали ее.

— На сколько?

— Один раз на пятнадцать процентов, один раз — на десять...

— За сколько это лет?

— За пять.

Я саркастически и непрощающе рассмеялся. Дэнби сразу задумался над моими словами: может, и в самом деле ему не доплачивали все это время и обижали?.. Я видел, что мысль об этом ему понравилась и хоть на время отвлекла его от нашего занятия. Я посмотрел на свои ручные часы. Было пятнадцать минут десятого. Подъехала и остановилась невдалеке небольшая машина, модель трехлетней давности, но в хорошем состоянии. Из нее вышел мужчина, которому было явно наплевать, где припарковать машину — прямо перед дверью казино или в каком-то другом месте: он, что называется, выпрыгнул из нее, посмотрел вверх и вниз вдоль улицы, затем тоже вошел в зеленую дверь.

— Это Гораций Б. Катлин, — сразу узнал его Дэнби. — Если он меня здесь увидит...

— Ты водишь машину? — прервал я его.

— Конечно.

— Этот человек член яхт-клуба?

— Да.

— Подожди меня здесь. Не больше часа. Если я не вернусь за это время, езжай по этому адресу, спроси человека, он там главный, и расскажи ему о том, чем мы тут с тобой занимались весь вечер.

Дэнби взял в руки карточку с адресом, которую я передал ему, и с любопытством стал ее рассматривать.

— Подождите, Лэм, это ведь не очень далеко отсюда... Я пытаюсь понять, где же это.

— Не волнуйтесь, сделайте, как я просил. Сейчас половина десятого. Если меня все еще не будет в десять пятнадцать, то езжайте и расскажите всю историю.

С этими словами я вышел из машины, оставив на сиденье свою шляпу, и, перед тем как войти в «Зеленую дверь», оглянулся. Дэрби все еще сидел и спокойно изучал карточку. Я надеялся, что он сразу не поймет, что за карточку я дал ему, пока не приедет по указанному там адресу — адресу полицейского участка.

Я повернул ручку и толкнул зеленую дверь. Она легко и беззвучно открылась — петли ее были хорошо смазаны, — и очутился в маленьком холле. Пролет зашарпанной лестницы без ковра вел к другой двери. Я только поднял руку, чтобы постучать в нее, когда вдруг понял, что в этом нет необходимости: я прошел через пучок невидимых лучей, и дверь сама бесшумно открылась. Через небольшое окошко в ней меня рассматривали чьи-то глаза, стекло в нем было толщиной не менее дюйма.

— У вас есть карточка членства? — спросил меня голос через микрофон.

Я вынул из кармана одну из карточек, которые забрал со стола Бишопа. Мое имя было вписано в нее моей рукой. По ту сторону стекла ее внимательно рассмотрели, а потом голос приказал мне:

— Хорошо, просуньте карточку в щель.

Только после этих слов я заметил очень узкую щель в двери. Я просунул туда свою карточку, как посоветовал голос. Наступила абсолютная тишина, а потом я услышал, как электрический механизм оттянул державший дверь болт, и тяжелая дверь отошла в сторону, скользя на подшипниках по металлическому рельсу. Эта дверь почему-то напомнила мне стальную дверь сейфа. Оглянувшись по сторонам, я внезапно понял, что все вокруг сделано из стали и только лестница была деревянной. Я прошел через зеленую дверь и оказался в этой коробке из металла, где все подвергались осмотру.

— Итак, — произнес нетерпеливо голос, — идите.

Я обратил внимание, что голос произнес «идите» вместо «входите», поэтому совсем не удивился, когда очутился в этой стальной коробке, где охранника у дверей уже не было: он занял свой пост в пуленепроницаемом отсеке, расположенном по другую сторону двери. Я видел этот отсек, но не охранника. Скорее всего, у него в руках даже было оружие.

Я прошел через дверь и будто вдруг оказался в совершенно ином мире. Мои ноги утонули в толстом, мягком ковре, который напоминал лесной мох. Холл был залит ярким светом боковых ламп, на всем лежала печать привычного, без особого труда достающегося богатства, которое так свойственно всем казино высокого класса. В них создана такая атмосфера, что его завсегдатаи с самого первого момента, как попадают туда, чувствуют себя приобщенными к роскоши и богатству, ощущают себя властелинами мира. Многие целеустремленно, но с немалым трудом карабкаются вверх по социальной лестнице, поэтому им должен нравиться дух игорного дома, который приобщает их к миру больших денег. Этот климат изысканной роскоши делает тут всех равными, и даже крапленые карты и колеса рулетки не кажутся никому кощунством. Атмосфера казино сама по себе не стоила дорого, как можно было подумать на первый взгляд. И хозяева казино не слишком-то раскошеливались, умело создавая имидж этой роскоши. На стенах висели картины в тяжелых рамах, искусно подсвеченные снизу лампами с большими матовыми абажурами. Если завсегдатаи не в состоянии были оценить эти картины по достоинству, то относили это лишь на счет своей необразованности в области искусства. На самом же деле цена каждой из них составляла не больше двадцати долларов за копию, и вставлены они были в пятидесятидолларовые рамы, освещенные десятидолларовыми подсветками.

Посетитель, который мог определить скорее стоимость рамы, чем цену картины, предполагал в своем невежестве, что все это — работы старых мастеров.

Другие уловки, на которые шли хозяева, оказывались более простыми — ковры приятных цветов на губчатой подкладке, которая и делала их более мягкими для шага, артистически подобранные по цветовой гамме шторы на окнах. Под мягким боковым светом казалось, что они стоят целого состояния. При дневном же — иначе как безобразными их не назовешь.

Я вошел в гостиную, где нашел то, что и ожидал найти: она оказалась удобным баром с уютными столиками, мягкими высокими стульями, длинными креслами с изогнутой удобной спинкой, которые принято называть «креслами для любви», приглушенным светом и приятными тихими звуками органной музыки.

Несколько пар сидело за столиками. В дальнем конце бара видна была компания из трех мужчин, перед ними на столе высились беспорядочно набросанные пачки денег, стояли две бутылки шампанского. Может быть, они такие же новички, как я, подумалось мне. Неприятный субъект приблизился ко мне, протянул мою карточку, которую я предъявил внизу охраннику, поинтересовался вполголоса:

— Могу я узнать, что вы здесь ищете, мистер Лэм?

— То, что у вас здесь есть, — ответил я.

Холодные глаза на секунду смягчились.

— Могу я полюбопытствовать, откуда у вас наша карточка? Кто поручился за вас, когда вы ее получали?

— Карточка подписана поручителем.

— Знаю, но иногда подобные, уже подписанные карточки вручаются для распространения в различных фирмах.

— Эту мне дал хозяин казино, — ответил я.

Слегка удивленный, он покрутил ее в руках:

— Тогда вы, видимо, знакомы с мистером Чаннингом?

— Вот именно.

— Ну, тогда совершенно другое дело. Будьте как дома, мистер Лэм.

Но, прежде чем я успел двинуться с места, он сказал извиняющимся тоном:

— Могу я видеть ваши водительские права и убедиться, что вы именно тот человек, фамилия и имя которого указаны в карточке?

— Ну конечно, — ответил я, открывая свой бумажник и вытаскивая оттуда свои водительские права.

— Вы из Лос-Анджелеса?

— Да, именно оттуда.

— Наверное, по этой причине я не знаю вас, мистер Лэм, в лицо. Вы долго собираетесь у нас здесь пробыть?

— Недолго, я хочу немного поиграть. Да не беспокойтесь, я знаком с казино «Олл» в Лос-Анджелесе.

— Как поживает сам Олл? — спросил он.

— Я с ним не знаком, просто бывал в его игорном доме...

Произнося эту фразу, я споткнулся на полуслове, будто случайно и не желая называть чужого имени.

— Ну так что? — спросил неприятный субъект.

Я улыбнулся.

— Если вы знакомы с человеком, которого я имел в виду, то должны знать его имя. Если же нет, то не стоит его и произносить вслух.

Он засмеялся.

— Может быть, вы хотели бы договориться о кредите, или вам нужно оплатить чек, или что-либо еще, мистер Лэм?

— Думаю, у меня хватит наличности, чтобы поиграть вечерок.

— Вам не нужен кредит? — настойчиво продолжал он задавать свои вопросы.

— Может быть, позже, если я проиграю и у меня кончатся наличные деньги. В таком случае я попрошу о кредите лично мистера Чаннинга.

— Проходите, мистер Лэм.

С этими словами он показал мне на дверь в дальнем конце комнаты, за баром. Я направился в ту сторону, толкнул ее и опять оказался в холле. На одной из дверей был указатель «он», на другом «она». Тут же стоял негр-служитель. Я услышал три отчетливых звонка. Без единого слова одетый во все белое негр нажал на какую-то невидимую кнопку, и дверь бесшумно отъехала в сторону. Я вошел в игровой зал. В это время в нем еще не собралось слишком много публики. Видимо, настоящие игроки прибывали позже, после обеда и театра.

Здесь тоже царила атмосфера искусственно созданного богатства. Стояли столы с рулеткой, несколько столов для игры в «двадцать одно» и покер. Сидящие за столами человек семь или восемь были одеты в вечерние туалеты, смокинги, делали ставки и рисковали большими деньгами с совершенно безупречным высокомерием, которое ярче всяких слов выражало их отношение к окружающему миру. Но я-то знал эту обманную механику, все они являлись подставными куклами, которых наняли, чтобы игорный зал не казался пустым во время ранних вечерних часов и еще для того, чтобы вызывать азарт у пришедших, стимулируя их желание поскорее усесться за стол.

Горация Б. Катлина не было среди присутствующих. По моему первому впечатлению, печальная новость о смерти Джорджа Тастина Бишопа никак не отразилась на приподнятой атмосфере, царящей в клубе. Игра шла, как обычно, с легким налетом эксклюзивности для избранных мужчин и женщин, которые, потеряв несколько сотен, а то и тысяч долларов, сочтут это всего лишь забавным инцидентом, не более того, о котором стоит сразу же забыть.

Позже, когда игра станет более оживленной, некоторые из подставных игроков, может быть, даже проиграют немалые суммы, сохраняя при этом на лице снисходительную улыбку, а затем начнут брать в кассе и кидать крупье столбики фишек, удивленно приподняв при этом бровь, что должно означать, что они полностью контролируют свои чувства. И тогда у тех олухов, которые не имели ни малейшего шанса на выигрыш, не имели пусть даже десяти центов, возникнет желание посоревноваться со своими соседями по столу из «высшего общества», и они тоже будут проигрывать, снисходительно улыбаясь.

Конечно, в Соединенных Штатах существовало несколько больших подпольных игорных домов, где развлекалась в основном богатая публика, но я был твердо убежден, что казино «Зеленая дверь» к таким отнюдь не принадлежало.

Вначале я наблюдал за игрой других, потом пошел и купил на двадцать долларов фишек. Кассир, продававший мне их, не удивился столь малой сумме. Крупье, который крутил колесо наманикюренными опытными пальцами, на одном из которых горел большой бриллиант, тоже не обратил на меня особого внимания. Все его поведение только и свидетельствовало о том, что они здесь широко смотрят на вещи и для них не играет роли, ставлю я доллар или сто. Они были большими демократами.

Я поставил фишек на пять долларов на красное, и колесо показало черный цвет. Я удвоил свою ставку на красном. Колесо остановилось на красном, и я выиграл. Поставил два доллара на номер три, и выпал номер тридцать. Я поставил еще два доллара на третий номер, и выпала семерка.

Я опять поставил два доллара на номер три и выиграл. Крупье выдал мне выигранные фишки и одарил меня улыбкой. Кое-кто из гостей стал за мной наблюдать.

Я поставил два доллара на тройку и два доллара на двадцать. Выиграла двадцатка, крупье еще раз подвинул ко мне лопаточкой стопку фишек и задержался на секунду, чтобы поправить свой галстук.

Я поставил два доллара на пятерку. За моей спиной раздался нервный женский смех. Через плечо я увидел голое женское плечо и руку, протянутую так, чтобы она слегка задела мою щеку.

— Извините меня, — услышал я ее голос, — надеюсь, вы не будете возражать, но я просто не могу упустить такого шанса, не бойтесь, я не испорчу вашего везения, но, может быть, немного выиграю вместе с вами...

— Пожалуйста, — вежливо ответил я и внимательно посмотрел на нее.

Очаровательная блондинка с небольшим вздернутым носиком, губками купидона и фигурой, которая безусловно могла занять первое место на любом конкурсе красоты... Она улыбнулась мне даже с некоторой сердечностью и тут же напустила на себя неприступный вид, давая мне понять, что она не знает, кто я такой, и наше знакомство не что иное, как просто случайность, встреча за игорным столом.

Колесо опять повернулось, и шарик, прыгая, остановился на номере семь. Я поставил снова два доллара на номер десять. Блондинка поставила свои два доллара на мои. Колесо повернулось, и мы проиграли: я услышал разочарованный вздох. Я опять поставил два доллара на номер семь и доллар на три. Блондинка, поколебавшись, будто стараясь скрыть тот факт, что это ее последний доллар, поставила свои фишки сверху моих.

Шарик закрутился и попал точно. Блондинка увидела это раньше меня и с радостным возгласом, энтузиазмом человека, потерявшего контроль над собой, схватила меня за руку.

— Мы сделали это! — воскликнула она. — Мы выиграли! Выиграли!

Крупье посмотрел на нее с отеческой улыбкой, как на забавного зверька, и затем заплатил нам выигранное.

Потом мы ставили вместе еще несколько раз подряд и опять выиграли. Передо мной образовалась довольно высокая стопка фишек. Блондинка нервным движением вытащила из своей черной сумки сигарету и постучала кончиком ее по серебряному портсигару. Я поднес ей огонь, щелкнув зажигалкой. Когда она наклонилась к язычку пламени, я заметил длинные, закручивающиеся кверху ресницы и кокетливый взгляд больших карих глаз: она явно смотрела на меня с интересом.

— Спасибо вам, — сказала она. И через секунду добавила: — За все спасибо.

— Не за что меня благодарить, — ответил я.

— Вряд ли кто-нибудь разрешил бы мне играть так великодушно, как это сделали вы: любому было бы неприятно, если бы я... разделила с ним его удачу. — Ее взгляд побуждал сказать: «Ну что вы, мисс, для меня одно удовольствие играть вместе с вами». Я не сказал ничего и просто улыбнулся, а ее рука на секунду задержалась на моей, пока она двигала свою стопку фишек на два дюйма вдоль стола. Внезапно она сказала:

— Это так много для меня значит, так много, потому что я осталась буквально с последним долларом.

Мы проиграли три или четыре раза подряд, и потом я поставил еще пять долларов. Она, как бы предчувствуя, что ей должно повезти, поставила десять долларов сверху моих пяти. Мы выиграли и на этот раз.

В восторге она вскрикнула, но сразу же замолчала, с опаской посмотрела по сторонам, потом на меня. Ее глаза продолжали смеяться, а рука коснулась моей, и пальчики пытались проникнуть под обшлаг пиджака.

Крупье отдал нам наши фишки и с некоторым раздражением придвинул блондинке ее стопку. Теперь это был довольно внушительный столбик. Она склонила голову мне на плечо, я чувствовал, как она дрожала.

— Мне надо идти, нет... я должна присесть, — неожиданно прошептала она. — Пожалуйста... Пожалуйста, как мы поступим с моими фишками?

— Если хотите, получите за них деньги, — ответил услышавший ее слова крупье. — А потом сможете опять купить фишки и снова играть.

— О, как хорошо! — Она повисла на мне так, будто ее не держали ноги.

— Пожалуйста, — прошептала она, — помогите мне дойти до бара.

Я посмотрел сначала на ее стопку фишек, потом на свою.

Крупье, перехватив мой взгляд, кивнул.

— Идите, я за ними присмотрю, — пообещал он с видом человека, который не придает деньгам особого значения.

Я взял девушку под руку и повел в бар, там мы сели за столик, и к нам тут же подбежал официант.

— Похоже, нам есть что отметить. Хотите шампанского? — спросил ее я.

— О конечно, обожаю шампанское! Я хотела чего-нибудь выпить... Это все так много для меня значит... Могли бы вы?.. — Она не договорила, но я понял ее без слов.

— Конечно, если вы этого хотите, — ответил я. — Сейчас я для вас поменяю ваши фишки на деньги. Вы знаете, сколько вы выиграли?

Она покачала головой.

— В таком случае, боюсь, вам самой придется проводить эту финансовую операцию.

— О, все нормально. Я знаю, я понимаю, что если бы не вы, мистер...

— Лэм, — ответил я.

— Меня зовут мисс Марвин, — улыбнулась она. — Мои друзья зовут меня Диана.

— А меня зовут Дональд.

— Дональд, я абсолютно ошеломлена случившимся, и у меня нет сил встать и опять входить в игорный зал. Мои ноги просто не держат меня. Если бы вы знали, как у меня дрожат колени!..

— А что, это мысль, — невольно вырвалось у меня.

— О боже, я не это имела в виду!

В этот момент над нашим столом склонился один из помощников крупье.

— Господа, вы бы хотели погасить ваши фишки? — спросил он. — Или вы предпочитаете, чтобы это сделали за вас мы и принесли вам деньги? Можете использовать выигранную сумму, чтобы расплатиться за все в этом доме, даже за шампанское.

— А вы можете их принести сюда? — сразу спросила она.

— Конечно.

Он поклонился нам и мгновенно исчез, вернувшись буквально через минуту с пластиковым контейнером в руках, в котором были мои фишки, и полированным деревянным ящичком с фишками девушки.

— Я взял на себя смелость поменять ваши фишки на более крупную сумму и положил голубые фишки, каждая из которых стоит двадцать долларов, — сказал он.

— Эти голубые... по двадцать каждая? — спросила Диана.

— Вот именно, — ответил помощник крупье.

Ее пальцы нежно касались золотого края каждой фишки.

— Подумать только, каждая из них стоит двадцать долларов! — шепотом произнесла она.

Официант принес бутылку, открыл ее, вытащил лед из наших бокалов и наполнил их шампанским до самых краев.

— За удачу! — сказал я, когда мы чокнулись.

— За вас, вы моя удача! — предложила она.

Мы выпили. Ее глаза внимательно смотрели на меня.

Внезапно она сказала:

— Мне нужны деньги, у меня есть только половина того, что мне нужно. Буду с вами откровенна. Я спустила все до последнего цента и пришла сюда, одолжив деньги. Просто наскребла последнее, чтобы купить фишки. И решила для себя: или пан, или пропал — либо я выиграю и добьюсь, чего хочу, либо буду полным банкротом...

Ее голос звучал проникновенно, и это придавало словам особую значимость.

— И что бы вы потом сделали, если бы стали банкротом, моя дорогая?

— Не знаю, так далеко я не загадывала. Пришлось бы или продать себя, или убить. Думаю, что так.

Я ничего не ответил.

Она продолжала внимательно меня изучать.

— Что мне следовало сделать? — задумчиво произнесла она. — Остановиться и больше не играть, быть осторожной?.. Или постараться заработать остальные деньги каким-нибудь другим способом?.. Или все-таки продолжать играть дальше?..

— По таким вопросам мне трудно дать вам совет.

— Вы мое вдохновение, моя удача. Вы принесли мне успех. Все было так плохо, и вдруг явились вы.

Я промолчал. Внезапно к нашему столу подошел старший менеджер.

— Вы не могли бы пройти в главный офис? — сказал он Диане.

— О, что такое я сделала на этот раз? — взволнованно прижав кулачок с побелевшими костяшками к губам, спросила она.

Улыбка старшего менеджера стала еще приветливее:

— Ничего особенного. Меня просили передать вам, чтобы вы зашли в офис, мисс. Мистера Лэма босс хотел бы видеть тоже.

Я посмотрел на часы. Прошло уже тридцать пять минут с того времени, как я зашел в казино, и все еще не увидел Горация Б. Катлина.

Диана Марвин резко поднялась.

— Пойдем и давай с этим поскорее покончим, — сказала она.

— В чем дело?

— Может быть, что-то с моим кредитом... или... я не уверена, не знаю.

Менеджер проводил нас до двери, она распахнулась перед нами безо всяких усилий с его стороны: очевидно, он нажал на какую-то невидимую мне кнопку.

— Пожалуйста, сюда, — сказал он, отступив в сторону.

Я проследовал в офис за Дианой. Менеджер не вошел, и дверь за нами захлопнулась так же бесшумно: тут я увидел, что у нее не было ручки. Несколько мягких кресел окружали стол, на котором стояли бокалы, ведерко со льдом, содовая вода и шейкер для сбивания коктейлей. В дальнем конце комнаты раскрылась другая дверь, и быстрым шагом вошел Хартли Л. Чаннинг.

— Пройдите сюда, — пригласил он.

Мы вошли, очевидно, в его кабинет, — как оказалось, это было именно так.

Чаннинг пожал нам обоим руки, спросил:

— Как поживаете, Лэм?

Диане он не сказал ни слова. Она прошла во внутренний офис, я за ней. Эта комната одновременно служила и офисом, и кабинетом. Тут были телевизор, радио, проигрыватель, сейф, письменный стол, удобные кресла, много полок с книгами; стены обиты панелями, мягкий свет делал обстановку уютной. И ни одного окна. Кондиционер бесшумно гнал прохладный воздух. Чаннинг повернулся к Диане:

— Ты можешь успокоиться. Этот человек совсем не та рыбка.

— Почему же тогда мне не подали сигнала? — с оскорбленным достоинством спросила девушка.

— Помолчи, детка, произошла небольшая путаница.

— Путаница!.. И это когда у меня так хорошо шли дела!

— Я же сказал тебе, мы кое-что напутали. Теперь можешь идти. И забудь, что когда-то видела этого человека.

Не сказав на прощанье ни слова, даже не посмотрев в мою сторону, Диана быстро вышла из комнаты. Я даже не мог понять, знала ли она комбинацию цифр, благодаря которой открывалась дверь с отсутствующей ручкой. Может быть, на столе Чаннинга была вмонтирована какая-то кнопка, которая открыла ее и закрыла...

Мы с Чаннингом посмотрели друг на друга через стол.

— Мне бы хотелось посмотреть на ту карточку, которую вы показали швейцару, Лэм.

Я улыбнулся ему в лицо.

— Итак?.. Я жду. — Он протянул руку.

— Эта карточка понадобилась мне, чтобы попасть сюда. Вам что, этого недостаточно?

— Нет, недостаточно.

Я не шевельнулся, и на моем лице не отразилось ничего.

— Вы, конечно, не столь наивны, Лэм, чтобы подумать, что я не контролирую здесь ситуацию? — спросил он.

— Конечно, и я тоже надеюсь, что вы не столь наивны, чтобы считать, что расскажу вам, о чем думаю?

— Обмен любезностями нас ни к чему не приведет.

— А я думаю, что все зашло слишком далеко, — парировал я.

— Вам это совсем не принесет успеха, — пообещал Чаннинг.

Я посмотрел на свои наручные часы: оставалось как раз девятнадцать минут до назначенного мною времени, когда я должен был вернуться к машине.

— Может быть, мы все-таки перестанем играть в догонялки и поговорим, придя к какому-то соглашению?

-- Я хочу видеть эту карточку, — настаивал Чаннинг.

И я опять ничего не ответил, но пропустил момент, когда он подал сигнал — возможно, опять нажав какую-то скрытую кнопку: дверь из внутреннего офиса внезапно открылась, и на пороге появился мужчина во фраке.

— Мистер Лэм предъявил карточку при входе в казино...

Пришедший не произнес ни слова.

— И упорно не хочет мне ее показывать. А я очень хочу на нее посмотреть, Билл.

Мужчина двинулся ко мне, улыбаясь.

— Карточку, мистер Лэм, — только и сказал он.

Я не пошевельнулся.

Мужчина не более секунды колебался в нерешительности. Чаннинг кивнул. Мужчина сделал шаг вперед и неожиданно мертвой хваткой вцепился в мое запястье. Я попытался было освободиться, но это оказалось все равно что сражаться со стальной стенкой. Быстрым, наработанным движением он вывернул мне руку, одновременно другой схватив локоть...

Я подавил крик боли.

— Карточку! — потребовал Чаннинг.

Я развернулся всем телом, стараясь освободиться, но боль стала еще невыносимей.

— Чертов дурак! — бросил Чаннинг и подошел ко мне, чтобы обыскать. Я был абсолютно беспомощен перед ними, не в состоянии пошевельнуться. Чаннинг засунул руку во внутренний карман моего пиджака, молниеносно извлек из него бумажник и карточку, которой я воспользовался, входя в казино; потом, засунув бумажник обратно в карман, почему-то тут же передумал и бросил его вместе с карточкой к себе на стол.

— Все, Билл, отпусти его!

Мужчина выпустил меня из своих железных объятий, и я без сил упал в кресло. Рука ужасно болела. Чаннинг хотел попросить Билла уйти, но потом передумал и приказал остаться.

— Лэм, мне это не нравится. Ты несколько часов со своим компаньоном сидел в машине перед нашей дверью. Этот парень все еще там, ждет тебя. Полагаю, если ты не появишься внизу к определенному времени, он позвонит в полицию? Не так ли?

— Ты говоришь, я слушаю. У меня свой бизнес, у тебя — свой, — ответил ему я.

Чаннинг внимательно стал рассматривать карточку.

— Она настоящая. И на ней не только моя настоящая подпись, но даже маленькая секретная отметка, о которой вам, Лэм, ничего не было известно. Это настоящая карточка... Как она к вам попала?

— Мне ее дали.

Он покачал головой:

— Такого рода карточки не попадают в руки первому встречному.

Я промолчал. Он снова повертел карточку в руках, будто тщательно изучая, потом посмотрел на меня, и мне совсем не понравилось то, что я увидел в его глазах.

— Лэм, не могу вам открыть, как я узнал, но это одна из карточек, которые принадлежали покойному Джорджу Бишопу для распространения среди очень избранного круга лиц. Обычно Джордж старался держать свои отношения с нами в строгом секрете, но тем, кому он доверял, это было известно: именно для них он держал специальные карточки. Это одна из них. Как она к вам попала? — снова спросил Чаннинг.

— Мне ее дали.

— Вы знаете, Лэм, есть маленький шанс... совсем небольшой, что она попала к вам через Ирен Бишоп. Если это так, то мне это совсем не нравится.

Я промолчал. Он взял мой бумажник и стал изучать его содержимое, а потом вдруг замер на миг.

— Черт бы меня побрал! Да у вас еще четыре таких карточки! И все они были даны Бишопу!

Только тут я осознал, как глупо с моей стороны было держать при себе такие улики. Без сомнения, теперь понимал я, на каждой из них стояла секретная пометка. Какое-то время Чаннинг сидел не шелохнувшись. Я опять незаметно взглянул на часы: у меня оставалось всего одиннадцать минут до того момента, как Дэнби поедет в полицию. Если, конечно, он будет следовать моим инструкциям.

Внезапно Чаннинг обратился к Биллу:

— Там, внизу, в машине, Лэма ждет человек. Думаю, он просто у него на побегушках, — страхует от всяких возможных осложнений, но было бы лучше нам в этом убедиться. Спустись и приведи его сюда.

— А если он не захочет идти? — спросил Билл в нерешительности.

— Я же сказал тебе, приведи его сюда.

Билл направился к двери, и я знал, что мне надо выиграть всего каких-нибудь десять с половиной минут.

— Может быть, нам сначала поговорить? — предложил я.

— Мы сможем поговорить после его прихода, — изрек Чаннинг.

Я встал с кресла и сказал:

— Мне надоело, что мной командуют, мистер Чаннинг! — надеясь, что мое заявление заставит Билла опять применить ко мне один из его приемов «дзюдо» и тем самым отсрочит надвигающиеся с неумолимой быстротой события.

Билл уже у двери вопросительно посмотрел на Чаннинга.

— Давай, Билл, работай, — ответил Чаннинг и положил на письменный стол револьвер 38-го калибра, вынув его из ящика стола. — Думаю, мне придется пересмотреть в ближайшие несколько минут некоторые понятия... Итак, вы, Лэм, в самом деле частный сыщик? Над чем, черт возьми, вы работаете все последние дни? На кого работаете?

Дверь за Биллом закрылась, и я понял, что неудержимо иду ко дну: мне надо было, конечно, постараться сократить время до трех минут. Теперь приезд полиции был для меня столь же нежелателен, как и для Чаннинга. Наверное, поэтому я не смог уложиться в лимит времени: ведь я предполагал только войти, собрать нужную информацию и выйти из казино не более чем через полчаса. И я смог бы уложиться в этот промежуток времени, если бы не Диана Марвин. Тот факт, что человек с рулеткой подал ей неправильный сигнал начать играть со мной в игры, внушил мне ни на чем не основанное чувство безопасности... Чаннинг же, минуту обдумав происходящее, бросил мне через стол мой бумажник, и тот упал ко мне прямо на колени.

— Возьмите его, Лэм. Я не хочу, чтобы вы подумали, что мы силой у вас что-то отбираем: все на месте. Я просто хотел посмотреть, что в нем, и правильно сделал, черт возьми!

— Ладно, — сказал я, убирая бумажник. — Что теперь будем делать, мистер Чаннинг?

— Подождем.

— Я пил шампанское с вашей девицей. Может быть, бутылка все еще меня ждет?..

— Не вспоминайте о ней, Лэм, мы за нее не возьмем с вас плату. Больше того, я прикажу, чтобы ее принесли сюда. Может быть, я использую ее, чтобы окрестить вас.

— Что значит «окрестить»?

— Может быть, я вылью ее вам на голову, и мы будем считать вас подлецом недели.

— Это вам ничего не даст, уверяю.

— Замолчите и дайте мне подумать.

Мы посидели, не произнося больше ни слова, потом в громкоговорителе послышался голос:

— Билл здесь, у дверей. Он говорит, что с ним еще один человек.

— Скажи, чтобы он привел этого парня ко мне в офис, и подключи эту комнату к радио... Допроси его там. Помоги ему с вопросами. Я хочу знать, кто этот парень и что он все это время делал рядом с нашим домом. Полагаю, это один из людей вашего агентства? — спросил, повернувшись ко мне Чаннинг.

Я промолчал. Неожиданно Чаннинга осенило:

— Я вот все думаю... может быть, Ирен на самом деле гораздо умнее, чем мы предполагали?

Я не проронил ни слова.

— Если она вздумает нам мешать, для нее это кончится очень плохо, она не извлечет пользы из всей этой истории. Смотрите не ошибитесь, Лэм, казино в моих руках, и это окончательно. Не существует ни единого клочка бумажки, в котором бы имя Бишопа как-то связывалось с казино. Нет никого, кто мог бы подтвердить, что это не мой бизнес. Я выстроил все это на свои деньги и своими руками. И нет никакой возможности у Ирен отнять все это у меня. У нее нет и одного шанса из миллиона!..

Он помолчал несколько минут, потом спросил:

— Мне хотелось бы знать, работаете ли вы на нее или нет.

Я ничего не успел ответить, так как на стене вдруг замигала лампочка. Чаннинг потянулся и повернул выключатель, сказав:

— Мы с вами услышим то, что будет происходить в соседней комнате, а они нас — нет.

Почти сразу же голос произнес:

— Итак, парень, как твое имя?

— Мое имя Дэнби, я не хотел сюда приезжать, и я на вас пожалуюсь, вы не можете, не имеете права со мной так обращаться, это просто киднепинг.

— Дэнби! Чем вы занимаетесь?

— Это вас не касается.

— Дайте мне посмотреть ваши водительские права... А, вот они... Френк Дэнби, вот они. Что это за адрес на ваших правах?

— Это адрес яхт-клуба.

— Боже мой, я наконец все понял! — вставая из кресла, с волнением в голосе произнес Чаннинг. Он пересек комнату, открыл дверь и вышел.

Я тоже встал, обошел вокруг стола и увидел, что пистолет он забрал с собой. Я быстро проверил все ящики. Второго пистолета в них не оказалось, хотя лежала коробка с пулями для пистолета 38-го калибра, трубка, пачка табака, две пачки сигарет, жвачка и бутылка чернил для перьевой ручки. Вдруг из соседней комнаты я услышал голос Чаннинга:

— Что здесь происходит?

— Меня украли. Кто вы такие? — услышал я уверенный голос Дэнби.

— Украли? — сделал вид, что удивился, Чаннинг.

— Этот парень с пистолетом в руках заставил меня прийти сюда.

— Билл, в чем дело? — невинно-строго спросил Чаннинг.

— Да не было у меня никакого пистолета, ему показалось — просто ручка карман пальто оттопырила, а ему показалось, что это пистолет.

— Да, но что вообще здесь происходит? — не унимался Дэнби.

— Никаких неприятностей! — продолжал уверять Билл. — Этот парень просто сидел в своей машине перед нашей дверью и мешал всем, кто подъезжал. Я и решил, что он ждет кого-то из наших богатых клиентов, чтобы обчистить, едва тот выйдет из казино с выигрышем.

— Да, это серьезное обвинение. Надо сдать его полиции, — глубокомысленно произнес Чаннинг.

— Вы просто идиоты! — возмутился Дэнби, но по его голосу было понятно, как он перепуган. — Я просто был нанят, чтобы показать одного парня, которого знаю.

— Кто вас нанял?

— Не знаю его имени, но я должен был показать ему мистера Катлина, и тогда бы тот, кто нанял, меня отпустил.

Чаннинг расхохотался совершенно естественным смехом:

— О небеса, так ведь это был Дональд Лэм!

— Да, это был он, его имя Лэм, он сказал мне, что если пробудет у вас больше часа и не выйдет, то я должен буду позвонить его другу.

— Как обидно, Дэнби, но Лэм оставил для вас записку, и я собирался ее передать, но не представлял, что должен вручить ее вам. Вы его шофер?

— Что он просил передать? — заволновался Дэнби.

— Лэм нашел человека, которого хотел увидеть, и они ушли вместе через боковую дверь. Лэм опасался, что этот человек может устроить шум, поэтому и попросил вас позвонить своему другу. Но никаких неприятностей не случилось, и Лэм ушел. Он ведь частный сыщик, вы это знаете? Я знаком с Лэмом более десяти лет, он очень хороший человек.

— А что у него были за неприятности с мистером Катлином? — спросил Дэнби.

— С ним не было никаких неприятностей. Просто Катлин помогал Лэму и должен был показать ему одного человека, мне надо было вас раньше об этом предупредить, но я был занят. Лэм просил меня передать вам, чтобы вы или проехали на машине в яхт-клуб, или вызвали себе такси, он оставил вам пять долларов на проезд и ушел каких-нибудь двадцать минут назад.

— Я получу эти пять долларов, если не буду вызывать такси, а поеду в клуб на машине? — спросил Дэнби.

В этот момент я понял, что окончательно тону. Бесполезно было слушать продолжение их разговора, и я стал искать возможность выйти из офиса Чаннинга, для чего осмотрел письменный стол, лихорадочно ища на нем скрытую от глаз кнопку. Я старался припомнить точно, что делал Чаннинг перед тем, как выскочил из комнаты. Но внезапно дверь распахнулась. Видимо, я невольно все-таки нажал нужную панель или скрытую кнопку, но уже в следующее мгновение понял, что дверь была открыта не мною, а кем-то извне.

Вошел Билл и потребовал, чтобы я немедленно сел: очевидно, он получил какой-то сигнал от Чаннинга. Я попытался было не подчиниться приказу и проскочить в дверь, пока она не закрылась, но Билл резко ухватил меня за полу пальто, развернул лицом к себе и сомкнул свои железные пальцы на моем запястье.

— Садитесь в кресло, Лэм! — прорычал он.

Я ударил его в живот со всей силой, на какую был способен. Это застало его врасплох, что дало мне возможность на секунду освободиться от его мертвой хватки, броситься к медленно закрывающейся двери. Билл рванулся было за мной, но я успел проскочить в холл, буквально ощущая у себя на затылке его горячее дыхание. Впереди открылась еще одна дверь, и я рванулся к ней в тот самый момент, когда Чаннинг собирался войти. Я успел ударить его, несмотря на то, что Билл закричал, пытаясь его предупредить. От неожиданности и от силы моего удара Чаннинг упал навзничь, я рванулся было за ним, но сзади меня уже схватили за воротник пальто цепкие догнавшие-таки меня пальцы Билла.

Что-то со страшной силой ударило меня по голове, черный туман, поднявшийся откуда-то изнутри, заколебался перед глазами, колени медленно подогнулись и, хотя я пытался схватиться за ближайшую ко мне дверную ручку и удержаться, мне это сделать не удалось. Падая, я слегка повернулся и боковым зрением успел увидеть Билла, заносящего руку для нового удара. Выражение его лица было абсолютно бесстрастным, даже, я бы сказал, слегка скучающим. Затем я упал лицом на пол, и наступила полная темнота.

Глава 17

Когда я пришел в себя, то не мог понять, сколько же прошло времени. Я лежал на кровати в маленькой комнатке с дешевой металлической тумбочкой, креслом, комодом и раковиной. Это были дешевые меблирашки, где вся обстановка, похоже, была куплена на распродаже подержанных вещей. Она разительно отличалась от кричащей синтетической элегантности игорного дома, и все же какой-то внутренний голос подсказывал мне, что я еще нахожусь в казино.

Рядом в кресле сидел Билл и читал детективный роман. Кресло стояло рядом с единственной в комнате лампой под зеленым абажуром.

Я слегка повернул голову, и все сразу поплыло у меня перед глазами, будто я очутился в каюте лодки, вышедшей в открытое море. Тошнота подступила к горлу. Билл перевернул страницу и посмотрел в мою сторону. Увидев, что я лежу с открытыми глазами, заложил своим толстым пальцем страницу, положил книжку на колени и с усмешкой поинтересовался:

— Как поживаешь, приятель?

— Отвратительно.

— Ничего, скоро тебе станет легче.

Он встал, взял с комода бутылку, вытащил пробку и сунул ее мне под нос. Это была какая-то нюхательная соль типа нашатыря. Я несколько раз вдохнул неприятный запах, и мне в самом деле полегчало.

— Ну, а теперь лежи тихо, ты не так уж тяжело травмирован, — почти с симпатией сказал Билл. — Скоро поправишься.

Постепенно стук в висках начал стихать, комната встала на место, и осталась лишь тупая боль в голове да сильно ломило за правым ухом.

— В чем все-таки дело, как ты собираешься со мной поступить? — спросил я.

Билл прочел еще несколько, видимо, очень заинтересовавших его абзацев, прежде чем ответить:

— Собираюсь держать тебя здесь.

— Если я встану и уйду, тебе предъявят серьезные обвинения, Билл.

— Каким это образом?

— Вы меня похитили.

— Побереги себя, приятель, и не фантазируй.

Я заставил себя сначала сесть на кровати. Билл наблюдал за мной с интересом. Потом медленно, но я встал. Билл отложил детектив.

— Послушай, Лэм, ты неплохой парень, но сам влез в эти неприятности. И ты достаточно умен, чтобы понять это.

— Что Чаннинг собирается делать?

— Думаю, он еще не решил окончательно.

— Ему придется меня отпустить через какое-то время.

194

Билл перестал улыбаться.

— На твоем месте, парень, я бы не был в этом так уверен. Ты ведь не знаешь многого из того, что известно мне.

— Что тебе такое известно, Билл, чего не знаю я?

— Сказано тебе, что не могу говорить об этом. И ты тоже заткнись. Я хочу еще почитать и не желаю с тобой ни разговаривать, ни слушать тебя.

— Ты работаешь на Чаннинга?

— Да, это так.

— И тебе нравится твоя работа?

— Пока все идет нормально.

— Верность — прекрасное качество. Но главное правило — это думать прежде всего о себе. Как известно, это первый закон природы, — пытался я открыть ему глаза.

Он засмеялся в ответ тяжелым беспощадным смехом.

— Посмотрите, кто это говорит! Да тебе самому следует подумать о себе! И следовало сделать еще до того, как собрался проникнуть в этот притон.

— Думаешь, Билл, я настолько глуп, что отправился к вам, не зная, что делаю?

Я заметил проблеск некоторого интереса в его глазах.

— Может быть, ты просто испытывал свою судьбу, парень?

— Не обольщайся! — посоветовал я. — Ты всегда знал что-то, знал, что здесь происходит противозаконное. Габби Гарванза мечтал прибрать тут все к рукам, и его решили убрать. Но парень, которому было поручено это, немного занервничал и промахнулся: пули не попали в цель, и он остался жив. Теперь Габби чувствует себя хорошо и приехал сюда, в Сан-Франциско. Для чего, как ты думаешь, он вернулся?

Билл закрыл книгу.

— Знаешь ведь, что настоящим хозяином этого места являлся Джордж Бишоп. Чаннинг... Чаннинг его только представлял, следил за счетами, — решил я открыть глаза Биллу. — Морин Обэн была подружкой Бишопа. Он бросил ее, развелся с женой, а когда познакомился с Ирен, то женился на этой женщине из стриптиза. Бишоп избавился сразу и от супруги, и от любовницы — так он был влюблен в Ирен. Морин связалась с Гарванза, однако в ней постоянно жила обида на Бишопа. Морин была девушкой Гарванза, но когда в него стреляли, а она была рядом, на ее жизнь не покушались. Она ничего не сказала полиции. Почему это, как ты думаешь?

Я видел, как Билл серьезно задумался, но ответа не дал, поэтому я продолжал:

— А причина была в том, что Морин знала человека, который стрелял, и симпатизировала ему. И она так нравилась ему, что он просто не мог сделать ей больно. Он знал и то, что нравится ей настолько, что может на нее положиться и она его не подведет. Потом Габби поправился и был в курсе, кто в него стрелял. Габби начал готовиться к переезду в Сан-Франциско, собираясь отомстить. Морин хотела предупредить своего друга. Она хотела быть уверенной, что в следующий раз он будет убит. Вспомни эту историю, Билл, которую разрекламировали газеты! Как она рассорилась со всеми, кто был с ней, и охранников, которых к ней приставил Габби, чтобы с ней ничего не случилось...

И она сделала вид, что ей понравился первый встретившийся случайно парень. Знаешь, я сам кое-что разузнал. Этот парень был летчиком. Морин выбрала его, но у них не было романа. Он должен был посадить свой самолет на аэродроме к северу от Сан-Франциско, где Морин и Джордж Бишоп договорились о дружеской встрече и планировали, что Габби скоро навсегда успокоится на холодных носилках в морге. Но кто-то обо всем узнал, и их здесь уже ждали, вернее, ждал кто-то, кто знал, какая большая выгода будет от всего этого, если Джорджа Бишопа убрать тихо и спокойно, да так, чтобы у убийцы было прекрасное алиби.

— Кто, Габби Гарванза? — не выдержал Билл.

— Нет, Габби не стал бы сам всем этим заниматься. Подумай хорошенько, кто больше всего выиграл от смерти Бишопа?

Билл молчал, думал, потом в нетерпении заерзал в своем кресле:

— Мне не нравятся твои намеки, Лэм. Даже если я буду только слушать то, что ты говоришь, — одно это может навлечь на меня большие неприятности.

— Не слушать того, о чем я рассказываю? Это может привести тебя к еще большим неприятностям, поверь. Ты думаешь, Габби такой уж непроходимый дурак? Кстати, в данный момент он находится в Сан-Франциско. Так что совершил убийство Хартли Чаннинг.

— А Джон Биллингс убил Бишопа, — сказал Билл.

Я улыбнулся, покачал головой:

— Тело Бишопа принесли на яхту Биллингса. Это было сделано кем-то, кто знал, что, как только тело будет обнаружено на яхте, никто не станет дальше искать настоящего убийцу: вина падет на Биллингса. А Биллингс посчитал себя весьма хитрым и умным. Когда он обнаружил тело на своей яхте, то сразу перетащил его на соседнюю. Чего он не знал, так это того, что Бишоп был убит из его револьвера и что убийца выбросил его за борт яхты Биллингса. Биллингсу никогда бы не пришло подобное в голову, но именно это пришло в голову полицейским. Водолаз локатором сразу обнаружил пистолет под кормой его яхты: Габби Гарванза учел и такие детали. Теперь, как ты думаешь, Билли, что он собирается делать дальше?

— Откуда ты знаешь, что Габби Гарванза их знает?

Подмигнув, я ответил ему:

— А кто, черт возьми, ты думаешь, нанял меня, Дональда Лэма?

Билл сразу выпрямился в кресле. Он внимательно изучал меня в течение нескольких долгих минут, потом слегка присвистнул, бросил книжку мне на кровать.

— Чего ты хочешь от меня, Лэм? Если я дам тебе возможность уйти отсюда, Чаннинг убьет меня раньше, чем Габби сможет чем-либо помочь.

— Дай мне хоть позвонить, — попросил я его.

— Это будет не так-то просто.

— Очень многое делать непросто. Можешь ни минуты не сомневаться, что Габби Гарванза знает обо всем, что здесь происходит. Ты уберешь меня, и шансов, что ты встретишь свой следующий день рождения, будет один из миллиона. А мне плевать, если твой день рождения послезавтра.

Билл нахмурил лоб, пытаясь осмыслить то, что я сказал.

— Полиция, — пообещал я, — найдет этого летчика, который отвез Морин туда...

— Замолчи, я хочу подумать, — разозлился мой страж. — Если ты так умен, как кажешься, то заткнешься на несколько минут.

Я сел на кровати, подоткнул повыше подушку под голову. Шея у меня сильно затекла. Минут через пять Билл наконец решился:

— В конце коридора стоит телефонная будка. Теперь иди и постарайся, чтобы никто тебя не увидел, не шуми.

Я быстро поднялся с постели, он взял меня за руку и помог сохранить равновесие: голова кружилась.

— У тебя есть монеты?

Я сунул руку в карман и нащупал немного мелочи:

— Есть!

— Хорошо, дальше иди сам. Если кто-нибудь тебя заметит, я дам тебе под ребро и заявлю, что ты от меня сбежал.

Он открыл дверь и посмотрел, нет ли кого поблизости в коридоре, потом кивнул мне. Я тихонько прокрался вперед и вошел в будку. Потом закрыл за собой дверь и стал судорожно вспоминать номер телефона Габби в гостинице. Невозможно было тратить время на то, чтобы посмотреть его в лежащей тут же телефонной книге. Наконец я все-таки его вспомнил и стал лихорадочно крутить диск. Когда отель ответил, я попросил соединить меня с номером Джорджа Гренби. Понимая, как много зависит от того, застану ли я его в номере теперь и будет ли Гарванза со мной говорить, я ужасно разволновался: руки мои дрожали, колени подгибались при одной мысли, что его может там не оказаться. К телефону подошел его охранник, я его сразу узнал.

— Позовите Габби, — сказал я.

— Кто говорит?

— Это Санта-Клаус, и у нас сейчас Рождество. Быстро позови Габби, или его чулочек с подарками окажется пустым.

Я услышал, как парень сказал кому-то в глубине комнаты: «Какой-то сумасшедший говорит, что он Санта-Клаус и хочет передать срочную информацию. Вы будете с ним говорить?»

Габби что-то прошуршал в ответ, и охранник сказал:

— Ну, давай говори, выкладывай поскорее, что там у тебя!

— Это Дональд Лэм, частный сыщик, которого вы выбросили недавно из комнаты.

— О-о-о-о! — прозвучало в ответ.

— Я кончил свое расследование. Я говорил Габби, что найду кое-что для него. Теперь я готов рассказать об этом.

— О чем же?

— Я хочу рассказать ему, что я нашел, что раскрыл...

— Нам совершенно наплевать, что ты там нашел! Мы знаем все, что хотим знать.

— Вы только думаете, что знаете. Вам бы лучше знать то, о чем знаю я, и тогда бы вы узнали, кто убил Морин Обэн и почему. Спроси, парень, интересует ли это Габби.

На этот раз я ничего не услышал в трубке, он ладонью прикрыл ее. Но зато почти тотчас услышал голос Габби:

— Начинай говорить. Давай только факты. Меня не интересуют твои выводы. Дай мне только факты.

И я начал:

— Вы были знакомы с Морин около года. Сколько раз за этот год она могла так напиться, чтобы начать кокетничать с первым попавшимся незнакомцем? Все, что случилось потом, ее ссора с вами и охранником — все это было лишь частью хорошо разыгранного представления. Парень, с которым она ушла, был летчиком. Он отвез ее в Сан-Франциско.

— Любой дурак может сложить два и два, — послышалось в ответ.

— Хорошо. Дальше она действовала, как сама считала нужным. Совершала поступки, о которых боялась вам рассказать, опасаясь, что об этом узнает ее охранник. А дело в том, что у нее состоялась тайная встреча с Джорджем Бишопом.

— И это все? — недовольно спросил Габби.

— Джордж Бишоп стрелял в вас, — ответил я. На другом конце провода наступила тишина. — И Морин приложила к этому руку.

— Ты слишком много болтаешь лишнего, — заметил Габби.

— Вы хотели услышать о фактах — теперь вы их знаете.

— У тебя есть доказательства насчет Морин?

— Конечно.

— Давай выкладывай.

— Человек, который убил Бишопа и Морин, — это Хартли Л. Чаннинг. Он хотел прибрать к рукам «Зеленую дверь», зная, что, если убрать с пути Бишопа и при этом связать все это с убийством, полиция уже не позволит вам вмешаться в дела казино.

— Где ты сейчас находишься?

— Сейчас я пленник Чаннинга. Думаю, что он собирается полить меня жидким бетоном и потом утопить в самой глубокой части залива Сан-Франциско. Я просто умоляю вас сделать что-нибудь, прежде чем...

— Как тебе удалось добраться до телефона?

— Я внушил парню, который меня охраняет, что теперь вы будете у них новым боссом.

Опять на том конце провода наступила на несколько мгновений тишина, потом он сказал:

— Ты просто наивный сукин сын!

— Но я же все рассказал?

— Конечно, ты все рассказал. Тебя охраняет Билл? Не так ли?

В нерешительности я замолчал и только тут понял, почему мне удалось так легко уговорить Билла дать мне возможность позвонить Габби.

— Да, он.

— Хорошо, передай трубку Биллу.

Я оставил ее висеть и бесшумно, на цыпочках, пробрался обратно в комнату.

— Твой босс на линии, — сказал ему я.

Ни слова не говоря, он встал и направился к телефону, оставив меня одного, без присмотра. Я решил немного поиграть, сел в кресло Билла, взял его журнал и стал читать. Когда он вернулся, я был глубоко погружен в чтение детективной истории.

— Давай же, иди, я тебя отпускаю, — сказал он.

Я медленно поднялся с кресла, а он с любопытством смотрел на меня:

— Как, черт возьми, ты узнал, что я человек Гарванза?

Я ему не ответил. Я этого не знал, взял да и сыграл эту сцену, а судьба на этот раз просто оказалась на моей стороне.

Я постарался выглядеть очень скромным парнем.

— Да, согласен, ты очень умный мужик, — повторил Билл уже ранее высказанную мысль. — Давай же, пошли!

Глава 18

Я позвонил в полицию из своего дешевенького отеля и попросил к телефону лейтенанта Шелдона.

— Говорит Дональд Лэм, — представился я.

— Ах ты, сукин сын! Где ты, Дональд?

Я дал ему адрес своего отеля.

— Что ты там делаешь?

— Прячусь

— От кого?

— Не хотел отнимать у вас время, лейтенант, знаю ведь, как вы заняты, и я надеялся, что кое-кто из ваших парней старался меня найти и доставить к вам.

— Ты слишком ко мне внимателен, Дональд. Я хочу тебя видеть. Хочу видеть немедленно. В самом деле, я приказал доставить тебя хоть из-под земли, здесь или в Лос-Анджелесе.

— Буду очень рад снова увидеться с вами, лейтенант.

— Так ли уж? — усомнился Шелдон.

— У меня есть нужная для вас информация.

— Какая информация? — подозрительно спросил он.

— О том водителе, который сбил человека и уехал.

— А, эта!

— Больше того, я могу вам сообщить кое-что интересное, касающееся убийства Бишопа, и вы сможете таким образом раскрыть оба дела сразу. Если вы ко мне приедете, что было бы неплохо, хотелось бы, чтобы вы были один и в новой форме.

— Зачем это?

— Здесь будет полно репортеров, и они захотят вас сфотографировать.

— Знаешь, Лэм, мне многое в тебе нравится, но у тебя есть один большой недостаток.

— Какой же?

— Ты плохо знаешь географию. Ты думаешь, что находишься все еще в Лос-Анджелесе.

— Нет, я знаю, где я нахожусь.

— Ты думаешь, — продолжал он, — то, что помогает продавать участки земли в Лос-Анджелесе, поможет и тебе в твоих делах с полицией Сан-Франциско?

— А что мне, по-вашему, лейтенант, помогает продавать их в Лос-Анджелесе? — спросил я с удивлением.

— «Луговой майонез», — было ответом.

— Вы не правы, это климат, — сказал я и повесил трубку.

Через десять минут Шелдон уже был у меня. Не в новой форме, как я просил. Но он явно надеялся, что и в старой получит здесь столь желанное для него паблисити.

— Итак, — сказал я, — насчет этого несчастного случая...

— Давай выкладывай!

— Только не могу назвать источники своей информации.

— Дональд, мне это не нравится.

— Если вы получите чистосердечное признание, уверяю, вам уже будет наплевать на эти источники.

— Если получу признание, говоришь?

— Пойдемте услышим его, и позже я расскажу вам все, что знаю о деле Бишопа.

— Куда мы пойдем?

Я назвал ему адрес Харви Б. Лудлоу.

— Знаешь, Дональд, ты должен помнить, что тебе самому грозит обвинение в шантаже.

— Разве не я вам первый позвонил?

— Да.

— Не я сказал, куда надо приехать? Не так ли?

— Да, ты.

— И что, я похож на идиота?

— Нет, на идиота не похож, но ты так часто стараешься меня обмануть касательно твоих дел в Лос-Анджелесе...

Я ничего не ответил, мне лучше было промолчать. Мы отправились в машине лейтенанта Шелдона. По дороге он спросил:

— Так все же что, Лэм, ты можешь сказать по поводу убийства Бишопа?

— Давайте сначала разберемся с делами Лудлоу. Если это прозвучит убедительно, вы меня выслушаете с большим терпением, если нет, то позже не поверите ничему из того, что я вам расскажу.

— Дональд, если все это себя не оправдает... тебе самому не захочется мне дальше рассказывать.

Мы подъехали к резиденции Лудлоу. Он был еще в постели. Похоже, все это должно было себя оправдать... Харви Б. Лудлоу — полный коренастый человек, по профессии брокер, ушедший уже на покой, при виде нас просто затрясся, как желе на тарелке, когда увидел полицейский значок лейтенанта. И прежде чем Шелдон успел задать ему несколько вопросов, он уже начал ему все выкладывать.

Нам даже не пришлось идти к его машине, чтобы убедиться, есть ли вмятина на ее крыле, дабы подтвердить наши подозрения: Лудлоу просто спешил нам рассказать все, что он знал, и сбросить, наконец, с себя этот тяжкий груз.

Как оказалось, он присутствовал на деловой конференции, выпил там пять или шесть порций. Один из его деловых партнеров для ведения записей бесед взял свою секретаршу на конференцию, и Лудлоу после ее окончания предложил подвезти ее. По дороге они остановились, выпили еще по нескольку коктейлей в каком-то баре, и Лудлоу не мог отвести от нее восхищенного взгляда. Она рассказала, что не любит свою работу. Она знала, конечно, что Лудлоу человек состоятельный, и, наверное, смотрела на него с обожанием. Лудлоу об этом нам, само собой разумеется, не говорил, но ее интерес к нему скорее всего можно объяснить именно этим: с ее точки зрения, он был человеком богатым. К тому моменту, как им было пора разъезжаться по домам, завернув по дороге к девушке, Лудлоу почувствовал действие спиртного, на него накатило приятное чувство собственной значимости и показалось, что внешне он не так уж плох и не настолько стар для нее. Девушка же будто бы вполне благосклонно выслушивала его пьяные комплименты. Вот, собственно, и вся история.

Лудлоу, конечно, хотел сохранить свое «доброе имя». У него был шанс уехать подальше, и он им воспользовался. С тех пор его преследовали кошмары. Он известный в городе человек, член престижного клуба, и вдруг такое... Все это может вызвать громкий скандал, подумал лейтенант Шелдон. Поэтому, может быть, решил он, лучше поставить в известность капитана, своего непосредственного начальника.

Шелдон так и сделал. Пришлось вытащить капитана из постели. Явились репортеры, была сделана масса снимков, в том числе и машины Лудлоу, которую они рассматривали чуть ли не в микроскоп.

Были сделаны снимки и семьи Лудлоу: его жена снялась, обнимая его за шею, заявляя, что она будет стоять за мужа, что бы с ним ни случилось, что все это не больше чем печальное недоразумение.

А лейтенант Шелдон и капитан рассказывали тем временем репортерам удивительную историю о том, как они постепенно, осторожно, шаг за шагом раскрывали детали этого прискорбного случая. Как они внимательно изучили машину Лудлоу, притом втайне от него, так что у хозяина не появилось ни малейшего подозрения на этот счет, что следствие ведется вот уже несколько дней... Так, мол, работает полиция — спокойно, эффективно, с абсолютной четкостью.

В общем, со всем было покончено, лейтенант Шелдон отвез меня обратно в полицейский участок. Очутившись там, Шелдон обнял меня за плечи: теперь мы стали приятелями, и я вполне мог не оплачивать все свои повестки за неправильную парковку машины в Сан-Франциско.

Когда мы вошли в офис старшего по чину, Шелдон сказал:

— Капитан, у меня не было возможности объяснить вам все о Дональде Лэме.

— Так это он дал вам частную информацию по делу Лудлоу? — спросил капитан.

Шелдон с упреком взглянул на него:

— Черт, нет, конечно, я до всего докопался сам, но давно разыскивал Лэма.

— С какой же целью, лейтенант?

— Думаю, он кое-что прояснит нам в деле Бишопа.

Капитан даже присвистнул от удивления.

— Капитан, вы не будете возражать, если я приглашу его в свой офис и мы поговорим с ним? Вы могли бы нас подождать пару минут?

— Нет, конечно. Вы что, Шелдон, хотите меня исключить из этого дела?

— Просто я думаю, что будет лучше, если я и Дональд поговорим и все по-дружески обсудим... Я не против того, чтобы вам все рассказать, капитан. Думаю, я уже знаю, что случилось, и уже могу назвать убийцу прямо сейчас.

— Итак, кто же он?

Но тут лейтенант упрямо покачал головой:

— У Дональда Лэма есть несколько фактов, которые, как мне кажется, окончательно решат исход этого дела. Дайте мне полчаса для переговоров с ним, и потом я все вам выложу: думаю, у меня к тому времени будут уже и доказательства.

— После разговора я вас жду у себя, лейтенант. Идите прямо ко мне, ни с кем ничего не обсуждая. Поговорите с Лэмом и прямо ко мне! Вы поняли?

Лейтенант Шелдон посмотрел ему в глаза:

— Конечно, я понял, капитан.

— Вы, черт возьми, прекрасно поработали. Побольше бы мне таких офицеров, как вы, Шелдон. Думаете, вам потребуется на разговор всего полчаса?

— Около этого.

— Начальство очень этим интересуется.

Лейтенант кивнул в знак понимания и взял меня за руку:

— Пошли, Дональд. Думаю, у тебя и в самом деле есть интересная информация, которая нам очень поможет, — говорил он нарочито громко, чтобы его слова слышал капитан. — Не поверишь, но и у меня есть кое-какие мысли по поводу случившегося. Думаю, я очень скоро смогу решить этот вопрос с твоей помощью. Скоро увидимся, капитан!

Глава 19

— Вы собираетесь доставить сюда Джона Карвера Биллингса для допроса? — спросил я лейтенанта.

— Кого, сына?

— Нет, Биллингса-старшего.

— Он нанял очень известного адвоката. Тот проинструктировал его и посоветовал не давать показаний в его отсутствие.

— Так мы все-таки будем с ним разговаривать здесь?

Он многозначительно посмотрел на меня.

— Знаешь, Лэм, я уже сунул шею в эту петлю. Если через полчаса мне придется вернуться к капитану и сказать ему, что «ничего нет», для меня это будет весьма не просто, очень не просто, черт возьми.

— У вас всего полчаса, лейтенант. Я скажу вам, что смогу сделать, и, уверен, у вас будет что завтра рассказать газетчикам...

— Пока это только пустая болтовня, Лэм! Что у нас есть на Биллингса?

— Это зависит от того, насколько вы мне верите, — пожал я плечами.

Он снял телефонную трубку, набрал номер одного из внутренних абонентов и приказал:

— Приведите сюда Джона Карвера Биллингса-старшего. Да, правильно. И поспешите... А мне плевать на то, что говорит его адвокат. Давайте его сюда, и побыстрее!.. Разбудите!.. — Шелдон повесил трубку. — Итак, Дональд, хочу услышать что-то из твоей теории.

— Пригласите стенографистку, чтобы записать его признание, и сами слушайте все, о чем я буду его спрашивать.

— Дональд, если тебе удастся его расколоть, это, конечно, будет нечто экстраординарное!

— Это именно так.

— Ты имеешь в виду Биллингса? Его признание добавит лишнее перо на мою шляпу!

— Черт с ним, с пером, лейтенант! Я достану вам целый головной убор из перьев. Слушайте же! Биллингс не имеет никакого отношения к убийству.

В глазах лейтенанта появилось искреннее уважение ко мне.

— Не хочешь ли сигару, Дональд, — предложил он. — У меня очень хорошие сигары.

Минут через десять в кабинет привели Джона Карвера Биллингса. В его глазах, казалось, погас свет, но спину он держал прямо.

Когда он увидел меня, на его лице появилось выражение крайнего удивления. Губы были плотно сжаты, выражая решимость.

— Мой адвокат предупредил меня, чтобы я не отвечал ни на один ваш вопрос, все должно происходить только в его присутствии, — сообщил он Шелдону.

— Мистер Биллингс, поверьте, у нас есть шанс решить этот вопрос, — сказал я ему.

Он посмотрел на меня и упрямо повторил:

— Мой адвокат предупредил, чтобы я отвечал на все вопросы только в его присутствии.

— Ну, хорошо, не отвечайте на мои вопросы! — сказал я.

— Меня проинструктировали, чтобы я вообще не говорил ни о чем...

— Не говорите, просто слушайте, — ответил я ему.

Он замолчал, закрыл глаза, будто стараясь абстрагироваться от окружавшей действительности, от этого офиса и от всего, что было с ним связано.

— А теперь слушайте, лейтенант, что произошло на самом деле, — начал я. — Джордж Тастин Бишоп являлся владельцем казино «Зеленая дверь». Вы, может быть, официально не хотите о нем знать ничего, но неофициально наверняка знаете, что это за место.

— Я думал, что человек по имени Чаннинг был...

— Чаннинг у Бишопа был просто человеком, ведущим его бухгалтерские дела, когда Бишоп еще только начинал. Потом он вошел в дело и отрезал себе неплохой кусочек от пирога. Когда же узнал, что происходит на самом деле за главным фасадом... Бишоп считался шахтовладельцем, владельцем рудников. Он не хотел скрывать от государства свои доходы, но не хотел и того, чтобы узнали, что они идут от казино. Поэтому он создал много дутых корпораций, шахт, рудников, сталеплавильных заводов, получая чеки от сталеплавильных компаний. Ну и все в этом же роде. Если бы кому-нибудь пришло в голову все это расследовать, то афера выплыла бы наружу. Никому не было до этого дела, никто не брался за расследование, потому что в книгах учета все было безупречно и не к чему придраться. Никому ни разу не пришло в голову, что сталеплавильные компании будут готовы оплачивать золотоносной рудой за обычную пыль. И всегда у Бишопа одна из шахт носила название «Зеленая дверь»...

— Продолжайте, — сказал Шелдон.

— До того, как Бишоп занялся игорным бизнесом, он иногда подрабатывал шантажом на стороне. Не

209

знаю точно, кого он еще шантажировал, кроме сына Биллингса, но с ним он обошелся очень жестоко. Не знаю, какой зуб он имел на него, — так глубоко мне не удалось проникнуть, — но, я уверен, прежде чем мы здесь кончим, мистер Биллингс сам нам расскажет, что это было.

Шелдон вопросительно посмотрел на Биллингса.

Биллингс молча сидел на стуле с закрытыми глазами, сжатыми кулаками и губами, сомкнутыми так плотно, будто боялся, что какое-нибудь слово вдруг случайно вылетит, помимо его желания. Лицо его было цвета мокрого цемента...

Взглянув на него, я продолжал:

— После того как Бишоп стал хозяином «Зеленой двери», он перестал заниматься такими мелочами, как шантаж. Но помните, у него что-то было на Биллингса, какая-то порочащая того информация, которую знал он и, видимо, Чаннинг тоже. Хотя, возможно, Чаннинг и не знал конкретно содержание этого компромата... Постепенно Чаннинг стал входить в игорный бизнес, и Бишопу это не нравилось, он вообще стал подозрительно относиться к нему. Вначале он нуждался в таком человеке, некой подставной фигуре, которая была в курсе всех его дел. Но Чаннинг слишком быстро стал завоевывать все новые и новые позиции. Бишоп перестал ему доверять и стремился его ото всего отстранить, отправив туда, где бы тот уже ничего не хотел и ни к чему не стремился... Затем в дело решил войти Габби Гарванза, но кто-то в него стрелял, желая убрать с пути. Попытка оказалась неудачной: он выжил.

— Знаешь, кто это сделал? — перебил меня Шелдон.

— Конечно. Это был Джордж Бишоп. Он решил, что сделал все, как надо, поэтому, когда утренние газеты сообщили, что Габби пришел в себя, чуть не потерял сознание, по словам его жены. Его вдова может это подтвердить.

— Продолжай, Лэм, — сказал лейтенант.

— Одно время Бишоп встречался с Морин Обэн. Чаннинг познакомил ее с Гарванза, когда Бишоп женился на Ирен, артистке стриптиза. Морин стала девушкой Габби, но не забыла обиды на Бишопа.

Когда жизненные интересы Бишопа и Габби пересеклись, Бишоп попытался убрать его с дороги, но сделал это по-дилетантски. Бишоп был игроком, шантажистом, но отнюдь не убийцей: он не в состоянии был лишить человека жизни. И когда пришел в себя от шока, узнав, что Габби жив, то понял, что ему, несмотря на внутреннее сопротивление, надо сделать еще одну попытку его убрать, пока тот не сделает это первым. Но не своими руками...

— Продолжай, — в нетерпении перебил меня Шелдон.

— И Бишоп решил воспользоваться Морин, чтобы быть уверенным, что на этот раз Габби не избежит гибели, поэтому все было так подстроено, чтобы Морин чувствовала себя очень измотанной, а стало быть, и импульсивной. Ей подставили красавца незнакомца, который, по их расчетам, должен был ей понравиться. Этот человек был летчиком, нанятым Бишопом, но на самом-то деле он был крепко связан опять-таки с Чаннингом. Вот так все и получилось... Чаннинг понимал, что Бишоп очень нервничает, и решил, что для него будет лучше нанести удар первым. Он знал также, что игорные дома, запрещенные законом, не наследуются.

— Все ясно, но расскажи мне об этом летчике поподробнее, — попросил Шелдон.

— Летчик получал приказы и инструкции от Бишопа, но отчитывался перед Чаннингом. Познакомившись с Морин, он, по ее просьбе, на самолете переправил ее на летное поле к северу от Сан-Франциско, где ее уже ждал Бишоп. Единственная неприятность состояла в том, что и Чаннинг тоже поджидал их здесь. Морин залезла в машину Бишопа. Чаннинг заранее незаметно забрался на заднее сиденье машины. У него было два пистолета, Морин была убита из автоматического оружия... Его мы пока не нашли и не проследили, кому оно принадлежало.

Бишоп был убит из пистолета, который Чаннинг предусмотрительно забрал из каюты на яхте Биллингса. И пулевое отверстие с остатками окровавленной ткани по краям тоже было предусмотрительно оставлено убийцей как улика.

Шелдон не выдержал:

— Ты что же, хочешь сказать, что Чаннинг выстрелил в Бишопа на яхте Биллингса второй раз?

— Именно это я и хочу сказать: он сделал это так, чтобы пуля пробила деревянную обшивку, ведь круглое пулевое отверстие с кровавыми краями было очень хорошей прямой уликой. А незадолго до убийства Бишоп пытался надавить на Биллингса. Нет, это не был шантаж: Бишоп хотел, чтобы тот сделал ему одно одолжение. Но именно этого одолжения Биллингс и не хотел ему делать.

— В чем же оно заключалось?

— Видите ли, Бишоп вел сложную игру с рудниками, где добывалась золотоносная руда. Он вывозил породу из шахт и продавал ее как щебень, гравий или просто... топил в заливе... Один из таких контейнеров он привез как-то к себе в поместье и высыпал на площадку, где готовился разбить теннисный корт и сад — на террасах склона холма. Это стоило ему около трехсот долларов — измельчение тонны руды. Содержание золота в ней было не слишком велико, так что его не увидишь стекающим потоком при промывке, однако процент его от общей массы был достаточно велик. Я убедился в этом сам, промыв руду с участка Бишопа.

Лейтенант Шелдон, видел я, глубокомысленно размышлял над сказанным мною. Подождав с минуту и видя его озабоченность, я продолжил свой рассказ:

— У Бишопа на руках был контрольный пакет акций. Часть их была продана тем, кто пожелал их приобрести. Часть — и большая — хранилась в банке, причем банкирам было разрешено продавать ценные бумаги при условии, если акции будут держаться вкладчиком в банке не менее года. Это условие было поставлено корпорациями, занимающимися рудниками... В конце года собирался совет экспертов, на котором анализировалась ценность тех или иных рудников, перспективность шахт, и, если какая-то из них признавалась убыточной, не приносящей прибыли, Бишоп посылал отчет в комиссию по корпорациям. Совершенно естественно, что мелкие держатели акций забирали с депозита в банке свои ценные бумаги, а учредитель оставался обладателем основного, контрольного пакета акций...

Шло время, и, когда все забывали о существовании очередной убыточной шахты, начинали поступать доходы от «сталеплавильной компании». Бухгалтерские книги показывали, что и шахта под названием «Зеленая дверь» тоже начала приносить их. У Бишопа, как вы помните, всегда одна из шахт так называлась. Никто из налоговых чиновников не догадывался хоть раз копнуть при проверке глубже, и все выглядело вполне законно. Если бы вдруг кто-то почувствовал что-то неладное, Бишоп всегда бы смог подтвердить документально, что он отчитался за каждый цент с доходов от «Зеленой двери». И никто бы ничего больше не спросил. Но если вдруг налоговые инспекторы полагали, что от шахты все-таки идут доходы, то Бишоп не мог их «винить» в их невольной ошибке...

Дальше... Он нашел очередную шахту, в руде которой содержалось золото. И захотел иметь все акции этой шахты по ценам, взятым буквально с потолка, которые никак не отражали действительной стоимости прибыли от них. Корпорации ему отказали. Тогда он попросил Биллингса, президента банка, подать в суд на них, основываясь на долговых расписках, которые Бишоп подписывал совместно с этими корпорациями... Биллингс почувствовал, что запахло жареным, и отказался подавать иск в суд. Но Бишоп против Биллингса кое-что имел и решил использовать шантаж, чтобы получить то, чего он так добивался...

Чаннинг знал подноготную всей этой кухни. Когда он решил убрать с дороги Бишопа, то хотел быть уверенным, что в этом убийстве будет обвинен именно Биллингс. И никто другой. Если бы у полиции не было никаких веских доказательств, то первым, кого бы стали подозревать, был Чаннинг...

Гораций Б. Катлин — человек, о котором мне практически ничего не известно. Он член яхт-клуба, и я просто предположил в своих рассуждениях, что у него были какие-то финансовые затруднения. Но в любом случае — он бывал в казино «Зеленая дверь» очень часто и, видимо, оказался по завязку в долгах. Об этом, конечно, Чаннинг Бишопу не докладывал и, естественно, делал это намеренно, чтобы использовать Катлина в своих личных целях...

Во вторник поздно вечером Катлин вернул свой долг Чаннингу. И... одолжил ему свою яхту. Чаннинг перевез тело мертвого Бишопа на яхту Катлина и отогнал автомобиль Бишопа подальше от стоянки яхт-клуба. В это же самое время частный самолет уже вез тело Морин Обэн на юг. Это было сделано для того, чтобы полиция посчитала, что убийца, который покушался на жизнь Габби Гарванза, отправил на тот свет и Морин: будь девушка жива, она могла бы многое порассказать полиции о гангстере...

Преступники надеялись, что Морин похоронят там, где ее тело будет найдено. А вот труп Бишопа должен был упасть прямо, что называется, в руки Биллингсу. В таком случае, сами понимаете, лейтенант, полиция никогда бы не заподозрила в убийстве Чаннинга...

Охрана яхт-клуба всегда была внимательна к тем, кто входил на его территорию и выходил, — как правило, через ворота. Но никогда не учитывались люди, приплывающие или уплывающие на яхтах. Ими, как правило, являлись уважаемые члены клуба, которых проверили и перепроверили не один раз. Но только тогда, когда они проходили через ворота... Вот так все и произошло. Чаннинг приплыл на яхте Катлина. Потом, когда стемнело, сбил замок на яхте Биллингса и положил туда тело Бишопа в каюту на пол, выбросил за борт пистолет, из которого был убит Бишоп, будучи твердо уверен, что Биллингсу никогда не придет в голову искать его, когда он обнаружит тело... Но Чаннинг-то знал, что полиция обязательно пошлет водолаза, чтобы разыскать оружие, и сделает это по прибытии незамедлительно.

— Интересная история! — вставил вдруг лейтенант.

Не зная, как реагировать на замечание Шелдона, я счел самым разумным продолжить повествование:

— Видимо, Чаннинг предвидел, что тело будет найдено не более чем два дня спустя, но тут-то Биллингс и спутал все его планы. Оба Биллингса наведались по каким-то своим делам в яхт-клуб и подошли к своей яхте незамеченными, потому что как раз в этот момент почему-то в воротах перестал работать электрический сигнал, а Дэнби, охранник, разговаривал по телефону, повернувшись к воротам спиной, когда они туда входили.

Когда отец и сын обнаружили тело Бишопа на полу своей яхты, то буквально пришли в ужас. Они понимали, что, едва труп найдет полиция, методы, которыми Бишоп шантажировал их, наверняка выплывут наружу. И конечно, Биллингсы знали, что в убийстве обвинят их...

Вместе оба стали думать, как избавиться от мертвеца, и неумело, если можно так выразиться, чисто любительски провели всю работу по сокрытию трупа. Им удалось перетащить то, что осталось от Бишопа, на одну из соседних яхт. Чтобы это сделать, они сбили с нее замок. Боясь, что охрана заметит содеянное ими, они повесили новый. На полу осталась кровь убитого, Биллингсы сняли старый ковер и заменили его новым. Словом, все сделанное лишь способствовало тому, что они все туже затягивали у себя на шее петлю...

Внезапно лицо лейтенанта Шелдона помрачнело и стало вдруг пунцово-красным. Он выдавил из себя:

— Ладно... Лэм, скажи мне, кто тебя нанял?

— Джон Карвер Биллингс.

— Старик?

— Нет, молодой Биллингс.

— Ах ты, сукин сын! — бросил он с такой яростью, что ему могла позавидовать бы сама Берта Кул: ее эпитеты по сравнению со злостью, с которой он произнес это ругательство, показались бы просто объяснением в любви.

— В чем дело? — недоумевал я.

— Хочешь подсунуть мне эту ерунду?! Ты что же, подсунул мне и это дело Лудлоу с его наездом на человека, чем втерся в доверие, а теперь несешь мне всю эту чепуху?

— Одну минутку, лейтенант!

— Пошел к черту! Считай, тебе не повезло, Дональд! Я покажу, что может произойти с такими ублюдками, как ты, которые пытаются обмануть представителя...

— Ну, а теперь заткнись и забудь, что ты чертов полицейский, — заорал я вне себя. — Тебя заждался твой капитан, а ему уже названивает его начальство и жаждет правильного решения по делу Бишопа! Ну, Шелдон, желаешь сохранить свою голову на плечах или предпочитаешь ее потерять?

Лейтенант просто подскочил при одном упоминании капитана и своего шефа. Ему в случае чего должно было от них здорово нагореть, и он это прекрасно понимал.

— Дональд! — В его обращении я уловил такую ненависть, что даже изменился голос — стал низким, едва слышным. — Если ты меня подставил, я переломаю все твои ребра!

— У вас есть возможность проверить то, о чем я рассказал. И в вашем распоряжении всего каких-нибудь двадцать минут. Вам надо немедленно найти Горация Б. Катлина и допросить его.

Шелдон начал лихорадочно крутить телефонный диск. Но два человека в полицейской форме появились в офисе гораздо быстрее, чем ему удалось с кем-либо соединиться, Шелдон прокричал им:

— Держите этих двоих так, чтобы никто их не видел, и мне плевать — кто бы этого ни захотел! Я сказал — никто! Не позволяйте им говорить ни с кем из департамента! Не разрешайте встречаться ни с одним из адвокатов! Не позволяйте подходить к телефону! И чтобы они оставались там, где сейчас!..

Лейтенант выскочил из офиса подобно реактивному самолету, взмывающему вверх на взлетной полосе.

Биллингс открыл глаза и посмотрел на меня. Потом медленно протянул мне руку, пожав ею мою. И не произнес ни слова.

— Не говорите им, что у Бишопа было за душой против вашего сына и... — тихо сказал ему я.

— Заткнись! — закричал один из охранявших нас офицеров. — Лейтенант запретил вам разговаривать с кем бы то ни было!

— Но это не значит, что мы не можем разговаривать между собой, — логично заметил я.

— Я понял это иначе. Заткнись! — настаивал охранник.

Биллингс попытался еще что-то сказать мне. Один из офицеров угрожающе встал.

— Вы, парни, дождетесь, что вам достанется по шее!

Мы замолчали. Это продолжалось томительных тридцать минут. Кажется, за эти полчаса я посмотрел на часы не менее пятидесяти раз, но Биллингс сидел не шелохнувшись, с каменным лицом. Наконец появился лейтенант Шелдон. Его будто подменили. Теперь он был больше похож на сияющего десятилетнего ребенка в рождественское утро. Я посмотрел на него и вздохнул с облегчением.

— Дональд опять перешел запретную линию, поэтому мне пришлось так себя повести. Капитан и шеф ждут меня в офисе. А вы убирайтесь отсюда, — обратился он к охранникам.

Те мгновенно испарились.

Мне пришлось снова и снова повторить ему свой рассказ, чтобы он его как следует запомнил.

— А как ты нашел Катлина, Лэм?

— Я знал, что в деле должен был быть кто-то замешан из членов клуба, кто оказался бы целиком в руках управляющего казино «Зеленая дверь». И этот человек настолько увяз в долгах, что делал все, что ему приказывали... Поэтому я нанял охранника из яхт-клуба, чтобы тот понаблюдал за людьми, входящими и выходящими как из него, так и из казино. Когда охранник его узнал, я понял, что это тот самый человек, которого я ищу. Я пошел за ним и сразу увидел, что его нет ни за одним из столов, где играли: он, без сомнения, сразу отправился к менеджеру. Я был уверен, что нашел ответ на свой вопрос.

— Не хотите ли сигару? — спросил нас с Биллингсом лейтенант Шелдон. — Мы приносим свои извинения, что из-за нас вам пришлось терпеть такие неудобства, сэр, но вы должны понять... И пожалуйста, подождите меня здесь. Не выходите. В коридоре будет охранник. Просто сидите здесь и ни с кем не разговаривайте. Дональд, ты ведь достаточно умен и все понимаешь... Смотри, чтобы Биллингс тоже молчал. Не разговаривайте ни в коем случае с репортерами. Не пытайтесь говорить по телефону...

Лейтенант набрал номер и сказал в трубку:

— Я уже иду к вам, капитан. Простите, что заставил ждать. Мне надо было кое-что выяснить и перепроверить. Я сейчас буду.

С этими словами он выскочил из комнаты.

Я повернулся к Биллингсу.

— Скажите мне, какой информацией располагал Бишоп о вашем сыне?

— Честно, Лэм, я сам узнал об этом только на прошлой неделе. И мне не хочется это обсуждать.

— Но мне-то вы могли бы сказать.

— Нет, не могу.

— Ваш парень высокий, длинноногий?

Он кивнул.

— Играл в колледже в баскетбол?

— Да.

— Был членом школьной команды?

— Да, был.

— Бишоп был игроком, который ставил и на игры в колледжах, — сообщил я ему.

Внезапно лицо банкира скривилось от внутренней боли. Он заплакал. Невозможно было видеть без содрогания, как у сильного, мужественного человека по лицу текут слезы.

Я поднялся, подошел к окну, повернувшись к Биллингсу спиной: я не мог этого выносить. Через несколько минут, когда редкие всхлипывания прекратились, вернулся и сел обратно в кресло.

Довольно долго никто из нас не произносил ни слова.

— Когда будете рассказывать вашу историю Шелдону, скажите ему, что ваш сын был замешан в скандале с девицей.

— Для него это будет недостаточно веским мотивом, — ответил Биллингс. — Я уже об этом думал.

— Скажите ему, что девушка умерла в результате подпольного аборта.

Биллингс с минуту обдумывал мои слова, потом согласно кивнул.

— Дональд, — произнес он, и в голосе его я ощутил теплоту. — Если вам удастся убедить полицию, Лэм, в правдивости вашей истории как официальной версии, вы получите очень большое вознаграждение. Солидное вознаграждение...

Мне сразу почему-то вспомнилась Берта. Посмотрев ему прямо в глаза, я сказал:

— Мы ждали этого, мистер Биллингс. Мы не делаем свою работу бесплатно.

— Вам этого и не придется делать. Вы этого просто не должны делать.

На этом наш разговор прекратился. Нам больше нечего было сказать друг другу. Мы сидели и просто ждали, ждали, ждали... Очень долго. Наверное, несколько часов... Потом вошел офицер и принес нам кофе и сандвичи.

— Лейтенант просил передать, чтобы вы чувствовали себя как дома. Просил ни с кем не разговаривать, — опять напомнил он нам.

Примерно через час пришел сам лейтенант Шелдон, закрыл дверь, пододвинул свое кресло поближе к Биллингсу и сел.

— Мистер Биллингс, вы очень влиятельный в Сан-Франциско человек, и мы хотим, чтобы вы поняли, что полиция вас уважает. Мы стараемся помочь таким уважаемым людям, как вы.

— Спасибо, — ответил тот.

— Ну, а теперь расскажите мне, пожалуйста, мистер Биллингс, что за компрометирующий материал имел Бишоп на вашего сына?

— Это по поводу одной девушки, — ответил Биллингс.

Шелдон хмыкнул.

— Ей пришлось сделать операцию, и она умерла.

Ухмылка сползла с лица Шелдона. Ему понадобилось время, чтобы это осмыслить.

— Хорошо, мистер Биллингс, думаю, мы можем больше не касаться этого вопроса о шантаже, если вы согласитесь нам помочь.

— Если вы не будете даже произносить это слово «о шантаже», то я сделаю... сделаю все от меня зависящее, чтобы вам помочь.

— Хорошо, вы должны сделать только одно.

— Что же именно?

— Помогите нам в наших усилиях охранить вас от возможных неприятностей.

— Что вы имеете в виду?

— Ни с кем не разговаривайте. Газетчики все очень хитрые и пронырливые. Они жаждут устроить вам перекрестный допрос, если вы им подадите хоть чуточку надежды. Они зададут вам множество вопросов, а потом сами все начнут перепроверять. И загонят вас в угол.

— Вы хотите, чтобы я им вообще ничего не рассказывал? — прервал его Биллингс.

— Да. Для вашей же пользы. Поверьте, мы хотим вам помочь, но есть только один способ избежать вопросов о шантаже.

— Ладно, буду молчать.

Я повернулся к Шелдону.

— Вы должны для меня кое-что сделать, лейтенант.

— Все, что хотите, Дональд. Весь этот чертов город ваш. Просто все, что хотите!

— Когда будете рассказывать эту историю репортерам, вам надо сделать упор на тот факт, что Джордж Бишоп стал богатым благодаря этой шахте.

Он посмотрел на меня и подмигнул.

— Да хранит вас Господь, Дональд. Эта история уже в печати. Шахта, богатая золотоносной рудой, — это сенсация и в то же время драма. Я уже столько говорил с репортерами, что охрип. Теперь, Дональд, вам придется в этом деле отступить на задний план. Поверьте, когда представится следующий случай, вы можете рассчитывать на мою помощь и на помощь всего нашего отдела. Тебя устраивает такой поворот событий, Лэм? — Он называл меня от полноты чувств, его распиравших, то на «вы», то на «ты».

Я кивнул.

Он обошел вокруг стола и хлопнул меня по плечу с такой силой, что чуть не вышиб из меня дух.

— Дональд, ты умный малый. Ты много видел. Поверь мне, ты себе ничем не повредил, расследуя это дело. Все, что тебе будет нужно в Сан-Франциско, ты получишь, этим может похвастаться не каждый частный сыщик, особенно из Лос-Анджелеса.

Он сам рассмеялся своей шутке.

— А что же будет со мной и моим сыном? — спросил Биллингс. — Мы свободны?

— О, совсем забыл! Мы были так заняты... Мы подняли с постели вашего шофера, мистер Биллингс, и ваша машина ждет у подъезда. Вас ждет еще и толпа репортеров со своими камерами. Они вам будут задавать вопросы. Если вы просто будете отвечать, ничего не комментируя, это очень нам поможет. Позвольте мне ответить на их вопросы, сэр.

— Мне не о чем с ними говорить, — согласился Биллингс.

— Тогда с этим покончено, — явно обрадовался Шелдон, схватив за руку Биллингса в экстазе сердечности. Он проводил Биллингса до двери, придержал ее, когда тот выходил, а меня попросил задержаться.

— Пусть мистер Биллингс выйдет один, Дональд. Его сын ждет внизу у машины. Может быть, для него лучше, если тебя не будет на фотографиях, которые сейчас обойдут все газеты. Пусть лучше о тебе не знают, и работать тебе потом, поверь, будет спокойнее.

— Я страшно люблю анонимность! — сказал я.

— А вам надо заплатить этому парню хороший гонорар, мистер Биллингс. Поверьте, он очень нам помог в раскрытии этого сложного дела, да и вам тоже.

— Не беспокойтесь, — холодно ответил Биллингс, — я не вчера на свет родился.

Дверь за ним закрылась.

— Нет ли здесь черного хода? — поинтересовался я у Шелдона.

— Дональд, это действительно одно удовольствие работать с тобой, ты и в самом деле знаешь свое дело!

Над городом уже вставало солнце, когда он наконец выпустил меня через дверь, куда обычно подъезжали машины «Скорой помощи». На этот раз полицейская довезла меня до моего отеля.

Глава 20

Я вошел в свой офис. Секретарша подняла голову, издав такой звук, будто увидела привидение, и приложила пальчик к губам, прося соблюдать тишину.

Я подошел к ее столу:

— В чем дело, Элси? Берта опять на тропе войны?

— Она хотела, чтобы ей сообщили, как только ты вернешься.

— И как она это выразила?

— Она сказала: «Если этот тонкий маленький червяк будет иметь мужество сунуть сюда свой нос, то позвони мне, и я сама вышвырну его за дверь. Наше партнерство расторгнуто».

— Как мило с ее стороны! Позвони ей, Элси. Скажи, что я только что пришел и я в своем офисе.

Буквы на дверях моего офиса с моим именем «Дональд Лэм», видно, грубо и нервно соскребли со стекла. Я представил, как Берта занималась этим лично, держа в руках безопасную бритву.

Элси Бранд смотрела на меня широко раскрытыми глазками.

— Дональд! — попросила она. — Не входи сюда и немедленно найми себе адвоката. Боже мой, Дональд, сейчас опять разразится скандал!

Я вынул из кармана чек и протянул его Элси.

— Хочу вернуть тебе деньги, которые ты мне послала. Спасибо.

— Ладно, Дональд, ладно! Смотри, чтобы Берта не узнала, что я тебе их одалживала. Дональд, что это? Что? Это же чек на тринадцать тысяч долларов!

— Вот именно, — скромно прокомментировал я.

— Это чек от кассира?!

— Правильно, из банка Биллингса, умница, догадалась.

— Но что... Но что это? Почему... так много?

— Те деньги, что ты мне послала, Элси, я вложил в рудники, компания «Скайхук майнинг энд дивелоп-

223

мент синдикат» — кстати, прекрасная компания! По-моему, это неплохое вложение. И после того, как мы с тобой купили ее акции, цены на них, уверен, взлетят к небу, как ракета.

— Дональд, ты хочешь сказать, что это мои триста пятьдесят, которые я тебе послала?.. Дональд, я просто не понимаю!

— Тебе и не надо понимать, просто погаси чек и все.

В этот момент за моей спиной раздался вдруг грохот, похожий на землетрясение. Стул полетел к стенке, стол был отброшен в другую сторону, будто его двигала чья-то гигантская рука, а перед тем распахнулась дверь с такой силой, что чуть не сорвалась с петель, и на пороге появилась Берта Кул.

— Ах ты, сукин сын! И у тебя еще хватило наглости прийти сюда? Зачем ты явился? У тебя здесь не больше прав, чем у ничтожной моли, вылетевшей из вещевой кладовки! Ты худосочный, плоскогрудый, весь покрытый веснушками, похожий на навозного жука ублюдок!..

— Какое замечательное творчество! — успел восхититься я столь радушному приему.

— После того как Берте удалось отложить пятьсот долларов, ты отправился в Сан-Франциско и засунул свои похожие на арахисовые орешки мозги бог знает во что!.. Ты засунул свой нос в бизнес, и что из этого вышло? Они приостановили оплату по чеку! Ты и твой поганый язык! Ты и твое особое мнение!.. Потом оказывается, что из-за тебя нашего клиента арестовывают за убийство. И полиция начинает тебя разыскивать. Выдан ордер на твой арест. Подумать только! Арестовать частного сыщика из Лос-Анджелеса, моего партнера! Которого я подобрала из грязи. Я взяла тебя в свои партнеры, и чем ты мне отплатил за это? Ох, чтоб меня зажарили как устрицу!.. — Повернувшись к сидящей за столом телефонистке, Берта приказала: — Соедините меня с поли-

224

цией и скажите им, что Дональд Лэм ждет их здесь, чтобы они надели на него наручники. Скажите им, что самый великий и умный детектив вернулся и ждет их!

Она уперлась руками в свои необъятные бока, растопырила локти, а ее челюсти в этот момент очень напоминали бульдога.

— Берта! — спокойно сказал ей я. — Подпиши здесь, — с этими словами я протянул ей карточку через стол.

Она даже не посмотрела на нее.

— Распишись на моей!.. — сказала она. — Прежде чем я что-нибудь подпишу, я потребую для тебя ордер в Верховном суде! И не надейся, что получишь от меня хоть цент! Ты поднял такую бучу, что я должна с тебя вычесть все, до последнего цента, после продажи твоего имущества, чтобы компенсировать нанесенный мне ущерб. Поговорю со своим адвокатом, и он подтвердит, что я абсолютно права. Пойди и тоже найми себе адвоката, вот тогда и посмотрим, что это тебе даст... Вещи, которые тебе принадлежали и находились в твоем письменном столе, сложены в коробки и стоят в углу комнаты. А теперь убирайся отсюда к черту!

— Все-таки тебе лучше подписать эту карточку, Берта. Это наш новый совместный счет — счет партнеров в банке Сан-Франциско, — сказал я ей.

— Совместный банковский счет партнеров?! Что это, черт возьми, ты плетешь? Будь проклят, Лэм, ты наверняка попадешь в тюрьму! Я прекратила выплату по любым чекам, на которых стоит твоя подпись. И вообще закрыла наш совместный счет в банке, а все оставшиеся деньги переложила на свое имя. Я прекратила наше партнерство! Я, Берта Кул, подняла тебя из грязи, да поможет мне Бог, но я тебя снова туда брошу!

— Хорошо, хорошо! Тогда я один буду распоряжаться счетом в банке в Сан-Франциско. А ты продолжай вести дела здесь, в Лос-Анджелесе, если тебе так нравится. Тебе нечего беспокоиться по поводу юридической стороны дела: если наше совместное сотрудничество расторгнуто, то деньги, заработанные мной, целиком становятся моей собственностью.

— Деньги, которые ты сам заработал?

— Именно так.

Она наконец схватила со стола карточку, пристально рассматривая написанное на ней, и вдруг удивленно воскликнула:

— Что это? Похоже, счет из банка в Сан-Франциско, на котором должна стоять моя подпись для совместного сотрудничества «Кул и Лэм»?..

— Да, правильно, так и есть.

Она поднесла карточку ближе к глазам.

— Да, и на этом совместном счете, — сказал я, — лежит кругленькая сумма в банке Сан-Франциско. И теперь мы будем еще и в добрых отношениях с полицией Сан-Франциско, и они нам будут посылать все дела, которые надо помочь им раскрыть. С ними мы тоже теперь будем работать как партнеры.

— О чем это, черт возьми, ты толкуешь, не пойму что-то?

— Ты знаешь, Берта, что дело Бишопа раскрыто?

— То, что оно раскрыто, я знаю, но не пытайся меня убедить, что ты имеешь к этому какое-то отношение! Я тоже почитываю газеты. И знаю, во что вляпался Биллингс и что чуть не подмочило его репутацию. Боже мой! Этот Биллингс еще подаст на нас в суд за нанесенный ущерб!

— Биллингс не сделает этого, Берта. Он дал мне чек на пять тысяч долларов.

— На пять тысяч долларов?!

— Именно так. А перед тем — на расходы по раскрытию преступления он дал мне еще пятнадцать сотен.

— Он дал тебе пятнадцать сотен на расходы? Невероятно!

— Но раз наше совместное партнерство тобой расторгнуто до того, как мне был выдан этот чек, то эти деньги тоже принадлежат мне.

Берта заморгала своими глазками и внезапно спросила совершенно спокойным голосом:

— Так сколько же лежит, говоришь, на этом счете в Сан-Франциско?

— Пять тысяч долларов Биллингса в качестве моего гонорара в дополнение к тем деньгам на расходы, которые я вложил в акции шахт. Потом я продал купленные акции и получил небольшой доход, что-то около сорока тысяч долларов. Мой брокер успел купить почти все акции «Скайхук майнинг энд дивелопмент синдикат». Нам осталось только заплатить за телефонные переговоры несколько сотен, и мы будем чисты.

У Берты расправились доселе напряженные скулы, будто я ударил ее кулаком в лицо.

— Что ты сделал, говоришь?

— Ну ты понимаешь, Берта, когда я называю такие суммы, то это пока без вычета налогов. Нам придется заплатить подоходный налог, но в тот момент надо было продавать быстро, чтобы заработать приличную сумму.

Берта опять схватила карточку с напечатанной суммой и прочерком для ее подписи. Она схватила ручку и быстро подмахнула бумагу, отступив внутрь офиса, и сразу закричала на телефонистку:

— Что, черт возьми, ты делаешь? Повесь эту чертову трубку!

Бросившись в кресло, она поставила свою подпись и на моей банковской карточке.

— Элси, дорогая, пошли все это немедленно в банк Сан-Франциско! — Взглянув на меня, она глубоко вздохнула: — Дональд, мой любовничек, ты понимаешь, что ты расстроил Берту? Знаешь ведь, что Берта раздражительна и временами сама не знает, что делает. Тебе надо быть с ней более деликатным и состоять в более теплых отношениях... Заходи, Лэм, в мой кабинет и расскажи подробно все, что произошло. Элси, пригласи художника и закажи новую красивую надпись на дверь моего партнера Дональда Лэма. Он должен ее сделать до полудня. Вынь его вещи изо всех коробок и разложи обратно в его столе так, как они лежали прежде. Я хочу, чтобы ты персонально несла ответственность за все неудобства, которые он может испытать... А тебе, Дональд, дорогой, тебе надо отдохнуть. Ты работаешь день и ночь. Как ты все это переносишь, просто не представляю. Ну, а пока пройди все же в мой кабинет, дорогой любовничек, и расскажи обо всем подробно. Проходи, садись.

В этот момент Элси Бранд пальцем аккуратно подвинула мне почтовую открытку.

— Думаю, вам будет лучше забрать вашу почту до того, как вы уйдете, мистер Лэм.

Я взял открытку. Она была опущена в Гаване, на Кубе, и адресована персонально мне.

«Дорогой! Прекрасно провожу время. Хотела бы, чтобы ты был со мной. *Милли*».

Слова «хотела бы, чтобы ты был со мной» были подчеркнуты жирным карандашом.

Берта, не умолкая, продолжала крутиться вокруг меня.

— Пошли, пошли, дорогой маленький ублюдок!.. Расскажи своей большой Берте все о сорока тысячах... Ах ты, мой умненький сукин сын!

ХОЛОСТЯКИ УМИРАЮТ ОДИНОКИМИ

BACHELORS GET LONELY

Глава 1

Выйдя из лифта, я пересек коридор и распахнул дверь, украшенную табличкой «Кул и Лэм — частные расследования». За исключением девушки за письменным столом, в приемной никого не было. Я кивнул ей и пошел к двери, на которой значилось просто «Дональд Лэм». Ну и совпадение! Как раз в этот момент Элси Бранд, моя персональная секретарша, пала на колени, вылавливая унесенную сквозняком газетную вырезку, а кондиционер все старался да старался, швырял бумажку из стороны в сторону, а под конец загнал в угол под стол, и вот Элси уже подбиралась к ней на четвереньках.

— Дональд! — воскликнула она и попыталась одновременно встать на ноги и натянуть подол юбки на колени.

— Позволь мне!

Я поднял вырезку и протянул Элси.

— Спасибо.

Она потянула к себе клок газеты, как вдруг мое внимание привлек кричащий заголовок, и я отдернул руку. Речь шла о женщине, ограбленной и изнасилованной в собственной квартире. Подобные инциденты произошли за последние три месяца трижды. На сей раз женщину задушили ее же шелковым чулком.

— Опять что-то в том же роде?

— Еще две вырезки схожего содержания... Дональд, зачем ты заставляешь меня этим заниматься?

— Заниматься чем?

— Альбомами с газетными вырезками о нераскрытых преступлениях.

— Таким образом я оберегаю тебя от соблазнов. Разве ты не знаешь, что дьявол ищет незанятые руки, чтоб занять их своими делишками?

— Лучше подыщи приличное занятие для своих рук, — сказала она. — Кстати, Берта Кул, твой неуемный партнер, с нетерпением ожидает Дональда Лэма.

— В каком настроении?

— В наипрекраснейшем. Такого не наблюдалось много месяцев. Она буквально сияет.

— Небось получила от кого-нибудь гонорар в пять долларов.

Я зашел в свой кабинет, просмотрел почту, вернулся к письменному столу, над которым склонилась Элси, расклеивая свои вырезки. Глянул поверх ее плеча. Она инстинктивно прикрыла рукой вырез платья.

— Ложная тревога, — успокоил я ее. — Вовсе и не смотрю. Вернее, смотрю на вырезки.

— Ты меня нервируешь своими заходами с тыла и взглядами сверху.

— А ты меня нервируешь все время. Что за странная идея, например, возиться с вырезкой о Томе-соглядатае в мотеле? Я не ошибаюсь, Том-соглядатай — так, кажется, называют сексуальных маньяков, подглядывающих в окна за голыми женщинами? Тебе велено обращать внимание на серьезные дела, способные заинтересовать полицию.

— Понятно. Но я не могла пренебречь заметкой. У нее развивающийся сюжет. Второй случай с Томом-соглядатаем за последние три дня. Оба — в одном мотеле. Есть такой на побережье: «Плавай и загорай».

Я пробежал глазами вырезку. Агнес Дейтон из Санта-Аны остановилась в мотеле на ночь. Выйдя из душа, она узрела физиономию, припечатавшуюся к окну. Пережитый испуг лишил ее способности снабдить полицию точным описанием злоумышленника. Зато у полиции была приличная информация из другого источника. Аналогичное приключение выпало на долю Элен Кортис Харт, сотрудницы салона красоты из Финикса. Предположительно, она столкнулась с тем же Томом-соглядатаем тремя днями раньше.

— Зауряднейшая история, но, пожалуй, сохрани вырезку, — сказал я Элси и вышел в холл.

Указав большим пальцем на Бертину дверь, вопросительно поднял брови. Секретарша покачала головой, показывая, что у Берты никого. Я открыл дверь и вошел.

Берта Кул — паровой каток весом в сто шестьдесят фунтов. Ей давно уже под пятьдесят, а может, больше шестидесяти. У нее сверкающие глазки, острый язычок, она любит и умеет богохульствовать и весьма воинственна.

— Дональд, — произнесла она, едва я закрыл за собою дверь, — что за дурацкая выдумка с этими вырезками из газет? Элси сидит и только кромсает периодику...

— Зато при деле, когда нет ничего другого.

— Но клей и альбомы стоят денег! — рявкнула Берта. — Почему бы не хранить вырезки в старых конвертах? Куда дешевле... И вообще, на кой черт нужны эти вырезки?!

— Для обходных маневров.

— То есть?

— Когда полиция идет по какому-нибудь следу за нами по пятам, можно подбросить им отвлекающую версию и снизить напряженность.

— Тьфу! Ну, этот фокус пару раз у тебя получился и теперь стал навязчивой идеей. Во-первых, полиция не так легко клюнет на ту же удочку, они-то твои замашки уже знают. А во-вторых, мы не собираемся в дальнейшем работать на паях с полицией.

— Откуда вам сие известно?

— Известно, и все тут. Мы будем развивать наш бизнес на здоровой, прочной, безопасной основе. Именно такому бизнесу посвящала я себя, но в мою жизнь нахально вперся ты, а с тобою вместе появились балансирование на краю пропасти, рисковые ситуации, поединки с полицией и вообще привычка обращать мелкие, рутинные события во всемирно-исторические драмы. В те времена я могла спать по ночам, — продолжала Берта элегически. — У меня не было проблем с давлением или язвой.

— Зато были проблемы в банке.

— Все равно, — возразила она, — я намерена вернуть наш бизнес на старые рельсы. Мне не нужны среди клиентов бродяжки.

— Как понимать — бродяжки среди клиентов?

— Да ты все прекрасно понимаешь: эти длинноногие загадочные женщины, которые порхают вокруг тебя, как ночные бабочки вокруг фонаря на веранде. Ткни пальцем в любую — бродяжка! Вляпалась в жуткую историю и кинулась по твою душу со сладкими речами и невинной физиономией... Ко мне не идут, я ведь за милю чую, что они такое. То ли дело ты: сразу клюешь на их липовую чистоту, на их грезы да слезы.

— Ладно... Что толку спорить в такую рань! Зачем вы хотели видеть меня?

Лицо Берты расплылось в улыбке:

— Дональд, мы добились своего!

— Чего?

— К нам потянулись клиенты, о которых я всегда мечтала: крупные, основательные, солидные бизнесмены; и проблемы у них солидные, не чета твоей публике.

— А если поподробней?

— Его имя — Монтроуз Л. Карсон. Президент Карсоновского фонда, и не придирайся, пожалуйста, к имени.

— Как тут не придраться! С таким именем впору держать букмекерскую контору.

— Не говори глупости. Он сама респектабельность.

— Чем он занимается?

— Надзирает за недвижимостью.

— Инженер-смотритель?

— Надзирает не в этом смысле. Он подыскивает потенциальные деловые точки, подсчитывает, сколько машин проезжает мимо за день, сколько людей проходит. Изучает соседние объекты, работающие рядом магазины и офисы. А потом решает, какой бизнес будет процветать на данном перекрестке и какую прибыль можно здесь выжать из недвижимости. Сделав свои прикидки, он направляется к владельцу земельного участка и заключает долгосрочное соглашение, причем берет на себя обязательство построить здание, права на которое перейдут к землевладельцу после оговоренного срока.

— Я внимательно слушаю.

— Ну вот, затем он находит заинтересованное в таком доходе лицо и берет в субподрядчики. Выплаты по займу достаточно велики, ежемесячные взносы за здание формируются за счет ренты. Так что все довольны.

— При условии, что бизнес приносит прибыль.

— Приносит, приносит. Именно так мистер Карсон зашибает большие деньги. Именно отсюда его успех. Он так ловко подбирает деловые точки, что субподрядчик обязательно извлекает из своего нового магазина хорошую прибыль.

— Итак, как я понял, этот Монтроуз Л. Карсон весьма предприимчив... Кстати, как расшифровывается буква «Л»?

— Ливайнинг. Ли-вай-нинг. А предприимчивости ему и впрямь не занимать. Как раз таких людей мы должны держаться. Сума да тюрьма — такого нам больше не надо.

— При чем тут тюрьма да сума?

— А вокруг чего вертелось твое последнее расследование?

— Тьфу! Это все идеи сержанта Фрэнка Селлерса, а вы на них купились!

— Как бы там ни было, мы созданы для того, чтобы вести дела на масштабном, индустриальном уровне. Кстати, у Карсона есть одна мощная штука в пяти милях от Палм-Спрингс, на дороге в Индио.

— Ладно. Чего же хочет Монтроуз Л. Карсон?

— Его операции требуют секретности.

— Ну и что?

— Она нарушается.

— Каким образом?

— Он не знает. И хочет, чтоб разузнали мы.

— Но что там происходит?

— У него есть конкурент, некто Герберт Джейсон Даулинг, руководитель одноименной компании.

— Продолжайте.

— В последнее время Карсон затратил уйму времени и денег на разведку, прицениваясь к возможностям потенциального арендатора, и вдруг цифры каким-то образом очутились в распоряжении Даулинга, и тот в результате уложил Карсона на обе лопатки. Даулинг просто предложил чуть больше, чем намеревался предложить Карсон, и заполучил аренду, да и вообще увел из-под Карсонова носа все дело.

— Вполне вероятно, что Даулинг располагает более совершенными методами оценки, чем Карсон.

— В том-то и фокус, что не располагает, — возразила Берта. — Чтобы произвести такую оценку, необходимо разрешение полиции, потому что по мостовой прокладывают тонкий шланг, который посредством пневматики фиксирует на счетчике каждый проезжающий автомобиль. А наблюдатели подсчитывают пешеходов. Если две компании одновременно изучают перекресток, они могут напороться друг на друга. Мы с мистером Карсоном тщательно взвесили все обстоятельства: он утверждает, что Даулинг несомненно пользуется его материалами. Нас он просит найти дырку, через которую утекает информация.

— Итак? — спросил я.

Берта просияла, воздев руки в экспансивном жесте, которому проаккомпанировало сверкание бриллиантов.

— Все уже продумано.

— А именно? — уточнил я, отлично понимая, что Берта черновой работой заниматься не будет и оперативника для этой цели на стороне не наймет.

— Тебе отводится роль лакмусовой бумаги. У тебя есть участок на перекрестке улиц Айви и Деодарс.

— Угу. Мне его поднесли в дар. Как лимон. Или как белого слона, — подхватил я. — В счет гонорара, если помните. Вы его в таком виде не приняли, и я отдал вам вашу долю деньгами...

— Знаю, знаю, — нетерпеливо проговорила Берта. — Суть в том, что Карсон состряпает разрешение на обследование и обсчет этого участка. Цифры там будут сильно преувеличены: и по машинам, и по пешеходам. Перекресток наметят под бензозаправку... Учти, в конторе Карсона только четверо из работников могут снабжать информацией Даулинга. Под строжайшим секретом Карсон расскажет каждому из этих людей о твоем участке. Одному — что он сдается за двести пятьдесят долларов в месяц, другому — что за триста пятьдесят, третьему — за четыреста пятьдесят, четвертому — за пятьсот пятьдесят. Если подозрения Карсона верны, Даулинг подошлет к тебе кого-нибудь. По предложенной сумме мы сможем определить, кто работает на Даулинга.

— Вы хотите сказать, ко мне придут сюда, в детективное агентство?

— Не говори глупости! Ты не будешь иметь ни малейшего отношения к детективному агентству. Просто молодой человек, заработавший достаточно денег, чтоб дальше не работать; а участок у тебя — один из многих. Ты поселишься в холостяцкой квартире, где якобы живешь безмятежной, праздной жизнью: посещаешь разные спортивные матчи и бега, вращаешься в обществе красивых женщин и абсолютно равнодушен к деньгам, их тебе хватает.

— А как с квартирой?

— О ней позаботились, — сказала Берта, достав из стола ключ. — Холостяцкое гнездышко в жилом доме, который принадлежит Карсону. Въедешь под своим именем, а вот застать тебя будет нелегко.

— Чем я там стану заниматься?

— Чем положено заниматься на досуге джентльмену. Я уже сказала... Черт побери, от такой перспективы можно сойти с ума: я батрачу в конторе, а ты прохлаждаешься за чужой счет на футбольных матчах, конских скачках, в коктейль-барах и первоклассных ресторанах.

— Один?

— По большей части да. Таким образом сократятся расходы.

— Даулингу это покажется подозрительным, он не станет иметь дело со мной. Лучше пусть кто-нибудь ко мне присоединится.

— Намотай себе на ус, — сказала Берта, — не вздумай раздувать счета на этой операции. Карсон и так делает все возможное. За день твоей работы мы получим пятьдесят долларов плюс гонорар за идею.

— Прекрасная идея, — заметил я, — особенно если сработает.

— Еще как сработает, — пообещала Берта.

— И долго ждать птенцов из этих яиц?

— В течение недели. Карсон намерен оплатить недельные расходы.

— Расходы немалые. Судите сами: матчи, скачки, выезды с дамами в...

— Пошел ты к черту! — заорала Берта. — Подумаешь, миллионер выискался. Да ты просто мелкий деляга, кому позарез нужны эти деньги — от двухсот пятидесяти до пятисот пятидесяти. Не мечтай о своей любимой роли: очарованный принц в толпе бродячих красоток, которые...

— А ведь придется платить и женщинам, — встрял я.

— Что?! — завопила Берта. — Платить женщине за то, что ее угощают обедом? О чем, черт побери, ты толкуешь?

— При сделке платят...

— Возьми эту свою секретаршу с телячьими глазами. Она их с тебя не сводит. Эти ее облегающие свитера! И эти блузки с низким вырезом! О боже! Иди-ка ты отсюда подальше. И не раздувай счета. Нам предложили крупное дело. Такими нам и следует заниматься. Давай бери с собою Элси. Скажи, что она на работе, и пусть заказывает блюда подешевле да ограничится парой рюмок за вечер!

— Когда начинать? — спросил я.

— Чем скорей, тем лучше. Игру с утечкой информации Карсон начнет сегодня.

— А он уверен, что наблюдатели с перекрестков не имеют отношения к утечке?

— Они не знают всех данных. Только четверо сотрудников имеют доступ к оценочным материалам и знают об их назначении.

— Ладно, я поговорю с Элси. Выясню, согласна ли она принимать ухаживания на таких условиях.

— Она клюнет с такой готовностью, что выпрыгнет из своего платья. О господи, хотела бы я видеть, как это случится... Думаю, теперь ни к какой другой работе ее не приохотишь. И прежде чем дело завершится, она вопьется в тебя когтями и потащит к алтарю... Если она добьется своего, единственным свадебным подарком, какого ты от меня дождешься, будет открытка с... Ладно, убирайся прочь и приступай к работе.

Глава 2

Просмотрев меню, Элси Бранд вздохнула:

— Придется, наверное, заказать бифштекс за три двадцать пять.

— А почему не филе-миньон за пять? — возразил я.

— Берта упадет в обморок.

— Ты должна есть досыта.

— Берта, возможно, другого мнения.

— Ты должна поддерживать свою сопротивляемость на уровне.

— Сопротивляемость чему?

— Кто знает заранее? Может быть, болезнетворным микробам.

— Разве ты болезнетворный микроб, Дональд?

— Какое там! Я вирус. Большая устойчивость против антибиотиков.

Надо мною нависла официантка, и я распорядился:

— Два филе-миньона. Один «Манхэттен», один сухой мартини, коктейли с креветками и салат под соусом.

Она ушла.

Элси взглянула на меня и покачала головой.

— Не волнуйся, — сказал я. — Берта все примет как должное. В расходной ведомости будет указано: обед — два гамбургера по доллару и двадцать пять центов, остальное включу в счета за такси.

— Берта потребует квитанции и объяснения, почему ты брал такси, если агентство располагает собственной машиной.

— А я отвечу: из опасения, что номер засекут, заметил слежку.

— Дональд, ты на самом деле всегда так поступаешь?

— Как — так?

— Проделываешь все эти трюки, о которых говоришь? Никогда не понять, шутишь ты или говоришь правду.

— Добрый знак!

— Можешь объяснить, каким делом мы занимаемся в данный момент?

— Нет. Оно сугубо конфиденциальное. Твоя задача — играть роль моей девушки.

— И давно по этому сюжету мы знакомы?

— Достаточно.

— Достаточно для чего?

— Для того, чтоб ты называлась моей любовью.

— Платонической, страстной, с видами на будущее?

— Неужели перед путешествием ты обязательно изучаешь карту?

— Я хочу знать, где расставлены светофоры.

Появилась официантка с напитками.

— Ну так выпьем же за сопротивляемость. Ибо никаких светофоров нет.

Она подняла было стакан, потом, поколебавшись, произнесла:

— За виды на будущее, каким бы оно ни оказалось.

За обедом мы просидели долго. Я сказал, что она должна сопровождать меня до моей холостяцкой квартиры: такова воля Берты.

— И что же дальше? — поинтересовалась Элси.

— Дальше я интересуюсь почтой, переминаюсь с ноги на ногу около лифта, настаиваю, чтоб ты поднялась ко мне, а ты просишь, чтоб я проводил тебя домой.

— Зачем эта сцена?

— Она докажет всему вестибюлю, что я нормальный.

— В смысле — влюблен?

— Я облек эту мысль в дипломатическую форму.

— А что, если я не стану проситься домой, позволю уговорить себя посмотреть гравюры?

— Там нет никаких гравюр. И вообще, мало ли что может произойти. — Она явно продолжала тешиться своими коварными замыслами. — Более того, — продолжал я, — Берта заранее предусмотрела такую ситуацию. Мне не следует тебя провожать. Ей кажется, в вестибюле могут быть соглядатаи. А потому я должен сохранить хладнокровие, заказать такси и отправить тебя восвояси.

— И ты меня не проводишь?

241

— Нет.

— Не очень-то вежливо.

— Вежливости Берта от меня не требует. Одну только деловую активность.

— Ты пляшешь под ее дудочку?

— Слегка подыгрываю.

В машине Элси о чем-то размышляла.

И вот — вестибюль. Я подошел к стойке, спросил почту, затем разыграл сцену у лифта. Элси уже приготовилась подняться со мной. В глазах ее вспыхнули озорные огоньки, и она, кажется, в упор не видела длинноногую блондинку, которая бросала на нас ледяные оценивающие взгляды.

— Ладно, пойдем, — сказал я Элси. — Не ломайся. Просто хочется угостить тебя.

Клерк демонстративно занимался чем-то, вроде нас совсем не слушает, а уши оттопырились аж на целый фут.

— Ну, — колебалась Элси, — конечно, надо бы домой, но, Дональд...

— Посмотри на блондинку, — шепнул я.

— Уже посмотрела, — понизила голос и Элси, — поэтому и хочу подняться с тобой.

Я демонстративно вздохнул и громко заявил:

— Что ж, если ты настаиваешь, придется взять такси.

— Ты не хочешь проводить меня?

— Нет. У меня срочные дела.

Элси была готова пуститься во все тяжкие. И я, взяв под локоток, повел ее к двери, усадил в машину, зарядил шофера адресом и денежками, поцеловал Элси в щечку и возвратился в вестибюль.

Блондинка явно дожидалась меня.

— Мистер Лэм?

Я отвесил вежливый поклон.

— Так-таки не приняла угощение?

Глаза провоцируют, но на устах — вполне приличествующая обстановке улыбка.

242

— Нет, — отвечаю.

— Что ж, а я приму. У меня есть тема для дискуссии, более уместной наверху, нежели здесь. Виски найдется?

Я кивнул.

— И содовая?

Снова кивок.

Мы вдвоем направились к лифту. Клерк кинул нам вдогонку любопытный взгляд и тотчас вернулся к своим делам. Мы вышли из лифта, я устремился с ключом к своей двери. Блондинка вдруг сказала:

— Больно длинные у него уши.

— У кого?

— У клерка.

— Просто любопытен.

— И как любопытен! Стоило спросить вас, он меня сразу смерил с головы до ног.

— Он в любом случае сделал бы то же.

Она засмеялась, пересекла комнату и присела на край кушетки. А я прошел на кухню, приготовил ей виски с содовой, для себя джин с тоником и вернулся к ней. Блондинка закинула ногу на ногу, демонстрируя их длину и высокое качество чулок.

— Полагаю, — промурлыкала она, — я раздразнила ваше любопытство?

— А я раздразнил ваше?

— По-моему, именно так люди знакомятся, чтоб потом завоевывать позиции.

— Хотелось бы знать, какую позицию завоевываете вы?

Она снова засмеялась и заметила:

— Как раз об этом я хотела спросить вас.

— Но я вас опередил.

— Ол-райт. Я к вам с деловым предложением.

— А точнее?

— Вам принадлежит участок на углу Айви и Деодарс?

— У вас какие-то виды на сей счет?

— Да, есть кое-какие. А вы никакие планы не вынашиваете?

— По поводу участка?

— По поводу участка.

— Вынашивать-то вынашиваю, но расспросов не выношу.

— Может, вынесете на обсуждение?

— Не люблю ничего выносить, особенно сор из избы.

— Не сдадите ли вы участок в аренду?

— Честно говоря, не знаю, — гласил мой ответ. — Хотелось бы кое-что построить, но...

— Влетит в копеечку.

— А не связаны ли вы со специалистами по недвижимости?

— В некотором роде связана. Я налаживаю связи между людьми.

— С кем вы намерены связать меня?

— Скажу прямо сейчас, нужные бумаги при мне.

— Готов выслушать, — мгновенно откликнулся я.

— Четыреста шестьдесят пять долларов в месяц за долгосрочную аренду участка под строительство здания. Оно перейдет к вам по истечении договора.

— Четыреста шестьдесят пять? — повторил я. — Какое совпадение! Мне предложили... Словом, буквально на днях я получил другое предложение...

— Знаю, — сообщила блондинка, — четыреста пятьдесят. У нас на пятнадцать долларов в месяц больше. Это сто восемьдесят долларов в год. На сто восемьдесят долларов можно приобрести много замечательных вещей.

— Каких, к примеру?

— Допустим, цветы, — предположила она. — Цветы для молодой особы, уехавшей на такси. И такси тоже можно оплатить из этих денег, разумеется, если она каждый вечер будет возвращаться домой.

— А если не каждый?

— Тогда сто восемьдесят долларов найдут себе другое применение.

— Придется обдумать, — сказал я.

— Долго?

— Пока не созреет решение.

— У моих знакомых есть и другие участки на горизонте. Они хотели бы знать...

— Как скоро?

— Завтра.

— Согласитесь, все слишком скоропалительно.

Она согласилась:

— Еще бы. Потому-то я здесь. Вы обдумываете перспективу поставить на перекрестке бензоколонку. Да, да, моим людям нужен перекресток. Не сам по себе. Им важнее другое — максимум кранов под их бензин. Конкуренция сильна, значит, противников надо блокировать.

— И вас наняли изловить меня здесь, в ночной тиши?

— Меня попросили наладить с вами контакт. Я обратилась к клерку. Оказалось, вас нет дома. Договорилась: когда вернетесь, мне на вас укажут. С вами была дама, естественно, я держалась в сторонке. Если бы ваша настойчивость увенчалась успехом, пришлось бы мне дожидаться утра. Пусть вас не шокирует моя грубая откровенность, даже цинизм — я именно такая и другой не хочу выглядеть. — Она сменила позу, по-новому скрестив ноги, и улыбаясь добавила: — И не стоит заблуждаться, Дональд. Я не святая дева и не уличная девка. Я занимаюсь бизнесом и нахожусь здесь тоже ради бизнеса.

— А я даже имени вашего не знаю.

— Бернис Клинтон. Занимаюсь свободным бизнесом, ни от кого не завишу и намерена сберечь свою независимость... Теперь о перекрестке. У вас готовы взять его в аренду, но предложение в силе до двенадцати часов завтрашнего дня. Думаю, вам удастся выбить еще сорок восемь часов для обсуждения деталей.

По-моему, первое предложение тоже ограничивает вас завтрашним полуднем. Верно?

— Откуда вам известно?

— Я сотрудничаю с конкурирующими организациями, и мы стараемся, конечно, следить за деятельностью наших соперников. Финансовая сторона происходящего мне неизвестна. Я ничего не знаю о компании, которая связалась с вами первой. Но знаю, что она конкурент нашей. Мы не хотим, чтоб та компания захватила ваш участок. Не в наших интересах, чтоб они продали хоть на галлон больше бензина, чем мы... Итак, я выложила карты на стол.

— Итак, вы предлагаете...

— Четыреста шестьдесят пять долларов.

— А если четыреста семьдесят пять?

Она покачала головой, изучая мою мимику, потом торопливо бросила:

— Не думаю. Могу узнать и сообщить вам, но вообще-то вряд ли. Мне даны полномочия завершить сделку на четырехстах шестидесяти пяти долларах прямо сейчас.

— Чтоб оформить аренду, нам потребуются адвокаты.

— Конечно, — согласилась она. — Но пока достаточно вашего письменного согласия, а с формальностями можно покончить завтра поутру.

— По-моему, понадобится море бензина, чтоб арендатор осилил ренту, воздвиг здание и...

— Предоставьте нам эти заботы.

Она допила свою порцию, встала, разгладила юбку и, вызывающе улыбаясь, сказала:

— Ну так что, сейчас — баиньки, а уж потом опять сюда — оформлять сделку?

— Никак не могу расстаться с этой идеей, ну, знаете...

— Какой идеей? — подхватилась она, а глаза тревожные...

— Четыреста семьдесят пять.

— Ах это!

— Это! — откликнулся я как эхо.

— При наличии твердой цены четыреста шестьдесят пять я выясню, каковы мои возможности.

— Не готов к твердым ценам. Предпочитаю подождать.

— Нам не хотелось бы, чтоб вы выложили наше предложение конкурирующей фирме и натравили нас друг на друга. Мы не любим работать в таком режиме. Я призываю вас решиться немедля.

— По принципу — либо соглашаемся, либо разбегаемся?

— Зачем же так резко?

— В любом случае сейчас я не приму решения. Не можем мы обсудить вопрос завтра утром, часов в десять?

Она улыбнулась и отрицательно покачала головой:

— Договоримся так. Я позвоню вам, Дональд... Когда вы просыпаетесь?

— Около половины восьмого.

— Чем будете заняты до восьми?

— Бритьем и завтраком.

— И телефонными переговорами?

— Не исключено.

— Мне это не по вкусу, — заявила она, — вернее, нашим людям. Так что ограничу свое предложение четырьмястами шестьюдесятью пятью.

— И в десять позвоните, чтобы узнать ответ.

— Я позвоню где-нибудь между полуднем и вечером. Тогда вы и сообщите мне об итогах. А теперь — спокойной ночи.

Глава 3

Едва я открыл дверь, Элси подняла голову:

— Блондинка дождалась тебя?

— Куда ей деваться, дождалась.

247

— По поводу гравюр?

— Нету, нету у меня гравюр, говорил же.

— Но проверить не дал.

— Сама сказала, что не будешь подниматься ко мне.

— Да ты же меня носом ткнул, как кутенка в лужу.

— Был поглощен мыслями о блондинке.

— На сей счет даже и не сомневалась.

— Какая на сегодня криминальная ситуация? — спросил я, поспешно меняя тему разговора.

— Сейчас занимаюсь делом женщины, которая ошибочно идентифицировала насильника-садиста. Ужас!

— Ты о происшествии?

— Нет, об идентификации. Жертва без колебаний опознала одного мужчину. И он получил бы что полагается по закону. Да вот посчастливилось, полиция при расследовании другого преступления поймала настоящего злоумышленника. Он во всем признался. Посмотри-ка на фотографии. Между этими людьми нет ни малейшего сходства.

— Бывает! Когда-нибудь законники проснутся, протрут глаза и увидят, что лучшие аргументы — вещественные улики, а худшие — свидетельские показания, особенно полученные таким образом.

— Каким?

— Жертва еще лежала на больничной койке, когда полиция показала ей фотографию подозреваемого мужчины. Они рассказали ей, как он утверждал, что у него есть алиби, как оно не прошло проверку и как они уверены, что пойман тот самый человек. И она согласилась. Через пару часов они втолкнули мужика к ней в палату. Женщина закричала, закрыла лицо руками, разрыдалась: «Это он! Это он!»

— А как им следовало поступить? — спросила Элси.

— Показать одновременно подозреваемого и нескольких мужчин. Иначе идентификация гроша ломаного не стоит. Да и тогда надо удостовериться, что они не жульничают.

— Кто?

— Полиция.

— Сплошная рутина, — заявила Элси. — Ведь тебя не интересуют...

— Меня интересует все, что относится, так сказать, к серийному криминалу. Одиночные преступления не интересны. Иное дело — повторяющиеся. Преимущественно те, чьего автора полиция не смогла установить.

— А если устанавливает?

— Тогда возьми свой альбом и сделай пометку на полях, что преступник пойман и предстал перед судом. Если он удостоился приговора, этот факт тоже зафиксируй.

— Так можно всю контору забить вашими гросс-бухами.

— И надеюсь, они пригодятся, — парировал я ее выпад. — Если полиции что-нибудь втемяшится в голову, она как в шорах.

— И как ты привьешь ей широту мышления?

— Никак, в том-то и дело. Единственная приемлемая тактика — пустить свой паровоз по их рельсам и дождаться столкновения.

Элси вдруг изрекла:

— Какие-то у тебя, Дональд, завихрения.

— Замолчи, — сказал я. — Ты сейчас похожа на Берту Кул.

— Изжарь меня как устрицу, — произнесла Элси голосом Берты.

Улыбнувшись ей, я прошествовал в свой кабинет... А через десять минут я предстал перед Бертой с отчетом.

— Мне предложили четыреста шестьдесят пять, — начал я.

Глаза Берты сверкнули:

— Дело сделано. Прореха найдена.

— Кто же это?

Берта заглянула в карточку, испещренную именами и цифрами.

— Айрин Аддис, сравнительно недавнее приобретение фирмы, персональный секретарь Карсона и младшего партнера Дункана Е. Арлингтона.

— Как мы поступим?

— Я позвоню мистеру Карсону и расскажу, благодаря кому утекает информация.

— И получите компенсацию за... за сколько дней?

— За два.

— Слишком легко и просто...

— Что легко?

— Разгадать такую загадку.

— Все загадки легки, ежели задействовать сообразительную голову.

— Кто еще знал о сделке?

— Никто. Подозревали четверых.

— Не нравится мне это дело, — заявил я.

— Почему?

— Чересчур легкое.

— Ты повторяешься.

— Значит, вы собираетесь обрушить кару на Айрин Аддис?

— Я собираюсь изложить факты клиенту.

— С экономической точки зрения вы просто выбросите эту Аддис на свалку. Ее уволят за разглашение секретных сведений, и никто больше не примет ее на службу. Всякий, кто поинтересуется мнением Карсона...

— Не строй из себя покровителя страдальцев. Она сама виновата.

— Ладно, — сдался я. — Как быть с квартирой?

— Можешь пользоваться в течение месяца. Если пожелаешь, даже для своего флирта, лишь бы не мешало работе. Квартира оговорена в соглашении с Карсоном. Дом принадлежит ему, хотя юридически собственностью заправляет подставная компания. Квартирная плата внесена за тридцать дней.

— А как с ролью пресыщенного аристократа на отдыхе?

Лицо Берты перекосилось.

— Если ты собираешься и дальше выводить в свет свою лупоглазую секретаршу за счет агентства, отвечу коротко: для таких расходов счет закрыт. С этой самой минуты!

— Так было приятно, когда он существовал. Кое-какие агентства растянули бы эту привилегию на больший срок.

— На какой еще срок?

— Пока не убедились бы, что их информация достоверна.

— Что ж, я убеждена! — рявкнула Берта. — Так что закрывай свой счет именно сегодняшним числом, чтоб я могла сразу представить его мистеру Карсону. Мы еще посмотрим, какую сумму ты накрутил прошлой ночью со своими бредовыми фантазиями о расходах.

— Я предупреждал Элси насчет шампанского, — промолвил я обидчиво.

— О чем, о чем? О шампанском?! — прошипела Берта.

Я вышел, захлопнув за собою дверь.

Глава 4

Элси Бранд встретила меня с ножницами в одной руке и изрезанной газетой в другой. Прямо меч и щит!

— Как там Берта, оставила нас в деле?

— Сегодня ужинаешь за собственный счет. Берта вне себя.

Элси состроила гримаску:

— Мог бы быть с ней понежнее.

— Берта на нежности не вдохновляет. Нет ли новостей о Томе-соглядатае?

— Никаких. Многого ты от него ждешь! Не может ведь он каждую ночь выходить на работу!

— На его месте я бы выходил.

— О, ты, пожалуй, смог бы. Если судить по тому, как ты заглядываешь мне за вырез.

— Вырез есть вырез... Ну-ка, зачитай мне его словесный портрет в первом репортаже.

Она полистала альбом.

— Вот как его описывает Элен Корлис Харт, первая жертва нападения.

— Которая работает в салоне красоты в Финиксе?

— Точно.

— Читай!

Элси погрузилась в газетную вырезку:

— «Немолодой мужчина лет сорока восьми, кажется, хорошо одетый, с крупными чертами лица, густыми бровями». Думаю, для тебя здесь не так уж много материала, Дональд.

Я ухмыльнулся:

— А за тобой вчера никто не увязался? Никто тебя не преследовал?

— Ни души не заметила. Хотя все время смотрела через заднее стекло. Дональд, боюсь, хороший оперативник из меня не получится. Когда мы работаем по делу, у меня мурашки по спине бегают.

— В других случаях обходишься без мурашек.

— Будет тебе, — заулыбалась Элси. — Отправляйся в свой кабинет и берись за почту, у тебя куча писем на столе.

— Стоит ли отвечать на письма? Человек, получивший письмо в ответ на письмо, которое он отправил, отвечает на письмо, которое ты написал. Порочный круг. А он может довести Берту до обморока. Представляешь, как возрастут почтовые расходы!

Я направился в свой кабинет и погрузился в чтение. Ничего экстраординарного там не обнаружилось, просто одно-два заурядных дела, с которыми надо было поскорей покончить. В общем, я попросил Элси вооружиться стенографическим блокнотом, и мы приступили к работе.

Я уже дошел до середины второго письма, как вдруг дверь распахнулась и Берта Кул встала на пороге, косясь на коленки Элси с холодным неодобрением. Я испытующе воздел бровь.

— Монтроуз Карсон, — провозгласила Берта. — Он сидит у меня и преисполнен желания поговорить с тобой. Я пыталась убедить, что наши услуги ему больше не нужны, но он настаивает на обратном.

Я подмигнул Элси и сказал:

— Может быть, мне удастся так подать ситуацию, что служебные расходы будут продлены на сегодняшний вечер и ты, Элси, удостоишься ужина в ресторане, но, прошу, не заказывай на этот раз импортного шампанского. Ограничь себя добрым домашним...

— Импортное шампанское! — взвилась Берта. — Чем, черт побери, вы занимались прошлой ночью?

— Заманивали жертву в ловушку, — ответил я.

— О боже! Мне надо было нанять для работы женщину. Сколько денег я сэкономила бы! Из-за твоих трали-вали с секретаршей...

Элси вмешалась:

— Он шутит, миссис Кул. Я не пила вчера шампанского. Ни капли.

Берта испепеляющим взглядом посмотрела на меня:

— Ах ты, с твоим пресловутым чувством юмора! В один прекрасный день кто-нибудь так даст тебе по губам...

— Уже! — откликнулся я.

— Одного урока, видно, недостаточно. Пошли ко мне, побеседуешь с Карсоном. И заклинаю, помни, я взяла курс именно на такой бизнес. Твоя тяга к криминалу доведет меня до язвы.

— К какому криминалу?

— Который возникает, едва ты ввяжешься в дело. Ты притягиваешь к себе преступления, как магнит — железные опилки. Ты башковит, хотя и пройдоха, и только твои мозги спасают тебя от решетки. Но когда-нибудь ты оступишься, и останется от тебя только пара цифр — персональный тюремный номер. Тогда у тебя не будет времени любоваться нейлоновыми нарядами.

Берта кинула на Элси красноречивый взгляд, та устыдилась своих скрещенных ног и сжала коленки.

Берта развернулась и выплыла прочь.

— Мне кажется, я ей не нравлюсь, — вздохнула Элси.

— Сотрудничество подразумевает высочайшее взаимное уважение.

— Это в прошлом, — возразила Элси, не отводя глаз от двери, за которой исчезла Берта.

— Впрочем, достаточно и усредненных величин, — продолжил я. — Сердечных чувств Берта к тебе не испытывает. Зато я уравновешиваю ситуацию своим непреходящим пылом, который...

Элси пригрозила мне блокнотом — вот-вот бросит, и я последовал за Бертой через приемную в ее кабинет.

Монтроузу Карсону было немного за пятьдесят. Слегка сутул, нос длинноват, подбородок выступает вперед, глаза пронзительные — более пронзительных я в жизни не встречал. У него привычка (или отработанный прием?) слегка наклонять голову, отчего глаза под кустистыми бровями сверкают еще ярче. Могу представить, как трепещут подчиненные под этим взором.

— Мой партнер Дональд Лэм, — произнесла Берта.

Карсон подал мне холодную костлявую руку — прямо как из холодильника. Пожатие, однако, оказалось крепким. Глаза буквально впились в мои.

— Мистер Лэм, мне доставляет удовольствие...

— Рад познакомиться с вами, мистер Карсон, — встрял я и уселся.

— Я сообщила мистеру Карсону, как обстоит дело, — заговорила Берта. — Но он чем-то неудовлетворен.

— Просто не могу поверить, что Айрин Аддис способна предать меня.

— Почему, собственно, если вы не возражаете против вопроса? — отреагировал я.

— Она производит хорошее впечатление. Весьма милая девушка, спокойная, деловитая и вместе с тем живая... Короче, настоящая леди и... опять-таки очень человечная.

— Сколько ей лет? — спросил я.

— В ее метрику я не заглядывал.

— Но видите ее каждый день. Наверное, имеете приблизительное представление.

— Ну, лет двадцать шесть или двадцать семь.

— Берта вам объяснила, почему возникла гипотеза, что ниточка ведет к Айрин Аддис?

— Да. План операции был оговорен заранее. Всего четыре человека могли быть повинны в утечке информации, Айрин Аддис одна из них. Каждому подозреваемому я назвал свою величину месячной ренты, которую я будто бы предложил.

— А что с документацией? — спросил я. — Не мог кто-нибудь из ваших клерков обнаружить, что в бумагах разные цифры?

— Об этом я позаботился. Дункан Арлингтон, мой партнер и вице-президент, отвечающий за оперативную деятельность, запер бумаги в своем столе. Если бы кто-то пожелал ознакомиться с данными об уличном движении, он нашел бы в шкафу записку, что документы проверяет Арлингтон.

— Значит, Арлингтон мог обо всем догадаться, — предположил я.

— А он и так знал обо всем, — сказал Карсон. — Я и шагу бы не сделал без его участия. По правде говоря, мы вместе обсудили утечку информации, как только она произошла.

— Почему Герберт Даулинг не займется собственными территориями? Не все же виться коршуном над вашими.

— О, это длинная история, — сказал Карсон. — Даулинг возглавляет корпорацию, но отнюдь не распоряжается ею. У них отдавалось предпочтение принципу равного партнерства. Двое из них умерли, но дело уже было подчинено корпоративным интересам. Даулинг рвался к руководству организацией, но его чуть не сняли с должности. Поэтому он старается свести оперативные расходы к минимуму, сохранив при этом физиономию. Надвигается собрание акционеров, и Даулинг хочет добиться продления контракта на пять лет.

— Сдается, вы не так уж мало о нем знаете.

Карсон устремил на меня свой холодный взгляд из-под мохнатых бровей и изрек:

— Я счел своим прямым долгом разузнать о нем как можно больше.

— Ладно, — сказал я, — что потребуется от нас в дальнейшем?

— Прежде всего я хотел бы достичь абсолютной определенности...

— По какому поводу?

— Каким образом информация поступает к Даулингу... Начну с того, что Айрин Аддис можно предъявить иск. У вас есть все основания забыть об остальных и сосредоточиться на ней. Изучите, пожалуйста, ее биографию, если понадобится, установите наблюдение. Узнайте, не встречается ли она с Даулингом или с его уполномоченными. Хотелось бы, однако, чтоб она не заметила ни соглядатаев, ни интереса к ней... Вам все понятно, мистер Лэм?

Я кивнул.

— Теперь перейдем к следующему вопросу. Как звали женщину, явившуюся к вам с предложением от Даулинга?

— Она представилась как Бернис Клинтон, — ответил я. — Добавлю, она не говорила, что связана с Даулингом.

— Еще чего не хватало... Но ее имя ни о чем мне не говорит. Сможете описать ее?

— Голубые смеющиеся глаза и светлые волосы. На мой взгляд, приблизительно двадцать восемь лет. Длинные ноги и походка манекенщицы...

— Мое любопытство не простирается до анатомии. Я просто хочу попытаться ее опознать, — перебил Карсон.

— Чуть выше среднего роста, — продолжил я. — Впрочем, немного. Хорошая фигура, полные губы.

Карсон сосредоточенно хмурился. В течение семи-восьми секунд он хранил молчание, потом покачал головой:

— Я мысленно перебрал вереницу людей, имевших реальные или потенциальные контакты с Гербертом Даулингом. Эта юная дама не вписывается в картину, вернее, ее портрет.

— Запомните, — предупредил я, — это вы считаете, что предложение исходило от Даулинга. Ничего подобного я не говорил. Бернис Клинтон упоминала только неких клиентов, от лица которых она выступает.

— Это должен быть Даулинг, — заявил Карсон.

— Ваши умозаключения могут не совпасть с нашими. За подобные выводы ответственность на себя берете вы, а не мы. По крайней мере до тех пор, пока не узнаем побольше о Бернис Клинтон.

— Согласен. Разузнайте о ней побольше.

— Это будет стоить денег, — намекнул я.

— Разумеется, — сказал он раздраженно. — Миссис Кул в курсе вопроса. Вы не можете себе представить, насколько это для меня важно. Если утечка начинается с моей конторы, я должен все знать.

— Допустим, — сказал я, — что Айрин Аддис невиновна и улики против нее подделаны?

— Не представляю, каким образом. Другие объяснения немыслимы, хотя...

— Если вы убеждены, что проштрафилась именно Айрин Аддис, нет нужды в дальнейшем расследовании.

Он криво усмехнулся:

— Вы загнали меня в угол, мистер Лэм... Что ж, действуйте. Продолжайте идти по следу. Переверните каждый камень! Мне нужен полный объем информации. Кто бы ни был замешан в этой истории, мне нужна правда.

Он пожал руку мне, низко склонился над рукою Берты и произнес:

— Ваш профессионализм впечатляет, миссис Кул.

С тем и ушел.

Берта просияла, но потом нахмурилась и повернулась ко мне:

— Зачем понадобилось втягивать в эту историю Дугласа Арлингтона?

— Я его не втягивал.

— Черта с два! Всячески намекал, будто эту дамочку, Аддис, подводят под монастырь, когда у Арлингтона имеется вся информация.

— Дался вам этот Арлингтон!

— Больно он нам нужен. Нам нужна Айрин Аддис. Типичная двурушница, хитрюга и шпионка.

— Вы разбрасываетесь пустыми обвинениями только потому, что придумали эту ловушку с обманными цифрами, и тут словно по вызову является Бернис Клинтон и называет цифру Айрин.

— А что еще требуется?! По-моему, вполне достаточно, чтобы развеять любые сомнения. Кабы ты придумал такой план, горой бы стоял за его непогрешимость.

— Планов подобного сорта стараюсь не придумывать.

— Что правда, то правда! — согласилась Берта. — Ты действовал бы в открытую. Изучал бы Айрин Аддис, и, полагаю, у нее хватило бы ума демонстрировать тебе свои ножки не хуже Элси Бранд. А ты сидел бы, льстиво улыбаясь, и принимал любые сказки за чистую монету.

— Стоит ли отказываться от достойного зрелища?

— Убирайся к чертовой матери и разузнай побольше об Айрин Аддис. Такие нам даны указания. Ищи и обрящешь.

— Стало быть, на мне пока маска плейбоя и квартира?

— Специальных инструкций на сей счет не поступало, а квартирная плата внесена за месяц.

— Но ведь Монтроуз Карсон велел мне задержаться на Бернис Клинтон.

— Смотри, как бы не вышло передержки, — съязвила Берта.

Я возвратился к себе, улыбнулся Элси и сообщил:

— По-моему, на вечер ты вне игры. Мне поручено заняться длинноногой блондинкой, помнишь, в вестибюле. Какие такие пружинки приводят в движение эти, так сказать, часики?

— Прислушиваясь к тиканью, имей в виду, в любой момент часы могут зазвенеть.

— Звонок можно прервать.

— Чтобы не просыпаться?

— Чтоб соседей не беспокоить.

— Она к тому моменту вконец выдохнется, — ядовито сказала Элси.

— Я тоже, — парировал я.

Глава 5

Черновая работа занимает львиную долю сыщицкого времени. У меня ушло на нее три четверти дня.

Я позвонил Карсону и попросил его просмотреть личное дело Айрин Аддис — какие рекомендации она представила, устраиваясь к нему на службу.

Оказывается, она прежде работала в четырех организациях. Связавшись поочередно с каждой, я получил необходимые сведения. Всюду о ней отзывались прекрасно. Оставался, правда, один пробел. Три года тому назад на протяжении восемнадцати месяцев она нигде не числилась.

Я обратился в службу социального страхования. Правда, некоторые из их материалов закрыты для посторонних, но важно лишь, чтоб они были.

К трем тридцати пополудни я располагал интересующими меня данными. Эти восемнадцать месяцев Айрин Аддис работала у Герберта Джейсона Даулинга.

Вот загадка, почему она скрыла свою работу у Даулинга? Может, ее уволили за какую-нибудь провинность?

Видимо, служба кадров Карсона работала спустя рукава.

К четырем я вернулся в свою контору.

Элси Бранд сообщила:

— Тебе телеграмма.

Распечатав ее, я прочитал: «Д. оперирует таинственными чеками предъявителя размерах ста пятидесяти долларов концу каждого месяца интересно узнать что происходит этими чеками до окончательного рапорта К. Не будь размазней». Подпись стояла такая: *Друг твоего друга*.

Перечитав телеграмму раз, другой, я сунул ее в карман.

— Как насчет встречи? — закинула удочку Элси.

— Никаких встреч. Свой ужин оплатишь сама.

Я отправился на телеграф и выяснил, что телеграмму отправили из их филиала в Голливуде.

Убрав телеграмму в папку для незавершенных дел, я пообедал и устроился напротив телевизора. Разумеется, в моей новой квартире.

В девять тридцать зазвонил телефон. Клерк сообщил:

— Мисс Клинтон спрашивает, не будете ли вы так любезны уделить ей несколько минут по деловому вопросу.

— Если она не возражает, попросите ее подняться ко мне.

Я вышел к лифту, чтоб встретить даму.

— Что со вчерашней милашкой? — спросила она вместо приветствия.

— Ничего, — ответил я.

Она засмеялась:

— Я не в том смысле.

— Каков вопрос, таков ответ.

— Ну, я имела в виду, что не рассчитывала застать вас здесь.

— Позвонили бы.

— Мне ненамного труднее зайти.

— Живете поблизости?

— Нуждаюсь в физической нагрузке. Слежу за фигурой.

— Это и у меня входит в привычку.

— Что, физическая нагрузка?

— Нет, следить за вашей фигурой.

Она засмеялась.

— Теперь, Дональд, шутки в сторону. Пригласи меня в квартиру, предложи виски, не очень крепкий.

— А что-нибудь крепкое тебя интересует?

— Не заставляй меня говорить то, чего я не должна говорить.

— А делать, чего не должна?

— Разве не все это делают? — спросила она и снова засмеялась.

— Я делаю, — заверил я.

— В темноте все кошки серые. Итак, Дональд, что слышно об участке?

— А что о нем должно быть слышно?

— С другими ты не сговорился?

— Нет.

— Сдашь его мне?

— Вряд ли.

— Что ж, — сказала она, — придется тебя убедить.

— Каким способом?

— Напоить, пригласить на танец.

— Любишь танцевать?

— С потенциальными покупателями.

— Хорошо бы повысить цену.

— Еще лучше — снизить запросы. Участок никак тебя не греет, пока пустует.

Оглядев ее, я сказал:

— Зато голова моя полна. Планами.

Она рассмеялась и предложила:

— Сходи-ка за виски. Ты, кажется, неплохо держишься на ногах. Потанцуем!

— Хочу сосредоточиться.

— Танец этому может поспособствовать.

— И отвлечь меня от размышлений о ценах.

— А зачем же, по-твоему, я искушаю тебя?

Она встала с кушетки, подошла к книжному шкафу, повозилась минуту и нашла кнопку, включающую проигрыватель.

— Так я и думала, — усмехнулась она. — Слишком большим казался мне этот книжный шкаф на фоне твоей личности.

Порыскав среди пластинок, она выбрала одну. Изящной ножкой сдвинула ковер, сделала посреди комнаты пируэт, а когда зазвучала музыка, простерла ко мне руки. Мы танцевали, и была она как прозрачная паутина в июньский пылающий полдень. Когда отзвучал вальс, она сказала:

— У тебя так замечательно получается, Дональд. Мне почему-то казалось, ты предпочитаешь быстрые танцы. А я люблю вальс.

— И виски, — добавил я. — Сейчас принесу.

— О, сейчас уже не к спеху. Там еще один вальс.

Она напела мелодию, как бы суфлируя пластинке, и вот игла побежала по своей дорожке, мы вновь закружились в вальсе. Вдруг она остановилась, выключила проигрыватель и поцеловала меня. Этот страстный поцелуй метил прямо в мое сердце.

— А теперь, — заявила она, — теперь я готова выпить виски.

Я разлил напиток по бокалам, и мы принялись смаковать его. Она сидела, скрестив ноги, продолжая выстукивать носком ритм вальса.

— Дональд, я тебе нравлюсь?

— Угу!

— Почему бы тебе не стать подобрее к моим клиентам и не сдать им участок? Сейчас, когда я тебя ублажила по всей форме...

— Я ведь на что рассчитывал: больше буду жаться — больше от тебя получу.

Она поджала губы:

— Тут ты просчитался. Что причиталось, то и досталось.

— Я не о блаженстве, а об оплате.

— Тогда другое дело, — спохватилась она.

— Насколько другое?

— На какой цене ты настаиваешь?

— На участок есть и другие охотники. Естественно, я хочу получить максимум.

Она нахмурилась.

— Эти другие, они еще не... — Она резко оборвала себя, как будто отрубила недосказанное и стерла из своей памяти произнесенное.

— Откуда ты знаешь, что они еще не...

— А разве уже?..

— Ну, можно сказать, приманку куснули.

— Подумаешь, — пренебрежительно сказала она. — Решай, что лучше — синица в руках или журавль в небе.

— Ты синица в руках? — спросил я.

Она с вызовом посмотрела мне в глаза:

— А ты как думаешь?

— Я думаю, что я слишком сильно поддаюсь твоему влиянию, слишком остро реагирую на твою близость, того и гляди поскользнусь. И упаду.

— Теперь дела пошли на лад, — констатировала Бернис. — Мне уж начало казаться, что у тебя иммунитет против женских чар.

— Я отчаянно борюсь с самим собой.

— Еще бы... Итак, да?

— Неопределенность, она придает ситуации пикантный привкус. Стоит мне ответить «да», и через пять минут ты исчезнешь навеки, только я тебя и видел. С другой стороны, если я останусь на прежних позициях, можно рассчитывать на продолжение твоей деловой активности.

— Только до тех пор, пока мой наниматель не подыщет участок на другом углу, и тогда ищи ветра, больше ты меня не увидишь.

— Никогда, никогда, никогда?

— Никогда, никогда, никогда! — Бернис улыбнулась.

— Мне надо позвонить.

— Что тебе мешает?

— Ты.

— Почему?

— Не хочу, чтоб ты слушала.

— Что ж, удалюсь попудрить нос.

— Лучше я спущусь к телефонной кабине в холле. А ты устраивайся как дома, подлей себе виски.

— Я обшарю твои вещи, Дональд.

— Действуй! — благословил я ее.

Я спустился в вестибюль, высмотрел такси на стоянке, подошел и дал водителю двадцатку.

— За что? — растерянно спросил он.

— Включи счетчик. Поставь машину поближе к дому. Подойди к столу дежурного клерка. Минут через пять — десять у выхода появится длинноногая блондинка. Я хочу знать, куда она поедет.

— Дело чистое? — спросил таксист.

— Абсолютно,

— Что делать, если она заподозрит слежку?

— Поворачивай обратно — и сюда. Не то она проездит всю ночь, пока счетчик не сломается.

— По-моему, его вообще не стоит включать, — сказал он.

— Решай по обстановке. У меня свои хлопоты, у тебя — свои.

— Ладно, приятель, лишь бы ты мои хлопоты понимал. Кому доложить результат?

— Меня зовут Дональд Лэм. Дозвонишься до дежурного и попросишь соединить со мной, причем старайся темнить, чтоб он не просек, что к чему. Когда девица вызовет лифт, я позвоню клерку и передам, мол, в услугах ожидающего в вестибюле таксиста более не нуждаюсь. Вернешься к машине и жди блондинку.

— Допустим, она захочет нанять меня.

— Думаю, у нее своя машина. А если тебя наймет, тем лучше, меньше забот.

— Сказать ей, что поездка оплачена?

— Разумеется, нет! Получи с нее по счетчику.

— Что ж, годится.

Он спрятал в карман мою двадцатку, а я вернулся в квартиру.

Кстати, когда я шел через вестибюль, клерк не спускал с меня оценивающего взгляда.

Бернис Клинтон встретила меня чрезвычайным сообщением:

— Я выполнила свое обещание! Прошлась по твоим вещам. Ты здесь не так уж давно живешь, правда? Впечатление такое, будто ты еще сидишь на чемоданах.

— Это плохо?

— Для холостяка вполне естественно. А где другое твое гнездышко?

— Думаешь, оно у меня имеется?

Она рассмеялась:

— Держу пари, у тебя две-три квартиры и в каждой по женщине.

— При таких расходах я сдал бы свой участок первому встречному за любую цену да еще кувыркался бы от радости.

— Есть в тебе нечто очень и очень странное. А что — никак не раскушу.

— Да и я тебя никак не раскушу.

Легкой походкой она приблизилась, обвила руками мою талию, тесно прижалась, глядя мне прямо в глаза, и спросила:

— Ну так как, Дональд, да или нет?

— Допустим, может быть.

Настроение у нее тут же изменилось. Она опустила руки, сделала шаг назад, осмотрела меня с ног до головы и холодно поинтересовалась:

— Когда будет готов ответ, Дональд?

— Как только ты достигнешь своего максимума.

— Я его достигла.

— Включая премию?

— Премии не предусмотрены условиями сделки. Премия — признак дружеского расположения.

— Как бы нам подружиться?

— Да так же, как ты заводишь дружбу с другими девушками. Скажи, где твоя вторая квартира?

— Я не прячу женщин. И у меня нет женщин на содержании... Ты на это намекаешь?

— А та прелестная крошка, что была с тобой вчера?

— Я ее не прячу. И не содержу.

— Скажу тебе о ней одну вещь, Дональд. Она влюблена в тебя.

— Если б ты знала ее лучше, — сказал я, смеясь, — ты бы поняла, сколь абсурдны подобные предположения.

— Я и так знаю ее достаточно хорошо, — заявила Бернис. Потом, резко отвернувшись, добавила: Я ухожу. Позвоню завтра.

— Куда?

— Сюда. Разве у тебя есть другое пристанище?

— Я могу выходить, заходить...

— Если выйдешь, попроси клерка передать мне: да или нет.

— Ты не изменишь условия? — спросил я.

— Нет.

— Я намерен дать согласие.

— Сие ровно ничего не значит, — возразила она. — Намерения — всего лишь импульс. Импульсы приходят и уходят. Я позвоню завтра.

— Может, скажешь, где я могу тебя найти?

— Потом.

— Когда завершим сделку?

— Возможно, — проговорила она лукаво. — Я намерена так поступить. Импульс зреет.

Я проводил Бернис до двери и позвонил клерку, чтоб предупредить таксиста, пока она спускается в лифте. Секунду-другую никто не брал трубку. Я ждал как на иголках. Наконец услышал: «Алло!»

— Будьте любезны, передайте шоферу, который ждет меня: его услуги вряд ли понадобятся. Кстати, лифт внизу?

— Нет пока. Но, кажется, спускается.

— Благодарю. Так отпустите, пожалуйста, таксиста. Желательно, чтоб вас не слышали посторонние. И еще просьба: не называйте имен.

— Будет сделано, — отрапортовал он и повесил трубку.

Я приготовился ждать минут двадцать. Ровно через двадцать минут раздался телефонный звонок. Я схватил трубку.

— Это твой таксист говорит. Упорхнула пташка, обвела вокруг пальца.

— Не томи!

— Из лифта она вышла, как раз когда я выходил из вестибюля. Спросила, свободен ли я. Я ответил, что сейчас свободен, приехал по вызову, но получилась какая-то ошибка. Видно, мне дали неточный адрес. Села она в машину с этаким гонором и велела везти ее к вокзалу «Юнион». Ну, сам знаешь, как на этих вокзалах! Привозите пассажиров на одну стоянку, делаете круг и забираете пассажиров с другой... Привез я ее, она расплатилась. И тут мне показалось, что меня водят за нос. Припарковался — и за ней.

— И что же?

— Напрямую прошла туда, где садятся в такси. Наняла машину и уехала. Я не успел даже заметить номер, а тем более добраться до своей.

— От двадцатки сколько-нибудь осталось?

— И немало.

— Возьми себе. Ответь только на вопрос. Когда клерк говорил с тобой, она уже спустилась в вестибюль?

— Нет. Я находился у самых дверей, когда она вышла из лифта.

— Не заметил, говорила с клерком?

— Нет. Выпорхнула за дверь, посмотрела по сторонам, увидела мою машину и села.

— Ничего не понимаю, — признался я.

— Я тоже, — поддержал он. — Но что случилось, то случилось.

— Да уж, — вздохнул я, — ничего не поделаешь.

— Вот разве что попробовать найти того таксиста, — предложил он, — того, что увез ее с вокзала. Она ведь красотка, шофер наверняка вспомнит: ни багажа, ни сумочки, а вышла из вокзала.

— Пустая трата времени... Ну, установим, что она доехала до отеля где-нибудь в северной части города. А потом могла пересечь вестибюль, выйти через черный ход и поймать другое такси.

— Видать, твоя подружка заметает следы, — заметил таксист.

— Изо всех сил! — согласился я. — Так что сдача твоя, и спи спокойно.

Глава 6

Приняв за доказанный факт, что полученная мной телеграмма была отбита в западном отделении телеграфа, я поехал туда на служебной колымаге часам к одиннадцати на следующий день. Над телетайпом на заднем плане возвышался мужчина. За стойкой приветливо улыбалась молодая женщина.

— Чем могу быть полезна? — обратилась она ко мне.

Я показал ей телеграмму. Благосклонная улыбка мигом исчезла с ее лица и сменилась вдруг миной картежника, прячущего свои карты.

— Ну и что? — спросила она.

— Я получил эту телеграмму.

— Вы Дональд Лэм?

— Совершенно верно.

— Фирма «Кул и Лэм»?

— Да.

— У вас есть какое-нибудь удостоверение?

Я показал водительские права.

— Что вас не устраивает в этой телеграмме?

— Отправитель. Мне нужен его адрес.

— Мы сохраняем адреса лиц, подписывающихся таким образом. На случай, чтобы вручить ответ, если он будет.

— Дайте мне имя и адрес, — настаивал я.

— Ничего вам это не даст.

— Почему?

— Подшив копию телеграммы, я проверила отправные сведения. Оказалось, что такого адреса нет. И имени в городских справочниках тоже нет.

— До чего ж вы уклончивы и осторожны, — сказал я.

— Мы подчиняемся правилам, мистер Лэм.

— А нельзя ли согласовать ваши правила с моими проблемами?

Она призадумалась, кинула на меня быстрый взгляд, затем отвела глаза.

— Неужто вы всегда живете по правилам? — упорствовал я.

Она посмотрела через плечо на человека за телетайпом, снова перевела взгляд на меня.

— Нет.

— Уже лучше, — одобрил я. — Объясните, почему вы обратили внимание на имя и адрес? Что, телеграмма показалась вам подозрительной?

269

— Сначала никаких подозрений не было. Простое любопытство.

— По какому поводу?

Она на минуту задумалась, вновь оглянулась назад.

— Я уже видела молодую женщину, которая отправила телеграмму. Она меня не запомнила, хотя несколько раз мы обедали в одном и том же месте.

— Где?

— В кафетерии, в четырех кварталах отсюда, вниз по улице.

— Знаете, как ее зовут?

— Нет.

— А описать можете?

Опять она бросила взгляд через плечо и сказала:

— Сомневаюсь, должна ли я вам об этом говорить, мистер Лэм. И потом... людям, наверное, покажется странным, что я так долго с вами беседую.

— Люди здесь представлены в единственном числе.

— Вполне достаточно, — ответила она. — Он ведь управляющий.

— Когда вы обедаете?

— В двенадцать тридцать.

— Я подожду вас на улице. Пообедаем вместе в кафетерии. Быть может, там вы ее мне покажете. Или, по меньшей мере, опишете. — И, улыбаясь, я повернулся, собираясь уйти.

— Может, вы все-таки дождетесь моего «да» или «нет»?

— Если последует «да», ждать незачем. Если «нет», незачем слушать. — Закрывая за собою дверь, я обернулся. Она улыбалась.

— Ждите меня в полуквартале отсюда.

У меня оставалось немного времени. Возвращаться в агентство не хотелось. Я прошел до кафетерия, внимательно изучил обстановку и проследовал в телефонную кабину: зачем бегать, если решить служебную проблему можно не сходя с места? Потом я

270

вернулся за машиной, припарковал ее неподалеку от телеграфа и стал ждать.

Она вышла ровно в двенадцать тридцать.

Я выпрыгнул из машины и распахнул дверцу.

Она уселась, натянула юбку на колени и глянула на меня: скоро, мол, поедем? Я хлопнул дверцей, обогнул машину, уселся на водительское место и сказал:

— Вам мое имя известно, а мне ваше — нет.

— Мэй, — откликнулась она.

— Просто Мэй?

— Друзья зовут меня Мэйби — Может Быть.

Я вопросительно поднял бровь.

— «Быть» — буква «Б» — инициал моего второго имени: Бернардина.

— А фамилия?

— Неужели вам недостаточно? — спросила она, критически меня оглядывая.

— Почему вы так осторожничали, когда я задавал вам вопросы? Управляющий что-нибудь имеет против вас?

Она рассмеялась:

— Так уж сложилось. Как в басне — капуста и коза.

— А точнее?

— Он женат, трое детей, а влюбился в меня.

— Пристает?

— Да нет. Если б приставал, я знала бы, как себя держать. Мы достигли бы взаимопонимания, небеса очистились бы от туч, и дела пошли бы на лад. Но прямого разговора не получается.

— Так что же происходит?

— Абсолютно ничего.

— Не понимаю.

— Я даже не знаю, понимает он, что влюбился, или нет. Подсознательно он отдает себе в этом отчет, а сознание отказывается смириться с фактами. И вот, вместо того чтоб признаться прямо, и будь что будет, он не мычит, не телится. Но стоит ему заметить, что я проявляю самую элементарную вежливость к какому-

271

нибудь молодому человеку приятной наружности, он тотчас раздражается и начинает чудить. Боже, вы бы диву дались, какую проповедь он закатил из-за вас.

— И как же вы оправдались?

— Да так же, как всегда. Придумала историю, которая его устраивает, хотя с каждым разом делать это все невыносимей.

— Что ж вы ему сказали?

— Сказала, что вы ждете телеграмму. Ее должны были прислать, но ничего нет, вот вы и расспрашиваете, как обрабатывают поступающую корреспонденцию, если конкретный адрес не указан, и прочее в том же духе.

Я насмешливо посмотрел на нее.

— Я одареннейшая, изощреннейшая лгунья, — призналась она невозмутимо. — Так что не смотрите так укоризненно, Дональд Лэм. Бывает лучше солгать, чем сказать правду. В таких делах я эксперт... Недалеко от кафетерия есть автостоянка. Можете оставить машину там. Вам дадут квитанцию... Ну вот, поворачивайте направо!

Въехав на стоянку, я сказал:

— Понимаете, Мэйби, есть вполне реальный шанс, что наша молодая дама узнает меня, едва увидит. Естественно, мне не хотелось бы, чтоб меня заметили. Найдется там укромное местечко? Я заходил туда. По-моему, в бельэтаже стоят подходящие столики, они не так на виду, как нижние.

— Верно, — подтвердила она. — Там встречаются серьезные люди для приватных бесед.

— Что и требуется, — заключил я.

— Что и требуется! — согласилась она. — Можно подняться прямо на бельэтаж и, кстати, взять еду в верхнем буфете. Выбор у них поскуднее, чем внизу, но в основном блюда те же.

Мы вошли в кафетерий, поднялись наверх и устремились с подносами за едой, как вдруг девушка обернулась ко мне с вопросом:

— Будете со мной откровенны, Дональд?

— Конечно.

— За мой обед расплачиваетесь вы?

— Разве вы здесь не по моему приглашению?

— Я имею в виду, это служебные расходы?

— Да, служебные.

— Тогда приготовьтесь к удару, — объявила она. — Я претендую на двойную порцию ростбифа. Утром я пью черный кофе и все. Так что к полудню голодна, как волчица. Но моими аппетитами командует кошелек. Если вы и впрямь на служебном довольствии, я сегодня наемся до отвала.

— До отвала так до отвала.

Она повела себя соответственно.

Сели мы за один из столиков, подальше от света, но с прекрасным обзором. Мэйби поглощала еду с молодым здоровым рвением, демонстрируя превосходный аппетит и глубокое удовлетворение.

— Вам мало платят? Вы не позволяете себе есть, сколько захочется?

— Теперь, Дональд, вы суете свой нос в мои личные секреты, — заметила она, улыбаясь. — Но я отвечу. Мне платят достаточно, но для денег всегда находится применение, и не одно. Так что бюджет приходится тщательно планировать.

— Нравится вам эта работа?

— Очень! Я люблю разглядывать людей и угадывать, что они напишут в своих телеграммах. И у меня есть возможность проверить свои наблюдения.

— В цель попадаете?

— Еще как попадаю. Я хорошо угадываю характеры. Вот пример. Там, внизу, у кассы стоит женщина с подносом. Так вот, скорее всего, она замужем и обременена заботами. Мужчина, третий в очереди, украдкой следит за ней. Мне сдается, они потихоньку встречаются. Понаблюдайте! Они как бы случайно окажутся за одним столом, и, между прочим, это будет стол на двоих.

— Коли так, почему они не поднялись наверх? — спросил я.

— Не знаю... Может, чтобы картина не выглядела излишне интимной... Ага, вот она идет с подносом. Смотрите, смотрите. Сейчас она остановится у столика на двоих, причем второй стул останется свободным.

— До сих пор вы были правы, и неудивительно, — заметил я. — Любая одинокая самостоятельная женщина поступила бы точно так же и...

— А теперь глядите на мужчину, он как раз приближается к контролеру...

Мужчина получил чек и бесцельно прошелся по залу, высматривая себе место. Он миновал стол, за которым устроилась женщина, как бы не заметив свободный стул, потом обратил на него внимание, развернулся, вежливо поклонился и с деланным безразличием спросил, не занято ли место.

Замкнутая, неприступная, вежливая в пределах необходимости; она, по-видимому, ответила, что место свободно. Он поблагодарил и принялся разгружать поднос.

— Убедились? — ликовала Мэйби.

— Что ж, — ответил я, — одно из двух. Либо вы ясновидящая, либо разыгрываете спектакль, который я пока не могу разгадать. Я повидал кое-что на своем веку. Следить за людьми — моя профессия. Но я ни за что не заподозрил бы, что у этих двоих свидание.

— Такие штуки я проделываю регулярно — и вполне запросто, Дональд, — сказала она.

— Черта с два! — возразил я. — А ну-ка, спускайтесь с небес на землю и выкладывайте начистоту. Я не простачок, на мякине не проведешь.

Казалось, она вот-вот заплачет.

— Неужели, Дональд, вы мне не верите?!

— Разумеется, нет! Это все трюк!

Она сидела, уставившись в свою тарелку.

— Вы мне так понравились... Я думала, у нас... А теперь...

Я ждал продолжения. Она посмотрела на меня с выражением праведного негодования на лице:

— А теперь не знаю... не знаю даже, нужно ли вам помогать.

Она вернулась к еде с обиженной физиономией. А я отложил вилку и наблюдал за нею. Вдруг она сказала:

— Дональд, перестаньте.

— Перестать — что?

— Перестаньте на меня так смотреть.

— А вы бросьте свои фокусы, — ответил я.

Я перевел взгляд на столик, где сидела та парочка. По поводу брачной подоплеки она, пожалуй, была права. Мужчине где-то между сорока пятью — пятьюдесятью, лысеть он пока не начал. На лице его лежала печать затаенной печали, печали человека, потратившего долгие годы в поисках достойного объекта, которого на поверку в природе и не существует. Казалось, он даже сутулится от усталости. И все же он был еще строен, явно сберег талию, равно как и волосы, а костюм носил изысканный. Этот тип вполне мог оказаться толстосумом, и притом влиятельным.

С моего места трудней было рассмотреть женщину. Изредка я видел ее профиль, но преимущественно затылок. По первому впечатлению, насколько я мог судить, ее тактическим оружием была стрельба глазами. Она отводила их в сторону, потом быстро взглядывала снизу вверх на собеседника, улыбалась и потупляла очи. Ей могло быть и двадцать шесть, и тридцать один.

Глядя на женщину, я жалел, что так мало уделил ей внимания, когда Мэйби ткнула пальцем в ее сторону.

В памяти осталось смутное впечатление от стройной фигуры, легкой и стремительной походки.

И вдруг я заметил Бернис Клинтон. Она сидела в одиночестве за угловым столиком и тоже пялилась на нашу парочку. Взгляды, которые она вонзала в спину женщины, были как кинжалы. Они проникали под одежду и придирчиво инвентаризировали мельчайшие подробности. Я не уловил момент, когда Бернис вошла, и предположил, что она оказалась в кафетерии прежде нас. Я посмотрел на Мэйби:

— Ладно, сестрица, пора исповедаться.

— О чем вы, Дональд?

— Черт возьми, да вы прекрасно знаете, о чем я говорю. Эту парочку вы встречали раньше.

Она опустила глаза.

— А теперь скажите, кто они?

— Я... я не знаю, Дональд. Да, признаюсь, я видела их раньше. Мне так хотелось произвести на вас впечатление.

— Это она и отправила мне телеграмму?

— Нет, та женщина была привлекательнее, в ней было больше... Дональд, вот она!

Мэйби смотрела на Бернис Клинтон.

— Вы говорите о той, что сидит в одиночестве и...

— Да, да, это она! Она наблюдает за парочкой...

— Выходит, сеанс ясновидения — запланированный аттракцион?

— Да. Но как бы то ни было, у меня отличная память на лица. Мне достаточно увидеть человека один раз, и уже никогда не забуду. Время от времени я встречаю на улице людей, которые недели или месяцы назад заходили к нам отправить телеграмму. Этих двоих я видела не раз и не два. И каждый раз они проделывают свой фокус. Позволяют посторонним втереться между ними в очередь. Потом женщина выбирает столик, а мужчина проходит мимо, как будто они незнакомы. Потом он садится за столик, заговаривает с ней и...

— А что же дальше, за стенами кафетерия? Они выходят вместе?

— Нет. Первой выходит женщина. Через некоторое время уходит мужчина. Но они продолжают прикидываться посторонними, которые случайно завязали мимолетный разговор.

— Ее манера строить глазки во время разговора не выглядит ни случайной, ни мимолетной, — заметил я.

— Согласна... Вероятно, это одна из причин, почему я обратила на них внимание. Я заметила, как она строит ему глазки, а потом встала как ни в чем не бывало и ушла, оставив мужчину за столиком. Я удивилась. А через неделю-другую я опять их увидела, пару дней назад — опять, вот уж четвертый раз они мне здесь попадаются.

Несколько секунд я изучал Мэйби, потом сказал:

— Теперь о том, как вы задумали произвести на меня впечатление...

— Ну, Дональд... Зачем, по-вашему, я согласилась пообедать вместе?

— Затем, что была голодна.

— Нет, потому, что я видела вас раньше и вы произвели на меня впечатление.

— Когда это вы меня встречали?

— В «Шашлыках у Мастерса» на Седьмой улице. Вы обедали с весьма внушительной женщиной, она пыталась командовать и все время выходила из себя. Она слишком стара, чтоб быть вашей... Дональд, что вы в ней нашли?!

— Вы имели счастье лицезреть Берту Кул, моего делового сподвижника.

— Ах вот оно что!

— Именно так!

— Она вас любит!

— Что вы! Ненавидит.

— Она вас не ненавидит, Дональд. Вы ей импонируете, она вас уважает и в глубине души даже побаивается.

— Быть может, — согласился я равнодушно.

Мэйби придирчиво разглядывала меня.

— Раз я вам помогла, не поможете ли и вы мне?

— Чем?

— Подыскать новую работу.

— Что плохого в нынешней?

— Управляющий.

— Почему просто не попросить о переводе?

— Боюсь.

— Чего?

— Ну, это причинит ему ужасную боль... Ну, не знаю. Боюсь, он будет препятствовать моему переходу. Он... Я его боюсь.

— Он на самом деле влюблен в вас?

— Влюблен. На какой-то безумный пуританский лад.

— Хорошо, — сказал я. — Буду иметь вас в виду. Но назад в контору не повезу. Меня ждут кое-какие делишки.

— Пройдусь пешком. Разъезжая с вами так близко от работы, я сильно рискую. Если бы он увидал нас вместе... Ну, это обидело бы его. А мне не хотелось бы его обижать.

— Послушайте, Мэйби, — сказал я. — Исключим раз и навсегда сценические эффекты. Неужто всю свою жизнь вы будете подстраивать под возможные обиды управляющего?

— Нет. Как раз по этой причине я и хочу куда-нибудь перейти.

— Назовите свою фамилию.

— Хайнс.

— И объясните, почему вы так жеманничали, когда я задавал вопросы?

— Хотела заинтриговать вас, Дональд. Хотела познакомиться... Волновалась из-за той дамы, с которой вас видела. Не была уверена, что стоит...

— А сейчас уверена?

— Вы нравитесь мне, Дональд. Едва вы заговорили, голова у меня пошла кругом. Небось и сами заметили. А управляющий — так уж точно. Не зря ведь разъярился. — Она посмотрела на часы: — Мне надо вернуться на работу минута в минуту.

— Времени еще вполне достаточно, чтоб ответить на кое-какие вопросы. Я так и не уяснил себе, честную ли вы ведете игру.

— Честную, Дональд. Клянусь, честную. О чем вы хотите спросить?

— Вопросы простые. Не захочется отвечать — не надо. Но если будете — только правду.

— Буду говорить правду, Дональд. Клянусь.

Глядя ей прямо в глаза, я внезапно спросил:

— Ваш управляющий, о котором столько разговоров, он приставал к вам?

Ресницы ее дрогнули, глаза ушли в сторону, потом опять поглядели прямо в мои.

— Да.

— Вплоть до нижних этажей?

— Да.

— Потому его и боитесь?

— Да.

— Совсем другой разговор, — заключил я.

— О, Дональд, зачем надо принуждать меня к таким признаниям? Так нечестно. Вам не следовало выуживать... Если его жена узнает...

— Раз мы договорились стать друзьями, вы должны соблюдать правила игры.

— Дональд, я... Что-то в вас есть такое... Вы меня пугаете.

— Прекрасно!

— Что тут прекрасного?

— Будете говорить правду.

— Я была абсолютно правдива. Боже мой, вы подкрались прямо как змея...

Дама, соседствовавшая с приметным господином, завершила трапезу, поднялась, не удостоив его взглядом, и направилась к кассе.

— А сейчас, Мэйби, я вас покину, — сказал я, отодвигая свой стул, погладил ее по плечу и скатился по лестнице вниз.

Касса находилась вне поля зрения Бернис. До этого рубежа я добежал, когда интересующая меня дама брала сдачу.

Оплатив свой чек, я очутился на улице как раз вовремя, чтобы заметить, что она повернула налево и пересекла мостовую.

Я следовал за нею в тридцати — сорока футах, не заботясь, знает она об этом или нет.

Походка у нее была что надо. С плавным покачиванием и без суетливого вихляния. Словно улица была не улицей, а плавательным бассейном, и она ритмично рассекала телом воду.

Вскоре нас обогнала машина. Это был «олдсмобил», а за рулем — мужчина, сидевший рядом с дамой в кафетерии.

Он не подал виду, что видит ее, и она не посмотрела ему вслед. В моем сознании автоматически отпечатался номер: ИВИ-114.

Дама прошла еще два квартала до автобусной остановки. Мы сели в автобус вместе. И так же вместе вышли в Верхнем городе, близ какого-то офиса.

На данном этапе игра в кошки-мышки не имела смысла. Она могла меня запомнить. И все-таки, когда она вошла в лифт, я тоже вошел.

Она оглядела меня, я ответил тем же. Она сказала лифтеру: «Седьмой», а когда я точно эхо повторил: «Седьмой», скромно отвела глаза, как и подобает женщине, которую незнакомый мужчина в лифте окидывает хищным взглядом.

На седьмом этаже она вышла и устремилась вдоль бесконечного коридора. Я — за ней. Она не могла не слышать моих шагов за спиной, не могла не понимать, что я ее преследую. Но даже не обернулась.

На двухстворчатой двери значилось: «Герберт Джейсон Даулинг». А чуть ниже — «Компания Даулинга» с перечислением ее функций и услуг.

Туда и вошла дама.

Я тоже. Она улыбнулась секретарше, прошла за низкий барьер, перегораживающий комнату. Я принялся разглядывать табличку со справками. Секретарша приветствовала меня.

— Мистер Даулинг у себя? — спросил я.

— Пока нет, — ответила она. — Может быть, вы назовете свое имя?

Моя подшефная вознамерилась было покинуть приемную, уже взялась за ручку двери и вдруг притормозила. Видимо, рассчитывала услышать мое имя. Я заговорил погромче:

— Дональд Лэм.

Моя подшефная нажала на ручку и распахнула дверь. Либо мое имя ни о чем ей не говорило, либо она была превосходной актрисой. Обратив лицо к секретарше, краешком глаза я продолжал наблюдать за дамой.

— По какому вопросу? — спросила секретарша.

— По сугубо личному, — ответил я. — По секретному, конфиденциальному. Зайду еще раз.

Я доехал на автобусе до стоянки, где оставил машину. Вспомнил, что не поставил в кафетерии штамп на квитанцию за парковку, и представил себе, как Берта из-за этого не сомкнет ночью глаз, уплатил тридцать пять центов за машину, сел в нее и поехал на свою новую квартиру.

Клерк встретил меня сообщением:

— Вам звонила молодая женщина, спрашивала, передали вы что-нибудь мисс Б.К.

— Откуда вы знаете, что молодая? — полюбопытствовал я.

— По голосу, — ответил он, слегка покраснев. — Обещала позвонить в пять.

— Когда позвонит, скажите, что ответ ей оставлен.

— Слушаю, мистер Лэм, — сказал он, занеся ручку над блокнотом. — Какой ответ?

— Передайте, что я готов заключить сделку, но еще не знаю с кем.

Делать в этом доме мне больше было нечего. А потому я ушел, оставив клерка в полном недоумении: ручка над блокнотом, разинутый рот, широко открытые глаза.

Глава 7

Я погнал машину в сторону конторы Даулинга. Нашел стоянку в полуквартале.

— Я собираюсь открыть поблизости офис. Найдется ли в этом районе стационарный гараж?

— Мы могли бы дать пристанище вашей машине, но сейчас большой наплыв транзитников, поэтому гараж обойдется недешево, — ответил служитель.

— А где вы держите транспорт постоянных клиентов?

— Вон там, возле стены, есть отличное местечко. Выезд в любую сторону. Оставьте машину, мы ее сами припаркуем.

Прогуливаясь с задумчивым видом, я делал вид, что изучаю стоянку. «Олдсмобил» под номером ИВИ-114 стоял в пятом боксе.

— В этой секции, по-моему, свободных мест нет.

— Ладно, — сказал я служителю. — Если удастся открыть офис, я к вам приду.

Я проследовал за ним к выходу. Он выдал мне квитанцию и припарковал машину. Через десять минут я вернулся.

— Забыл одну вещь, — сказал я, показывая ему квитанцию.

Он хотел что-то возразить, когда я двинулся вперед, но через секунду заулыбался:

— О да, вы договаривались о долгосрочной стоянке.

— Совершенно верно, — ответил я.

Он сверился со своими бумажками и сказал:

— Вы в третьем ряду, ближе к концу. Найдете?

— Разумеется.

Я прошел к своей машине и достал жучка, лучшую из этих новеньких игрушек для электронной слежки. У меня всегда есть с собой что-нибудь этакое.

Приладил новые батарейки, чтоб хватило надолго, и на обратном пути задержался у стационарных блоков.

Улучив минуту, когда служитель занялся очередным клиентом, я прикрепил жучка к заднему бамперу, прямо под номером ИВИ-114, и покинул стоянку.

Служитель помахал мне вслед рукой.

В числе наипротивнейших занятий детектива есть и такое: болтаться по улице, стараясь, чтоб никто не заметил, как ты глаз не спускаешь с некоей двери.

Первые пятнадцать — двадцать минут еще можно с интересом созерцать витрины, потом — прохожих. Однако через какое-то время наступает пресыщение, которое еще больше усугубляет тяготы нашей малоприятной службы. Тебе хочется присесть. Мышцы ног и спины начинают отниматься. Ты обнаруживаешь вдруг, что пятки сбиты и болят, а городские мостовые чересчур тверды.

Я прождал добрых два часа, прежде чем мой потенциальный подследственный вышел из здания. Вышел он один. У стоянки я немного отстал.

Служитель и на этот раз узнал меня:

— Ну как дела с вашим офисом?

— Пока не принял решения. У меня несколько предложений. Одно — здесь, другое — у черта на рогах, там парковка на улице.

— Уличные стоянки — сплошное беспокойство.

Я попытался побыстрее всучить ему деньги.

— Как раз сейчас я очень спешу. Где машина — я знаю. Разрешите мне вывести ее самому?

— Сейчас попрошу кого-нибудь из ребят. У нас только постоянные клиенты забирают машины сами.

— Тогда, пожалуйста, быстрее.

— Ладно, вы ведь скоро станете постоянным. Обосновывайтесь в этом здании. Вряд ли вам сгодятся задворки. Бизнесом надо заниматься там, где есть бизнес, а не там, где бизнесом даже не пахнет.

Одарив его улыбкой и парой долларов, я поспешил к машине, прыгнул внутрь, завел мотор и выехал на улицу как раз в тот момент, когда преследуемая машина свернула налево.

Пытаясь повторить маневр, я малость замешкался, а когда повернул — пташка уже упорхнула.

Тогда я включил электронику. И тотчас поступил сигнал, громкий и внятный.

Я поднапрягся и кварталов через десять догнал «олдсмобил». Теперь я держался в полуквартале от объекта, позволяя другим машинам заполнять эту дистанцию и благодарно прислушиваясь к устойчивому «би-и-п».

Через пятнадцать минут езды по запруженной транспортом улице он свернул налево. Его теперь не было видно, но электроника выдавала ровные долгие «бип», когда он находился впереди, короткие — если забирал влево, прерывистые — когда оказывался справа. Если «олдсмобил» отставал, сигнал превращался в сплошное жужжание.

Я ушел влево слишком поспешно, и сигнал показал, что «клиент» по-прежнему впереди, но правее. Потом через какое-то время раздалось жужжание. По-видимому, припарковался. Пришлось описать большой круг, пока не отыскал его машину у тротуара, поблизости от многоквартирного дома.

Я проехал еще полквартала, выбрал местечко поудобней, остановился и принялся ждать.

Мой «клиент» пробыл в доме часа два. Затем поехал в сторону побережья.

К этому времени уже совсем стемнело. На оживленных улицах я ехал за ним вплотную, а когда машин было мало, приходилось отставать, и значительно, чтобы не выдать себя. Я бы успел не один раз потерять его, если б не электроника... Постоянный громкий и отчетливый сигнал вдруг опять сменился жужжанием. Обогнув квартал, я обнаружил машину на стоянке возле первоклассного ресторана.

Я остался сидеть в своей машине и наблюдал за входом. Мало-помалу мною овладевал голод. Я сидел и смотрел, а мои ноздри трепетно ласкали запахи поджаренных бифштексов и черного кофе. Танталовы муки!

Мужчина появился через час. Выехав на побережье, мы повернули направо и через полмили подкатили к мотелю «Плавай и загорай».

Отделан он был предельно современно и выставлял напоказ бесчисленное множество электрических огней и ухищрений. И меня осенило — именно здесь сосредоточилась деятельность Тома-соглядатая.

Я выждал, пока мой партнер покинет домик администратора с ключом от коттеджа в руках, а уж тогда зашел туда сам. Бланк, который минуту назад заполнил мой подопечный, еще лежал на стойке, так что нетрудно было узнать, что в номере 12 поселился Оскар Л. Палмер с супругой, проживающий в Сан-Франциско. Он указал номер своей машины, поменяв местами последние две цифры, — уловка старая, но верная. В девяноста девяти случаях из ста служащий мотеля не станет сверять запись с номером на машине, а если и станет, скорее всего, не обратит внимания на путаницу в цифрах, но если даже обратит, это можно запросто объяснить как непроизвольную ошибку.

Я быстро придумал себе псевдоним: Роберт С. Ричардс, что же касается служебной колымаги, то в ее псевдониме буквы соответствовали действительности, равно как первая и последняя цифры, зато промежуточные были выдуманы.

Писать в бланке я мог что угодно. Пост администратора занимала дама, которой все было до лампочки. Правила регистрации она вроде бы и соблюдала, но конечно же не собиралась раздражать клиентов, проверяя номера машин.

— Надо понимать, вы один, мистер Ричардс?

— Совершенно верно.

— Ваша жена не собирается приехать позднее?

— Вряд ли.

— Если есть вероятность, что она вдруг появится, лучше сразу напишите «с женой». Формальность, разумеется, но приходится ее соблюдать.

— А какая, собственно, разница?

— Для вас никакой, — согласилась она с улыбкой, — вы заплатите десять долларов в любом случае... Лед можете взять из контейнера в дальнем конце мотеля или возле конторы. Функционируют три автомата с прохладительными напитками. Если к вам кто-нибудь присоединится, держитесь в рамках приличий. У нас репутация тихого, приятного гнездышка.

— Спасибо, — сказал я.

Я еще раз искоса взглянул на карточку предыдущего клиента, получил ключ от номера 13 и отправился по довольно протяженному маршруту парковать свой автомобиль.

Сооружение выглядело в меру солидным, не чета многим другим мотелям, чьи коттеджи напоминают скорее коробку из-под торта, нежели дома для жилья, потому что под штукатуркой скрываются такие тонкие перегородки, что слышно каждое движение соседей.

С помощью небольшого усилителя, приставленного к нужной стенке, я слышал, как расхаживает по номеру моя дичь, потом он дважды закашлялся, сработал слив в туалете, полилась вода из крана.

Очевидно, компаньонша присоединится к нему позже, ей известно, куда ехать.

Я испытывал жесточайший голод. Желудок буквально взывал о немедленной помощи. Одно дело обходиться без пищи, когда ты поглощен работой. Но когда пребываешь в полной зависимости от другого и твердо знаешь, что нет никакой возможности перекусить, пока он не уляжется спать, голод превращается в настоящую пытку.

В четверти мили от мотеля я еще по дороге сюда заметил забегаловку под открытым небом. Батарейки жучка, прилепленного к машине Даулинга, еще свежие и выдавали достаточно сильный сигнал. А меня прямо-таки тошнило от голода.

Я сел в машину, добрался до придорожной закусочной, заказал пару гамбургеров со всем, что к ним положено, чашку кофе и скоростное обслуживание.

Народу здесь собралось не слишком много — поздний час как-никак. Девушка, обслуживавшая меня, была облачена в наитеснейшие изо всех виденных мною брюки и свитер, которые демонстрировали все, что у нее имелось, а имелось много чего.

И ей хотелось общаться.

— Ты на самом деле спешишь, красавчик?

— Спешу, моя прелесть.

— Вечер еще только начинается.

— Может не остаться женщин.

Она надула губки:

— Я работаю до одиннадцати. А потом начинается мой вечер.

— Что ж, в десять пятьдесят пять я буду здесь.

— Ага, будешь! — возразила она. — Все вы так говорите. Послушай-ка, что это жужжит у тебя в машине?

— Автоматический сигнал, гори он ясным пламенем. Я забыл вырубить зажигание.

Пришлось отключить свою хитрую электронику.

Официантка отправилась за гамбургерами, а я снова включил технику для любознательных. Услышал ровный, успокаивающий сигнал, но тут на горизонте показались мои гамбургеры, и я вновь выключил устройство.

Девушке явно хотелось повертеться вокруг меня и почесать языком.

— Тебе не кажется эгоистичным ужинать одному, пока подружка не приехала?

— Нисколечко, — отвечал я. — Даже одолжение ей оказываю. Она сидит на диете — ананас да салат с деревенским сыром. Закажи я при ней что-нибудь другое, сочтет себя оскорбленной и униженной.

— Диета — это ужасно! — подхватила девушка. — Сколько же в ней лишнего веса?

— Ни грамма, — заверил я. — Просто она следит за фигурой.

Официантка посмотрела на меня с вызовом.

— За хорошей фигурой надо хорошо следить. — И удалилась, вызывающе качая бедрами.

Я опять с некоторой опаской включил электронику: вдруг сигнал пропал? Но нет, он звучал по-прежнему ясно и громко.

Счет я оплатил цент в цент плюс доллар чаевых.

— Послушай, красавец, ты это всерьез, что придешь в десять пятьдесят пять?

— Вполне серьезно.

— Понимаешь, нам не рекомендуется назначать свидания посетителям, но...

— Но ведь речь идет не о сегодняшнем вечере. В десять пятьдесят пять на следующей неделе...

Глаза ее гневно сверкнули, но спустя мгновение она рассмеялась:

— Ах, ловкач! За это я с тобой рассчитаюсь.

Она приняла от меня деньги и вдруг просияла:

— Спасибо за чаевые, красавчик.

— Благодарю за обслуживание, моя прелесть.

— С тобой не соскучишься. Как тебя зовут?

— Дональд.

— А меня Дебби. Значит, увидимся через неделю в десять пятьдесят пять. Не забудь!

— Ни за что! — откликнулся я и тотчас отчалил.

На самом въезде в мотель я едва не столкнулся со встречным автомобилем. Свет моих фар на ничтожное мгновение выхватил из темноты женское лицо. Чтоб наши машины разъехались мирно, мне пришлось налечь на тормоза. Женщина покидала мотель так поспешно, что шины при соприкосновении с мостовой буквально взвыли.

Мне удалось увидеть только лицо в ослепительном свете, как при вспышке молнии. Это длилось каких-то полсекунды, но черты лица четко запечатлелись в моем сознании. Лицо женщины, перенесшей сильный эмоциональный шок.

Не было никаких оснований связывать эту женщину с мужчиной, которого я преследовал, но маска застывшего ужаса на ее лице и манера вести машину разбудили во мне азарт и подвигли на риск.

Я подал свой автомобиль назад, крутанул руль и помчался за ней. У нее был «шевроле»-двухлетка. Пришлось жать изо всех сил. Она проскочила один светофор, но второй остановил ее. Это дало мне возможность приблизиться вплотную и запомнить номер: РТД-671.

Пора было кончать игру — на дальнейшие вольности я не решился. Опять развернулся и поехал к мотелю.

Оставил машину у номера 13, достал ключ, вошел внутрь, запер дверь, вынул из «дипломата» подслушивающее устройство, приставил микрофон к стене и стал дожидаться хоть какого-то звука из соседнего номера. Абсолютная тишина.

Перевел рычажок на максимальный режим.

По-прежнему ни звука.

Я перешел к противоположной стене, общей с номером 14. Устройство заработало на славу. Парочка в номере 14 шепталась в постели. До меня доносилось каждое слово и даже дыхание в паузах между шепотом.

Я вернулся к стене номера 12.

Ни звука, ни вздоха.

Машина моего подшефного стояла перед коттеджем. На считанные минуты позволил желудку командовать моей головой, и вот осталось только рвать на ней волосы и посыпать ее пеплом. Я оставил под контролем автомобиль — что ж, он на месте. Не было человека.

Осталась, впрочем, еще одна возможность.

Я взял кувшин, будто бы отправился за льдом, и по дороге выяснил, что здание можно обойти с тыла, если воспользоваться тесным проходом.

Мотель представлял собой идеальный объект для Тома-соглядатая. Во всех номерах комнаты были прямоугольными, но ванная и туалет, расположенные сзади, придавали помещению форму кочерги или латинской L. Тесный пятачок за ванной служил столовой, там стояли столик и табуретки. А еще в этом закутке было окно, и шторы можно было опустить не иначе как перегнувшись через стол.

Поскольку окна выходили в черную пустоту, за которой ничего не было, шторами никто не пользовался. В этом я убедился, пока крался к номеру 12.

На нужном мне окне штора оказалась приспущена, но не до конца. Между ее краем и подоконником осталась щель, как раз для ищущего взгляда.

Мне удалось разглядеть на полу ногу в трикотажном носке, и больше ничего. Я поспешно огляделся. Попасться в роли Тома-соглядатая на территории того же мотеля было бы в высшей степени конфузно. На меня повесят все накопившиеся жалобы, все обвинения, все иски. Однако меня занимала эта нога. И я вновь пристроился к окну.

Нога пребывала на прежнем месте и, добавлю, в прежнем положении. Но на сей раз я заметил еще кое-что. А именно — тоненькую красную струйку на полу. Она удлинялась прямо на глазах.

И тогда я обнаружил еще одну деталь. В оконном стекле было пулевое отверстие, штора осталась целой. Значит, кто-то выстрелил через окно и только п о т о м опустил штору и з н у т р и.

Я двинулся обратно, но по пути пришлось миновать номер 14.

Как раз в этот момент женщина в номере 14 вышла из душа — ожившая куколка с фигурой, которая воодушевила бы любого художника.

Я автоматически присел. Но отвести взгляд от этого зрелища было невозможно так же, как заставить стрелку компаса не смотреть на север.

Луч света ударил в глаза. Почувствовав, видимо, мой взгляд, она подняла голову, но не стала кричать или стыдливо драпироваться, прикрывая наготу. Просто направилась с холодной деловитостью туда, где, по стандартам мотеля, находился телефон.

В спортивном ритме я добежал до своего номера, схватил «дипломат» с микрофоном, захлопнул дверь, прыгнул в свою машину, включил мотор и сделал крутой разворот.

Я проехал полквартала, когда полицейские с сиреной пронеслись мимо меня к мотелю. Так близко они оказались.

И только тут до моего сознания дошло жужжание, постепенно слабевшее и угасающее. И только теперь я отчетливо представил, в какой угодил переплет.

Полиция обязательно обыщет «олдсмобил» и обнаружит на заднем бампере моего жучка.

Глава 8

Оккупировав телефон, я занялся автомобильными номерами.

«Олдсмобил» ИВИ-114 принадлежал Герберту Даулингу.

Небольшой сюрприз для меня.

«Шевроле» РТД-671 принадлежит Айрин Аддис, проживающей по адресу: квартира 643, Дин-Драйв, 3064. В нашем деле с фактами спорить нельзя. Я и не пытался.

Набор цифр на Дин-Драйв означал респектабельный многоквартирный дом. Дверь была незаперта. Дежурный в вестибюле не обнаружился. Я добрался до квартиры 643 и нажал на перламутровую кнопку, от чего внутри раздался громкий трезвон.

После повторной трели дверь распахнулась. Молодая дама с ледяным выражением лица — та самая, из встречного автомобиля — сказала:

— Добрый вечер... По-видимому, вы ошиблись дверью.

Я покачал головой:

— Нет, я попал, куда шел. Мне надо поговорить с вами.

Ледяная маска на лице — конечно, тоже факт, и все же она была хорошенькая: безукоризненно правильные черты, внимательные синие глаза, каштановые волосы, изящные линии на более низких уровнях могли быть и повыразительнее, но и так она не казалась плоской и не смахивала на спортивный шест. Стопроцентная женщина.

— Мне очень жаль, но я вас не знаю, — сказала она.

— Вы чуть не перевернули мою машину у мотеля «Плавай и загорай». Вы оттуда выбирались, и весьма поспешно, а я ехал навстречу.

— Никогда в жизни не ездила в этот мотель! — выкрикнула она.

— Вы считаете необходимым обсуждать сей вопрос на пороге? Может, лучше внутри?

— Ни внутри, ни снаружи... О, вы, наверное, водитель, с которым...

Она оборвала себя на полуслове, с горечью осознав, что слово не воробей. Ее замешательство рассмешило меня.

— Входите, — пригласила она, распахнув дверь.

Я вошел в квартиру.

— У нас не так много времени. Расскажите о ваших отношениях с Даулингом, — потребовал я.

— Как вы смеете?!

— Поберегите дыхание, — перебил я ее. — У вас нет времени разыгрывать спектакль.

— Кто... вы такой?

— Возможно, я смогу вам помочь. Но мне нужны факты, и побыстрее.

— На каком основании я должна вам их давать?

— Почему бы и нет? Полиция будет здесь с минуты на минуту. Так что вам не помешает небольшая репетиция. Под моим руководством.

— А кто вы такой?!

— Можете звать меня Дональдом. Я детектив.

— Значит... вы сотрудничаете с полицией?

— Нет, я частный сыщик.

— Мне нечего вам сказать.

— Что ж, полиция пойдет мне на любые уступки ради информации, которую я могу предоставить.

Я направился к телефону.

Она внимательно наблюдала за мной и вдруг воскликнула:

— Не надо, Дональд. Пожалуйста, не надо. Я расскажу... Я не вынесу полицейского допроса и газетной шумихи... Я скорее покончу с собой.

— Я дам вам соломинку, за которую стоит ухватиться. Только, Айрин, при условии полной откровенности. Не пытайтесь утаить хоть какую-нибудь мелочь, это обернется самой большой ошибкой в вашей жизни.

— Я и сама хочу с кем-нибудь поделиться...

— Прежде всего о Даулинге, — напомнил я.

— Так его звали Даулинг? Я не знала.

— Перестаньте лгать!

— Я не лгу... Ведь я не представляла...

Я взял телефонную трубку, набрал цифру 9. Оттуда, где стояла женщина, могло показаться, что я вызываю коммутатор. Я произнес в трубку:

— Дежурная? Будьте любезны, соедините с полицейским управлением. Говорит Дональд Лэм, детектив. У меня сообщение об убийстве и свидетельнице, которая...

В панике она вихрем налетела на меня, вырвала из рук трубку, нажала на рычаг.

— Нет, — вопила она, — нет, нет, вы не смеете... — И разрыдалась.

— Господи, я же предупреждал, что от театральных упражнений не будет никакой пользы, пустая трата драгоценного времени.

— Что вы хотите из меня вытянуть?

— Сколько времени вы провели в мотеле, что вам известно о смерти Даулинга, давно ли вы с ним связаны?..

— Никак я с ним не связана...

— Понятно, понятно. Опять увертки. Вы как страус. Думаете, стоит закрыть глаза, и всей истории как не бывало. Речь идет об убийстве. От него нельзя отмахнуться просто потому, что вам так захотелось. Я готов отрепетировать с вами ответы для полиции. Поспешите воспользоваться столь редкой возможностью!

— Я готова ответить на ваши вопросы.

— В таком случае потрудитесь говорить правду. Иначе к полуночи наверняка окажетесь в тюремной камере и вкусите весь набор сенсационной славы: газетные репортеры будут дотошно фиксировать каждое ваше слово, фотографы будут умолять вас выглядеть чуть посексуальней. Дело назревает громкое. Представьте себе заголовки: МИЛЛИОНЕР УБИТ В ЛЮБОВНОМ ГНЕЗДЫШКЕ ОТВЕРГНУТОЙ ЛЮБОВНИЦЕЙ.

— Я не была его любовницей, и он меня не отвергал...

— Как же, как же... Вы приехали к нему, чтобы обсудить перспективы принадлежащих вам угольных копей.

— Повторяю, я не была его любовницей. Я приехала к нему... ну с деловым предложением.

— Разумеется, — поддержал я в том же духе. — Вам принадлежат два пакета акций компании Даулинга, и он хотел заручиться вашей поддержкой на перевыборах. Вы знали, что на ближайшем собрании акционеров произойдет схватка за право контролировать всю деятельность компании. В этой связи он предложил вам приехать в мотель под именем миссис Оскар Л. Палмер. Таким образом, вы могли провести ночь в деловых беседах, не опасаясь, что вам помешают.

— Негодяй! Подлый, коварный тип...

— Продолжайте, — попросил я, пока она переводила дыхание, — и помните, мы репетируем беседу с полицией. Такого рода ответы открывают перед вами одну-единственную дорогу — в тюремную камеру. Впрочем, если тяга к сцене у вас столь сильна...

— Откуда вы знаете, что у нас была назначена встреча в мотеле?

— Потому что вы сообщали Даулингу конфиденциальную информацию карсоновской фирмы. Он наживался на ней и...

— Абсурд!

— Почему абсурд? Когда начнут проверять бумаги Даулинга, установят, как именно развивались события. В его кабинете обязательно найдут сведения о расходах Карсона, текущих и будущих, без труда выяснят, что это в высшей степени секретная информация. Такую информацию мог поставлять только сотрудник Карсона, человек, посвященный во все внутренние дела фирмы... Затем полиция установит, что вы играли роль миссис Палмер, причем Даулинг зарегистрировался в мотеле под именем Оскара Л. Палмера... Тогда они заинтересуются вашим прошлым, узнают, когда вы впервые встретились с Гербертом Даулингом и...

— Нет! — воскликнула она. — Нет, нет и нет!

— Я причинил вам боль?

— О! Неужели они пойдут на это?!

— На что?

— Ну, начнут копаться в моем прошлом, выяснять, как я познакомилась с Даулингом?

— Бесспорно, — подтвердил я.

— Понимаете, мистер Лэм...

— Лучше зовите меня Дональдом. В ближайшие полчаса, прежде чем сюда заявится полиция, нам предстоит весьма тесное общение, если, конечно, нам подарят столько времени.

— Дональд так Дональд... Так вот, я не была любовницей Даулинга. То есть была, но очень давно. На этот раз я не ехала к нему как жена или любовница.

Я демонстративно зевнул.

— Мистер Даулинг, — продолжила она с достоинством, — отец моего ребенка.

Я оборвал свой затяжной зевок прямо посередине и переспросил:

— Что-о-о?

— Именно так. У меня трехлетний мальчик, которого я доверила хорошим людям.

— И Даулинг его отец?

— Да.

— Он признавал этот факт?

— Не знаю, какой смысл вы вкладываете в слово «признавал». Он никогда не отрицал этого факта, даже не пытался. По меньшей мере, при мне.

— Кто оплачивает расходы на ребенка?

— Даулинг. Он следит, чтобы деньги на мой счет поступали первого числа каждого месяца.

— Это очень важно! — сказал я. — Как деньги переводились на ваш счет?

— В виде вкладов.

— Ежу понятно. А вот кто подписывал чеки?

— На чеках стояли разные подписи. Но они были подтверждены как положено, и все такое. Поскольку лица, вносившие суммы, не претендовали на получение денег с моего счета, банк принимал чеки беспрепятственно. Возможно, там испытывали по сему поводу любопытство, но никак это не показывали.

— И вы брали эти деньги на содержание мальчика?

— Да.

— От своего имени?

— Конечно, — подтвердила она. — Я сказала сыну, что его отец погиб в автомобильной катастрофе. Мне пришлось сочинить целую историю.

— Боже мой! Вы оставили столько следов, что на вас выйдет первый попавшийся любитель без малейшей квалификации следователя.

— Откуда мне было знать, что элементарные вещи станут следами!

— Ладно, перейдем к сути.

— Кое-что придется объяснить.

— Не стоит тратить время, — потребовал я, — давайте только факты. Объяснения подождут.

— Без объяснений картина получится очень уж мрачная.

— Ваш ребенок родился вне брака, и вы не хотите, чтоб вокруг этого обстоятельства велись досужие пересуды. Верно?

— Совершенно верно, — вспыхнула она. — Многим ли на этой земле удается праведная жизнь? Многие ли подчиняются правилам, придуманным моралистами? Эти правила перестают работать при первом же соприкосновении с действительностью.

— Ближе к делу, — остановил я ее.

— Я работала у мистера Даулинга. Его тянуло ко мне. А меня к нему. Я очень ему сочувствовала.

— По какому поводу?

— У его жены было больное сердце. Ей противопоказаны эмоциональные переживания, даже самые легкие. Называть ее женой — сильное преувеличение. И женщиной тоже. Просто пациентка. Калека. Даулингу приходилось возиться с ней, как с ребенком. Ей нельзя было возражать, ее нельзя было волновать, нельзя было жить нормальной человеческой жизнью, как живут муж с женой.

— И этот пробел он восполнил с вашей помощью?

— Не надо так, Дональд. На самом деле это было прекрасно... Пока не кончилось.

— Почему кончилось?

— Из-за моей беременности.

— Какую она сыграла роль?

— Он испугался, что жена узнает о нашей связи, и это ее убьет. Ее жизнь висела на волоске, и он проявлял столько заботливости, столько преданности, столько благородства. Он готов был пожертвовать всем, чтобы спасти ее.

— И пожертвовал вами.

— Если вам угодно, можете выбрать такую формулировку. Но я не допустила бы ничего другого. Он не мог развестись. Это прикончило бы ее. Он это понимал, и я тоже.

— Что же произошло?

— Я ушла.

— Он предоставил вам необходимые средства?

— Предоставил, и я исчезла примерно на год. Когда я вернулась... Что ж, я была далеко, а он, такой несчастный и одинокий...

— И ваше место заняла другая?

— У него появились новые интересы.

— Его жена умерла?

— Умерла за две недели до моего возвращения.

— Что дальше?

— Я не стала умолять, не стала ныть, не пыталась прибрать его к рукам угрозами. Подыскала новую работу и видела его совсем редко, только когда что-нибудь осложняло жизнь Герберта.

— Вы назвали сына Гербертом?

— Так пожелал отец.

— Как насчет сходства?

— Мальчик — точная копия своего отца, и с каждым днем все больше.

— Даулинг видел его когда-нибудь?

— В том-то и дело. Сын считает мистера Даулинга своим дядей. Тот приезжал пару раз, а сходство настолько поразительное... Согласитесь, мистер Даулинг всегда на виду, и если бы разгорелся скандал... Это могло бы погубить ребенка.

— Полагаю, Даулинг обещал жениться на вас, если жена умрет?

— В то время он так и собирался поступить.
— А потом передумал?
— Передумал.
— И в последнее время о женитьбе даже не заикался?
— Совсем наоборот, — возразила она. — Несколько раз предлагал выйти за него замуж, но я отказывалась.
— Почему же?
— Считала, что им руководит чувство долга, а не любовь.
— У вас есть сын. В таких случаях больше заботятся о ребенке.
— Знаю. Дальше так не могло продолжаться... В частности, об этом я и хотела с ним поговорить.
— И согласились на эту встречу?
— Да.
— Он собирался возобновить роман?
— Разумеется, нет. Между нами теперь нет ничего такого.
— Но он зарегистрировался в мотеле якобы с супругой.
— Понятное дело. Разве можно заявиться в мотель такого класса для встречи с женщиной и не соблюсти хотя бы видимость приличий. Тем более теперь, когда недовольные акционеры намерены отобрать у мистера Даулинга контроль над корпорацией.
— Тогда почему вы не встретились где-нибудь в городе и не приехали в мотель вместе?
— Он так и хотел, но мне пришлось задержаться. Я позвонила в ресторан, где он ждал, и сказала, пусть едет в мотель, а я приеду позже.
— Вы приехали, и что же?
— Он был мертв.
— Вы уверены?
— Уверена. О, Дональд, это было ужасно!
— Говорите же!

— Благодарю свою счастливую звезду, что не зашла в контору, как собиралась: я, мол, миссис Палмер, не зарегистрировался ли здесь мой муж, мы решили здесь встретиться...

— Так, к администратору вы не обратились.

— Нет. Увидела машину мистера Даулинга возле номера 12, поставила свою рядом и открыла дверь.

— Без стука?

— Разумеется. Ведь я приехала в качестве жены. Значит, должна была распахнуть дверь и войти как хозяйка.

— Дверь была не заперта?

— Нет, как мы и договаривались.

— Итак, вы вошли в номер. Что дальше?

— Он лежал на полу. Его застрелили.

— Откуда вы знаете?

— Там была... О, Дональд, я больше не могу... — Она разрыдалась.

— Поберегите слезы, сестрица, — сказал я. — Уж такие-то вещи я должен выяснить.

— Там была... там была лужа крови и... и пулевое отверстие в заднем окне. Я подбежала, нагнулась над ним, коснулась руки и тотчас поняла: он мертв. Да и лицо у него было как у покойника — ошибиться невозможно.

— Свет в номере горел?

— Да.

— Ничего больше не заметили? Что-нибудь, что указывало бы на предыдущих визитеров?

— Ничего не заметила. Я испытала страшный шок, острейшее чувство потери... Как только я дотронулась до него, меня охватила паника. Я подумала о ребенке. Разве я имею право втягивать его в скандальную историю?! Я хочу, чтобы он рос хорошим, послушным мальчиком, чтобы у него были друзья и его принимали в приличных домах. Одно дело, когда парень потерял отца из-за автомобильной катастрофы... А если вдруг обнаружится, что он внебрачное дитя, что отца его убили... О, эта отметина останется на всю жизнь. Друзья отвернутся. Он станет жертвой одиночества, насмешек, презрения. О, дети умеют быть жестокими.

— Вернемся пока к мотелю. Как вы поступили дальше?

— Я не могла оставить его как есть. Я опустила штору. Чтобы все, кому не лень, не пялили на него глаза.

Я задумчиво разглядывал ее.

— И чтобы никто не увидел, как вы обыскиваете труп.

— Я не обыскивала труп.

— И можете это доказать?

— Нет... Разве что дать честное слово.

— Что дальше?

— Я... я убежала в диком смятении. Развернула автомобиль и помчалась к воротам.

— Вас кто-нибудь видел?

— Когда я покидала мотель, навстречу выехала какая-то машина. На мгновение свет ее фар ослепил меня. Наверное, это были вы.

— Да, — подтвердил я.

— А вас чем привлек мотель?

— Я следил за Даулингом.

— О, — произнесла она слабеющим голосом, — значит, вас кто-то нанял следить за Даулингом?

— Не совсем так. Меня подрядили проделать кое-какие операции, и я счел необходимым установить слежку за Даулингом.

— И как долго вы за ним следили?

— Один вечер — нынешний.

— Тогда вам должно быть понятно, что он чрезвычайно... Ну, что он несчастен. Он зависит от женщины, которая буквально держит его на крючке. Он связался с ней, пока не было меня, и сейчас... сейчас он на крючке.

— Откуда у нее такая власть над ним?

301

— О, она демон. Соблазнительный, беспощадный, злобный. У нее сохранились копии гостиничных квитанций и его письма, магнитофонные записи — сделанные тайком, разумеется... Несколько раз он брал ее в Мексику, иногда они пересекали границу нелегально.

— Шантаж, — заключил я.

— Утонченнейшая его разновидность. Видите ли, он находится... находился в таком положении, что просто не мог поставить под удар свою репутацию в глазах компании. Известно ли вам, что его втянули в борьбу за контроль над компанией? Конкуренты все время пытаются подорвать доверие к нему акционеров и перехватить власть.

— А в чем заключаются интересы конкурентов и кто они, эти конкуренты?

— Он очень старательно избегал разговоров на эту тему, но мне кажется...

— Ну-ка, ну-ка! — подстегнул я ее.

— Я иногда спрашиваю себя, не Карсон ли это?

— Карсон способен на такое?

— Бизнес есть бизнес, — сказала она.

— Но вы не уверены, что это Карсон?

— Нет.

— Видимо, вы не раз встречались с Даулингом и обсуждали некоторые его личные проблемы в подробностях.

— Он любил откровенничать со мной. Не сомневаюсь, необходимость расстаться со мной была трагедией его жизни. Он сказал однажды, что после моего отъезда неделями не мог смотреть на женщин, ну а потом... Он же настоящий мужчина... и, конечно, неизбежное случилось. Эта женщина оказалась весьма сообразительной. Он был так одинок. Она мигом оценила ситуацию и запустила в него свои когти... О таком человеке трудно рассказывать. Он постоянно испытывал эмоциональное беспокойство. Мы всегда были очень близки друг другу, и многие его беды происходили из-за того, что он попытался найти этой близости замену.

— Что ж, — подытожил я, — он обрел эмоциональный покой. Эта женщина не дала ему уйти от ее когтей.

Она кивнула.

— Кто она?

— Уместны ли здесь имена? Я не вправе злоупотреблять его доверием.

— Не будьте ребенком, — возразил я, — человека ведь нет в живых.

Моя сентенция буквально сразила ее наповал. Рассказывая о Даулинге, она так была поглощена излагаемыми фактами и их отношениями, что, казалось, забыла о самом непреложном факте: его больше нет в живых.

У нее перехватило дыхание, на глазах выступили слезы.

— Успокойтесь, — попросил я, — для слез нет времени... Кто эта женщина, которая запустила в Даулинга когти?

— Ее зовут Бернис Клинтон.

Я с минуту дегустировал информацию.

— Не знаете, где она живет?

— Нет. Он никогда об этом не говорил, но я знаю, он ее содержал. Он снимал для нее квартиру. А запросы и вкусы у нее отчаянные.

— Потом он перестал оплачивать квартиру?

— Продолжает и поныне, хотя страстно мечтает освободиться.

— Почему?

— А почему всякий мужчина сперва лезет в ярмо, а потом во сне видит, как бы ярмо сбросить? Даулинг видел в ней мое отражение, и она это заблуждение всячески поддерживала, совсем вскружила ему голову. Правда, потом...

— Почему он не женился на ней в пылу увлечения, когда овдовел?

— Потому что начал узнавать ее истинный характер.

— И захотел возобновить прежние отношения с вами?

— Он тянулся ко мне, — согласилась она. — Но я не могла вернуться на его условиях. Я уважала его как отца моего ребенка, а узнав, что он спутался с этой женщиной... Не знаю, как объяснить, Дональд, что-то во мне умерло. Я видела в нем только друга. Я сочувствовала ему, понимала, пожалуй, больше, чем любая другая женщина в его жизни. Он мне нравился. Но вновь запылать страстью... Нет, на такие чувства меня теперь не хватит. Ведь один раз я уже прошла этот круг до конца... Если бы он захотел жениться на мне, как только я вернулась, я пошла бы под венец в ту же минуту. Увы, он опять был несвободен. История начиналась сначала. Я не хотела опять свиданий украдкой, постоянной лжи, тайной связи, а потом... быть может, новой беременности... Трудно объяснить, как я воспринимала его теперь, не менее трудно — как воспринимал меня он.

— Был он агрессивен, пытался вновь завязать близкие отношения?

— А как же, конечно.

— Не вполне понимаю ваше «конечно».

— Он очень чувственный мужчина, и какой! Я ему нравилась, у нас интимные воспоминания, и было бы противоестественно, если бы он повел себя иначе.

— Но вы не уступили.

— Нет. Дружба, сочувствие, понимание — пожалуйста, но... тайными утехами я сыта по горло. Я не могла идти на такой риск — произвести на свет еще одного ребенка с отметкой безотцовщины.

— Иными словами, вы предложили ему освободиться от Бернис и повести вас к алтарю?

— В общих чертах что-то в этом роде.

— Лучшего кандидата на лавры убийцы не придумаешь...

— Полагаете, они предъявят...

— Предъявят. Вне всяких сомнений.

Я помолчал, взвешивая сложившиеся обстоятельства и приглядываясь к ней.

Какое-то время она под моим взглядом сохраняла внешнюю бесстрастность. Потом вдруг сказала:

— Хватит, Дональд. Случалось, мужчины меня мысленно раздевали. И вот новости: вы меня мысленно препарируете. Хватит.

— Люблю изучать, какие колесики вертят стрелки на циферблате. Я пытаюсь сложить головоломку: ваш сын — это ваш сын?

— Никакой головоломки тут нет. Он мой сын. Теперь я живу для него.

— Точно так я себе и представляю ситуацию. Иначе у вас завязался бы другой роман, как только закончился с Даулингом. Вы стали матерью, поглощены своим материнством.

— Собственно, почему мы должны это обсуждать в данный момент?

— Потому что сейчас я дам вам совет, и вы ему последуете.

— Какой же?

— Вы угодили в тупик. Пойти в полицию и рассказать все как есть — значит увязнуть в этой истории по уши и заполнить своей особой первые полосы всех газет, поставить сына под прожектора всеобщего любопытства.

В глазах ее отразился панический страх.

— Нет, Дональд, нет, — взмолилась она.

— Но если вы не обратитесь в полицию, — продолжал я, — сыграете им на руку. Они дознаются, кто должен был поселиться в мотеле «Плавай и загорай» под именем миссис Оскар Л. Палмер.

Она кивнула.

— Если вы скроетесь, это расценят как бегство, а бегство — почти доказательство вины.

— Дональд, зачем вы сводите меня с ума?!

— Хочу убедить вас в полезности моих советов.

— Ну так, может, дадите такой, который сработает? Да, вы тщательно проанализировали ситуацию и доказали, что я в тупике. И мне лучше пребывать в параличе, пока луч полицейского фонарика не выхватит меня из тьмы на публичное обозрение. Тогда... тогда судьба моего сына непоправимо испорчена.

— Не обманывайте себя, Айрин, — сказал я. — Рано или поздно имя вашего сына всплывет. Существенно, однако, всплывет ли оно как имя незаконнорожденного сына подозреваемой в убийстве особы... Рекомендую вам следующую линию поведения. Да, вы были в мотеле. Да, вы должны были встретиться с Даулингом. Вас волновали проблемы, связанные с благополучием вашего сына. Даулинг оказался мертв, предположительно убит. Вы бросились искать телефонную будку, чтоб вызвать полицию. Но полиция появилась раньше, чем вы успели позвонить. И вы подумали, что им уже известно об убийстве.

— Откуда мне могло быть известно, что им известно?

— Полицейская машина проехала к мотелю мимо вас.

— Но я не видела...

— Полицейская машина проехала к мотелю мимо вас, — повторил я твердо.

Некоторое время она колебалась. Потом сдалась:

— Да, Дональд.

— В сложившихся обстоятельствах ваш сын подвергается опасности. Где он?

— Я никогда и никому не называла этот адрес.

— Прекрасно, — похвалил я. — Стойте покрепче на своих рубежах, и завтра любой желающий сможет узнать адрес вашего сына, если не поскупится заплатить за утреннюю газету.

— Он в «Доме Осгуда». Вернее, сейчас владелица дома миссис Осгуд. Она наследовала его после смерти мужа.

— Где это?

— В горах. Одиннадцать миль от Баннинга.

— Где поблизости может поселиться приезжий?

— В каком-нибудь мотеле в Баннинге. Ближе ничего нет.

— Под каким именем записан там ваш сын?

— Герберт Аддис.

— Он живет под вашим именем?!

— Да.

— Ага, вы обезумели от страха за жизнь сына! Отправляйтесь в Баннинг прямо сейчас. Убит его отец. Вам кажется, что злоумышленник метит теперь в сына.

— Зачем? — поразилась она.

— Черт побери! Не спорьте со мной! Вы ведь не знаете, по какой причине убит Даулинг. Не исключена возможность, что убийца в приступе ревности охотится теперь и за вашим сыном. Как раз в этот самый час преступник может спешить в Баннинг...

— Дональд, прекратите! Слышите? Немедленно прекратите!..

— Делайте, что я говорю! Вы взвинчены. Вы на грани истерики. Вы тревожитесь за своего сына. Естественно, вы едете к нему. Немедленно садитесь в машину и отправляйтесь. Зарегистрируйтесь в мотеле под собственным именем. Укажите номер машины, уж позаботьтесь об этом. Словом, вы хотите быть как можно ближе к своему ребенку. Полиция, узнав о вас все подробности, лихо вас найдет. Впрочем, вряд ли в ближайшие двадцать четыре часа, разве кто-нибудь им донесет. Да и тогда они не сразу кинутся в погоню... И это совсем не побег. Это естественное стремление матери — быть рядом с сыном, защитить от опасности... Если придется давать объяснения в суде, что ж, в жюри есть женщины. Даже если полиция будет утверждать, что вы ударились в бега, женщины украдкой утрут слезу и поймут вас.

Подумав, Айрин Аддис сказала:

— Я вас слушала и вдруг поняла: надо ехать. Не важно, по какой причине... Возможно, вы правы и ему угрожает опасность...

Я последовал к двери и, взявшись за ручку, произнес:

— Не забудьте, именно я предупредил вас, что мальчику угрожает опасность.

Она быстрыми шагами пересекла комнату, положила свою руку на мою, уже готовую распахнуть дверь, придвинулась ко мне:

— Зачем вы это сказали, Дональд?

— Чтоб не забыли: именно я вас предупредил.

— Зачем мне помнить об этом?

— В случае необходимости у вас будет объяснение, почему вы поспешили к сыну.

Она долго вникала в смысл моих слов и вдруг оказалась совсем близко, глядя мне прямо в глаза:

— Я не могу выразить свои чувства, Дональд, в нашем языке таких слов нет.

Затем она отступила назад, а я распахнул дверь и вышел.

Глава 9

Ночным самолетом я вылетел в Сан-Франциско. В отеле оформился под своим именем, попросил разбудить меня в семь тридцать и лег спать. Утром я побрился, позавтракал и к девяти часам был в местном отделении Компании электронного сыскного оборудования.

Контора только что открылась. Я приобрел электронный комплект для слежки: одна часть — для машины преследователя, вторая, маленькое радиопередающее устройство, — для преследуемой машины.

Я взял такси и отправился в оклендский аэропорт. Когда мы проезжали Бей Бридж, выбросил через окошко приемное устройство в залив, а себе оставил передатчик — приставку для бампера.

В оклендском аэропорту я ее малость обшарпал, испачкал, упрятал в свой кейс. И вылетел в Лос-Анджелес.

Там я направился на стоянку, получил нашу с Бертой служебную машину, уложил свое сан-францисское приобретение рядом с принимающим устройством, оставшимся у меня после погони за Даулингом, и отправился в агентство.

Ровно в час Элси отложила ножницы в одну сторону, газеты в другую и подняла голову. В дверях стоял я.

— Дональд! — воскликнула она.

— Собственной персоной, — подтвердил я.

— Дональд, ты ничего не сообщал! Мы не знали, где ты... Неужели ты...

— Я работал по делу.

— Берта искала тебя целое утро. Она на грани нервного срыва, чуть не орет. У нее в кабинете ваш клиент.

— Карсон?

Элси кивнула и добавила:

— Она просила доложить, как только ты появишься.

— Ол-райт, я появился. Свяжи меня с ней... Или нет, я сам доложу о своем прибытии.

— Лучше все-таки позвонить ей и предупредить, что ты здесь.

— Что ж, действуй.

Элси подняла трубку, соединилась с Бертой и, выждав несколько мгновений, сказала:

— Мистер Лэм сию секунду вошел. Я предупредила, что его ждут.

Она отвела руку с трубкой на пару футов в сторону, чтобы уберечь свои барабанные перепонки от Бертиных громов и молний, затем добавила:

— Он уже идет, миссис Кул, — и повесила трубку.

— Не огорчайся, малышка, — сказал я, погладив ее по плечу, и направился в кабинет Берты.

Берта Кул сидела за столом в скрипучем вертящемся кресле. Губы негодующе поджаты, взгляд тверже алмаза.

Монтроуз Л. Карсон сидел в кресле для клиентов, и лишь знаменательный факт его присутствия удерживал Берту от взрыва.

— Где ты, черт побери... — начала она, но сдержалась и после глубокого вдоха продолжила уже спокойнее: — Я искала тебя все утро, Дональд.

— Работал по делу, — объявил я небрежно. — Как поживаете, мистер Карсон?

Карсон поклонился в ответ. Берта, видимо изумленная моими независимыми манерами, спросила:

— Боже мой, неужели ты не слышал, Дональд?

— О чем?

— О Даулинге.

— А что с ним?

— Его убили!

— Как?!

— Именно так! И вот еще что, тебя ищет сержант Фрэнк Селлерс. Он трижды звонил. Требует, чтоб его известили, едва ты появишься, в ту же минуту.

— Что ж, — откликнулся я. — В нашем распоряжении есть примерно десять секунд.

Берта зловеще зыркнула на меня, схватилась за телефон и сказала телефонистке:

— Соедините меня с сержантом Селлерсом.

Берта еще не успела положить трубку, как сержант Селлерс собственной персоной возник на пороге.

— Кажется, я просил вас...

Берта, отодвигая телефон, громыхнула:

— Я и звоню вам, черт побери! Как раз в этот момент!

— Как раз такие вещи, — сообщил Селлерс, — я называю совпадениями — поразительными совпадениями.

— Зажарьте меня как устрицу! — заявила Берта. — Я не вру, зарубите себе на носу. Сходите и узнайте на коммутаторе, по какому номеру я звонила. Я вам не вру, Фрэнк Селлерс. Мне это ни к чему.

Селлерс сдвинул форменную фуражку на затылок, перекинул наполовину изжеванную сигару из одного угла рта в другой.

— Мне надо с вами поговорить, — потребовал он.

— У нас клиент, — отрезала Берта.

— Ваш клиент может подождать в приемной, — настаивал Селлерс. — Полиция ждать не может.

— Я налогоплательщик, — встрял Карсон.

Селлерс задумчиво взглянул на него:

— Назовите свое имя.

— Монтроуз Ливайнинг Карсон, — представился Карсон воинственным тоном. — Вручить вам визитную карточку?

Селлерс подошел к нему, протянул свою громадную лапу, взял карточку, посмотрел на нее и сунул в карман.

— Глубоко убежден, — сказал я, — что мистера Карсона не затруднит просьба переместиться в приемную, пока...

— Бред! — оборвала меня Берта. — Он клиент! Фрэнк Селлерс, если у вас есть что сказать, говорите прямо и убирайтесь.

Селлерс снова переместил сигару, задумчиво посмотрел на меня, потом снова на Берту:

— Хорошо, скажу прямо. Прошлой ночью погиб Герберт Джейсон Даулинг. Его убили. Пристрелили из пистолета двадцать второго калибра. Это вам говорит о чем-нибудь, господа?

Карсон открыл было рот, но я опередил:

— Мы читаем газеты, Селлерс.

— Об этом еще нет в газетах, по крайней мере, пока.

Я продолжал с непоколебимой уверенностью:

— Зато есть радио.

— Ты имел в виду не то.

— Как раз то.

— Ладно, — согласился Селлерс, — послушайте, что я скажу. За Даулингом следил один частный сы-

311

щик. Именно в ночь убийства. Нам бы хотелось поговорить с этим сыщиком.

Я перевел взгляд на Берту:

— Даулинг... Даулинг... — повторял я, как бы пытаясь припомнить, кто это.

Карсон опять открыл рот, и опять я помешал ему:

— Откуда вы знаете, сержант, что за Даулингом следил частный сыщик?

— Ладно, и это скажу. Кто-то установил на его автомобиле приставку от электронного устройства для слежки. Компания, продающая их в нашем городе, дала мне справку о покупателях за последнее время. В городе продано с дюжину комплектов. Один попал к вам. Мои люди проверяют других покупателей. А у тебя, коротышка, я лично возьму интервью.

— За что такая честь?

— Я всерьез подозреваю тебя. Ты всегда ловчишь, честно не играешь... Но сейчас мы не будем спорить. Я хочу знать, где находится ваша электроника, причем обе половинки. Понятно, коротышка? Обе половинки!

— В машине, — ответил я, не раздумывая.

— А где машина?

— Внизу, на стоянке.

— Ладно, — сказал Селлерс. — Мы пройдем на стоянку и проверим. У полиции много дел, у вас тоже. Давайте спустимся к машине вместе. Вы мне покажете обе половинки той штуки, которую вы приобрели четыре месяца назад. Окажутся на месте — я займусь своими делами, а вы своими.

— Надеюсь, вы извините меня, — обратился я к Берте.

Берта попыталась что-то сказать, но я не дал:

— Больше вам ничего не нужно, сержант? Просто посмотреть на устройство?

— Это все, что мне нужно, — подтвердил Селлерс, а потом добавил, спохватившись: — Пока все.

— Пошли, — предложил я и обернулся к Карсону: — Простите меня, мистер Карсон.

Он откашлялся, словно намеревался выступить с заявлением.

Я повернулся к нему спиной и проскользнул мимо Селлерса к двери.

— Эй, — окликнул Селлерс. — Как ты себя ведешь?!

— Как я себя веду?

— Ты должен быть вежливым и пропустить меня вперед. Не воображай, будто тебе удастся пробраться туда и схимичить...

— Как я могу схимичить?

— Кабы я знал! — посетовал Селлерс. — За тобой глаз да глаз нужен. — И он прошествовал из кабинета прочь, лягнув на прощанье дверь.

Мы спустились вниз на лифте, прошли на стоянку. Я открыл дверцу автомобиля и сообщил:

— Мы держим эту штуку в специальном отсеке под сиденьем. — Я вытащил оттуда ветошь, развернул сверток и продемонстрировал обе части устройства.

— Ладно, коротышка, — крякнул Селлерс. — Клади свои тряпки обратно. Я должен был проверить. Вот и все.

— Кто такой Даулинг? — спросил я.

— Один толстосум. У него в мотеле было назначено свидание с дамочкой, — поделился Селлерс. — А к его машине присосался жучок. Хотел бы я выяснить, кто подсадил на бампер это насекомое.

— Сумеете?

— Еще бы не суметь! — сказал Селлерс. — В городе их продали не так уж много. За несколько часов мы проверим каждый экземпляр и найдем владельца неполного комплекта.

— Значит, вы не намерены взять у меня показания о Даулинге?

Он рассмеялся и извлек изо рта мокрую сигару.

— Нет, коротышка, я не буду тебя допрашивать на сей раз. Ты любишь прикидываться дурачком, задавать вопросы. Но на вопросы дают ответы. Получая ответы, ты разживаешься информацией. Получив информацию, ты сумеешь зачислить ее в свой актив. Ты извлекаешь выгоду из любого факта, угодившего тебе в руки. Если бы я тебе рассказал все, что знаю, это чертовски много. Так что возвращайся-ка в свою контору, будь пай-мальчиком и не суй свой нос куда не следует. А не то папа тебя отшлепает, а шлепки причиняют нешуточную боль.

Селлерс развернулся и зашагал прочь, а я поднялся в контору.

Карсон произнес, укоризненно глядя на меня:

— Я дважды пытался объяснить офицеру, почему вы интересовались Даулингом.

Я воззрился на Карсона в полном недоумении:

— На чем основаны ваши умозаключения?

— Но разве вы Даулингом не интересовались?

— Послушайте, Карсон, не будем валить в одну кучу совершенно разные вещи. Вы подрядили нас найти канал, по которому из вашей конторы уходит информация. Вы считаете, что получает информацию Даулинг. Но нам слежку за ним не поручали. Или мы ошиблись?

— Ну... — заколебался он.

— Если бы перед нами стояла задача вести расследование против Даулинга, финансовая сторона нашего контракта выглядела бы совсем иначе.

— По-моему, полицию мы все-таки должны были поставить в известность, — пробормотал Карсон.

— Черт побери, Дональд, — вмешалась Берта, — ты обязан был предоставить Фрэнку Селлерсу все факты.

— Какие именно все? — спросил я простодушно.

— Сам знаешь!

— Разумеется, знаю. А поэтому позвольте теперь сказать кое-что вам. Вы оба жаждете предоставить информацию Селлерсу. А ведь на эту информацию у Селлерса нет никаких прав. Он не может требовать, чтоб ему раскрыли имя клиента, если нет доказательств, что эта личность имеет отношение к расследуемому делу... Возьмем ваш случай, Карсон. Вы глава корпорации, и у вас есть определенные обязательства перед акционерами. Как только вы сообщили бы Селлерсу, что наняли нас следить за Даулингом, он тотчас же дал бы вашему заявлению абсолютно ложное толкование. Более того, он довел бы свои гипотезы до сведения прессы. А как вам понравилось бы, если бы ваши акционеры прочли в газетах, что вы подрядили частное детективное агентство вести слежку за конкурентом и что конкурент вскоре был убит?

— О господи! — воскликнул Карсон, и самодовольство на его лице в одно мгновение сменилось страхом.

— Теперь вам ясно, — заключил я, — какие последствия могла бы иметь излишняя болтливость в присутствии Селлерса?

— Я не имею привычки болтать! — в негодовании проговорила Берта.

Карсон некоторое время пребывал в задумчивости, потом поднялся со своего кресла, пересек комнату, заключил мою руку в свою костлявую лапищу и потряс ее, как будто покачал рычаг — вверх-вниз.

— Лэм, я вечный ваш должник, — заявил он.

— Теперь, — сказал я, — поскольку Даулинга нет в живых, у вас отпала необходимость перекрывать утечку информации. А посему, ежели кому-то придет в голову спросить, нанимали ли вы фирму Кул и Лэма, можете без зазрения совести ответить «нет» и, чуть подумав, добавить, что в прошлом мы выполняли кое-какие поручения, возможно, будем выполнять и в будущем, но в настоящее время никоим образом не представляем ваши интересы.

Берта Кул сердито произнесла:

— Ты чего же добиваешься? Чтоб от наших услуг отказались?

Карсон, повернувшись к ней, успокоил:

— От ваших услуг никто не отказывается, миссис Кул. Если можно так выразиться, ваша работа самоисчерпана. Как раз на данное обстоятельство я и намеревался вам указать, чем, главным образом, и был вызван мой нынешний визит.

— Но теперь появилось нечто другое! — заявила Берта. — Не надейтесь, что от Фрэнка Селлерса вам удастся многое скрыть. Вот, например, он уже знает, что пропала часть электронного устройства.

— Разве она пропала? — спросил я.

— Черт побери! — заорала Берта. — Спустись с небес на землю. Прекрати свое баловство. Что он тебе сказал?!

— Велел вернуться в контору и не совать нос в чужие дела. Сказал, что не будет больше расспрашивать меня о Даулинге и не хочет, чтоб я его расспрашивал. Сказал, что каждый раз я выуживаю из него информацию и получаю от него больше, чем даю сам, и пусть я качусь ко всем чертям!

Берта в изумлении разинула рот:

— Ты хочешь сказать, комплект цел?

— Будь иначе, неужели я бы остался здесь, а не сидел в полицейском управлении?

— Изжарьте меня как устрицу! — только и произнесла Берта.

Карсон мысленно прокрутил все происходящее.

— Не сомневаюсь, миссис Кул, что мистер Лэм совершенно прав, — сказал он рассудительно.

— Вы плохо знаете Фрэнка Селлерса, — мрачно возразила Берта.

Карсон, сплетя пальцы обеих рук, уставил на Берту твердый взгляд из-под кустистых бровей:

— А Фрэнк Селлерс не знает меня.

Я потянулся, зевнул и направился к двери, бросив на прощанье:

— Вы уж извините, пожалуйста, у меня есть горящие дела.

— Послушай-ка, — окликнула Берта, — я хочу позвонить Фрэнку Селлерсу и сказать ему по секрету, что... что...

— Валяйте, — согласился я, наблюдая за тем, как выражение холодного гнева неуклонно завладевает лицом Карсона.

— Я ему скажу, — продолжала Берта, — что у нас был клиент, интересовавшийся некоторыми затеями Даулинга.

— Я предложил бы вам не делать ничего подобного, — сказал Карсон.

— Мы не можем работать, если полиция настроена против нас, — взмолилась Берта. — Если мы не будем беречь свою репутацию, того и гляди потеряем лицензию. Фрэнк Селлерс расследует дело об убийстве. Он знает, что некое детективное агентство интересовалось Даулингом...

— Откуда он это знает? — оборвал ее Карсон.

— Жучок на бампере...

— Пусть ищет агентство, у которого осталась вторая половина комплекта, — отрезал Карсон.

— Совершенно справедливо, — кивнул я.

Берта поджала губы:

— Подавитесь вы оба!

— Прошу прощения, миссис Кул, — заявил Карсон. — Я не привык сотрудничать с дамами, прибегающими к таким выражениям.

Но Берта уже озверела:

— Вы явились к нам за информацией. Мы ее вам обеспечили. Так оставьте в покое меня и мои выражения и не учите, как я должна делать свое дело. Я позвоню, обязательно позвоню Фрэнку Селлерсу и обрисую всю картину.

— Тем самым вы разгласите профессиональную тайну, — сказал Карсон.

— Речь идет об убийстве... Селлерс может круто себя повести, — твердила Берта.

Карсон буквально просверлил ее ледяными булавками своих глаз:

— Если вы сообщите полиции хоть что-нибудь, я подам на вас в суд за нарушение профессиональной этики.

Он торжественно поклонился и покинул контору с наигранным величием банковского лидера, покидающего собрание корпорации.

— Сукин сын! — сказала Берта.

— Я?

— Он! — И после минутного раздумья добавила: — Ты тоже. Ты подсказал Карсону, как выкрутиться из затруднительного положения. Не знаю, каким образом ты запудрил мозги Фрэнку Селлерсу, какую электронику ты ему демонстрировал, но готова побиться об заклад, что на заднице Даулинговой машины сидел наш жучок. А теперь убирайся отсюда к чертовой матери.

Покинув ее кабинет, я прошел на свою половину и сообщил Элси Бранд:

— Элси, тебе придется прикрыть меня. Запомни: мне позвонили по важному вопросу; обольстительный голос, голос молодой дамы заявил, что располагает ценной информацией по делу, которое мы расследуем, и что я найду ее там же, где видел прошлым вечером.

— Этот номер не пройдет, — покачала головой Элси.

— Почему?

— Они справятся у дежурной на коммутаторе, был ли звонок...

— Дежурная на коммутаторе не может ничего знать, — сказал я. — Женщина просто попросила соединить ее с моим кабинетом. Ты ответила, она объяснила, по какому поводу звонит, и я взял трубку.

Элси покачала головой:

— Но ведь этот звонок не зафиксирован.

— Будет, будет зафиксирован, — заверил я. — Ты спустишься в холл, позвонишь через коммутатор и спросишь меня. Дежурная запомнит, что меня вызывали, но не запомнит, что тебя не оказалось на месте, особенно если ты прошмыгнешь в боковую дверь.

— Она узнает мой голос.

— А ты его изменишь и говорить будешь очень быстро. Брось заниматься ерундой и берись за дело, мелочи предоставь мне.

Еще с минуту Элси колебалась, потом выскользнула через боковую дверь. Вскоре зазвонил телефон. Я снял трубку и услышал голос Элси:

— Мистер Лэм, у меня есть для вас свежая информация, нам надо поскорей увидеться, желательно там же, где и вчера.

— Насколько свежа информация?

— Самые последние сведения.

— Прекрасно! — похвалил я. — Надеюсь, тебе довелось услышать анекдоты из последних?

— Дональд, перестань. Дежурная на коммутаторе может в любой момент подключиться.

— Тогда мы уволим ее за подслушивание.

— Никаких хороших анекдотов в нашей конторе я не слышала.

— Ладно, мы говорили достаточно долго. Можешь повесить трубку и вернуться в контору. Запомни: если кто-нибудь будет меня искать, я помчался за свежими фактами.

— Ты опять нарываешься на неприятности?

— Да нет же, черт возьми. Наоборот, я выбираюсь из неприятностей. — Повесил трубку, схватил шляпу и опрометью кинулся из конторы.

Глава 10

Я нисколько не сомневался, что в ближайшие несколько часов стану самой горячей точкой в нашем городе. Полиция начнет искать меня — вероятно, по высшему разряду.

Изменив голос, насколько было под силу, я позвонил в контору и спросил мистера Лэма. Дежурная на коммутаторе ответила:

— Соединяю вас с его секретарем.

Через мгновение я услышал голос Элси.

— Привет, Элси, — сказал я своим обычным голосом.

— Дональд! — От волнения она задохнулась. — Берта готова тебя растерзать. Сюда приходил Фрэнк Селлерс, по-моему, назревают большие неприятности.

— А назреют еще бо́льшие... Послушай-ка, Элси, помнишь вырезку о Томе-соглядатае, которую ты вклеила в свой кондуит пару дней назад?

— Я не успеваю за всем уследить, Дональд, — ответила она. — Мне...

— Да не оправдывайся. Возьми свой гроссбух и посмотри, как звали женщину. И, пожалуйста, чтоб никто не знал. Если появится Берта или, не дай бог, Фрэнк Селлерс, мигом клади трубку и делай вид, что расклеиваешь вырезки.

— Ладно, подожди минутку, я сейчас.

Секунд через пятнадцать она снова была у телефона:

— Вот оно, Дональд! Женщину зовут Агнес Дейтон, двадцать шесть лет, живет в доме «Коринфиан-Армс», Санта-Ана, в мотеле зарегистрировалась на одну ночь.

— С нее и начнем, — заключил я.

— Прошу тебя, будь осторожен.

— Теперь поздновато для осторожности. Я вот-вот утону, уже погрузился по самые уши. Единственное, что остается делать, — постараться всплыть.

Я взял напрокат машину, доехал до Санта-Аны и нашел дом «Коринфиан-Армс». В списке жильцов стояло имя Агнес Дейтон, квартира 367.

Я позвонил в дверь, она мгновенно открылась. Хорошо поставленный голос произнес: «Да?» — и вдруг осекся. На меня изумленными глазами смотрела Бернис Клинтон.

— Дональд! Как ты нашел меня?!

— А что? — спросил я. — Разве не здесь тебя надо искать?

— Как сказать... Это не постоянная моя... — Она, смешавшись, замолчала.

— Догадываюсь, — сказал я. — Это укрытие.

— Что... чего ты хочешь?

— В данный момент войти и просто поговорить с тобой.

Она поколебалась, потом открыла дверь пошире:

— Ладно, входи.

На всем лежала печать элитарности. Хорошо обставленная гостиная, вращающаяся дверь в кухню, еще одна дверь, видимо в спальню, изолированный балкон, а между ним и гостиной — витраж.

— Я все размышлял над твоим предложением насчет аренды, — начал я.

Она предложила мне кресло, отвернулась, потом снова повернулась лицом ко мне. Прикусила губу. Глаза выдавали беспокойство на грани паники.

— Дональд, ты, наверное, выследил меня? Хотя готова держать пари: ты не мог этого сделать. Я приняла все необходимые предосторожности.

— А зачем?

— Я... Ладно, говори, чего ты хочешь?

— Да просто поставить тебя в известность, что принимаю твои условия.

— Прошу прощения, Дональд, я виновата перед тобой.

— В чем дело?

— Предложение аннулировано. Мой патрон...

— Но ведь сделки с недвижимостью — твой бизнес?

— Не совсем...

— Чем же ты занимаешься на самом деле?

— Дональд, пожалуйста... Пожалуйста, прекрати эту пытку, скажи, чего ты добиваешься...

Я изобразил на лице полнейшее недоумение:

— Чего добиваюсь? Конечно же обсуждения условий аренды.

Нахмурившись, она проанализировала мое заявление, после чего заговорила:

— Послушай, Дональд, я искренне сожалею, что так получилось, что я завлекла тебя в эту историю...

Один тип совсем заморочил мне голову. Он сулил мне фантастические барыши за аренду твоего участка, а теперь я пришла к выводу, что все это липа. Мне чертовски жаль, что я пудрила тебе мозги. Я... Дональд, я готова на все, чтоб искупить свою ошибку. Я ужасно виновата перед тобой.

Говорила она торопливо, как человек, стремящийся скрыть правду за потоком слов.

— Не бери в голову, Бернис, — утешил я ее. — Кстати, зачем тебе понадобился псевдоним?

— Потому что... О, Дональд, ты совсем сбил меня с толку... Хорошо, я расскажу все начистоту. Меня подослали к тебе, чтобы заполучить участок в аренду. Называть свое настоящее имя и настоящий адрес мне не хотелось. Меня на самом деле зовут Бернис. А человек, который претендовал на твою землю... Ну, не важно, он теперь отстранился...

— Теперь аренды не будет ни за какую цену?

— Мне очень жаль, Дональд, но теперь я не могу ничего предложить, — вздохнула она. — Будь паймальчиком и забудь обо всем. Договорились?

Она подошла ко мне вплотную, задумчиво разглядывая меня, как будто что-то взвешивала.

— Дональд, пожалуйста, будь умницей, забудь об этой истории... А теперь собирайся... Я должна уехать.

Я окинул взглядом ее нарядную пижаму и вопросительно поднял бровь.

— Я сейчас переоденусь... У меня назначено... Я еду в косметический салон.

— Неужели тебе больше совсем не нужен участок?

— Как ты не поймешь, Дональд. Человек, от имени которого я выступала, он вышел из игры. Его не устроит никакая цена. Он получил нечто иное.

— Значит, ты действовала по поручению какого-то мужчины?

— Не от себя же. У меня нет таких денег.

Я обвел рукою апартаменты:

— Трудно поверить, что ты прозябаешь в нужде.

Она хотела что-то ответить, но сдержалась.

— Прошу тебя, Дональд, — она подала мне руку, заставила встать на ноги, на миг заглянула мне в глаза, потом вдруг бросилась в мои объятия: — Дональд, ты такой милый, ты ведь понимаешь?

— Полагаю, да...

— Дональд, ты чудо, ты моя радость. Потом я объясню, как высоко ценю тебя, но сейчас ты должен уйти.

Она увлекала меня к двери. Вот она открыла дверь.

— Наверное, мы еще увидимся когда-нибудь, Дональд... По делу, которое... не заставит меня идти на попятный.

— По поводу участка на перекрестке?

— По любому поводу, — вежливо согласилась она, выпроваживая между тем меня в коридор. И вдруг быстро захлопнула дверь. Щелкнул замок.

Я постоял, прислушиваясь. Из-за двери донеслись неясные звуки: быстрые шаги, жужжание телефонного диска.

Я продолжал стоять: может быть, удастся расслышать, что она скажет. По-видимому, ей не ответили, потому что она положила трубку и набрала номер еще раз. Кажется, опять без ответа. Спустившись на лифте вниз, я сел в автомобиль и поехал в город.

Глава 11

Колли Норфолк держал театральное агентство и оказывал любые услуги любому желающему. Допустим, вам нужен сценический талант для интимной вечеринки. Колли готов обеспечить вас этим товаром. Или, паче чаяния, у вас возникла потребность открыть нелегальный ночной кабак и нужны девочки для стриптиза. Колли и тут вам поможет. Разумеется, на его товар трудно было бы поставить марку высшего сорта, зато и на высшие ставки он не претендовал.

Я знал Колли довольно давно, и ровно столько же он знал меня. Правда, знакомство было, что называется, шапочным. Я застал его в конторе, этакой пещере. Стол украшали четыре телефона, причем, я знал точно, три из них были чистой бутафорией. Работал лишь один, хотя, нажимая ногой на разные кнопки, можно было вызвать трезвон и у других.

На стенах висели фотографии с автографами — сплошь соблазнительные малютки с выдающимися бюстами. Попадалась полуобнаженная и совсем обнаженная натура.

— Что у тебя на сей раз, Дональд? — спросил Колли.

— Ищу голодную стриптизершу.

— Они все голодные.

— Мне нужна такая, которая пойдет работать.

— Объясни поточнее.

— Такая, которая не скоро рассыплется от старости. Чтобы молодость сочеталась с хорошей фигуркой и моральными достоинствами, и карьеру только начинала, а не заканчивала.

— На кой она тебе нужна?

— Хочу сделать ей рекламу.

— И что получить взамен?

— Кой-какие услуги.

Прозвенел один из бутафорских телефонов.

— Минуточку, — сказал мне Колли и снял трубку: — Алло... Да, это Колли... Итак, вы намерены согласиться... Пятьсот долларов в неделю?.. К черту!.. Я же сказал, меньше чем на семьсот пятьдесят не соглашусь... Эта крошка не из пятисотдолларовых, и я не пошлю ее туда... — Он резко повернулся: — Совсем забыл, ты ищешь то же добро... — Швырнул трубку на рычаг, ухмыльнулся и спросил: — Хочешь переговорить с ней?

— Хочу.

Колли как колоду карт перетасовал свою картотеку.

— У меня есть на примете одна особа. Тертая и к тому же достаточно молодая.

— Сколько ей?

— Двадцать два.

— Сколько, сколько?

— Ладно, может, двадцать шесть, — хмыкнул он, — но вполне сойдет за двадцатидвухлетнюю.

— Что у нее за плечами?

— Смотря как понимать «за плечами»... Ну, она выступала преимущественно со стриптизом в маленьких заведениях. Там она много о себе возомнила.

— А на деле стоит чего-нибудь?

— Думаю, да. Никогда не видел ее в работе, но сложена подходяще.

— Как ее зовут?

— Даффидилл Лоусон.

— Брось заправлять!

— Других имен не знаю. Запиши адрес и переговори с ней. Имей в виду, если у вас что сладится, мне причитается доля.

— Получишь десять процентов от договорной суммы, при условии, что контракт будет оформлен через тебя.

— Она связана со мной деловыми узами, но беда в том, что хочет их порвать. С каждым днем становится все беспокойней. Настаивает, чтоб я ее куда-нибудь пристроил. Требует, чтоб я что-нибудь предпринял. Звонит мне по нескольку раз на дню. По-моему, она и впрямь изголодалась.

— Давай адрес.

Он протянул мне листок.

— Запомни, — сказал он, — это я вошел с тобой в контакт, мне принадлежит инициатива и вся затея. Это вовсе не твой замысел.

— Разве я выгляжу тупицей? Неужто я тебя продам после всего, что ты для меня сделал?

— Конечно, мне следует знать, как ты хорош, — сказал он. — Да ведь здешние леса кишмя кишат проходимцами. Ладно, удачи тебе! Пусть она позвонит мне, если в чем-нибудь засомневается.

Пользоваться машиной агентства я так и не решился. В розыскном бюллетене уже могло появиться ее описание. Вполне возможен и такой малоприятный поворот: Фрэнк Селлерс, напрягши свои мыслительные способности, додумался аж до Сан-Франциско и созвонился с Компанией сыскного электронного оборудования. Тогда он уже возобновил охоту, причем с оружием наикрупнейшего калибра.

По адресу, указанному Колли, я поехал на такси. Дом был обветшалый, и бравая вывеска «АПАРТАМЕНТЫ» на фасаде не могла изменить тот факт, что в действительности здесь размещались второразрядные меблирашки.

Поднявшись наверх пешком, я постучал в квартиру Даффидилл Лоусон. Женский голос спросил:

— Кто там?

— От Колли Норфолка, — ответил я. — Хотел бы потолковать.

Дверь приоткрылась. Темные внимательные глаза придирчиво рассмотрели меня, затем дверь распахнулась настежь.

— Как тебя зовут? — спросила она.

— Дональд.

— А дальше?

— Дальше ничего.

— Не слишком дипломатичное начало.

— Когда ты малость повзрослеешь, то поймешь, что имеет значение не начало, а конец. Хорошо отрепетированное начало — не велика редкость.

В комнате стоял всего один стул. Его она предложила мне, а сама, скрестив ноги, пристроилась на уголке кровати с тощим матрасом.

— Что тебе нужно?

— Колли дал мне понять, что ты нуждаешься в рекламе.

— Ага, он наконец проснулся! — воскликнула она.

— Да он и не спал, просто работенка дьявольски трудная.

— Рассказывайте своей бабушке... Но ближе к делу.

— Дело стоящее, но и потрудиться надо будет на славу.

— Над чем именно?

— Ты сегодня читала газеты? — ответил я вопросом на вопрос.

— Не говори глупости. Газеты стоят денег. А я еще пока не завтракала. И если мой агент не придумает чего-нибудь, я вообще останусь без крошки хлеба.

— Ну вот, он придумал меня.

— Предположим, а что толку?

— Начнем с того, что я — это пища. Здесь доставляют еду на дом?

— Откуда мне знать? — пожала она плечами. — На углу работает бутербродная.

— А нет ли поблизости ресторана с отдельными кабинами?

— Красиво звучит. Видать, и задумка у тебя красивая!

— Ничего!

— Ох, парень! Чашка кофе и пара толстых гамбургеров пришлись бы в самый раз!

— А как насчет толстого бифштекса с зажаренной по-французски картошкой?

— Шутишь!

— Чтоб я провалился!

Она мигом вскочила, извлекла из шкафа нейлоновые чулки, присела на кровать, натянула их на ноги, поддернула юбку, расправила чулки, еще раз одобрительно посмотрела на ноги и изрекла:

— У меня осталось не так уж много чулок. Я их берегу. Ножки — вот на что я рассчитываю в будущем.

— Ножки — блеск!

— Правда хороши?

— Великолепны.

— Присмотрись получше.

Юбка взвилась колоколом.

Я присмотрелся.

— Что скажешь?

— По-моему, высший класс. Они выведут тебя в люди.

— Многие так говорят, но... Я голодна и сижу на мели.

— Но в большом городе, и уже грядет утоление голода, — уточнил я.

Мы вышли на улицу, миновали бутербродную, источавшую восхитительные запахи, и обнаружили ресторан. Она получила обещанный бифштекс с жаренной на французский лад картошкой и кофе. Склонить к десерту я ее не смог.

— Я должна следить за фигурой, — пояснила она.

— Я тоже.

— Ты еще ее не видел.

— Но догадываюсь, судя по уже виденному.

— Остальное ничуть не хуже. Есть на чем строить будущее, была б только возможность показаться людям.

— Давай вернемся к тебе домой и обсудим детали, — предложил я.

Она допила свой кофе, вздохнула с глубоким удовлетворением, и мы вернулись к ней.

— Что мне предстоит сделать? — спросила она.

— Выступить в стриптизе, — ответил я.

— Превосходно. Это мое амплуа, — заявила она и, напевая, принялась прохаживаться по комнате: бедра вызывающе покачиваются, рука теребит застежку на юбке, глаза зовут бог весть к чему.

— Но стриптиз специфический, — уточнил я.

— А конкретнее? — Она продолжала демонстрировать танец бедер.

— Если бы ты читала газеты, то знала бы, что в мотеле «Плавай и загорай» на побережье завелся Том-соглядатай.

— Мерзавец! Боже мой, ну зачем мужчинам нужно подглядывать в щелочку, ведь никакой пользы. Неужели они думают, что девушка, раздеваясь у себя в спальне, обрадуется любому незнакомцу за окном и воскликнет: «О, как хорошо, что ты пришел! Сделай одолжение, зайди».

— Мужчинам нравится обнаженная натура, — сказал я. — На том вы и зарабатываете.

— Да уж, великий заработок! — съязвила она.

— Теперь твоя карьера пойдет на лад.

— Шутишь?! Что же я должна делать?

— Приблизительно следующее. Из мотеля «Плавай и загорай» одна за другой поступают жалобы на Тома-соглядатая. Полиция не обращала на них должного внимания. А прошлой ночью там произошло убийство.

— Убийство?!

Я кивнул.

— На фиг!

— В каком смысле?

— В смысле нечего мне там делать. Забирай свою идею обратно. Спасибо за бифштекс с картошкой. Ты отличный парень. Общаться с тобой — одно удовольствие. Когда появится очередная идея, приезжай. Можешь и без идеи, лишь бы с деньгами на еду.

— Ребята, у которых водятся деньги, по-моему, всегда при идеях, — сказал я.

— У ребят могут быть идеи, но не быть денег, — ухмыльнувшись, возразила она.

— Успокойся и выслушай меня, — попросил я. — Это убийство для полиции последняя капля, чаша терпения переполнилась.

— Моя тоже.

— Полиция начнет искать Тома-соглядатая.

— Вполне естественно.

— И не будет знать, где искать.

— Что же, я должна показать, где он?

— Верно, показать, где он.

— Очень мило. А мне откуда знать?

— Ты будешь приманкой.

Она хотела было возразить и вдруг осеклась:

— Приманкой?

329

— Будешь раздеваться у окна, — уточнил я.

Некоторое время она обдумывала услышанное, потом лицо медленно озарилось улыбкой.

— Продолжай, Дональд. Что дальше?

— Все. Нынче в полдень ты поселишься в мотеле. Забудешь опустить штору на заднем окне. Кстати, это важнейшая деталь, из-за нее все неприятности в мотеле. Итак, оказавшись в номере, ты приступишь к стриптизу. Без малейшей спешки. Снимаешь одну вещичку, потом отвлекаешься, возишься с прической или еще с чем-нибудь, потом продолжаешь раздеваться.

— А когда разденусь догола, полиция арестует меня за оскорбление нравственности?

— О чем ты говоришь! — запротестовал я. — Ты просто забыла задернуть занавеску. Полиции до этого нет никакого дела.

— Предположим, ничего не произойдет. Не могу же я раздеваться всю ночь. И как продолжать раздеваться, если ты уже раздета?

— После того как ты снимешь все, что захочешь, — начал я, — можешь...

— Не захотела, а решилась, — прервала она.

— Согласен на любые формулировки. Значит, после того как ты сняла все, что посмела, — продолжал я, — отправляйся в душ. Потом оденься, выйди и начинай снова, вещь за вещью. И так по кругу, пока не явится покупатель.

— Как мы узнаем, что он появился?

— В полуквартале расположен отель, где я собираюсь снять комнату. Ее окна обращены как раз на тыльную сторону мотеля «Плавай и загорай». Я буду наблюдать за твоим номером в бинокль. Если появится соглядатай, я зажгу у себя в комнате красную лампу. Время от времени подходи к окну и поглядывай в мою сторону. Увидишь красный свет, знай — появился наш клиент.

— И что тогда?

— Тогда звони в полицию и скажи, что прибыл Том-соглядатай.

— А он разволнуется и сбежит.

— Ну, есть же разница между обычной женщиной и профессионалкой из стриптиза. Обнаружив мужчину, любительница визжит и хватается за шмотки. Ты этого не сделаешь. Твои движения останутся неторопливыми. Ты потихоньку отступишь, разжигая соглядатая еще больше. Телефон из окна не виден. Он будет отираться поблизости. А ты вызовешь полицию, и его заберут.

— И что потом?

— Потом они постучатся к тебе и скажут: «О, леди, вам не следовало раздеваться при поднятых шторах».

— А что им скажу я?

— А ты скажешь, мол, решила помочь полиции поймать убийцу. Скажешь, что твой приятель Колли Норфолк решил таким образом устроить тебе рекламу. Он подумал, что если ты своими чарами задержишь убийцу до приезда полиции, то окажешь неоспоримую услугу страждущему обществу, а себе сделаешь шикарное паблисити. Колли позвонит в газеты и сообщит: «Профессиональная исполнительница стриптиза застукала Тома-соглядатая».

Она подумала немного и расцвела улыбкой.

— Нравится мой план?

— Я в восхищении. Может, порепетируем? — предложила она.

— Не стоит. Ты отлично справишься с этим делом.

— Полюбуешься моей техникой.

— Полюбуюсь ночью, в бинокль. И вот тебе двадцать долларов на расходы.

Я положил двадцать долларов на хлипкий туалетный столик и направился к двери.

Она послала мне вдогонку воздушный поцелуй.

Я спустился вниз, взял такси и поехал на побережье, в отель. Диспозицию он занимал превосходную, зато цены перекрывали обычные на двести процентов.

Я произвел рекогносцировку. Свободных комнат было навалом. Клерк предложил мне комнату с видом на океан. Я сказал, что такой не осилю и предпочту жилье на противоположной стороне. Осмотрел несколько комнат и выбрал наконец ту, вид из которой меня целиком устаивал.

Я позвонил в меблирашки и предупредил Даффидилл Лоусон, чтоб она приготовилась к поездке.

Я вернулся в город на взятой напрокат машине, подхватил будущую королеву стриптиза и доставил в мотель «Плавай и загорай». На мне были огромные очки с темными стеклами.

— Нам больше всего подходит девятый номер, — сообщил я Даффидилл, — но для виду осмотри несколько комнат, будь попридирчивей.

С заданием Даффидилл справилась отлично. Она отвергла три комнаты, и администратору уже наскучило ходить за ней по номерам и тратить время впустую, когда она остановилась на 9-м.

Номер 12 был заперт, шторы опущены. Видимо, полиция закончила осмотр и умыла руки, оставив зловещие кровавые пятна на совести владельцев; так или иначе, администратор эту комнату не предлагал.

— В регистрационной книге распишется ваш муж? — спросил он.

— Секретарская работа в семье лежит на моих плечах, — ответила с улыбочкой Даффидилл. — Зато он оплачивает счета.

Она протянула ко мне руку, прищелкнув пальцами.

Я вложил в руку ассигнацию. Мы взяли ключ, я отволок в номер чемоданы. Набитые преимущественно старыми телефонными справочниками, они выглядели внушительно.

Даффидилл прошла к заднему окну, выглянула и заключила:

— Неудивительно, что у них тут завелся Том-соглядатай.

Я кивнул.

— Что будем делать дальше? — спросила она и тотчас начала расхаживать по комнате, напевая и покачивая бедрами, рука медленно поползла к застежке на юбке.

— Ты не против перекусить еще разок?

— Желудок — за, но фигура — против.

— Нам надо пообщаться, чтоб администратор ничего не заподозрил.

— В каком смысле «пообщаться»?

— Ну, провести здесь какое-то время вместе, вдвоем.

— Ладно, — согласилась она. — После драки кулаками не машут. Приставать будешь?

— И не собирался.

— Как это?

— Мне надо хорошенько подумать.

— Мой желудок аж мурлычет от удовольствия. Подремлю-ка я, раз у меня настоящая сиеста. Не возражаешь?

— Не возражаю.

Она сверкнула «молнией», освободилась от одежд с мастерством профессиональной соблазнительницы, движениями, как бы ласкающими каждую линию тела.

— Многообещающее начало, но пока не искушай меня без нужды.

— Пока ты еще ничего и не видел, — заявила она. — Подожди до ночи.

Она повесила платье на вешалку, сбросила туфли, медленно совлекла с ног чулки, подошла к кровати и прилегла.

— Укрой меня, Дональд.

Я накрыл ее одеялом. Через несколько минут она уже крепко спала безмятежным сном ребенка. Черты лица смягчились, и она сразу помолодела лет на пять. Что касается изгибов и прочего рельефа, то они все же наличествовали в должном количестве и в надлежащих местах.

Чуть погодя я сбросил с себя пальто и ботинки, попытался устроиться в кресле. Неудобно. К черту! Я пристроился на кровати с другой стороны.

И тут же уснул, слишком много мотался в этот день, и усталость взяла свое.

Когда проснулся, уже совсем стемнело. Опершись на локоть, она разглядывала меня в мигающем свете уличной рекламы, и я заметил улыбку.

— Знаешь, Дональд, слишком ты хорош, чтоб тебе доверять.

И она поцеловала меня. Потом немного отстранилась, прошлась пальцами по моей шевелюре.

— Только бы все получилось! — вздохнула она. — Как я хочу, чтобы все получилось.

— Все получится, — успокоил я ее.

И она снова меня поцеловала.

Глава 12

Через некоторое время я покинул мотель, перебрался в свою гостиничную комнату, установил кресло поудобней, выключил свет, положил фонарик с красным стеклом на стол справа от себя и направил бинокль на освещенное окно номера 9.

Прошло минут пятнадцать, прежде чем Даффидилл Лоусон в соответствии с инструкциями принялась за работу.

Девушка была великолепна.

Она разоблачалась неторопливо, затрачивая на каждую деталь туалета минут по пятнадцать. Она стояла перед зеркалом, созерцая себя с видом чувственного удовольствия, как бы сознавая, что совершенство плоти — единственная причина и цель ее прихода в этот мир.

Вслед за верхней одеждой она принялась за чулки: поставила ногу на кресло, старательно, аккуратным валиком скатала один чулок, затем — второй, прошлась по комнате. Картина, способная загипнотизировать хоть кого!

Кто-кто, а я-то знал ведь деловую подоплеку зрелища и его сугубо профессиональный механизм, знал, что она позирует, но глаза все равно так и льнули к биноклю. Она вдруг подошла к окну и послала воздушный поцелуй. Ага, она ощущает мое незримое присутствие и поцелуй предназначен мне. Я рассвирепел. Профессиональное действо дало трещину. Я собрался было позвонить ей, чтобы напомнить: ее задача — поставить капкан, а не флиртовать. Стало очевидно, что ей вот-вот предстоит пойти по второму кругу, первый акт близился к концу.

И тут-то я увидел его: силуэт мелькнул на фоне окна и — никого. Вот опять темное пятно на светящемся фоне.

Я дождался, пока Даффидилл обратит лицо к окну, и подал знак красным фонариком.

Продолжая двигаться легко и непринужденно, она исчезла из кадра — ровно на столько, сколько нужно, чтоб позвонить в полицию. И вот она вновь вертится перед зеркалом.

Бог знает, как ей удавалось поддерживать острую напряженность спектакля. Я со своим биноклем чуть не забыл о Томе-соглядатае, таким захватывающим было представление.

Мужчина у окна весь обратился в зрение. Он буквально окаменел — неподвижный силуэт на светлом фоне окна.

Даффидилл Лоусон по-прежнему стояла у зеркала, проводя полную инвентаризацию своих красот.

Внезапно картину дополнили новые детали. В освещенном прямоугольнике вырисовались еще два мужских силуэта. Том-соглядатай, вспугнутый шорохом за спиной, развернулся, вскрикнул и кинулся прочь.

Даффидилл Лоусон подошла к окну, послала еще один воздушный поцелуй в сторону моего наблюдательного пункта и опустила штору.

Итак, я поставил капкан и он сработал, кто-то попался. Кто — об этом можно узнать из завтрашних газет, если только до той поры мне удастся избежать ареста.

Я сидел в темноте, перебирая накопившиеся факты. Бернис Клинтон под псевдонимом Агнес Дейтон и ее квартира в «Коринфиан-Армс» в Санта-Ане, таинственный Том-соглядатай на задворках мотеля, убийство Герберта Даулинга, Айрин Аддис со своим малолетним отпрыском в детском доме близ Баннинга... Не следует ли отыскать ее, узнать, все ли в порядке?

И вдруг раздался стук в дверь.

Я замер. Видимо, ненадежное мне попалось укрытие. Но тянуть резину было бесполезно.

Я прошел к двери и гостеприимно распахнул ее в предчувствии, что тотчас меня схватит за грудки Фрэнк Селлерс, вытащит в холл, шмякнет спиной о стену и спросит, с кем, черт побери, я осмелился шутить.

На пороге стояла улыбающаяся Даффидилл Лоусон.

— Ну как у меня получилось? — спросила она.

Глава 13

— Что ж, ловушка сработала, — рассуждала Даффидилл, — но скажи, Дональд, теперь будет у меня реклама?

— Будет, — заверил я. — А пока лучше расскажи, что там происходило.

— Что происходило? — воскликнула она огорченно. — Разве ты не наблюдал за мной в бинокль, бес тебе в ребро?! Это один из лучших моих стриптизов.

— Стриптиз я видел, но что было потом?

Она приникла ко мне, правой рукой обвив мою шею, левой теребя шевелюру. Лицо сияло триумфом победительницы ярче, чем от страсти. Именно такими глазами и должна смотреть заштатная актриса,

336

дождавшаяся появления своего имени на первой полосе.

— О, Дональд! — вымолвила она в упоении и поцеловала меня.

Тот еще был поцелуй.

— Дональд! — повторяла она, пока я возился с дверью. — Ты гений, ты...

— Рекламная сторона дела — это Колли Норфолк.

— Чушь, — возразила она. — У Колли не хватило бы извилин, мне-то не пудри мозги. Я знаю, кто все придумал. А теперь скажи, Дональд, как я смотрелась?

Она пересекла темную комнату и застыла у окна, глядя на строения мотеля. Потом схватила бинокль и направила его на свою освещенную комнату.

— Держу пари, ты видел все, — сказала она и рассмеялась. Этот горловой смех звучал очень маняще. — Как я смотрелась, Дональд?

— Ты была восхитительна.

— Профессиональная работа, Дональд. Любая женщина может сбросить с себя одежду — так или иначе. Но раздеться, доведя публику до белого каления, это, скажу тебе, чего-то да стоит.

— Ты сработала блестяще.

— Проняло?

— Еще как!

— Держу пари, тебе с этим биноклем казалось, только протяни руку — и дотронешься до меня.

— Одна беда — оконное стекло здесь и оконное стекло там, в мотеле.

Она снова рассмеялась:

— Но сейчас-то нет никакого стекла.

— Если рассчитываешь на утренние газеты, — сказал я, — побыстрей рассказывай, что там произошло. Тогда я позвоню Колли, а он настропалит репортеров. Полицейские задавали тебе вопросы?

— Очень немного. Им так хотелось заполучить этого Тома-соглядатая, что ни на что другое они не обращали внимания. Он им взаправду был нужен.

337

— Кем же он оказался?

— Странная такая личность по имени Росситер Бэнкс.

— Второе имя у него есть?

— Дадли. У него были при себе водительские права. Полиция взялась за него основательно. Они приволокли его ко мне на опознание, после того как я оделась.

— И ты опознала его?

— Конечно.

— Ты успела разглядеть его лицо?

— Успела, а что тут удивительного? — рассмеялась она. — Он за это же время успел разглядеть гораздо больше. Он так таращил глаза! И потерял всякую осторожность, вылез на самый свет. Челюсть у него отвалилась аж на целый фут. За какую-то минуту он загипнотизировался до полного обалдения.

— Бэнкс... — повторил я. — Ты что-нибудь о нем узнала?

— Я о нем проведала все. Прежде чем увести, полицейские его допросили, и он выложил им свою историю... насчет тебя, Дональд.

— Насчет меня? Я же сказал, именно Колли...

— Не о том речь. Он крутился под окнами мотеля из-за тебя.

— Ого? — удивился я.

— Ага! Он управляющий местным телеграфом. Не такая уж большая контора, но стратегически важная, потому что расположена в районе, где живет полицейский чин по имени Селлерс.

Я внезапно сел. Как сигнал опасности, по позвоночнику потянуло холодком. Тепло от ее поцелуя вмиг испарилось, словно в жилы влили ледяную воду, а бешено колотившийся пульс пришел вдруг в норму.

— Что дальше? — потребовал я продолжения.

— Кажется, этот Селлерс дал телеграмму в Сан-Франциско, в какую-то компанию по электронике, переслав твой портрет и сообщив имя. Он хотел узнать, не приобретал ли ты за последние сорок восемь часов подслушивающее устройство для автомобилей. И получил ответ — приобрел.

— И что сказал по этому поводу Бэнкс?

— Ну, Бэнкс сказал, что ты затеваешь интрижку с одной телеграфисткой из его подчиненных, и ему показалось, ты назначил ей свидание в мотеле «Плавай и загорай». Дело в том, что Селлерс отправил куда-то еще телеграмму, а в ней сказано: некто Роберт С. Ричардс оформился в мотеле на ночь, когда случилось убийство, а по описанию он смахивает на тебя... Кажется, Ричардс явился в мотель один, без жены или женщины, способной сойти за жену, администраторша этому удивилась и в точности запомнила странного постояльца. В результате, когда полицейские поинтересовались, не произошло ли в ночь убийства чего необычного, она припомнила, что ты был без жены. Селлерс знал, что в мотеле останавливался ты.

— Продолжай, — попросил я.

— Ну, Бэнкс видел эти телеграммы и вообразил, будто ты собираешься провести в мотеле ночь с его сотрудницей. Ее имя... подожди минутку, Дональд... честное слово, я вечно забываю имена...

— Хайнс, — подсказал я.

— Вот-вот, Хайнс, — подтвердила она, — а зовут Мэй. Короче, он отправился в мотель поразнюхать и сразу же напоролся на мой стриптиз в окне — он, правда, не догадался, что это стриптиз. Ему показалось, просто хорошенькая женщина раздевается перед сном, а больше он ни о чем сообщить не может. Такова его версия.

— И полиция купилась на эту легенду?

— Честно говоря, не знаю. Они вытянули из него показания и быстро увезли.

— Тебе они не задавали вопросов?

— Нет. Посоветовали опустить штору и похвалили, что у меня хватило нервов продолжить раздевание после звонка в полицию. Здорово, говорят, получилось, как, мол, пришло мне такое в голову, ну а я в ответ, что не было другого способа удержать его до приезда полиции.

— А Селлерс там был?

— Был ли он там! — воскликнула она. — Еще как был! Он, кстати, звонил кому-то... Твоей партнерше... похоже на название сигарет... Кул. Точно! К-у-л.

— Совершенно верно. Так что же?

— Селлерс позвонил ей и закатил настоящую сцену ревности. Сказал, что ради нее выгораживал тебя тысячу раз, пока позволяла совесть. А теперь все кончено. Ты сыщик, Дональд?

— Ага.

— Сразу почуяла, что все не просто так, — заявила она. — Но ты меня накормил, обогрел и поднял мой моральный облик на небывалую высоту. Я совсем доходила, когда ты появился на сцене. Честно, Дональд, я даже о снотворных таблетках уже подумывала, только их у меня не оказалось. Вот до чего дошло. А сейчас я в норме, аж мурлычу.

Она начала напевать, рука опять потянулась к молнии, бедра задвигались в такт мелодии.

— Посмотри на меня, — молвила она. — Как только начинается номер, я делаюсь сама не своя. Под этот мотивчик я выступала.

Я снял телефонную трубку и назвал дежурной на коммутаторе номер Колли Норфолка.

Реклама — это слово для ушей будущей королевы стриптиза звучало как пение сирены. Оставив в покое свою одежду, она целиком обратилась в слух.

Когда Колли снял трубку, я сообщил:

— Ну, Колли, твоя идея сработала.

— Черт возьми, о чем ты?

— Не прикидывайся кретином. Я говорю об идее отправить королеву стриптиза в мотель, чтоб поймать Тома-соглядатая, которого полиция ищет в связи с убийством.

— Ого! — воскликнул Колли. — Неужто капкан сработал?

— Сработал.

— Где этот тип сейчас?

— Предположительно в полицейском управлении, но они, наверное, будут некоторое время молчать об этом.

— А девушка где?

— При мне.

— А где ты?

Я назвал ему отель и номер комнаты.

— Побыстрей собери репортеров и сразу мотай сюда, — продолжал я.

— Не будь ребенком, Лэм. Даже если я засыплю их снимками исполнительницы на кульминационном этапе стриптиза, наверняка никто из них не ринется на побережье ради...

— Пора тебе самому подрасти, Колли, — возразил я. — Речь идет об убийстве! Сексуальный маньяк — ключевая фигура в горяченьком деле. Полиция будет держать его в тени, пока не выпотрошит до самого дна. Так что для газет ты станешь благодетелем, источником сенсационного материала о кровавом криминале. Представь заголовки крупным шрифтом поперек первой полосы: ПРОФЕССИОНАЛЬНАЯ ИСПОЛНИТЕЛЬНИЦА СТРИПТИЗА РАЗДЕВАЕТСЯ У ОКНА, А ПОЛИЦИЯ В ЭТО ВРЕМЯ ЛОВИТ МАНЬЯКА, ПОДОЗРЕВАЕМОГО В...

— Боже, я как-то не подумал об этом...

— Подумай, пока не поздно, — посоветовал я.

— Повтори, пожалуйста, где вы находитесь.

Я повторил.

— Боже, какие возможности! Она взлетит на высочайшую орбиту! Этот рекламный трюк лучший за всю мою карьеру...

— Им понадобятся снимки из мотеля, — продолжал растолковывать я. — Фотографии места, где стоял человек, и фотографии зрелища, которое он увидел за окном. Пригодится и хорошо отработанная версия, мол, исполнительницу стриптиза оставляет равнодушной любопытство зрителей, она занята своим делом, но прекрасно понимает, что чувствует обычная женщина, когда похотливый взгляд чужого мужчины вторгается в ее уединение... Отважная маленькая женщина решается заманить преступника, ставшего...

— Черт побери! — завопил Колли. — Перестань думать за меня.

— Спасибо, что предупредил, — парировал я.

— Не ломай комедию! Такая сенсация подворачивается раз в жизни. Я уже вижу, как ее подать. На фото — стриптиз перед камином, бра, трусики, секс и головокружительная уголовщина. Бросай трубку, я начинаю обзванивать газеты!

Я послушался и обернулся к Даффидилл:

— Все идет на лад. Скоро соберется целое общество.

— Как скоро?

— Пока он их обзвонит, пока убедит, что это не какая-нибудь афера, а настоящая сенсация, пройдет, наверное... ну час, может, полтора, и уж тогда они явятся.

Она принялась за свой напевчик, а рука потянулась к молнии.

— Так вот, — продолжал я, — они должны застать тебя здесь одну. Я уеду.

— Дональд! — взмолилась она.

— Смываюсь без промедлений.

— Наверное, тебя не очень заинтересовало то, что ты увидел.

— Почему же, заинтересовало. Просто я занят.

— Я так тебе благодарна, Дональд... Ты мне понравился в первую же минуту. Смотри-ка, меня потянуло на сантименты. Небось от еды да и от волнения. Я... Послушай, я горю адским пламенем.

— А я-то думал, исполнительницы стриптиза вырабатывают в себе полное безразличие к зрительному залу.

Она захихикала:

— Надеюсь, ты не хочешь, чтобы я забыла о зрительном зале? Все время, пока крутилась перед окном, я думала о тебе. Я боялась разочаровать тебя и...

— Спасибо, — перебил я.

— За что?

— За бинокль. Я чуть было не забыл его. Надо прихватить эту штуку с собой. Теперь вот что, мой ангел. Учти, нашу затею от начала до конца придумал Колли Норфолк. Кто бы ни расспрашивал тебя о Дональде Лэме, отвечай: встречала такого, но замысел все равно принадлежит Колли Норфолку. Пойми правильно. Он профессионал, знает, за какие ниточки кого дергать. Ему под силу отоварить векселя, которые ты заработаешь на этой сенсации. Зачем ранить его нежную душу? Выкажи ему свою благодарность.

— Я же не дурочка. Он поймет, что я ему благодарна. Ведь и на самом деле... Когда у меня в руке бутерброд, я разгляжу, с какой стороны масло. Это если говорить о бизнесе... Но к тебе я отношусь...

— Ты проявишь свою благодарность лучше всего, если не будешь упоминать моего имени. Позже, когда вопросы начнет задавать полиция, тогда другое дело. Тебе придется представить им полный отчет. Но постарайся и из этого извлечь дополнительную рекламу.

— Как, по-твоему, они будут фотографировать, как я раздеваюсь?

— Фотографировать они будут. И уж от тебя зависит, какие сюжеты предложить. Спешка будет страшная, редакторы ведь вмиг смекнут, что им того и гляди вставят фитиль, а материал — гвоздевой, и обязательно придержат на первой полосе место для иллюстраций.

— Я просто места себе не нахожу.

— Прекрасно, — откликнулся я, — постарайся сберечь свой пыл. Предстоящий спектакль только выиграет от этого. Словом, жди репортеров.

Она отошла к окну, взор ее вновь устремился к мотелю. Вновь зазвучал знакомый мотивчик. Бедра заиграли в искусительном ритме профессионального стриптиза. Почти механически она потянулась к молнии на спине, и без того приспущенной, дернула ее книзу.

Я взял бинокль, беззвучно выскользнул за дверь, тихо ее притворил и поспешил вниз.

Глава 14

Около полуночи все на том же арендованном автомобиле я добрался до Баннинга.

Привлекать внимание полиции совсем не хотелось, но других способов добиться желаемого у меня не было. Рискуя вызвать подозрения, я въехал на территорию первого же попавшегося мотеля и совершил полный круг, разглядывая машины, а главное — их номера. Ту же операцию повторил у следующего мотеля. Лишь в третьем я набрел на свою золотую жилу. «Шевроле» под номером РТД-671 был припаркован перед домиком под номером 10.

В мотеле оставалось одно свободное место, мне удалось заполучить его. Администратор зажег электрическое табло, извещавшее, что вакансий больше нет, и лег спать, а я отправился к десятому номеру и негромко постучался.

Мне снова повезло. Видимо, Айрин еще бодрствовала. Я услышал скрип кровати, шаги босых ног, а потом голос, полный тревоги.

— Это Дональд, — сказал я.

Дверь приоткрылась.

— Дональд, — произнесла Айрин, колеблясь, — я не одета...

— Халат у вас есть?

— Нет у меня халата...

— Накиньте одеяло, — посоветовал я шепотом. — Мне надо срочно переговорить с вами.

— Минуточку...

Через мгновение она вернулась, кутаясь в одеяло.

— Не включайте свет, — предупредил я все так же шепотом. Потом вошел в дом и плотно притворил за собою дверь.

— Здесь очень тонкие стены, соседи узнают, что у меня... что я принимала посетителя...

— Ну и прекрасно. Люди наверняка диву даются, с чего это вы сюда одна заявились. Стоит ли обманывать их ожидания? Вы видели газеты?

— Да.

— Завтра появится кое-что новенькое. Вы узнаете, что полиция ищет меня.

— Вас?

— Совершенно верно. Говорите потише.

— Почему вас ищут?

— У меня был выбор. Либо явиться в полицию и рассказать о вас, либо исчезнуть, и пускай они достают меня в поте лица своего.

— Как они разнюхали про вас?

— Прочтете в газетах, нет времени говорить об этом. Из газет я узнал, что у Даулинга не осталось близких родственников.

— Да, я читала.

— Подробнее можете раскрыть эту тему?

— Он мне тоже говорил, что очень одинок, что у него нет никакой прямой родни.

— Мало ли! — возразил я. — Бывают еще всякие двоюродные братья, племянники и прочие.

— Куда вы клоните, Дональд? Будить человека среди ночи и затевать беседу бог весть о чем...

Она сидела на краю кровати, и свет, льющийся с улицы через окно, придавал еще больше резкости чертам ее обеспокоенного лица.

— Вы все-таки должны отдать себе отчет в следующем, — заявил я. — Ваш сын — сын и Герберта Даулинга. Пусть незаконный, но в любом случае единокровный. Ближайший его родственник.

У нее перехватило дыхание.

— Дональд, вы хотите сказать... это что-то значит?

— Это может значить весьма много — в зависимости от аргументации... Это может много значить для вас, для вашего сына и чрезвычайно много для дальней родни, которая зубами и ногтями ухватится за поручни уходящего поезда.

— Вы хотите сказать, они втянут меня в эту историю и сына тоже?

— Черт побери, — вскричал я, — когда вы наконец повзрослеете?! Они втянут вас в эту историю и разорвут в клочья. Они постараются сфабриковать против вас непотопляемое дело об убийстве. Они припишут вам шантаж и объявят, что вы преследовали Даулинга под предлогом, будто он отец вашего ребенка. Короче говоря, Айрин, игра превращается в драку.

— Есть ли выход? Что мне делать?

— Выходов тьма, — сказал я.

— Вы согласны помочь, Дональд?

— Я уже помогаю, идя на риск. Пока не угодил в лапы полиции, смогу влиять на события. Вот когда они меня схватят, я уже ничего сделать не смогу... А теперь мне нужна ваша помощь.

— Какая?

— Вы не выпускали Даулинга из виду, знали, чем он занят. Встречаясь с вами, он наверняка откровенничал... Вы понимали его, и он это понимал. Вы вникали в его проблемы, сопереживали. Вероятно, вы были по-прежнему влюблены в него, хотя и не хотели воскрешать прежние отношения. Став матерью, вы чувствовали ответственность за сына, хотели дать ему достойное воспитание... Стало быть, вы знаете о Даулинге многое из того, чего другие, быть может, не знают. Время от времени он встречался с женщиной, которая служит, предположительно, в его конторе. Мне надо знать, кто она.

— Опишите ее, пожалуйста.

— Лет двадцати шести, во всяком случае, не больше тридцати одного. У нее большие темные глаза, длинные ресницы, необычная походка, очень соблазнительная, но без вульгарного вихляния...

— Дорис Джилмен, — прервала она меня.

— Допустим. Кто она?

— Я знала, что Герберт... что он ею интересуется, но не может порвать с Бернис Клинтон. У нее крепкая хватка... Я никак не могу заставить себя говорить о нем в прошедшем времени. Дональд, вы должны понять...

— Не беспокойтесь, — уговаривал я Айрин. — Я все понимаю. Но сейчас у нас совершенно нет времени на сантименты. Мне нужны факты, и чем быстрее, тем лучше. Расскажите о Дорис Джилмен.

— Она женщина-загадка. Мне трудно говорить о ней или о ее окружении, она умеет держать язык за зубами... Знаю, что Герберт по-дружески ею интересовался, по-моему, она была его советчицей. Но чтобы там возник какой-нибудь интим... этого я утверждать не могла бы.

— Я тоже не утверждаю, может, интима и не было... Но вот вопрос, где найти эту женщину?

— Не знаю. Кажется, я слышала, будто она... Нет, простите, Дональд, вряд ли я смогу вам помочь.

— Допустим, — согласился я. — Тогда другой вопрос. У Бернис Клинтон есть квартира в Санта-Ане, живет там под именем Агнес Дейтон. Квартира шикарная. И я полагаю, без денег Даулинга не обошлось.

— В Санта-Ане? Да нет же, — возразила она. — Даулинг снимал для нее квартиру в Лос-Анджелесе...

— По какому адресу?

— Улицы я не знаю. А дом — «Реджина-Армс».

— Ладно, тогда еще один вопрос. Бернис Клинтон оформилась в мотеле «Плавай и загорай» под тем же псевдонимом Агнес Дейтон. Вопрос в следующем: с какой целью она зарегистрировалась в мотеле «Плавай и загорай»?

— Не знаю, — покачала головой Айрин.

— Вы встречались с Даулингом там?

— Да.

— И не раз?

— Дело в том, что именно там было место наших встреч.

— Значит, если ему хотелось повидать Бернис, он мог...

— О боже, ни в коем случае, — возразила она. — Зачем ему нужно было встречаться с нею там? Он содержал для нее квартиру в Лос-Анджелесе. А потом, с точки зрения Герберта, этот роман клонился к закату. Он с каждым днем все лучше понимал, чего она стоит, эта расчетливая золотоискательница... Не думаю, чтобы он ее хоть немного любил. Просто она его околдовала. Поверьте, эта девица пускает в ход все, чтобы заполучить то, чего хочет. Ей это неплохо удается. Герберт был одинокий, растерянный, а тут является она, начинает крутиться у него перед носом и вешаться на шею. Только проделывала она все так хитро, что Герберту казалось, будто он сам кинулся на нее. Все та же старая история.

Я окинул ее испытующим взглядом.

— Не смотрите на меня так, Дональд, — попросила она. — У нас все было не так. Я... я любила его, и он меня любил. Наши вечера в мотеле «Плавай и загорай», они... Он относился к ним совсем не так, как к встречам с другими девушками, которые были просто... ну, вы понимаете.

— Ладно, Айрин, — сказал я. — Мне просто хотелось предупредить вас. История получит огласку. Сожалею, но здесь ничего уж не поделаешь.

— Что мне говорить, если меня станут допрашивать?

— Ничегошеньки, пока не обзаведетесь адвокатом. Приличный адвокат вам посоветует держать язык за зубами, пока я не откопаю новые факты. Ну, я пошел.

— Дональд, вам... угрожает опасность?

— Нет, если я не окажу сопротивления при аресте. А я не так глуп. Но они хорошо надо мной поработают, если, конечно, поймают.

— Вас будут бить, вы это имеете в виду?

— Фрэнк Селлерс, — пояснил я, — имеет обыкновение грубить, когда выходит из себя. И я подозреваю, что с ним это уже случилось.

— Бедный мальчик, — сказала она, — вы идете на это ради меня...

Одеяло упало на пол. Ее руки обвили меня, глаза встретились с моими.

— Поймите меня правильно, Дональд. Просто мне кажется, что вы понимаете меня... что мы понимаем друг друга. Спасибо за поддержку. — Она поцеловала меня и отворила дверь.

Я полуобнял ее, чтобы успокоить.

— Не трепыхайтесь. Попробуйте уснуть, — сказал я ей. — Выше нос!

Я доехал до Палм-Спрингс, нашел телефонную кабину и позвонил по междугороднему Берте Кул.

— Алло, алло... Что за черт! Кто говорит? Кому неймется посреди ночи?

— Дональду.

— Ты! — завопила Берта, моментально приведенная гневом в состояние бодрствования. — Ах ты, мелкий ублюдок! Ты добился своего, тебе пришел конец. Фрэнк Селлерс позаботится, чтобы тебя лишили лицензии детектива на всю оставшуюся жизнь. Да ты...

— Заткнитесь и выслушайте, — оборвал я Берту.

— Заткнуться и слушать! Ах ты, недоносок! Ах ты, четырехосный двурушник! Знаешь, что тебя ждет?

— Что меня ждет? — спросил я.

— Тебя осудят за убийство первой степени, — заявила Берта. — Ты стал задирать нос, разозлил Селлерса, и что бы я ни пыталась предпринять, никакой пользы это не принесет. Селлерс обвиняет тебя в убийстве.

— Очень приятно, — сказал я. — Он обнаружил орудие убийства?

— Не знаю, что он там нашел, — ответствовала Берта, — но знаю, что этого хватит на газовую камеру. Сообщу тебе еще кое-что. Эта Агнес Дейтон, за которой подглядывали в мотеле, опознала тебя на фотографии — будто ты и есть тот самый мужчина в окне.

— Черта с два она меня опознала! — воскликнул я, не в силах скрыть удивления.

— Именно так, — подтвердила Берта. — Фрэнк Селлерс показал ей твое фото, и она мигом тебя опознала. А потом там еще была Марсия Элвуд, женщина, вышедшая из душа, по-видимому, через пару минут после убийства. Она в точности описала тебя, а когда предъявили твою фотографию, заявила Селлерсу, что это ты и есть. Спета твоя песенка. Но вот что не дает мне покоя! Какого черта ты застрелил этого мужика? Не представляю, что ты против него имел. Я сказала Фрэнку Селлерсу, что, насколько мне известно, ты никогда с ним не встречался, но следил за ним.

На секунду я призадумался над этой информацией.

— Ты слушаешь? — окликнула Берта.

— Я здесь.

— Где, черт побери, здесь?

— В Палм-Спрингс.

— Что ты там делаешь?

— Выясняю, кто убил Роберта Даулинга.

— Селлерс уже выяснил, — съязвила она. — Ты герой его сюжета.

— Он не сможет долго держать меня в этой роли. Агнес Дейтон описала мне человека, который заглядывал в окно, совсем иначе.

— Словесный портрет ничего не стоит против персональной идентификации, — возразила Берта. —

Она с абсолютной уверенностью опознала твою фотографию. И Марсия Элвуд тоже стоит на своем.

— Хороши методы у полиции, — сказал я. — Они вручают фотографию свидетелю, а потом исподволь внушают ему мысль, что на снимке запечатлен преступник. Когда свидетелю показывают этого человека в группе других...

— Стоп, приехали! — прервала меня Берта. — Твое ла-ла-ла на эту тему я слышала тысячу раз.

— Но прием срабатывает! — возразил я. — Сила внушения...

— Ах, сила внушения, так тебя разэдак! — возопила Берта. — Гори ты синим пламенем — сам на себя накликал! И прими мой совет. Позвони прямо сейчас Фрэнку Селлерсу и попроси у него прощения. Признайся, что зря скрыл от него правду и пытался обставить в деле об убийстве. Скажи, что ты невиновен, чист и готов сдаться... Тогда, может быть, я смогу повлиять, чтоб он не настаивал на убийстве первой степени, а переквалифицировал на вторую... Господи, Дональд, неужели тебе не хватает голых женщин в обычном порядке, без шатаний по задворкам...

— По некоторым пунктам, Берта, вы сильно отстали от событий, — констатировал я. — Они уже поймали Тома-соглядатая. Это некто Росситер Д. Бэнкс, управляющий телеграфом. Его поймали нынче вечером.

Берта погрузилась в раздумья и потом заявила:

— Селлерс пока не звонил, в последнее время перестал мне доверять. Дональд, ты ужасно скользкая личность. По-моему, ты устроил этому человеку какую-то западню. Словом, берись за телефон и доложи Фрэнку Селлерсу, что сдаешься лично в его руки.

— Я подумаю. А пока я не считаю целесообразным тратить деньги агентства на дальнейшие телефонные переговоры...

— Деньги агентства! — вскричала Берта. — Ах ты, недоносок, какое отношение имеет эта история к агентству? Какое отношение к агентству имеют твои личные проблемы? Сам увяз, сам и выбирайся. Не воображай, будто я намерена платить за твои телефонные разговоры. Не воображай, будто агентство... Черти б тебя драли!..

Я тихо положил трубку на рычаг и вышел из телефонной кабины.

Компания «Бонанза эрлайнз» предлагала ранний рейс на Финикс.

Одна из заметок о Томе-соглядатае сообщила имя первой жертвы сексуального маньяка в мотеле «Плавай и загорай» — некая Элен Кортис Харт из Финикса, якобы владелица салона красоты. Она дала полиции якобы великолепное описание преступника: человек в годах, длинноносый, бровастый, самодовольный — по виду мало подходящая личность на роль изнемогающего созерцателя...

Я понимал, что через час-другой Фрэнк Селлерс покажет ей мое фото и внушит, что я — и есть он. Селлерс сообщит ей, что и Агнес Дейтон, мол, меня опознала, и Марсия Элвуд тоже видела меня, и он сам-де уверен, ее преследователь именно я. Он попросит ее изучить мою фотографию как можно внимательнее. Напомнит, что она, в конце концов, была напугана, взволнована и видела мужчину мельком... Вечный старый трюк: подготовка свидетелей к опознанию... У меня оставалась одна-единственная надежда — предстать перед Элен Харт прежде, чем Селлерс доберется до нее с фотографиями.

Я заглянул в телефонный справочник. Там значилось два номера: служебный и домашний.

Я позвонил.

Прошли минуты, и я услышал голос, довольно-таки сонный.

— Миссис Харт? — спросил я. — Или мисс, не знаю, как правильнее. Я детектив, сейчас нахожусь в Палм-

Спрингс. И вот... Но как обращаться к вам — миссис Харт?

— Имя, под которым я работаю, — мисс Элен Кортис Харт. Но чего вам, собственно, надо? Зачем вы звоните среди ночи?

— Очень важное дело. Неделю назад в мотеле вы столкнулись с сексуальным маньяком. О происшествии вы сообщили в полицию. Кажется, мне под силу поймать этого негодяя, если вы согласитесь дополнить свое описание.

— Не могу я рассказать вам больше, чем рассказала в полиции, — возразила она. — А кроме того, боже мой, неужели мой сон, нарушенный посреди...

— Это очень важно, мисс Харт, — настаивал я. — Мне очень неприятно вас беспокоить, но, может, вы согласитесь позавтракать со мной?

— Откуда, вы сказали, звоните?

— Из Палм-Спрингс. Я вылечу тотчас, и если вы согласитесь со мной позавтракать...

— Мой салон красоты требует постоянного внимания. Семь девушек в штате... Я не могу тратить время впустую.

— Именно об этом я и подумал, предлагая вместе позавтракать, — пояснил я. — Итак, в восемь?

— Господи, что вы! Семь тридцать.

— Буду минута в минуту.

— Вы из полиции?

— Я частный сыщик. Но работаю по этому делу.

— По-видимому, на самом деле работаете... Мне бы впору разозлиться из-за звонка, но вы так серьезны и вроде бы искренни...

— Я вправду искренен и серьезен. Значит, до семи тридцати.

— Ровно в семь тридцать. Ждать я не буду. Позавтракаем у меня, если, конечно, вас устроит кофе с тостами.

— Приеду, — заверил я и попрощался.

Конечно, было бы неплохо иметь при себе магнитофон, чтоб записать ее показания о Томе-соглядатае. Но прежде всего надо опередить Фрэнка Селлерса. Если она без малейших сомнений будет завтракать со мною, ей совсем не с руки опознавать меня как преступника на фотографии.

Разумеется, Селлерс не нуждался позарез в этой идентификации. Зато мне позарез требовалось доказать, что описания злоумышленника в корне не совпадают.

Одного я никак не мог постичь. Почему Бернис Клинтон, с этой своей квартирой в Санта-Ане и с подозрительным псевдонимом, решилась вдруг опознать мой портрет, умолчав при этом, что знает меня под моим собственным именем — Дональд Лэм. Видимо, увязла по уши и готова на самый отчаянный риск.

Мне захотелось навестить филиал Монтроуза Карсона в Палм-Спрингс. И хотя полпервого ночи — не самое лучшее время для ознакомления с чужим недвижимым имуществом, я решился на экскурсию.

В лучах скептически поглядывающей сверху луны владения фирмы «Солнце, воздух и вода» выглядели безрадостно. Полотняная обшивка на справочном бюро уныло обвисла. Треугольные флажки, размечающие участки, вместо того чтобы весело реять под бризом, жалко и безжизненно застыли в безветренном ночном воздухе.

Лунный серп насмешливо скалился сверху вниз. Далекий блеск звезд подчеркивал их потусторонность. Серебрились пески, лишь кое-где запятнанные черными тенями, и все вокруг тонуло в задумчивом молчании пустыни.

А там, за полосой песков, громоздились друг на друга склоны Сан-Джасинто, вздымаясь на двухмильную высоту, — гранитная громадина, исполосованная снежными языками и окаймленная рослыми елями.

Огни города раскинулись далеко к западу и северу от меня. Время от времени с шоссе долетали шорох шин или визг тормозов.

Я крадучись двинулся по карсоновским владениям. По-видимому, сам владелец на дела не жаловался. Первый ряд участков был щедро украшен красными табличками: «Продано». Дальше извещения о продаже стали встречаться пореже. Но, учитывая, что возраст предприятия едва достиг тридцати дней, оспаривать успехи фирмы было невозможно.

Я нагнулся и поднял брошюру, наверное оброненную потенциальным покупателем.

Даже при свете сегодняшней ущербной луны издание впечатляло: классная полиграфия, плотная глянцевая бумага, дюжины страниц, заполненных статистикой и фотографиями.

Я сунул брошюру в карман пальто, прошелся еще немного, потом вернулся к своей, то бишь арендованной, машине и покатил в аэропорт.

И тут я сообразил, что регулярный утренний рейс не очень-то мне подходит: не исключено, что Фрэнк Селлерс посадит на него своих людей.

Поинтересовался чартерным рейсом. Пожалуйста — служащий аэропорта начал ради меня крутить телефонный диск.

Пилот, которого я буквально вытащил из постели, сохранял тем не менее присутствие духа и доброе настроение. Он назвал мне цену, согласившись на оплату только «туда», без «обратно», и обещал приехать через тридцать минут.

Я устроился в зале ожидания и раскрыл брошюру. Она изобиловала фотографиями главной улицы Палм-Спрингс. Снимки изысканных магазинов, рассчитанных на богатых туристов. Тенистые рощи Индио. Статистические таблицы температур — зимних и летних. Количество солнечных дней в году. А в самом конце — портрет основателя всей затеи, великодушная физиономия Монтроуза Ливайнинга Карсона с глазами, требующими от зрителя повиновения и послушания.

Фотография таинственным образом придавала всему предприятию ореол стабильности и респектабельности.

Я совсем уж было затолкал брошюру в мусорный ящик, но вдруг, движимый смутным импульсом, достал из кармана ножик, раскрыл его и тщательно вырезал портрет Монтроуза Карсона.

В голове у меня забрезжил план, способный превратить все мои прежние насмешки над Фрэнком Селлерсом в невинные шутки.

Он подтасовывает карты в игре против меня. Отлично. Я покажу ему, как надо подтасовывать карты.

Появился мой летчик, вывел свой самолет из ангара, подготовил к путешествию. По счастью, у него в самолете отыскался блокнот.

В пути я без устали набрасывал портреты Монтроуза Ливайнинга Карсона в разных вариантах. К прибытию в Финикс я научился моментально воспроизводить на бумаге облик этого индивидуума, и очень похоже.

Я расплатился с пилотом, зашел в туалет, порвал все свои этюды, а также фотографию Карсона в клочья и спустил всю макулатуру в унитаз.

Такси довезло меня прямо до жилища Элен Кортис Харт.

Я посмотрел на часы. Как раз вовремя. Ценой за частный аэроплан я выиграл ровно тридцать минут у обычного рейса. Представив себе, как отнесется к этой цене Берта, я испытал легкую эйфорию.

Глава 15

Элен Кортис Харт ошеломила меня изысканным нарядом. Ни один мужчина не смог бы определить ее возраст. Женщина, возможно, сделала бы это, но промахнулась.

Уравновешенная, умудренная жизнью дама излучала очарование. Ее привлекательность была привлекательностью зрелой женщины, а не каким-нибудь там подростковым очарованием.

Элен Харт напоминала зрелый плод, неторопливо набирающий соки на своем дереве, и еще много воды утечет, пока он начнет перезревать.

Она окинула меня оценивающим взглядом, улыбнулась и протянула руку.

— Я — Лэм.

— Приветствую вас, мистер Лэм, — сказала она. — Вы совсем не такой, какого я представляла.

— А кого вы себе представили?

— Огромного мужчину с толстой шеей, широкоплечего и наглого, который тут же начнет приставать на том лишь основании: «А что, собственно, вы можете возразить?» — и отпустит пару посредственных шуток о приятном зрелище, доставшемся Тому-соглядатаю.

— Значит, я обманул ваши ожидания?

— К счастью, да.

— Что ж, вы думаете, я даже не примерился?

— Ну, допустим, примерились. Но ухаживать вы умеете и без этой нахальной гримасы: «А что, собственно, вы можете возразить?» Ваши пасы наверняка более тонкие и интригующие, а потому — вполне простительные, если не приемлемые. Какой кофе вы предпочитаете? Черный? Со сливками и сахаром?

— Со сливками и сахаром, пожалуйста.

— Не понимаю, как удается людям потворствовать всем своим желаниям и сохранять талию, — вздохнула она. — Посмотрите на меня. — Она вдруг расхохоталась: — Ну, не так пристально! Как вас зовут знакомые?

— Дональдом.

— Ол-райт, Дональд. Времени у нас не так уж много. Давайте перейдем прямо к делу.

Она провела меня на кухоньку, мы сели за стол друг против друга.

— Вот тостер, а вот хлеб. Масла нет ни капли, яиц тоже. Сухой тост — пожалуйста. Готовить для вас я не собираюсь.

— Достаточно кофе, — сказал я и сразу перешел к вопросам. — Насколько хорошо вы разглядели лицо мужчины за окном?

— Чертовски хорошо. Оно буквально отпечаталось у меня в памяти.

— Сможете узнать, если снова встретите?

— Конечно.

— Вы помните, как описали его полиции?

— Да. И потом, повторяю, я хорошо помню, как он выглядел.

— Что ж, у меня задатки художника. Давайте начнем с волос.

— Но на нем была шляпа.

— Тогда глаза. Он был в очках?

— Без очков.

— А цвет глаз?

— Светлые, но всего заметнее были у него брови. Мне трудно объяснить, что в них особенного, но на них нельзя не обратить внимание.

— Нос?

— Длинный, прямой.

— Попробую сделать набросок. Я ознакомился в полиции с вашими показаниями. Любопытно, удастся ли изобразить лицо.

Я нарисовал слегка деформированную версию Монтроуза Карсона.

— Слишком широко расставлены глаза, — сказала она.

Я сделал еще один рисунок.

— Слишком изогнутые брови. У того человека они прямые. И что-то не так со ртом. У вас уголки рта загнуты вверх, а у моего знакомца прямая линия рта.

— Как насчет скул?

— Высокие... Вот-вот, вы верно ухватили... Дональд, у вас получается! Почти вылитый он! Прекрасный набросок. С карандашом в руках вы гений, Дональд.

— Я всего лишь следовал вашим указаниям, — заметил я скромно.

— Здорово! Так здорово, что я начинаю бояться.

— Чего бояться?

— Ну, вы взяли с моих слов какие-то штрихи и соединили их в завершенном портрете, и он так похож, что я готова его опознать. И все-таки... Чем больше я на него смотрю, тем больше подозреваю себя в самовнушении. Я узнаю одну черту, узнаю другую, потом вижу их во взаимодействии... Словом, получается, что я сама себя гипнотизирую.

— Если вы правильно охарактеризовали каждую черту в отдельности и на рисунке они воспроизведены точно, беспокоиться не о чем.

— Понимаю, и тем не менее.

Я перебил ее:

— Вы уверены в точности своего описания? Не может ли оказаться... Ну, например, что там был я?

Она расхохоталась:

— Не прикидывайтесь индюком, Дональд! Я думаю, если у вас возникнет желание посмотреть на раздевающуюся женщину, вам не придется для этого торчать под окном.

— Не выглядел тот мужчина больным или несчастным?

— Вроде нет. Трудно объяснить, Дональд. Мои ощущения сможет понять только женщина.

— Увы, я не женщина.

— Ничуть не сомневаюсь... Видите ли, когда вы уверены в своем уединении и вдруг видите мужское лицо, глазеющее из темноты...

— Вы закричали?

— Закричала, попыталась прикрыться чем-нибудь, а потом кинулась к телефону звонить в полицию.

— А мужчина что?

— Я видела, как он побежал, но через несколько шагов его поглотила темнота.

— Что вы делали потом?

— Прежде всего опустила штору... Знаете, Дональд, номера в мотеле спланированы весьма своеобразно. Это окно в задней стене расположено там, где его и не ждешь. Выходишь из ванной, и вдруг оказывается, что ты прямо перед окном, о котором даже не подозревала.

— Как по-вашему, долго тот мужчина там околачивался?

— Понятия не имею. Я ни на что не обращала внимания. Долго была за рулем и прямо-таки мечтала о горячем душе и об ужине.

— Какого он роста, если, например, сравнить со мной?

— Ну, судя по тому, что видно было в окне, он старше вас и крупнее, то есть выше и шире в плечах. Он...

Задребезжал звонок.

Она нахмурилась:

— Кого принесло в такой час? — Посмотрев на часики, она заметила: — Пора открывать салон. Минуточку, Дональд...

Я замер на своем месте, прислушиваясь к звукам в коридоре. Она открыла дверь, и раздался голос Фрэнка Селлерса:

— Извините, мадам. Не хотелось тревожить вас с утра, но... Я — Фрэнк Селлерс из полиции Лос-Анджелеса, а это сержант Рэнсом из местной полиции. Нам надо с вами поговорить.

— В данный момент я ужасно занята, — запротестовала она.

— Достаточно нескольких минут, — сказал Селлерс и вошел.

Другой голос, наверное сержанта Рэнсома, произнес:

— Я знаю, как вы заняты, мисс Харт, но мы расследуем серьезное преступление.

— Боже, что я могу об этом знать? Неужели опять история с Томом-соглядатаем?..

— Совершенно верно, — откликнулся Фрэнк Селлерс. — Думаю, мы установили его личность. Его опознали другие пострадавшие. Если и вы это подтвердите, мы сможем закрыть дело. Этот парень весьма скользкий тип, жуткий проходимец... Вот его портрет...

На минуту воцарилась тишина, нарушаемая какими-то шорохами.

— О боже! — вскричала Элен Харт. — Да ведь это не Том-соглядатай! Это сыщик...

— Который? — холодно переспросил Рэнсом, едва она прикусила язык.

— Он... он в кухне, — пролепетала Элен Харт.

Они буквально ворвались в кухню. Селлерс перегнулся через стол, сгреб пятерней ворот моей рубашки, поднял меня с табурета и зарычал:

— Ах ты, коротышка, сукин сын, надеялся замести следы!

— Не трогайте его, — закричала Элен Харт.

— Он оказал сопротивление при аресте, — заявил Селлерс и нанес мне такой удар в нижнюю челюсть, что я стукнулся головой о стену. Комната завертелась каруселью, и меня засосало черное небытие.

Когда сознание вернулось, на руках у меня были наручники.

Элен Харт в ярости выдавала по тысяче слов в минуту:

— Не понимаю, чего вы добиваетесь. Мне приходилось слышать о грубости полицейских, теперь я убедилась на собственном опыте. Вы ударили беззащитного человека... Единственное, чего он хотел, — найти настоящего Тома-соглядатая. По моему описанию он нарисовал абсолютно точный портрет, и я его идентифицировала.

— Где ж он? — спросил Рэнсом.

— Вот несколько набросков, — она продемонстрировала рисунки, — а вот окончательный портрет.

— Тьфу, — фыркнул сержант Селлерс. — Этот парень пускал вам пыль в глаза. Он и есть Том-соглядатай. Его уличили. И мотивы у него есть. Он замешан в убийстве.

— Ни в чем он не замешан, — заявила Элен Харт. — Я буду протестовать...

— Послушайте, мисс Харт, — сказал Рэнсом успокаивающе, — вы недооцениваете опасность нашей работы. Этот человек собирался напасть на Селлерса.

— Собирался напасть на Селлерса! Ну вы даете! — бушевала она. — Да как он напал бы на этого громилу? Ударь он офицера кулаком, руку бы сломал. И не выдумывайте ничего, я сама все видела. Я плачу налоги и имею право осуждать неправых.

— Ладно, — уступил сержант Рэнсом, — сожалею, что так вышло. Селлерс малость поторопился. Он не спал целую ночь из-за этого дела.

— Да уж, задал мне Лэм работенку, — сказал Селлерс. — Он припрятывал улики, он темнил, выворачивал факты наизнанку. И не надо, леди, рассказывать, будто он невинный агнец. Разве он и вам не пудрил мозги, подсовывая свои идейки? Он смазливый парень и знает, как подойти к даме.

— Он ни к кому не подходил, — отрезала Элен Харт. — Что мне самой нужно было, то я и получила. И от своих слов не откажусь.

Рэнсом заметил, как дрогнули мои ресницы, и сдержанно сообщил:

— Нашего полку прибыло, сержант.

Селлерс посмотрел на меня. На мгновение в его глазах отразился слепой, бессмысленный гнев. Он явно хотел снова ударить. Рэнсом прочел его мысли и опередил напарника:

— Не будем мешать мисс Харт заниматься своими делами. Заберем этого субъекта в управление и продолжим там.

— Мой адвокат проследит за этой историей, — предупредила Элен Харт. — Я считаю своей прямой обязанностью проверить, что означает ваше «дальнейшее разбирательство», может быть — заурядный мордобой. Тронье его хоть пальцем, и у нас в Фениксе начнется такая разборка — пух и перья полетят.

— У вас нет причин для беспокойства, — заверил Рэнсом.

Селлерс потянул меня за наручники:

— Пошли, коротышка. Тебя ждут дальние странствия.

Пока Селлерс выталкивал меня из квартиры, Элен Харт взялась за телефон.

— Держитесь, Дональд, — напутствовала она. — Я звоню своему адвокату, а он чертовски хороший адвокат.

Глава 16

Комната в полицейском управлении оказалась самой типичной. Обшарпанная дубовая мебель, линолеум, весь испещренный пятнами, каждое — след от небрежно брошенной сигареты. Стулья с прямыми спинками, жесткие, неудобные, но зато солидные. Мебель сделана была во времена, когда от вещей ждали долгой службы, и они оправдали ожидания.

Понятия о стиле и комфорте в этой комнате обессмысливались. Ее оборудовали, руководствуясь соображениями практичности и целесообразности, и она годами отбывала свою трудовую повинность, не меняясь.

Фрэнк Селлерс каблуком захлопнул дверь. Замок щелкнул. Селлерс обернулся ко мне:

— Теперь, двуличный сукин сын, мы разберемся во всем до конца, и разберемся чертовски скоро.

Рэнсом проявил куда меньше служебного рвения и больше осторожности.

— Смотри, Фрэнк, — предостерег он, — Элен Харт — настоящий динамит. Я знаю ее адвоката. Это сущий ад на колесах.

Селлерс, нахмурившись, перевел взгляд на Рэнсома.

— Пока ее адвокат сюда заявится, — сказал он, — этот тип расколется надвое.

Тогда и я подал голос:

— Никого ты не расколешь, Фрэнк, сколько ни коли. Ты в Аризоне. Это не твоя вотчина. Здесь ты и пальцем не можешь меня тронуть. И арестовывать не имеешь права. Ты избил меня, и я добьюсь, что тебя за это посадят. У меня есть свидетели... Более того, ты не сможешь даже увезти меня из Аризоны без разрешения властей. А я потребую судебного разбирательства.

— Понял, что я имел в виду? — спросил Фрэнка Рэнсом.

Селлерс вразвалку подошел ко мне.

— Два вершка от горшка, а туда же! Я покажу тебе, есть у меня власть или...

Раздался стук в дверь. Сержант Рэнсом приоткрыл ее.

Мужской голос объявил:

— Вас просят к телефону, сержант. По-моему, дело важное.

— А кто спрашивает?

— Мокси Мелон.

— Передай — я перезвоню, — попросил сержант Рэнсом. — Я занят.

— О'кей, сержант.

Дверь закрылась.

Рэнсом мотнул головой и сказал Селлерсу:

— Так я и полагал. Мокси Мелон — тот самый адвокат. Кроме всего прочего, он в дружбе с губернатором.

— При чем здесь губернатор?! — возмущенно спросил Селлерс.

— Ты слышал, что сказал Лэм? — поинтересовался Рэнсом. — Ты находишься в Аризоне. Тебе придется добиваться решения о высылке.

Лицо Селлерса потемнело.

— Когда я разберусь с этим типом, его самого потянет обратно в Лос-Анджелес, и еще как потянет!

— Разбираться — разбирайся. Только не в этом штате, не в этом городе, не здесь и без меня, — заявил Рэнсом. — Я тут живу, а ты нет.

— Подожди-ка, — сказал Селлерс. — От разговоров при этом типе делу один вред.

— Что ж, давай выйдем, — согласился Рэнсом, — только текст останется прежним.

— Снимите с меня наручники, — потребовал я. — У меня уже запястья болят.

— Не страшно, — ответил Селлерс, открывая дверь, и вышел.

Рэнсом совсем не злобно взглянул на меня и сказал:

— Мы ненадолго. — И тоже вышел.

Ждать пришлось с полчаса. Селлерс и Рэнсом вернулись в обществе незнакомого мужчины. Он был невысок, коренаст, обладал внешностью компетентного человека, а также немалым весом, с которым, однако, легко управлялся.

— Привет, Лэм, — сказал он. — Я — Мокси Мелон, адвокат. Ваша приятельница Элен Кортис Харт наняла меня защищать вас. Вас задержали на основании лос-анджелесского ордера. Вас обвиняют в убийстве. Держитесь. Ничего не говорите, даже который час. Секретарь губернатора по уголовным делам назначил неофициальное слушание на завтра, на десять утра... Речь идет об убийстве, поэтому я не смогу пока освободить вас под залог. Вам придется посидеть до завтрашнего утра в камере. Не бойтесь. Не важно, что они говорят. Они ничегошеньки не сделают... Губернатор не намерен выдавать вас, если обвинение голословно.

— У нас такое обвинение, — заявил Селлерс, — вы просто диву дадитесь.

— Полный вперед, — ответил Мелон. — Только не распускайте руки и не прикасайтесь к парню.

— Кто об этом говорит? — воинственно отреагировал Селлерс.

— Я говорю, — принял вызов Мелон. — Если здесь у вас есть состоятельные друзья, обратитесь к ним, потому что через тридцать минут на вас будет выписан ордер по обвинению в физическом насилии. Вам придется внести залог, чтобы остаться на свободе. Когда я окончательно уясню себе характер нанесенных Лэму травм, мы предъявим вам гражданский иск на десять тысяч долларов. Ударьте его еще разок, и заплатите двадцать тысяч плюс пятьдесят тысяч за нанесенный ущерб.

Лицо Селлерса побагровело.

— Ах вы... Да я...

— Успокойся, держи себя в руках, — вмешался Рэнсом.

— Давайте, давайте, — подзадоривал Мелон.

— Успокойся, сержант, — повторил Рэнсом. — Этот парень был в колледже чемпионом по боксу.

Две-три секунды Селлерс и Мелон в упор смотрели друг на друга. Потом Селлерс небрежно бросил:

— Приезжайте в Лос-Анджелес, когда будет настроение.

— Я там бывал, — ответил Мелон, — и город мне не по душе. Кстати, у вас что, уже в привычку вошло избивать заключенных?

— Нет, у нас не вошло в привычку избивать заключенных, — возразил Селлерс. — И у нас есть спортивный зал.

Мелон усмехнулся:

— Здесь тоже неплохой спортивный зал. Может, спустимся?

— Потише, Селлерс, — предостерег Рэнсом.

Селлерс с высокомерным видом покинул комнату. Рэнсом последовал за ним. А я обратился к Мелону:

— Добудьте рекламную брошюру фирмы «Солнце, воздух и вода» в Палм-Спрингс...

Дверь отворилась и заглянул Рэнсом:

— Пожалуйста, сюда, мистер Мелон.

Они вышли. Через десять минут Рэнсом снова вернулся. Он снял с меня наручники и сказал:

— Пойдем со мной, Лэм.

Меня отвели в тюрьму и зарегистрировали. Я просидел в камере всю вторую половину дня, ночью урывками спал, а в семь утра тюремщик одолжил мне бритву. В девять тридцать меня усадили в машину. В десять я уже находился в большой комнате с высоким потолком — нечто вроде зала для судебных слушаний.

Через несколько минут в комнату торопливо вошел мужчина лет тридцати с кейсом в руках. Он забрался в кресло за высоким столом. Дверь отворилась, и друг за другом вошли сержант Селлерс, Бернис Клинтон, Мокси Мелон и последней — Элен Харт. Взглянув на меня, она ободряюще улыбнулась.

— Итак, начинаем, — объявил мужчина за столом. Он повернулся ко мне и представился:

— Я — Харви С. Филмор, секретарь губернатора по кассационным делам и вопросам перемещения. Мне сообщили, что обвинение против вас ложно. Обычно мы не рассматриваем свидетельские показания, но на сей раз отступим от правил. Предупреждаю, слушание неофициальное. Вам слово, сержант Селлерс.

Селлерс поднялся:

— На побережье, в мотеле «Плавай и загорай» был убит Герберт Джейсон Даулинг. По ряду признаков преступление совершил субъект, подглядывавший за женщинами в окна. Судя по всему, Даулинг поймал его с поличным, а тот попытался скрыться.

— Как насчет доказательств? — поинтересовался Филмор.

— Имеются, — ответил Селлерс. — У меня есть свидетельница, которая опознала Дональда Лэма и подтвердила, что он бродил по территории мотеля и заглядывал в окна. На машине Даулинга, стоявшей у мотеля, было установлено электронное подслушивающее устройство. Следы привели нас к Лэму. Он купил в Сан-Франциско еще одно устройство, чтобы заменить ту часть, которая осталась на машине Даулинга. Кроме того, у нас есть свидетельница в Калифорнии. Она не смогла приехать сюда, но дала письменные показания под присягой. Она заметила Дональда Лэма, когда он пялился на нее в окно того же самого мотеля, по-видимому, через несколько минут после убийства Даулинга. Она опознала фотографию... Даулинга убили из автоматического пистолета двадцать второго калибра. Мы нашли этот пистолет в квартире Лэма. Добавлю, он имеет лицензию частного детектива, работает в агентстве «Кул и Лэм»... Интересует вас что-нибудь еще?

— Не стоит так петушиться, сержант, — заметил Филмор. — Фактов вполне достаточно для постановления о высылке.

Мокси Мелон встал и заявил:

— Я представляю обвиняемого, господин секретарь. У меня есть вопросы к свидетелю.

— Сперва закончим с сержантом Селлерсом, — сказал Филмор. — Согласны ли вы, сержант, подтвердить свои показания под присягой?

Фрэнк Селлерс поднял правую руку и произнес клятву.

— Я готов повторить свои показания, — объявил он.

— У вас есть вопросы? — обратился ко мне Филмор.

— Спросите его, где именно обнаружили револьвер, — попросил я.

— Мы нашли его за проигрывателем на книжной полке, за фальшивыми переплетами.

— Револьвер послужил орудием убийства? — спросил я.

— Да, — подтвердил Селлерс.

— Вы находитесь под присягой, сержант, — напомнил Филмор.

— Знаю. Пистолет исследовали эксперты по баллистике. Это орудие убийства.

— Полагаю, вопрос исчерпан, — обратился Филмор к Мелону.

— Мне хотелось бы пригласить свидетеля, — заявил Мелон.

— Поскольку найдено орудие убийства, нам в общем-то не нужны ее показания, — засомневался Филмор.

— Предположим, она уже дала показания. У меня к ней несколько вопросов, — настаивал я.

Мелон спросил меня вполголоса:

— Справитесь, Лэм?

— Справлюсь.

— Итак, — громко произнес Мелон, — мы принимаем за факт, что свидетельница дала показания Селлерсу. Ей остается принести присягу и подтвердить сказанное. Мой клиент хочет задать несколько вопросов.

— Вы или ваш клиент? — уточнил Филмор.

— Мой клиент.

— Обычно адвокат выступает от имени обвиняемого, — засомневался Филмор.

— Слушание ведь неофициальное, а дело для меня новое, — пояснил Мелон.

— Согласен, — сказал Филмор. — Постараемся разобраться до конца. Где Бернис Клинтон?

Бернис Клинтон встала, подняла правую руку и принесла присягу.

— Вы слышали, как пересказал ваши показания сержант Селлерс?

— Слышала.

— Можно считать это вашим официальным свидетельством?

— Да, это мое официальное свидетельство.

— Пройдите вперед. Обвиняемый задаст вам несколько вопросов. — Филмор с симпатией оглядел аккуратную фигурку Бернис Клинтон.

Она прошла к свидетельскому месту и села.

— Вы опознали меня как мужчину, заглядывавшего в окно, когда вы раздевались?

— Да, — твердо произнесла она.

— Вы встречали меня после этого?

— Я видела вас в Лос-Анджелесе, а потом в Санта-Ане, у себя дома, в «Коринфиан-Армс».

— Под каким именем вы снимаете там квартиру?

— Минуту! — сказал Фрэнк Селлерс. — Его надо остановить. Сейчас он вываляет ее в грязи. Цель слушания — установить, есть ли у штата Аризона основания выслать его. Он может продолжить свою пачкотню в суде.

— Думаю, замечание справедливое, — обратился ко мне Филмор. — Задавайте вопросы по существу показаний свидетельницы.

— Вы вели со мною переговоры об аренде участка?

— Вела.

— И с этой целью несколько раз встречались со мной?

— Встречалась.

— Это было после приключения в мотеле «Плавай и загорай» и до моего визита в Санта-Ану?

— Да.

— Но тогда вы не опознали меня как Тома-соглядатая?

— Нет. Я хотела арендовать у вас участок и просто не воспринимала в другой связи. Мне казалось, что когда-то вас видела раньше, но где — вспомнить не могла. Вы для меня не ассоциировались с происшествием в мотеле.

370

— И ассоциация не возникала, пока сержант Селлерс не сообщил вам, что я и есть Том-соглядатай?

— Он спросил меня об этом.

— И вы ответили утвердительно?

— В тот момент я вспомнила, где видела вас раньше.

— Чьи интересы вы представляли, когда добивались аренды?

— Герберта Джейсона Даулинга.

— Вряд ли имеет смысл вникать во все подробности, — вмешался Филмор. — Губернатор, я думаю, сочтет высылку Лэма допустимой.

— Свидетель с нашей стороны требует слова, — заявил Мелон.

— Кто именно?

— Элен Кортис Харт, жительница нашего города. Она тоже одна из потерпевших от сексуального маньяка.

— Это не имеет значения, — возразил Филмор. — Соглядатаев могло быть с полдюжины.

— Я делал наброски мужчины, которого мисс Харт заметила возле окна, — сообщил я, — рисунки по ее описаниям. Один здорово удался. Она сказала, что сходство передано прекрасно. Хотелось бы выяснить, что с рисунками.

— Они у меня, — сказала Элен Харт.

— Могу я получить их?

— Что они дадут? — спросил Филмор. — Если вас там заметила Бернис Клинтон, то в рамках нашего слушания ничего более не требуется.

Я настаивал:

— Если секретарь разрешит, я хотел бы задать еще пару вопросов Бернис Клинтон.

— Мы не можем посвятить вашей проблеме целое утро. Моя единственная задача — определить, есть ли у губернатора основания согласиться на вашу высылку. Полученных сведений вполне достаточно.

— Хорошо вас понимаю, — настаивал я, — и потому прошу разрешить всего два вопроса.

— Что ж, задавайте, — уступил секретарь.

— Мисс Клинтон, вести переговоры об аренде вы явились ко мне в квартиру. Вы прошли к книжным полкам и отодвинули декоративное панно из переплетов, чтобы включить проигрыватель. Откуда вы узнали о нем?

— О боже! — воскликнула она. — Да я видела тысячу проигрывателей, спрятанных за бутафорскими библиотеками.

— Отвечайте на вопрос: откуда вы знали об этом? Вы бывали в той квартире раньше? Помните: вы давали присягу, и ответ можно проверить.

Она заколебалась, потом произнесла:

— Я бывала в этой квартире.

— Жили в ней?

— Да.

— До того, как я туда въехал?

— Ну и что? Я выехала, вы вселились...

Я обратился к Элен Харт:

— Дайте последний рисунок, о котором вы сказали, что это точный портрет ночного бродяги.

Она передала мне рисунок. Я задал еще один вопрос:

— На рисунке изображен мужчина, заглядывавший к вам в окно, верно?

— Да, этот человек подглядывал в мое окно, когда я вышла из душа, — категорично ответила она.

Я показал портрет Бернис Клинтон:

— Узнаете этого человека, да или нет?

Она посмотрела на рисунок, потом на меня, перевела взгляд на Элен Харт, сделала глубокий вдох и наконец сказала:

— В этом лице есть что-то знакомое... Но я не могу опознать человека по рисунку.

Я обратился к Мокси Мелону:

— Удалось вам достать рекламную брошюру?

— Да, — ответил он и вручил ее мне.

Я раскрыл буклет и предъявил Бернис Клинтон портрет Монтроуза Ливайнинга Карсона.

— Знаете этого человека?

Она глянула на фотографию и, поколебавшись немного, призналась:

— Знаю.

— Не он ли оплачивает квартиру в Санта-Ане, которую вы занимаете под именем Агнес Дейтон?

— Ну, пожалуйста! — взмолился Филмор. — Мы ведь договорились не заниматься вопросами личной морали.

— Это вопрос отнюдь не личной морали. Взгляните на фотографию и на рисованный портрет, опознанный мисс Харт. Бернис Клинтон работала вовсе не на Герберта Джейсона Даулинга. Всю аферу подстроил Монтроуз Л. Карсон, чтобы внушить мне, будто я имею дело с Даулингом... И позвольте напомнить ей, что речь идет об убийстве. Она лжесвидетельствовала здесь, а в Калифорнии ее ждет газовая камера за соучастие, если не изменит свои показания прямо сейчас.

Бернис Клинтон тут же откликнулась:

— Что ж, я не собираюсь служить козлом отпущения. Никакого маньяка вообще не было.

— Полагаю, вам следует объясниться, — потребовал Филмор.

— Я все расскажу, — сказала Бернис. — Мистер Карсон велел мне отправиться в мотель «Плавай и загорай». В условленное время я должна была позвонить в полицию и пожаловаться на маньяка, заглядывающего в окна.

— Значит, на самом деле вы не видели Тома-соглядатая? — спросил я.

— Нет. Я сбросила верхнюю одежду, накинула халат и позвонила в полицию. Когда она приехала, я рассказала им о бродяге, но описала его неопределенно. Это мистер Карсон посоветовал мне дать общее описание, чтобы позднее его можно было приспособить к обстоятельствам и тому, кого понадобится обвинить.

— Какой же смысл в этой затее? — спросил я.

— Мистер Карсон хотел заполучить контроль над корпорацией Даулинга. У него были сведения, что Даулинг тайком встречается с молодой женщиной по имени Айрин Аддис в мотеле «Плавай и загорай»... Мистер Карсон хотел проверить эту информацию, прежде чем начать действовать... Ему стало известно, в какую именно ночь состоится свидание. Он отправился в мотель. Когда он заглянул в окно номера, где якобы жил Даулинг, его увидела Элен Харт. Мистер Карсон испугался, что она даст полиции его портрет и возникнут неприятности. Потому он и отправил меня в мотель, чтоб я известила полицию об очередной выходке маньяка. У самого Карсона на это время имелось железное алиби.

Воцарилось молчание. Публика осмысливала новую информацию.

— Но Карсон принял Айрин Аддис к себе на работу, — сказал я.

— Разумеется. Чтоб иметь предлог обратиться к частным детективам и установить за ней слежку, а потом предать гласности тайный роман Даулинга. Вот зачем он нанял вас, но где вам, недотепам, понять что к чему. И я послала вам телеграмму. Намекнула...

— Откуда вам все известно? — спросил Филмор.

— Карсон рассказал.

— А почему именно вам?

Она глянула прямо ему в глаза:

— Потому что я была любовницей Даулинга, а Карсон пытался меня против него настроить и использовать, наговаривая на Герберта всяческие небылицы. Теперь-то я знаю, что Герберт поступал со мной по справедливости. Я уже порвала с этим крючкотвором, Монтроузом Карсоном. Не желаю больше иметь дело с такой публикой. Теперь я стану леди. Герберт Даулинг обещал обо мне позаботиться, а он был человеком слова.

— Как же получилось, что вы опознали маньяка в Дональде Лэме?

— Я действовала по указаниям мистера Карсона. Сейчас мне ясно, что он просто меня использовал и врал.

Филмор откинулся в кресле и посмотрел на Селлерса.

Селлерс же совершенно обалдел, пытаясь на ходу приспособиться к новому повороту сюжета.

— Значит, мистер Карсон сам предложил вам вступить со мной в переговоры об аренде земельного участка? И никаких заданий по этому поводу от Герберта Даулинга вы не получали?

Она заколебалась, но все же заговорила:

— По этому поводу нет. Я готова отдать что угодно, лишь бы искупить свою вину перед благородным, очень достойным джентльменом.

— Вы были любовницей Даулинга? — спросил Филмор.

— Сколько можно повторять? Я была его любовницей.

— А кем вы приходились Карсону?

— Разве что инструментом, слепым, послушным инструментом. Он играл на моей ревности. Он внушал мне, что у Даулинга есть другая женщина.

— И Карсон платил за квартиру в Санта-Ане? — уточнил я.

— Карсон платил за квартиру в Санта-Ане, — вспыхнула она. — Ему нужно было место, где мы могли бы встречаться без свидетелей. Квартира предназначалась для деловых, а не любовных встреч... Теперь я понимаю, какой слепой, доверчивой и наивной дурой я была.

— Говорил вам Карсон хоть что-нибудь об убийстве Даулинга? — спросил я.

— Конечно нет. Иногда он мне давал поручения, я их выполняла, и все!

Филмор обернулся к Селлерсу:

— Что вы намерены делать сейчас?

Селлерс посмотрел на меня:

— Думаю, Лэм должен еще кое-что объяснить.

Я покачал головой:

— Я отказываюсь от права на убежище. Я возвращаюсь в Калифорнию с капитаном Селлерсом.

— Вы делаете — что? — переспросил Филмор, не веря собственным ушам.

— Отказываюсь от права на убежище, — повторил я, — возвращаюсь в Калифорнию с капитаном Селлерсом, в качестве арестанта. Добровольно. Селлерс — человек справедливый. Он терпеть не может жуликов. Он ненавидит предателей. Временами он не любит меня. Но он честный партнер.

Филмор нахмурился.

Мокси Мелон хотел было заговорить, но осекся — Элен Харт дернула его за полу пиджака и усадила на место.

— Слушание завершено, — объявил Филмор. — Если Лэм отклоняет просьбу об убежище, мне нечего больше делать. Объявляется перерыв. — И Филмор покинул зал.

Мокси Мелон подошел ко мне:

— Лэм, вы понимаете, что делаете?

— Понимаю.

— Ну, умник, — сказал Селлерс, — спасибо за рекламу. Кто знает, может, ты прав и знаешь ответ на все вопросы, валяй выкладывай. Я тоже хочу знать ответ. И я не хочу, чтоб меня использовали. Сечешь, Лэм? Я не хочу, чтоб мной прикрывались.

— Никто тебя не использует, — заверил я. — Что будем делать теперь?

— Хватаем билеты на первый попавшийся рейс, пока в твоей лисьей голове не созрела очередная увертка.

— Через полчаса есть самолет на Лос-Анджелес через Палм-Спрингс. Я вас подброшу, — предложил сержант Рэнсом.

К нам подошла Элен Харт.

— Дональд, — сказала она, — наверное, вы все продумали, но... если вам что-нибудь понадобится, мы с мистером Мелоном готовы помочь.

— Спасибо, — поблагодарил я. — Вряд ли возникнет такая необходимость. Селлерс честен, хотя временами малость упрям.

— Временами я прямо-таки чертовски упрям, — поправил Селлерс.

— А по мне, вы просто скотина! — вспыхнула Элен. — Какое право вы имели бить мальчика кулаком по лицу?!

— Успокойтесь, леди, — попросил ее Селлерс. — Я вспыльчив, потерял тогда голову. Пошли, Лэм.

Я протянул руку Элен Харт:

— Спасибо вам.

Она взяла ее в свои ладони:

— Сообщите, как пойдут дела, Дональд.

— Обязательно. И спасибо за помощь.

— Если мы хотим успеть на самолет, пора пошевеливаться, — сказал Рэнсом.

— Мы пошевеливаемся, — ответил Селлерс. — Пошли, Лэм.

Глава 17

Не успели мы застегнуть привязные ремни, как Селлерс предупредил:

— Учти, Лэм, я на веру твои теории не принимаю.

— Ну и не надо.

Самолет медленно вырулил на взлетную полосу. Взревели моторы.

— Так что же произошло согласно твоей теории? — не утерпел Селлерс.

— Зачем навязывать то, что не хотят принимать?

Пилот рванул машину вперед, она понеслась по бетонной полосе, потом круто взмыла в небо. Табло, призывавшее застегнуть ремни, погасло.

— Стоит ли быть таким чувствительным, — примирительно сказал Селлерс. — Конечно, зря я тебе врезал. Виноват.

— Заметано, — откликнулся я. — Вы виноваты. Везите меня в Лос-Анджелес. Самолет встретят репортеры. Можете сообщить, что поймали убийцу. Элен Харт опознает в Карсоне Тома-соглядатая, Бернис Клинтон признается в лжесвидетельстве, и кое-кому придется покраснеть. Думаю, не мне.

Самолет набирал высоту, Селлерс размышлял.

— Ну, рассказывай, — проговорил он наконец.

— Нет вдохновения.

— Послушай, Лэм, я же извинился.

— А боль еще не прошла.

— Черт побери, чего же ты хочешь? — вспыхнул он. — Чтобы я расцеловал твой подбородок, погладил маменькиного сынка по головке?

— Нет, — ответил я. — Единственная приемлемая сатисфакция — это увидеть, как репортеры выволокут тебя на ковер. Там будут фотографы, прожектора и магниевые вспышки. Ты выступишь с заявлением. А когда закончишь, сделаю заявление я.

— Черта с два! Ты ничего не скажешь.

— Тем лучше. Газетчики учуют, что от них скрывают сенсацию. Им это придется по душе. Кое-кто напишет, что сержанта Селлерса привлекли к ответственности в Финиксе за грубость и выпустили из-под стражи под залог в двадцать тысяч долларов, а сейчас он мешает заключенному выступить с заявлением... Словом, поступай, как тебе заблагорассудится.

Я поудобней устроился в кресле, зевнул и закрыл глаза.

— Ах, сукин сын, — возмутился Селлерс, — еще спящим прикидываешься... Да я тебе...

— Дотронься хоть пальцем, и Мокси Мелон отберет твои нашивки.

— Послушай, Дональд, так мы ни к чему не придем.

— До Лос-Анджелеса долетим, и ладно. Больше мне ничего не надо. Я найму адвоката и буду вести переговоры только через него. Пока суд да дело, агентство «Кул и Лэм» раскроет убийство. А ты в это время будешь объясняться перед репортерами и утратишь авторитет. — И я опять закрыл глаза.

— Я не обязан везти тебя в Лос-Анджелес, — заявил Селлерс.

— Я отказался от права на убежище и нахожусь под арестом, — напомнил я.

— Ты, кажется, оставил арендованную машину в Палм-Спрингс? — поинтересовался Селлерс.

— Конечно, потом попрошу Берту забрать ее.

Я подавил наигранный зевок, откинулся на спинку кресла и закрыл глаза. Я прямо-таки кожей чувствовал, как ворочаются мысли в голове Селлерса. Один раз я приоткрыл веки и глянул исподтишка на Селлерса. Тот хмурился, безмолвно шевеля губами.

Вскоре объявили, что самолет приближается к Палм-Спрингс. Селлерс неделикатно ткнул меня локтем в бок:

— Довольно дрыхнуть, просыпайся.

— В чем дело? — вскинулся я, как бы выныривая из дремоты.

— Тебе не придется распускать свой павлиний хвост перед лос-анджелесскими репортерами. Мы выходим в Палм-Спрингс.

— Что толку? — спросил я. — Когда в Лос-Анджелесе тебя репортеры не обнаружат, они моментально выяснят, где ты исчез. Тут-то и начнется настоящая охота.

— Пускай охотятся, — решительно сказал Селлерс. — Пошли.

И мы покинули самолет.

С моей помощью Селлерс отыскал на стоянке автомобиль, ключи — под резиновым ковриком, проверил зажигание.

— Куда теперь? — поинтересовался я.

— В управление, но по моему маршруту.

— Эта колымага обходится мне в десять центов за милю.

— Экая беда, — зацокал языком Селлерс. — Ты не желаешь сотрудничать со мной, я — взаимно.

— Послушай, — запротестовал я, — у меня есть определенные права. Я требую доставить меня в ближайший магистрат.

— На это ухо я глух. Я тебя не слышу.

— Пусть будет по-твоему. У Мокси Мелона найдутся ушные капли.

— А что скажешь, если я тебя отпущу на все четыре стороны?

— Не имеешь права. Ты представляешь власть и находишься при исполнении. Ты меня охраняешь.

— Могу устроить тебе побег.

— А я не хочу бежать.

— Ладно, чего же ты в конце концов хочешь?

— Хочу, чтоб меня освободили официально. Хочу, чтоб восстановили мое доброе имя. Вместе с Бертой Кул мы закончим это дело об убийстве, причем на сей раз никому из полиции не позволим присвоить наши лавры.

Селлерс стиснул зубы, заиграв желваками. Он выудил из кармана сигару и, не зажигая, принялся ее жевать.

Мы поехали через горный перевал. Селлерс, видимо, решил, что на этом маршруте не столь велика опасность угодить в лапы репортерам.

— Вам ничего не придется заканчивать, — сказал он, — все уже разгадано. Я знаю, кто убил Даулинга.

— Знаешь? — переспросил я. — Хотелось бы услышать, как ты это докажешь?

— Бернис Клинтон расколется.

— Бернис сообщница, — возразил я. — Вы не сможете осудить Карсона по ее неподтвержденному свидетельству.

— Есть еще пистолет.

380

— Да, конечно, — согласился я. — Сперва он служил уликой против меня. Теперь станет уликой против Карсона. А есть у тебя уверенность, что оружие не подбросила Бернис Клинтон?

Эта гипотеза буквально ошарашила Селлерса.

— Черт побери! — только и сказал он.

— Я ничего не утверждаю. Но дело расследуем мы — Берта и я.

— Вы не сможете добыть улик сверх того, что имеет полиция.

— Совершенно справедливо, — подтвердил я. — Но полиция будет искать не там, где надо. А я буду искать там, где надо. И приду туда первым.

— Послушай, Лэм, выручи меня! Ты прекрасно знаешь, вам раскрытие убийства не принесет ни шиша. Вам за это не заплатят. Ты всего-навсего частный сыщик. Более того, Берта не согласится действовать с тобой на пару. Она поможет мне.

— Не поможет, когда узнает, что ты съездил мне по зубам.

— Забудь об этом!

— Не могу. Мне все еще больно.

— А могло быть намного больнее. И вот что я тебе скажу. Никакого убийства ты не раскроешь! Если не заговоришь по-хорошему, я просто буду гонять этот драндулет по десять центов за милю, пока это чертово дело не разрешится само собой. К тому времени дорожные расходы вырастут до таких размеров, что Берта начнет рвать на себе волосы.

— Отлично. Я возмещу эти расходы, когда Мокси Мелон выпотрошит вас в Фениксе.

— С меня взятки гладки, — сообщил Селлерс. — Я всего-навсего полицейский, кроме жалования ничего не имею.

— У тебя есть автомобиль, его стоимости хватит.

— Черт возьми! — подпрыгнул Селлерс. — Перестань мелочиться. Забудем личные обиды.

— Ты со своим кулаком не мелочился.

— Ладно, ладно, будет. А теперь выкладывай!

— Если я наведу тебя на след, воспользуешься им?

— Какой след?

— Мы остановимся у первого же телефона. Попросим Берту Кул встретить нас в Санта-Ане. Затем отправимся в «Коринфиан-Армс» и обыщем квартиру, которую Бернис Клинтон снимала под именем Агнес Дейтон. И если существуют обвинительные материалы, письма или еще что-нибудь в этом роде, скорее всего, они находятся именно там.

— Там ничего не будет, — уверенно заявил Селлерс.

— Тогда действуй по-своему, если хочешь остаться в дураках.

Через милю нам попалась заправочная станция. Мили Селлерсу хватило на раздумья. Он резко свернул и показал служителю свой жетон.

— Нужен телефон. По государственному делу.

Через десять минут Селлерс вернулся в машину.

— Берта нас встретит, — сообщил он. — Но у нас нет ордера на обыск.

— Того, что Бернис Клинтон рассказала в Фениксе, достаточно. Если мы не будем терять время впустую, может, успеем.

— Времени навалом, — заверил Селлерс.

— С такой малышкой? Не зарекайся!

Селлерс отпустил тормоза.

— Я клюнул, — поделился он. — Сколько раз клялся не клевать на твои приманки, и опять. Что ж, путешествие продолжается.

Глава 18

Берта Кул дожидалась нас у дома «Коринфиан-Армс» в Санта-Ане.

Когда мы подъехали, она покинула свою машину и царственной походкой направилась к нам. Не глядя на Селлерса, она набросилась на меня с вопросами:

— Черт возьми, чем ты занимаешься? Где тебя носит?..

— Помолчите, Берта, — вступился Селлерс. — Он еще может оказаться на коне.

— Что?! — вскричала Берта.

— Не стану повторяться. Дело посложней, чем казалось вначале, — сказал Селлерс.

— Вы ж говорили, что он попался, — удивилась Берта.

— Я так считал, пока не знал некоторые факты.

Берта зловеще взглянула на меня и демонстративно повернулась к Селлерсу:

— А здесь-то чем мы будем заниматься?

— Заглянем в одну квартиру.

Берта прошипела в мою сторону:

— Ох уж эти твои неортодоксальные методы. Я принимаюсь за простенькое дело об утечке коммерческой информации — начни и закрой! — так нет же, ты обязательно вляпаешься в убийство!

Она проследовала за Селлерсом к подъезду. Я замыкал шествие.

Селлерс нашел администратора и объяснил, что хочет осмотреть квартиру Агнес Дейтон.

Администратор позвонил юристу, после переговоров развел руками: ничего, мол, не поделаешь, нужен ордер.

От Селлерса буквально пар валил. Он дозвонился до местного полицейского начальства. То связалось с городским прокурором и прокурором округа. Пока длилось согласование, к дому подкатило такси, и на тротуар из него выпрыгнула Бернис Клинтон.

Оглядев сборище, она спросила:

— В чем, собственно, дело?

— Мы хотим заглянуть к вам, — ответил Селлерс.

— Ордер у вас есть?

— Вот и я о том же, — заметил администратор.

— Спасибо, — бросила Бернис администратору, проскочила мимо нас к лифту и уехала.

Селлерс сдерживался с трудом. Он развернулся и вышел на улицу. У машины остановился и посмотрел на меня с укоризной — или угрозой.

— Ну вот, втравил меня в историю. Теперь все здешние газеты начнут перемывать мне кости.

— Почему ты не принимаешься за обыск?

— Чертовски глупая ситуация, когда представитель закона не может обыскать квартиру, — вмешалась Берта.

— Запросто может, — возразил я.

— Разумеется, могу, — сказал Селлерс, — если только захочу подставить свою шею.

Я обратился к Берте, полностью игнорируя Селлерса:

— Эта особа в Финиксе позволила себе лжесвидетельствовать. Наверное, ее выпустили под залог. Залог внес, видимо, тот, кому выгодно было вывести ее из опасной зоны. Она солгала и призналась во лжи, когда слушалось дело об убийстве. Она призналась, что была соучастницей преступления. Селлерсу остается только арестовать ее по подозрению в убийстве. Чтобы арестовать, ему надо попасть в квартиру. А попав туда, естественно, он квартиру осмотрит, верно?

Селлерс воодушевился:

— Клянусь, я и вправду могу это сделать, арестовать ее как подозреваемую в убийстве.

— Освободив для начала меня. Нельзя держать под стражей сразу двух подозреваемых.

Селлерс снова погрузился в задумчивость.

— А еще, — продолжал я внушать, обращаясь к Берте, — будь Селлерс ловкачом, он сделал бы вид, что признал свое поражение, объехал вокруг квартала и выбрал местечко, откуда удобно наблюдать за квартирой... Теперь вот еще что. Бернис Клинтон влипла в историю в Финиксе. Она выкарабкалась из нее. Это стоило денег. Она добралась до Санта-Аны на самолете. Это тоже стоит денег. Через пятнадцать — двадцать минут она выйдет на улицу и направится вон к тому почтовому ящику отправить письмо. Заодно осмотрится, чист ли горизонт. Если ей покажется, что чист, через пять минут к подъезду подкатит такси. Наша красотка выпорхнет на всех парусах из квартиры и отправится туда, где засел Монтроуз Л. Карсон.

— При чем тут Карсон? — спросила Берта.

— Кроме него ее некому субсидировать.

Берта растерянно заморгала глазами:

— Поджарьте меня как устрицу!

Я зевнул:

— Впрочем, Селлерс осторожничает. Не хочет рисковать. Наверное, увезет меня в Лос-Анджелес. А уж там-то я вдосталь наговорюсь с репортерами. Уж они повеселятся! Узнают к тому времени о слушании в Финиксе, а я добавлю подробности о квартире в Санта-Ане.

Селлерс забрался в мой (то есть арендованный) автомобиль и сказал:

— Сели б лучше и вы в машину, Берта.

— Куда мы едем?

— В Лос-Анджелес.

— Тогда я пересяду в свою машину.

— Оставьте ее здесь, — сказал Селлерс.

Берта забралась на заднее сиденье.

Селлерс обогнул пару кварталов, вернулся и припарковал машину в стороне, откуда легко было наблюдать за почтовым ящиком.

Не прошло и пяти минут, как Бернис вышла из дома, демонстративно помахивая конвертом, его мы видели аж за полтора квартала.

Она опустила конверт в ящик, украдкой осмотрелась и вернулась в дом. Селлерс стрелой вылетел из автомобиля, едва она скрылась из виду. Он ворвался в аптеку, бросился к телефону-автомату и закрутил диск. Берта Кул принялась за свое:

— Ну и кутерьму ты затеял! Агентству из этого кошмара никогда не выбраться. Ты лишишься лицензии и мою поставишь под угрозу. Выступил против Фрэнка Селлерса...

— Заткнитесь! — потребовал я.

— Как ты смеешь мне приказывать, — возопила Берта. — Затыкать меня... Ах ты... ты...

Бертино заикание разрешилось поистине апоплексической паузой. К «Коринфиан-Армс» подъехало такси. Бернис Клинтон, по-видимому, подкарауливала машину за дверью, потому что выскочила наружу с чемоданом в одной руке и кейсом в другой, едва такси остановилось. Шофер закинул багаж в машину, помог пассажирке усесться и захлопнул дверцу. Потом сел за руль и запустил двигатель.

Бернис несколько раз оглянулась, видно опасаясь преследования.

— Что за черт! — опомнилась Берта. — Этот олух звонит невесть сколько, а она сматывает удочки! — Берта принялась размахивать руками, пытаясь привлечь внимание Селлерса. А тот все стоял спиной к нам. Наконец повернулся и посмотрел в нашу сторону.

Берта отчаянно зажестикулировала, тыча пальцем в конец улицы.

Возможно, Селлерс этого не заметил. Он снова взялся за телефон.

Через некоторое время вразвалку вышел на улицу, лениво влез в автомобиль. Берта прямо-таки зашлась:

— О великий Боже! Каким же размазней вы оказались! Дональд ведь точнехонько предсказал, что произойдет, а вы висите на телефоне и облегчаете ей побег. Неужто не видели моих сигналов?

— Еще как видел, — сказал Селлерс.

— Что ж, — заключила Берта, — если вам это доставит радость, птичка из клетки упорхнула.

— Если вам это доставит радость, — сообщил Селлерс, — птичка полетела прямо в клетку.

— О чем вы? — спросила Берта.

— Объясню позже.

Лицо Берты побагровело.

— Не расстраивайтесь, Берта, — успокоил я своего партнера. — Селлерс просто позвонил в местную полицию, а они в диспетчерскую таксопарка. Дело в том, что здешние такси оборудованы радио, и как только клиентка назовет адрес, шофер сообщит, куда она держит путь.

— Зажарьте меня как устрицу! — только и сказала Берта.

Селлерс бросил на меня взгляд:

— Ишь, умник!

Я зевнул.

Селлерс выудил свежую сигару и принялся жевать. Через некоторое время вылез из машины, снова прошел к телефону, быстро вернулся и завел мотор.

— Далеко? — спросил я.

— Угадай, раз такой умный, — ответил Селлерс.

— Попытаюсь. В ближайший аэропорт, где можно нанять частный самолет.

— Ну, ответ сам собой напрашивался.

— Так куда же?

— Узнаешь, — пообещал Селлерс.

Я откинулся на спинку сиденья, а Селлерс взял направление на Ньюпорт.

— Он свихнулся? — поинтересовалась у меня Берта.

— Не совсем. Карсон ждет ее в Ньюпорте на частной яхте. Они объявят, что плывут в Каталину, а сами смоются в Энсеньяду — маленькая веселая компания, слишком заурядная, чтоб вызвать интерес. А там они поженятся, и тогда по закону ни один из них не сможет давать показания против другого. Бернис сумела-таки его захомутать.

— Пора мне забрать свою машину, — сказала Берта. — Меня оштрафуют за превышение лимита времени.

— Вы останетесь с нами, — возразил Селлерс.

— К вашему сведению, — утешил я Берту, — эту машину я тоже взял напрокат, Селлерс просто захватил ее. Нам она обходится в десять центов за милю.

Берта подскочила с такой яростью, что чуть не повредила пружины заднего сиденья.

— Что?! — завопила она.

— Десять центов за милю, — повторил я.

— Ах вы... По какому чертову праву вы конфисковали машину Дональда? Да кто вы такой? — орала Берта на Селлерса.

Селлерс, поглощенный дорожными знаками, перебросил сигару из одного угла рта в другой — и ноль внимания.

Берта продолжала бушевать с полмили, а потом погрузилась в молчание, горькое, гнетущее, с зубовным скрежетом и душевным надрывом.

А Селлерс вел машину вроде бы без всякой спешки. Мы потихоньку добрались до Ньюпорта, а там и до шикарного яхт-клуба. Селлерс блеснул своим жетоном, помахал документами, и машину пропустили на стоянку. Его ожидал офицер полиции.

— Сюда, — только и сказал он.

— Следуйте за мной и помалкивайте, — приказал Селлерс нам с Бертой.

Мы прошли к частному причалу, где качалась большая океанская двухвинтовая яхта. Сходни охранял еще один офицер полиции.

Он пропустил нас без разговоров. Мы спустились в каюту.

Монтроуз Л. Карсон, Бернис Клинтон и несколько полицейских сидели вокруг стола.

На лице Карсона застыла маска ярости.

— Не сомневаюсь, это ваших рук дело, — сказал он, увидев меня.

Я поклонился.

Селлерс выступил вперед:

— Отвечаю за все я, Карсон.

— Я отберу у вас лицензию, — пообещал мне Карсон. — Вы меня предали.

— Заткнитесь, — оборвал его Селлерс. — Вы поручили этим людям заняться утечкой информации из вашей конторы. А утечки никакой не было. Была мистификация. Вы хотели, чтоб каштаны из огня таскали за вас другие. Правда, вы не предлагали им раскрыть убийство или совершить его.

— Откуда мне знать, что они делали, — сказал Карсон. — От Лэма можно ждать чего угодно.

Селлерс обратился к офицеру:

— Вы обыскали его?

Офицер кивнул:

— Обыскал, но ничего не нашел.

— А как насчет девки?

— Я не девка, — заявила Бернис Клинтон. — И меня не обыскивали. И не будут обыскивать. Я не дамся. Попробуйте только дотронуться до моего багажа. Я приличная женщина. Я не позволю сборищу мужиков щупать меня, прикрывая дармовое удовольствие служебным долгом. Я требую...

Селлерс ткнул пальцем в Берту.

— Уполномочьте ее, — посоветовал он офицеру.

Офицер ухмыльнулся и спросил:

— Как ее зовут?

— Берта Кул.

— Берта Кул, — произнес офицер, — именем закона я уполномочиваю вас оказать помощь полиции. Я обязываю вас обыскать арестованную.

Бернис Клинтон побледнела, вскочила на ноги и крикнула:

— Вы не смеете!

— Где бы нам уединиться? — безмятежно спросила Берта.

— Рядом свободная каюта, — офицер кивнул на дверь.

— Пошли, дорогуша, — обратилась Берта к Бернис.

— Катись к чертовой матери, — процедила та.

Берта обхватила ее за талию и вынесла за дверь, словно мешок.

Карсона вывели на пирс.

Селлерс сел и с облегчением расплылся в улыбке. Офицер усмехнулся в ответ. Селлерс ткнул в меня пальцем и пригласил:

— Присаживайся, Поллитровочка!

За дверью послышались шум, топот, потом пронзительная ругань. Яхта вздрогнула, будто ударилась о причал.

Через десять минут вернулась Берта с Бернис Клинтон на буксире.

У Бернис был такой вид, точно ее пропустили через мясорубку: всклокоченные волосы, рваная юбка, в блузке — дыра.

— Я обыскала ее, — сообщила Берта.

— Нашли что-нибудь?

Берта швырнула на стол бумажку.

— Под лифчиком, — кратко доложила она.

Полицейские сгрудились вокруг стола. У меня не было возможности последовать их примеру. Но вскоре Селлерс подвел итог:

— Теперь все ясно. Известен мотив — завещание Герберта Джейсона Даулинга. Он все отдал Бернис Клинтон.

— Когда оно было подписано? — спросил я.

— Два года назад, — ответил Селлерс.

— В этом случае оно не стоит даже той бумаги, на которой написано. У Даулинга остались сын и жена по гражданскому браку. Они зарегистрировались в штате, где гражданский брак признается юридически полноценным. У нее от Даулинга родился ребенок. Следовательно, он не может оставить наследство кому бы то ни было, не оформив это специальным документом.

— Дешевка! Шпингалет! — закричала Бернис Клинтон. — Думаешь, ты умнее всех? Взгляни на завещание, его подготовил хороший адвокат, такой знает все ходы и выходы. Там указано: пусть хоть кто объявит себя наследником, хоть супруга, хоть любой другой родственник — им причитается один доллар.

— Но уж вы-то тем более не можете претендовать на наследство, — возразил я. — Вам предъявят обвинение в убийстве. Убийца не наследует имущество убитого.

— Это завещание как раз то, что нам нужно, — сказал Селлерс. — Плюс попытка к бегству.

— Вам не удастся состряпать дело! — выкрикнула Бернис Клинтон. — Я по горло сыта вами, дешевки с жестянками, сукины дети!..

Берта взмахнула рукой и ухватила Бернис за рваную блузку:

— Заткнись. Не смей поносить моих собратьев.

Уж кем-кем, а Бертой Бернис точно была сыта. И потому сразу умолкла. Полицейские заулыбались.

Селлерс подошел ко мне.

— Ты свободен, как ветер в поле, — объявил он. — Ты — свободный гражданин, ни у кого нет к тебе никаких претензий. Отправляйся на все четыре стороны.

— Вы не можете меня отпустить. Вам дано указание держать меня под арестом.

— А по междугороднему телефону я получил указание освободить тебя, если мы накроем эту парочку. О чем, черт возьми, ты думаешь, я разговаривал по телефону второй раз, когда уже разузнал про такси? — Селлерс ухмыльнулся. — Нам нужна хорошая помощница, чтоб управиться с арестованной. Иначе эта девка объявит, что по дороге в тюрьму мы напали на нее с грязными намерениями. Берта ведь уже получила официальный статус.

— И жалованье получу? — обрадовалась Берта.

— Получите, если предъявите счет округу, — ответил Селлерс.

— Не беспокойтесь, предъявлю, — пообещала та.

Бернис Клинтон хотела было что-то сказать, но, кинув взгляд на Берту, осознала тщетность своих усилий.

— Нам еще предстоит обыскать яхты, — сказал Селлерс. — А вы пока осмотрите, пожалуйста, багаж арестованной, миссис Кул. — Он обернулся ко мне и указал большим пальцем на дверь: — А ты, Поллитровочка, проваливай.

Я так и сделал.

Глава 19

Офис Герберта Джейсона Даулинга был закрыт по причине его смерти. Дорис Джилмен, женщину, которая обедала вместе с ним в кафетерии, я застал дома.

— Это вы меня преследовали, — заявила она, едва я представился.

— Совершенно верно. Я шел за вами от самого кафетерия, где вы украдкой встретились с Даулингом.

Наши взгляды скрестились. Несколько мгновений она молча изучала меня, потом спросила:

— Что, собственно, вам угодно?

— Хочу знать, почему ваша встреча была обставлена такими предосторожностями?

— Из-за Бернис Клинтон.

— Вы знали, что в кафетерии она наблюдала за вами?

— Как?! — воскликнула Дорис Джилмен. — Она была там? — Я кивнул. — Тогда все становится понятным.

— Что именно?

— Убийство. Бернис... она опасна.

— Тогда она еще не выпустила когтей, — заметил я. — Но вот вопрос, зачем вы проводили время с Даулингом — ради брака, денег или...

— Я не проводила с ним время, — возразила До- рис. — Ситуация была совершенно иной.

— Я уже устал слушать такие заявления.

— Как женщина я интересовала Даулинга ничуть не больше, чем мешок картошки.

— По-моему, дело обстояло несколько иначе. Вы строили ему глазки и...

— Естественно, строила глазки. Он хотел того, чего я никак не могла дать. Вот я и уклонялась от его на- тиска всеми возможными способами.

— Чего же он домогался, любви?

— Глупости! Стоило ему поманить пальцем, я бы тотчас ему поднесла себя на серебряном подносе. Он хотел вернуть Айрин Аддис.

— Ого-го!

— И пришел ко мне за помощью, чтоб я помогла.

— А помочь вы не могли.

— Да, не могла и всячески старалась отвлечь его и развлечь.

— А с Айрин разговаривали?

— Нет, не разговаривала. Ее настроение не было для меня тайной. Я тянула время: авось он успо- коится или она передумает. Кто ведает, что про- изошло бы дальше, если бы... Он ужасно боялся Бернис... Она пригрозила, что скорей убьет его, чем отпустит.

— У нее не было на него никаких законных прав. Что мешало Даулингу послать ее подальше?

— О, она мастерица качать права, даже не имея их. В пору его влюбленности она натаскала кучу перьев для гнездышка.

— Письма? — поинтересовался я.

— Письма, магнитофонные записи, фотографии... Она многое запасла.

— Чего ж она добивалась?

— Законного брака.

— Может, согласилась бы на имущественное со- глашение?

— Сперва, пожалуй, да. Под конец — нет. Он откладывал решение слишком долго. Когда от Бернис легко было откупиться, он тянул. А потом ее запросы фантастически возросли. Ей захотелось стать миссис Даулинг. Она возжаждала общественного положения, признания — просто помешалась.

— Она намазывала масло на хлеб с двух сторон, — прокомментировал я. — Точней, на два ломтя одновременно.

— О чем вы?

— Монтроуз Л. Карсон хотел взорвать компанию Даулинга изнутри. И был близок к успеху. Не хватало небольшого смачного скандальчика для завершения операции, и Карсон готовился организовать таковой.

— Карсон! — вскричала она. — Так вот почему он взял Айрин к себе на работу!

— Конечно. Он подстроил для нее ловушку. Вся затея была ловушкой. Бернис сменила лошадей и стала стричь на этом купоны. Не знаю, обещал Карсон на ней жениться или нет, но кое-какие обязательства наверняка на себя принял. Он обеспечил ей классную квартиру в Санта-Ане. На имя Агнес Дейтон.

Дорис изумленно смотрела на меня широко открытыми глазами.

— А кроме того, — продолжал я, — Бернис Клинтон заполучила завещание, подписанное Даулингом...

— Ах это! Оно ровно ничего не значит.

— Откуда вы знаете? — спросил я.

— Потому что Даулинг позже собственноручно написал новое завещание, по которому наследовать все должны Айрин Аддис и ее сын. Он говорил мне об этом. Он собирался отдать завещание Айрин, объяснив ситуацию.

— Погодите-ка, — остановил я Дорис. — Он сказал вам, что намерен отдать завещание Айрин?

— Да. И он спрашивал меня, не повлияет ли этот жест на ее отношение к нему. Мне стало ясно, что он всецело поглощен Айрин и другой женщины для него нет и не будет в целом мире.

— Он собирался отдать завещание Айрин?

— Да. Я ведь об этом и твержу.

— Значит, он прихватил завещание в мотель «Плавай и загорай». Но ничего такого при осмотре трупа не обнаружили.

— В кафетерии он открыл мне свои карты. Сказал, что вечером встречается с Айрин, правда, не сказал где. И спросил, как поступить с завещанием... А что, если преступник нашел завещание и уничтожил? Что теперь будет?

— Все зависит от того, сумеем ли мы доказать, что завещание существовало, что Даулинг не изменил свое намерение и не уничтожил документ перед поездкой в мотель. Непростая задача... Теперь о сыне Айрин. Надо еще доказать, что Даулинг признавал его своим. Может, вы с ним переписывались и он затронул эту тему письменно?

— У меня есть письмо о завещании.

— Как это?

— Понимаете, Даулинг сначала завещал все одной Айрин, а потом переиграл: половину ей, половину — сыну.

— И где же первое завещание?

Она наморщила лоб, вспоминая.

— Кажется, оно у меня.

— У вас?! Тогда ищите, — велел я.

Она прошла к столу, открыла ящик, порылась в бумагах и наконец объявила:

— Вот оно!

Документ гласил:

«Получив квалифицированную консультацию и уверившись, что завещание, целиком написанное от руки, с подписью и датой, является юридически правомочным, настоящим я выражаю мою последнюю волю, оставляя все, что имею, Айрин Аддис. Я сознательно не делаю специальных распоряжений касательно моего сына, Герберта Даулинга, ибо уверен, что его мать позаботится о нем. Я отменяю все свои завещания, составленные ранее. Я одинок. Лишившись Айрин, я искал женщину, способную ее заменить. Увы, тщетно. Теперь я знаю, что такой женщины нет. Во всем мире существует одна-единственная Айрин. Я думал обрести свободу в веселом холостяцком житье. Слишком поздно я осознал, что холостякам суждено одиночество.

Герберт Джейсон Даулинг».

Завещание было подписано, судя по дате, десять дней назад. Я сложил документ и положил в карман.

— Вы подтвердите под присягой, что это рука Даулинга?

— Конечно. Но завещание недействительно, раз есть еще и более позднее.

— Бернис пронюхала о втором завещании и о том, что Даулинг хочет передать его Айрин. Она последовала за ним в мотель. Выстрелила в него через окно, забралась в номер и выкрала завещание. Считала, что завещание в ее пользу останется в силе, что потом заставит Карсона жениться на ней. Чем плохо? Независимое состояние на твое имя, независимое положение и общественный престиж... Я был уверен, мы сможем доказать, что убийца — Бернис, и тем самым аннулируем завещание на ее имя. Но было мало надежд получить хоть какие-нибудь средства для Айрин и доказать, что ее ребенок от Даулинга. А теперь — нет проблем!

— О, я так рада!

— Неужели? Вы ведь тоже охотились за Даулингом, — удивился я.

— Я признала свое поражение, когда мы в последний раз виделись в кафетерии. Тогда я поняла, что ничего от него не добьюсь. Никакой другой женщине не утолить голод, терзавший его. Получать физическое удовлетворение — сколько угодно. А душой он принадлежал Айрин Аддис... Я открываю вам свои карты, Дональд Лэм. Вы вправе счесть меня коварной интриганкой. Не исключено, что такая я и есть. Как и все женщины, когда речь заходит о замужестве, благополучии, респектабельности.

Я достал блокнот и принялся писать.

— Что это вы пишете? — спросила она.

— Расписку, что взял завещание.

Вручив ей листок, я ушел.

А у нас в офисе навстречу мне бросилась Элси Бранд:

— Где ты был? Ходили жуткие слухи, будто над тобой нависла опасность...

— Нависала.

— И грозит по-прежнему!

— Нет.

— О, Дональд, я так рада!

Она обвила меня обеими руками. Губы ее непроизвольно потянулись к моим.

— О, Дональд, я так ужасно перепугалась! Берта была на грани помешательства.

— Спасибо за заботу, малыш, — сказал я, — и за поцелуй.

— Это тебе спасибо, — откликнулась она лукаво. — А можно поинтересоваться, что за дама подписывается инициалами М.Б.Х.?

— Это, наверное, мисс Хайнс с телеграфа.

— А как ее зовут?

— Мэйби, — ответил я. — Может Быть.

— Может Быть?

— Может Быть.

— Ну, судя по записке, она не колеблется, никаких «может быть».

— А еще какие новости?

— От танцовщицы Даффидилл Лоусон.

— Что с ней?

— Позвонила. И страстным голосом просила передать, что она тебе чрезвычайно признательна.

— За что еще?

— За твой вклад в ее рекламу. Ее ангажировали на выступления в стриптизе в Лас-Вегасе, на две недели, по десять штук за каждую. Она утверждает, что ее сделал ты... Дональд, это правда?

— Что правда?

— Ты ее сделал?

Я улыбнулся и спросил:

— Как твои газетные вырезки, сестренка? Берта Кул вот-вот явится. Мне надо заблаговременно связаться с адвокатом и поторопить Айрин Аддис подготовить ходатайство о введении в силу последней воли Герберта Джейсона Даулинга. Состояние составит приблизительно два миллиона долларов к тому времени, как мы окончательно разоблачим интриги Карсона против Даулинга. Наш гонорар таким образом достигнет примерно сотни тысяч.

Элси уставилась на меня широко открытыми в изумлении глазами.

— Дональд, — воскликнула она, — ты просто чудо! — И опять обвила обеими руками.

В этот момент Берта Кул открыла дверь. Одним взглядом оценив сцену, она произнесла:

— Изжарьте меня как устрицу! — и дала задний ход, осторожно прикрыв за собою дверь.

Пораженная Элси только и смогла вымолвить:

— Ну, теперь изжарьте как устрицу меня!

ДОСТУПЕН
КАЖДОМУ

UP FOR GRABS

Глава 1

Секретарша Элси Бранд вскочила с кресла, едва я переступил порог.

— Дональд, — сказала она, — Берта психует.

— Опять?

— На этот раз она просто рвет и мечет.

— А в чем дело?

— Новый клиент. Какой-то большой начальник и не желает ждать. Они хотят поговорить с тобой.

— Позвони ей, скажи, что я пришел.

— Нет-нет, она просила, чтобы вы зашли к ней сразу, как только придете.

— Что там за персона? Ты его знаешь?

— Выглядит очень представительно. Похож на банкира или очень богатого брокера.

— О'кей, пойду взгляну на него.

Я вышел из своего кабинета и через приемную подошел к двери с табличкой: «Б. Кул. Частный детектив».

Буква «Б» была начальной в имени Берта, а Берта представляла собой энергичную даму весом сто шестьдесят пять фунтов, с твердыми, как алмаз, глазами и фигурой, напоминающей цилиндр большого диаметра. У нее были челюсти бульдога, двойной подбородок и толстые щеки, если, конечно, она не задирала подбородок и не втягивала щеки, когда хотела произвести надлежащее впечатление.

Берта Кул сверкнула на меня глазами:

— Тебе давно пора быть здесь! Где ты пропадал?

— Был занят, — коротко ответил я.

— Познакомься с мистером Брекинриджем, — сказала она. — Он ждет тебя уже почти двадцать минут.

— Здравствуйте, мистер Брекинридж.

Мужчина поднялся. Высокий, стройный, седой, лет примерно сорока пяти, с короткими седыми усиками и насмешливыми серыми глазами. Ростом он был чуть больше шести футов (дюймов на шесть выше меня), равномерный загар на его лице явно свидетельствовал о пристрастии к игре в гольф.

Берта сказала:

— Мистер Брекинридж — глава Универсальной страховой компании. Он ищет частного детектива, который сможет выполнять весьма ответственную работу. Он считает, что ты для него подходишь.

Брекинридж улыбнулся теплой радушной улыбкой:

— Я навел о вас справки, прежде чем прийти сюда, Лэм. Я искал вас довольно долго и тщательно.

Я промолчал.

Под Бертой Кул заскрипело кресло. Она обратилась к Брекинриджу:

— Вы ему скажете или, может, я?

— Я сам.

— О'кей, — проговорила Берта таким тоном, из которого явствовало, что она могла бы это сделать куда лучше, но уступает из уважения к солидному клиенту.

Брекинридж сказал:

— Вот моя визитная карточка, Лэм.

Он подал мне оформленную красивым рельефным узором визитную карточку, в которой указывалось, что его имя Гомер и что он является президентом и главным управляющим Универсальной страховой компании.

— Нам нужен человек, — сказал он, — который существенно отличается от других частных детективов. Большинство клиентов хотят иметь в качестве детективов верзил с огромными мышцами и бычьей шеей, а нам нужен молодой человек смышленый, сообразительный, привыкший работать головой, а не бицепсами. Мы предлагаем стабильную выгодную работу.

— Дональд — тот человек, который вам нужен, — вставила Берта, и ее кресло вновь скрипнуло.

— Я тоже так думаю, — откликнулся Брекинридж.

— Постойте, — встрепенулась вдруг Берта, — надеюсь, вы не хотите навсегда забрать его у меня? — В ее голосе прозвучало подозрение.

— Нет, что вы. Поэтому я и пришел в агентство, но я уверен, у нас найдется много работы для мистера Лэма.

— Пятьдесят долларов в день плюс расходы — и он ваш, — сказала Берта. — Это наша ставка.

— Прекрасно. Мы будем платить шестьдесят.

— В чем суть дела? — спросил я.

Несколько елейным тоном Брекинридж проговорил:

— Дело в том, что порядочных людей в этой стране становится все меньше и меньше.

Мы с Бертой промолчали.

— И в страховом бизнесе все чаще приходится сталкиваться с мошенниками, симулянтами, людьми, которые ради денег чрезмерно преувеличивают тяжесть своих телесных повреждений. И кроме того, — продолжал Брекинридж, входя во вкус своего рассказа, — все больше появляется адвокатов, которые научились влиять на впечатлительных присяжных и убеждать их в том, что их клиенты испытывают сильнейшую физическую боль и страдание, в то время как это весьма далеко от истины. Допустим, у человека болит спина. А как об этом повествует адвокат? Он встает перед присяжными и начинает живописать: день, дескать, состоит из двадцати четырех часов, час из шестидесяти минут, минута из шестидесяти секунд, и вот его клиент испытывает мучительную боль каждую секунду каждой минуты каждого часа.

Берта холодно заметила:

— Мы знакомы со всеми этими аферами и знаем, как с ними поступать.

— Извините меня, — сказал Брекинридж. — Я не учел, что имею дело с профессионалами. Ну, в общем, вот вкратце каково положение дел. Сейчас мы имеем дело с человеком, который, по нашему убеждению, является явным симулянтом. Он попал в автомобильную аварию, виновником которой является наш клиент, и поэтому мы должны будем возместить ему ущерб. Наш клиент сознался, что в. столкновении виноват он и что это можно легко доказать. Симулянт, которого зовут Хелманн Бруно, живет в Далласе. Он утверждает, что у него пострадали шейные позвонки. Ему, мол, хорошо известны симптомы, характерные для этой травмы. Разумеется, вам известно, что травма шеи чрезвычайно удобна для симуляции. Невозможно сделать рентгеновский снимок головной боли. А при настоящей травме шейных позвонков боль может быть сильной и продолжительной. Но нет никаких внешних проявлений, видимых на рентгеновских снимках, которые подтвердили бы наличие травмы или доказали бы симуляцию.

— Насколько серьезны подобные травмы? — спросила Берта. — Я слышала, они могут причинить много вреда всему организму.

— Так оно и есть, — согласился Брекинридж. — Травмы шейных позвонков происходят, когда голова человека резко откидывается назад. Одновременно сильно повреждаются шейные нервы. Такие травмы обычно бывают, когда человек сидит в машине, а сзади наносится резкий удар, толкающий машину вперед. Человек не успевает напрячь мышцы шеи, чтобы удержать голову прямо, откидывается назад, что и

404

приводит к повреждению шейных позвонков и шейных нервов.

Берта сделала нетерпеливый жест рукой, чтобы прервать говорящего.

— Мы хорошо знаем, как происходят эти травмы, — вставила она. — Мне бы хотелось узнать, как к ним относятся страховые компании и что бывает, когда травмы подтверждаются.

Брекинридж вздохнул и произнес:

— Если исходить из позиции страховщика, миссис Кул, то при установлении травмы шеи случиться может всякое. — Брекинридж повернулся ко мне и сказал: — И тут за дело должны взяться вы, Лэм.

— У вас что, нет четкой системы выявления симулянтов? — спросил я.

— Конечно есть, и вы будете частью этой системы.

Я опустился в кресло и откинулся в нем.

Брекинридж продолжал:

— Когда симулянт предстает перед присяжными, он просто на ладан дышит: стонет и ноет, выглядит измученным и несчастным, а его красноречивый адвокат обрабатывает присяжных, и они не задумываясь выносят решение о компенсации ущерба, полагая, что страховая компания, в конце концов, загребает кучу денег за свои страховые полисы и вполне в состоянии выплатить страховку. Практика, однако, показывает, что даже у самых тяжелых больных после получения денег наступает полное выздоровление, особенно это относится к травмам с повреждением нервов. Иногда происходят просто чудеса. Люди, чьи врачи под присягой утверждали, что их пациенты неизлечимо больны, не позднее чем через двадцать четыре часа после получения от нас денег спокойно отправлялись в путешествие или совершали увеселительные прогулки, где были душой общества.

Разумеется, мы тоже не сидим сложа руки и выработали кое-какие методы. Мы ставим таких людей в ситуацию, при которой им выгодно показать себя сильными и ловкими, и снимаем их на кинопленку. На суде, после того как такой больной скажет, что с трудом поднимает руки до уровня плеч и передвигаться может только маленькими, неуверенными шажками, мы показываем кадры, где он ныряет с вышки, играет в теннис и размахивает битой для гольфа. Понятно, это требует определенных действий с нашей стороны. Но вот что странно — присяжным эти наши действия не нравятся.

— Что именно? — спросила Берта.

— Они считают, что, шпионя за пострадавшим, мы вмешиваемся в его личную жизнь... Но, боже мой, почему мы не должны делать этого при подобных обстоятельствах?

— Но присяжным это не нравится, — напомнил я.

Он погладил пальцами свой подбородок, дотронулся до щетинистых усиков и сказал:

— Да, присяжным не нравится, что мы устраиваем пострадавшим подобные ловушки.

— Ну и что, вы перестали снимать их на пленку? — спросил я после непродолжительного молчания.

— Отнюдь нет, отнюдь нет. Мы просто решили изменить тактику.

— И мистер Брекинридж просит нас в этом деле помочь, Лэм.

— Обычно для съемок мы используем прицепной домик или фургон с прорезанными по бокам отверстиями. Оттуда мы с помощью скрытой камеры ловим момент, когда интересующий нас человек играет в гольф, скачет на лошади и так далее. А потом, когда он утверждает, что с трудом шевелит руками и ногами, мы демонстрируем отснятые кадры. Именно это присяжным не по душе. Они считают, что мы специально заманиваем людей в ловушки, поэтому они снижают сумму компенсации. Они явно испытывают враждебность к Страховой компании. Это нам ни к чему. Поэтому сейчас мы выработали некоторые изменения, которые должны улучшить наши отношения с присяжными.

— Какие изменения? — поинтересовалась Берта.

— Ну давайте рассмотрим случай с Хелманном Бруно, — сказал Брекинридж. — Он женат, детей нет. Хелманн занимается посреднической деятельностью, часто бывает в разъездах. Мы подстроили для него ловушку, потому что наш доктор заподозрил в нем симулянта.

— И что вы сделали? — Берта явно заинтересовалась рассказом Брекинриджа.

— Конечно, эта информация является конфиденциальной.

Бриллианты на пальцах Берты сверкнули, когда она описала рукой в воздухе круг.

— Она не выйдет за пределы этого кабинета, — заверила она.

— Итак, — продолжил Брекинридж, — мы напечатали несколько проспектов о так называемом конкурсе. Конкурс этот до смешного прост, и человек не может устоять перед искушением попробовать в нем свои силы. Он должен пятьюдесятью словами, а желательно и более меньшим количеством слов объяснить, почему ему нравится тот или иной продукт. Мы высылаем конверт с адресом и чистый бланк, а ему остается только присесть на минуту, написать пятьдесят слов, положить заполненный бланк в конверт и опустить в почтовый ящик. Он ничего не теряет, зато имеет возможность выиграть всякого рода заманчивые призы.

— Кто оплачивает этот конкурс и кто его судит? — спросила Берта.

Брекинридж ухмыльнулся:

— Этот конкурс имеет весьма ограниченное число участников, миссис Кул. Мы высылаем объявление о нем только тем людям, которые предъявляют ложные иски нашей компании, поэтому все, кто в нем участвуют, выигрывают приз.

Брови Берты поползли вверх.

— Приз, который они выигрывают, — отдых на ферме-пансионате «Холмистая долина» возле города Тусон, в штате Аризона.

— Почему вы выбрали ферму, где учат верховой езде? — спросил я.

— Потому что Долорес Феррол, которая там работает, наш человек, мы ей платим. Распорядок дня на ферме такой, что если кто-то не садится на лошадь утром, не плавает и не играет в гольф или волейбол после обеда, то он просто скучает и вряд ли хорошо проведет время. Отдыхающие возвращаются с утренней верховой прогулки уставшими и запыленными; плавательный бассейн манит их своей прохладой; к бассейну подносят ленч. Вначале мы планировали, что наши детективы будут заставлять симулянта проявлять физическую активность. Но присяжным это тоже не нравится. В суде нашему человеку приходится занимать свидетельское место, у него спрашивают имя, род занятий. Он признается, что работает на нас, рассказывает обо всем, и лишь после этого демонстрируют фильм, где симулянт выявляет себя.

Потом адвокат истца ведет перекрестный допрос, а среди адвокатов есть очень умные люди. Посмотрев фильм и поняв, что мы приперли его клиента к стенке, он оставляет в покое своего клиента и начинает осаждать свидетеля:

— Вы работаете на Универсальную страховую компанию?

— Да, работаю.

— Вы поехали туда с целью поставить истца в ситуацию, где бы он проявил физическую активность, чтобы заснять это на кинопленку?

— Да, сэр.

— Страховая компания оплачивала все ваши расходы и платила вам жалованье. Как вы думаете, она будет продолжать платить вам, если ваши услуги будут ее удовлетворять?

— Надеюсь, сэр.

— И вы поехали по заданию Страховой компании, чтобы заманить в ловушку человека, которого до этого ни разу не видели?

— Верно.

— Вам не были известны характер и тяжесть его увечий, вы не знали, сколько боли и страданий он перенес, стараясь показать себя достойным партнером? Вы прикинулись его другом? Вы осознанно вынуждали его выполнять физические упражнения? Вы не думали о боли и муках, которые разрывали его слабое тело? Вы стремились любым путем заполучить снимки, чтобы показать их присяжным? Так, я правильно говорю? — Брекинридж поднял руку. — Ну конечно, на крупных разбирательствах решение принимается в нашу пользу, но все-таки симпатии присяжных остаются на стороне истца. Они считают, что мы ведем нечестную игру, и присуждают ему что-то вроде утешительного приза. Нас такой исход дела не устраивает. Это плохо отражается на репутации Страховой компании. Мы хотим доказать присяжным, что симулянт является грязным, подлым мошенником. И вы, Лэм, поможете нам в этом. Хелманн Бруно уже клюнул на удочку. Он прислал свои пятьдесят слов, и мы ответили ему телеграммой — используя название вымышленной фирмы, которая якобы организовала этот конкурс, — что он выиграл оплаченную путевку на ферму-пансионат «Холмистая долина».

— А его жена? — спросил я.

Брекинридж рассмеялся:

— Он ничего не говорил о своей жене, и мы тоже. Симулянты никогда не вспоминают про своих жен. Мошенники всегда оставляют своих жен дома. Если бы он написал нам: «Спасибо, ребята. Я выиграл путевку на две недели отдыха, но я женат. Можно я возьму жену с собой, и мы пробудем там всего одну неделю?» Мы бы ответили, конечно, и быстро уладили с ним дело, потому что такой парень не может быть жуликом. Но женатые мужчины, которые говорят женам, что уезжают по делам, а сами мчатся отдыхать в пансионат, — это, как правило, мошенники, симулянты, дешевые жулики и развратники. Поэтому, Лэм, вы должны поехать на ферму «Холмистая долина». Долорес Феррол возьмет вас под свое крылышко, она позаботится о том, чтобы вы хорошо провели время и ни в чем не испытывали недостатка. Что касается расходов, то мы вас не будем ограничивать. Расходуйте столько, сколько вам нужно для достижения результата. Первое, что вам там потребуется, — это женщина, в которой вы будете черпать вдохновение.

— Я могу взять кого-нибудь с собой? — спросил я с надеждой.

— Ни в коем случае. На этом мы уже обожглись. Мы послали туда пару, и адвокат истца быстро поставил их в положение защищающейся стороны.

— Это почему? — не поняла Берта.

— Ну, если они муж и жена, то обвинитель на перекрестном допросе говорит примерно следующее: «Вы преднамеренно использовали вашу жену в качестве приманки, чтобы заставить этого человека поступать так, как вам нужно». Если они не являются супругами, он говорит: «О, вы провели там две недели с женщиной, которая вам не жена. Надеюсь, вы спали в разных помещениях?» Если парень говорит, что они спали в разных местах, то адвокат насмешливо замечает: «Вы приехали туда вместе, вместе проводили время, вместе вернулись домой, а спали в разных комнатах, так? И какое расстояние было между вашими комнатами? Сто ярдов? Пятьдесят ярдов?» Затем ехидно добавит: «Хороший бегун одолеет пятьдесят ярдов за пять секунд. Сколько времени это занимало у вас?» Нет, нам нужно, чтобы детектив как можно дольше оставался в тени. Вы познакомитесь там с какой-нибудь незамужней женщиной и примете этого симулянта в свою компанию, чтобы между вами возник элемент соперничества и ему захотелось предстать перед дамой в выгодном свете. Он начнет демонстрировать, какой он сильный, ловкий и мужественный.

— И это снимут на кинопленку? — уточнил я.

— Да, это снимут на кинопленку, — подтвердил Брекинридж. — При съемке детектив будет находиться на заднем плане. Мы хотим подчеркнуть, что молодая женщина одна проводила там свой отпуск и что симулянт хотел покрасоваться перед ней. Присяжным не за что будет зацепиться. Они ни за что не догадаются, что это инсценировка. Конечно, на перекрестном допросе может всплыть, что вы на нас работали, но только как наблюдатель. Вы не устраивали никаких ловушек, вы просто наблюдали. Более того, если нам повезет, вам вообще не придется давать показаний. Свидетелями будут другие люди, отдыхающие, имена которых вы нам представите.

— А как насчет женщины?

— Мы постараемся держать ее в тени. Для съемок будем использовать длиннофокусный объектив и так сузим поле съемок, что присяжные лишь мельком увидят женщину, а в кадре останется только этот парень, демонстрирующий свои достоинства. Если ей будет чуть меньше тридцати, а ему лет на десять—пятнадцать больше, то... присяжные только подумают: «К чему весь этот маскарад? Кого он хочет провести?»

— Этот метод уже приносил вам успех?

— Мы только начинаем его апробировать, Лэм, но мы учитывали психологию присяжных. Этот вариант наверняка сработает. Если нам повезет, вы вообще останетесь в тени, и вам не придется занимать свидетельское место. Такой подход попортит кровь адвокату истца, который надеется очаровать присяжных и добиться от них решения о выплате истцу утешительного приза в размере десяти или пятнадцати тысяч долларов, даже если факты свидетельствуют против него.

— Расскажите-ка о деле этого Хелманна Бруно, — попросил я.

— Я уже говорил, что мы должны выполнить наши денежные обязательства, хотя истец и его адвокат этого еще не знают. Возможно, он даже не нанял еще адвоката. Фоли Честер, наш клиент, занимается бизнесом, связанным с импортом, поэтому он много разъезжает по стране: иногда самолетом, иногда на машине. Он должен был ехать в Техас, заехал в Эль-Пасо, заключил там какую-то сделку и направился в Даллас. В Далласе он спокойно ехал в потоке машин, и ничто не предвещало беду. На мгновение он оторвал глаза от дороги и взглянул на привлекшую его внимание витрину магазина. Когда он снова посмотрел вперед, то увидел, что машина, ехавшая впереди, остановилась и он вот-вот в нее врежется. Он нажал на тормоз, но было поздно: машины столкнулись. Интересно, что машины почти совсем не пострадали — бамперы смягчили удар. Хелманн Бруно утверждает, что его голова непроизвольно дернулась назад, он почувствовал легкое головокружение, но не придал ему значения. Честер и Бруно обменялись адресами, Бруно сказал, что вроде бы не пострадал, но на всякий случай сходил к врачу. Честер велел ему во что бы то ни стало побывать у врача. Честер, конечно, сглупил, признавшись, что на секунду оторвал глаза от дороги. Мы, конечно, заявили, что Бруно остановил машину, не дав соответствующего сигнала, что он остановился неожиданно и без всякой причины, но факт остается фактом: мы не знаем, дал он этот сигнал или нет. Фонари стоп-сигнала горели, а единственное, чего мы добились от Честера, — признания, что он смотрел в окно, продолжая ехать, и прямо-таки врезался в остановившуюся машину Бруно. Такие случаи иногда бывают.

— А как насчет травмы?

— Пару дней все было тихо, потом Бруно пошел на консультацию к другому врачу. Первый врач заверил Бруно, что ничего страшного не произошло, второй, наоборот, обнаружил у Бруно травму шейных позвонков, уложил парня в постель, посадил к нему круглосуточных сиделок, прописал болеутоляющее и так далее. К тому времени Бруно изучил симптомы травмы шейных позвонков, стал жаловаться на головную боль, на тошноту, потерю аппетита.

— Он что, действительно потерял аппетит?

Брекинридж пожал плечами:

— За пятьдесят тысяч долларов можно и поголодать.

— Пятьдесят тысяч? — удивился я.

— Он хочет предъявить нам иск на эту сумму.

— А сколько вы ему заплатите?

— О, возможно, его устроят и десять тысяч, но дело в том, Лэм, что мы не хотим платить ему вообще. Случалось, мы выплачивали деньги в подобных случаях, но если мы будем продолжать в том же духе, то к нам со всей страны начнут сбегаться адвокаты с претензией на так называемую травму шеи, как только кто-то сдерет кусочек краски с машины их клиентов.

— Понятно, — сказал я. — А что я должен делать?

— Соберите вещи, садитесь на самолет и летите в Тусон, на ферму «Холмистая долина». Там вы отдаете себя в руки Долорес Феррол, которая позаботится о том, чтобы вы встретились с Бруно, когда он приедет, и познакомились с какой-нибудь прелестной крошкой, приехавшей туда в поисках приключений или просто проводящей там свой отпуск. Она будет рада, если кто-то обратит на нее внимание. Вы подружитесь с Бруно и начнете ухаживать за девицей, чтобы между вами и Бруно возникло соперничество. Поэтому нам нужен детектив, который... Я хочу сказать, который не... Ну, нам не нужен сильный и рослый супермен. Нам нужен привлекательный, способный нравиться женщинам мужчина, а не атлет.

— Не бойтесь оскорбить его чувства, — вмешалась Берта. — Вам нужен невысокий паренек, но головастый.

— Нет-нет, — поспешно возразил Брекинридж, — не маленький, но... Одним словом, невежественный здоровенный детина нас не устроит. Наш симулянт должен захотеть продемонстрировать те свои качества, которых нет у его соперника. Не сумев тягаться с ним умом, он начнет мериться силами.

— Долго я буду там находиться? Смогу я уехать, когда вы снимете ваш фильм?

— Нет, — сказал Брекинридж, — вы пробудете там три недели. Бруно будет отдыхать две недели. Вы приедете первым и останетесь после его отъезда. Вы должны будете узнать о нем все, что сможете. Решительно все: его связи, симпатии и антипатии...

Я сказал:

— О'кей, согласен, но при одном условии.

— Какое еще условие? — выпалила Берта. — Он платит нам по ставке.

— Какое у вас условие? — спросил Брекинридж.

— Я не желаю ухаживать за какой-то женщиной, чтобы она потом оказалась в затруднительном положении. Я сделаю все, чтобы Бруно раскололся, но я не хочу, чтобы имя невинной женщины из-за меня трепали по судам.

— Мне это не нравится, — сказал Брекинридж.

— И мне тоже, — присоединилась к нему Берта.

— Тогда найдите себе другого детектива, — посоветовал я Брекинриджу.

Лицо Брекинриджа побагровело.

— Мы не сможем найти другого. Большинство детективов расположены к полноте, а если мы воспользуемся нашими людьми, то враждебное отношение присяжных нам обеспечено.

Берта посмотрела на меня сердито.

В самый раз было замолчать.

Я замолчал.

— О'кей, — наконец сказал Брекинридж, — ваша взяла, но я жду от вас хорошей работы. Такой работы много будет в будущем, и, уверяю вас, с нашей компанией можно сотрудничать. Мы пришли к выводу, что, если этот план будет осуществлять наш детектив, наша репутация пострадает. Слежка присяжным не нравится. Но если мы наймем детектива со стороны, присяжные будут менее строги. А если мы еще и будем держать его в тени, то присяжные совсем не обратят на него внимания. Присяжным не нравится, когда детектив работает в Страховой компании. Для такой работы невыгодно также использовать женщин. Могу сказать вам по большому секрету, что в двух последних случаях адвокаты на перекрестном допросе смогли доказать, что пара находилась в более близких отношениях, чем того требовала ситуация. Адвокат истца набросился на нашего детектива, расписывая, как он крадется в темноте между коттеджами, и спрашивая, по какой ставке платят ему за работу в ночное время. Это вызывало бурный смех. Мы не хотим, чтобы это повторилось.

— Когда мне начинать? — спросил я.

— Сегодня. Отправляйтесь в «Холмистую долину». Позвоните туда и сообщите, каким самолетом вылетаете. Вас встретят.

— О'кей. Соберу вещи и закажу билет на первый же самолет.

— Я уже уладил денежный вопрос с миссис Кул, — сказал Брекинридж, — оставил чек.

Я проводил его и распрощался.

Когда я вернулся, Берта сияла.

— Работа эта солидная, безопасная и постоянная, — ликовала она. — На ней можно зарабатывать хорошие деньги.

— Разве мы до сих пор не зарабатывали деньги?

— Зарабатывать-то зарабатывали, но делали мы это скользя с завязанными глазами по тонкому льду на краю Ниагарского водопада. С этого момента наше агентство будет работать на признанные корпорации, богатые страховые компании. Наши расходы будут оплачиваться клиентами, мы не потратим даром ни одного цента. У страхового бизнеса в этой стране большое будущее, и он доступен каждому. Давай же ухватимся за него и будем держаться до последнего.

Глава 2

Во второй половине дня самолет мягко приземлился на посадочную полосу аэропорта Тусона.

Я прошел к выходу и заметил стоящего неподалеку высокого светловолосого мужчину в ковбойской шляпе. На вид ему было чуть больше тридцати. Внимательные голубые глаза всматривались в пассажиров.

В толпе встречающих он выделялся своим независимым и уверенным видом.

Я задержал на нем свой взгляд.

Мужчина протиснулся вперед.

— Дональд Лэм? — уверенно спросил он.

— Верно.

Сильные пальцы до боли сжали мою руку и отпустили. Спокойная улыбка на мгновение осветила его обветренное лицо.

— Я Крамер, К-Р-А-М-Е-Р, — сказал он. — С фермы «Холмистая долина».

Вместе со мной прибыло около сорока пяти пассажиров, но он каким-то образом сумел безошибочно распознать меня в толпе.

— Полагаю, у вас было описание внешности, — сказал я.

— Вашей?

— Да.

— Нет, что вы. Просто мне велели встретить гостя, Дональда Лэма, который приезжает к нам на три недели.

— Как вы меня узнали в этой толпе?

Он улыбнулся:

— Я гостей всегда узнаю.

— Каким образом?

— В действительности не я вас, а вы меня узнали, — проговорил он, растягивая слова, как это делают жители Техаса.

— Это как же?

— Тут все дело в психологии. Я надеваю ковбойскую шляпу, выхожу вперед, у меня загорелое лицо, потому что я много бываю на воздухе. Приезжающие к нам отдыхать знают, что их должны встречать, и, конечно, им интересно, как их найдут и как довезут до фермы. Они замечают меня, на секунду отворачиваются, а потом смотрят снова, и я почти слышу, как они спрашивают себя: «Не этот ли человек меня встречает?» — Крамер улыбнулся.

— Отличное знание психологии, — сказал я.

— На этой ферме часто приходится быть психологом.

— Вы изучали психологию?

— Тише.

— А что здесь такого?

— Если человек знает, что ты используешь психоанализ, труднее достигать результата.

— Но мне-то вы признались.

— Вы — это совсем другое дело. Вы спросили: «Как вы меня узнали в этой толпе?» Большинство людей говорят иначе: «Как только я вас увидел, я сразу понял, что это вы, мистер Крамер».

На его логику я ничего не ответил. Я был сражен.

Получив багаж, мы подошли к яркому фургону, на котором был изображен холм с целой вереницей всадников, спускающихся по извилистой тропинке, сбоку большими буквами была сделана надпись: «Ферма-пансионат «Холмистая долина». На задней дверце была изображена вставшая на дыбы необъезженная лошадь, а на другой стороне машины — веселая компания на лошадях, плавательный бассейн и девушки в облегающих купальных костюмах.

— Наверное, у вас на ферме есть свой художник? — спросил я.

— Эти картинки делают свое дело. Каждый раз, когда я приезжаю в город за продуктами, я останавливаю машину в людном месте и вешаю на дверцу коробку с брошюрками, где рассказывается о нашей ферме, ценах и обо всем остальном. Вы удивитесь, узнав, какая это замечательная реклама. Туристы, приезжающие в Тусон, смотрят на эти картинки, читают брошюрку, и у них появляется желание отправиться на нашу ферму отдохнуть.

— Опять психология?

— Еще какая!

— Вы владелец этой фермы?

— Нет, я на ней работаю.

— У вас должно быть прозвище. Вас ведь не называют Крамером, не так ли?

— Вы правы, — усмехнулся он. — Меня называют Баком.

— Это ваше сокращенное имя?

— Мое имя Хобарт. Не будут же меня именовать «Хоб».

— Многие ковбои зовут друг друга «Текс».

— Это Аризона.

— Мне показалось, что у вас техасский акцент.

— Не говорите это никому, — сказал он, укладывая мои чемоданы в машину. — Ну, поехали.

Мы выехали из Тусона и направились по пустыне на юго-восток в сторону гор. Путь был довольно долгим.

Бак Крамер рассказывал о пустыне, о пейзаже вокруг нас, о чистом воздухе, но о себе больше не сказал ни слова и очень мало — о ферме «Холмистая долина».

Мы въехали в большие распахнутые ворота, проехали пару миль вверх по крутому склону, свернули в сторону и остановились на вершине небольшого плато у подножия гор, окрашенных в сумерках багряным цветом.

Крамер припарковал машину и сказал:

— Я отнесу ваши вещи в коттедж, и, если вы пойдете со мной, я представлю вас Долорес Феррол.

— Кто она? Хозяйка?

— Сотрудница, массовик-затейник. Она встречает гостей и следит, чтобы они не скучали. А вот и она.

Долорес Феррол оказалась настоящей красоткой.

Ей было лет двадцать шесть — двадцать семь — возраст, когда женщина становится взрослой, оставаясь при этом очень соблазнительной. Одежда подчеркивала все изгибы фигуры, а у нее было что подчеркнуть: формы ее тела были плавными и обтекаемыми, такие формы надолго остаются в памяти мужчины и время от времени, особенно по ночам, беспокоят его воображение.

Большие темные глаза окинули меня сперва несколько удивленным, затем спокойным оценивающим взглядом.

Она подала мне свою руку и задержала ее в моей на целую минуту.

— Добро пожаловать в «Холмистую долину», мистер Лэм, — сказала она. — Думаю, вам у нас понравится. — Она одарила меня выразительным взглядом, и я почувствовал легкое пожатие ее руки. — Мы вас ждали. Вы будете жить в коттедже номер три. Через пятнадцать минут подадут коктейли, через тридцать пять — начнется обед. — Она повернулась к Крамеру: — Бак, отнеси, пожалуйста, эти чемоданы.

— Будет сделано.

— Я покажу вам ваш коттедж. — Она нежно коснулась ладонью моей руки.

Мы прошли через внутренний двор мимо огромного плавательного бассейна, возле которого стояли столики, кресла и пляжные зонты. Дальше располагался ряд коттеджей, имевших вид бревенчатых домиков.

Номер третий был вторым от конца, на северной стороне ряда.

Долорес открыла дверь.

Я наклонил голову и подождал, пока она войдет. Она вошла и быстро повернулась, глядя на меня зовущим взглядом.

— Сейчас придет Бак с вашими вещами, и мы не успеем с вами обсудить ситуацию, я поговорю с вами позднее. Вы, наверно, знаете, что мы будем работать вместе.

— Мне сказали, что вы будете держать со мной контакт, — сказал я.

— Конечно.

Послышался громкий топот ковбойских ботинок, и на крыльцо поднялся Бак с чемоданами.

— Вот и я. До встречи, Лэм. — Он ретировался с подозрительной поспешностью.

Долорес приблизилась ко мне.

— Я думаю, мы сработаемся, мистер Лэм, — сказала она. — Дональд, меня зовут Долорес.

— Очень приятно. Мы будем работать с вами в тесном контакте?

— Очень в тесном.

— Давно вы подрабатываете на этой второй работе? — спросил я.

Она была так близко, что я почувствовал тепло ее тела, когда она дотронулась кончиком указательного пальца до моего носа и слегка его надавила:

— Не будьте таким любопытным, Дональд. — Она рассмеялась, раскрыв алые губы и обнажив белые, как жемчуг, зубы.

Я невольно обнял ее: податливое тело, казалось, растворилось в моих руках, горячие губы уверенно нашли мои и обожгли поцелуем страстного обещания.

Через мгновение она легонько оттолкнула меня и сказала:

— Не шалите, Дональд. Мы не должны забывать о нашей работе, ведь если я увлекаюсь людьми, то это надолго. Вы симпатичный, а я импульсивна. Простите мне мою слабость.

— Это я должен просить у вас прощения, я был зачинщиком.

— Вам так кажется. — Она рассмеялась гортанным смехом.

Достав из кармана платок, она заботливо вытерла помаду с моего лица.

— Вам нужно идти, Дональд. Сейчас начнут подавать коктейли.

— Мне не хочется коктейля, я бы лучше остался здесь.

Она пощекотала пальцами мою руку:

— И мне тоже не хочется, но работа есть работа, Дональд. Пойдемте. — Она схватила меня за руку и потянула к двери, говоря: — Я представлю вас отдыхающим, но ведите себя спокойно, здесь пока что нет женщины, которую вы могли бы использовать в качестве приманки. Но у нас забронировано место для мисс Дун, которая приедет завтра. Вас она может заинтересовать. Она работает медсестрой в больнице. Возможно, она та женщина, которая вам нужна. Как бы там ни было, у вас есть две недели, а это срок немалый.

— Когда она приезжает? — переспросил я.

— Завтра.

— Вы знаете все подробности моего задания?

Она обольстительно рассмеялась:

— Когда я веду игру, я знаю все карты, Дональд, и не обязательно помечать их. Послушайте, Дональд, вы должны помочь мне. Если хозяйка фермы узнает, что я работаю еще на кого-то, я попаду в неприятное положение. Надеюсь, вы сохраните это в секрете.

— Я не разговорчив, — заверил я.

— Дело даже не в этом. Мы будем с вами встречаться довольно часто, и, чтобы это не вызвало подозрений, вы должны будете играть определенную роль.

— Какую роль?

— Вы притворитесь влюбленным в меня до безумия, а я буду делать вид, что вы мне нравитесь, но мои обязанности не позволяют мне общаться только с одним мужчиной. Я должна сделать так, чтобы все отдыхающие хорошо себя чувствовали. Вы будете негодовать, ревновать меня и искать повод оторвать от моих обязанностей. Потом вы все обдумаете и поймете. Я не могу допустить, чтобы кто-нибудь узнал, что у меня есть другая работа.

— Кто владеет фермой?

— Ширли Гейдж. Она получила эту ферму в наследство от Лероя Вилларда Гейджа и имеет с нее больше денег, чем если бы продала ее, вложила деньги во что-то другое и получала проценты. Более того, она любит жизнь. Она позволяет пожилым гостям...

— Договаривайте, — попросил я.

— Ну, я присматриваю за молодыми гостями и забочусь, чтобы они хорошо проводили время и общались друг с другом, а Ширли развлекает пожилых клиентов.

— Вы хотите сказать, она чувствует себя одинокой и среди них находит себе компанию?

Долорес рассмеялась:

— Вот мы и пришли. Входите, здесь подают коктейли. Обычно каждому гостю предлагают два коктейля на выбор. Коктейли не крепкие, но вкусные и бесплатные. Вы можете выбрать «Манхэттен» или «Мартини». Входите, Дональд.

Мы вошли в ярко освещенный зал с образцами индейской культуры за стеклянными витринами, с видами пустыни на стенах и индейскими коврами на полу — типичная обстановка для Запада.

Около двадцати человек, разбившись на группы и пары, пили коктейли. Мужчины были в смокингах.

Долорес похлопала в ладоши и сказала:

— Прошу внимания, у нас пополнение, Дональд Лэм из Лос-Анджелеса. Прошу любить и жаловать. — Она взяла меня за руку: — Пойдемте, Дональд.

Это было замечательное представление. Со многими из присутствующих она была знакома не более двадцати четырех часов, но всех помнила по имени. Она представила меня каждому, проводила к бару, убедилась, что я получил коктейль, и занялась другими гостями.

Я увидел, что она здесь общая любимица и хорошо знает, как поднимать людям настроение: она подходила к группе гостей, вступала в разговор, уделяя внимание каждому, затем шла к следующей группе, все время весело шутила и смеялась мелодичным чувственным смехом.

Платье плотно облегало ее фигуру, красивые бедра плавно покачивались, но в этом движении бедер не было ничего вызывающего или чрезмерного, но было что-то, что притягивало внимание мужчин.

Время от времени некоторые мужья отходили от своих жен и присоединялись к группе, где разговаривала Долорес, тогда она быстро извинялась и шла к другим гостям или даже подходила к покинутой жене и непринужденно заговаривала с ней.

Отдыхающие обращались ко мне, спрашивали, надолго ли я приехал, сдержанно интересовались моей личностью. Они не задавали вопросов в лоб, а лишь проявляли умеренное любопытство.

Большинству было от тридцати пяти до шестидесяти лет, новичков можно было легко угадать по воспаленно-красным лицам, не привыкшим к длительному пребыванию на солнце.

Говорили все больше о погоде.

Некоторые приехали со Среднего Запада и рассказывали о снежных бурях, другие прибыли с Тихоокеанского побережья и описывали туманы и облачность.

Я допил второй коктейль, когда прозвенел звонок и все потянулись на обед.

Долорес определила мне место за столом, где сидели брокер из Канзас-Сити с супругой и художница лет тридцати пяти.

Мы плотно пообедали: отличная говядина, жареный картофель, салат, десерт.

После обеда начали играть в карты: бридж, покер. Покер походил на марафонский бег, ставки маленькие, каждый игрок стремился продемонстрировать свое превосходство.

В общем компания собралась приятная.

Спиртное можно было заказать, написав записку.

Художница, сидевшая со мной, завладела моим вниманием. Она говорила о цветах, об опасности некоторых тенденций в современном искусстве, о вырождении художественных форм и о красоте западного пейзажа.

Одинокая, богатая и разочарованная вдова... У нее были данные, чтобы стать приманкой для симулянта, если бы не чересчур интеллектуальный подход к жизни.

Кадры, на которых человек с травмированной шеей ныряет с вышки в бассейн, чтобы произвести впечатление на красотку в купальном костюме, могли бы потрясти присяжных, но кадры, где парень сиднем сидит в кресле у бассейна и обсуждает с дамой вопросы искусства, вряд ли достигнут необходимой цели.

Я внимательно изучил художницу-вдову и пришел к выводу, что Долорес была права, говоря, что подходящей приманки для симулянта пока нет.

Художницу звали Фэйт Кэллисон. Она сказала, что создает свои этюды с помощью кинокамеры и цветной пленки. У нее была целая коллекция слайдов, которые она зимой в своей студии, когда у нее будет больше времени, собиралась превратить в картины.

— Вы когда-нибудь продавали свои пленки или картины? — спросил я.

Она посмотрела на меня изумленно:

— Почему вы спрашиваете об этом?

Я задал этот вопрос только для того, чтобы как-то поддержать разговор, но было что-то в ее реакции, что заставило меня по-новому оценить ситуацию.

— Если я вас правильно понял, вы привезли с собой довольно много пленки, — сказал я. — Я сам люблю снимать, но стоимость пленки меня ограничивает.

Она быстро огляделась по сторонам, наклонилась ко мне и сказала:

— Удивительно, что вы спросили меня об этом, мистер Лэм. Я действительно иногда продаю свои работы. В прошлый сезон, например, я брала с собой восьмимиллиметровую кинокамеру с переменным фокусным расстоянием объектива и снимала, как гости проводят здесь время. Потом я предлагала им свои пленки. Разумеется, я специально не торговала своими фильмами, а старалась представить это как услугу одного кинолюбителя другому. Но в итоге я действительно продала довольно много.

— Людям, у которых не было своей кинокамеры?

— Не только. Большую часть фильмов купили люди, у которых была кинокамера. В такие места, как это, люди берут с собой кинокамеры, чтобы привезти домой кадры, которые произведут впечатление на их знакомых. Те, кто приехал с востока, хотят показать своим землякам, что представляет собой ферма-пансионат на западе. Но если будешь всегда только снимать, то сам никогда не попадешь в кадр. Поэтому они охотно покупают пленку, где сами запечатлены на колоритном фоне.

— Понятно, — сказал я задумчиво. — Я смотрю, вы хорошо подготовились.

Она кивнула.

— Случалось ли такое, что у вас покупали сразу много пленки?

Она опять сделала удивленные глаза.

— Ну... да. Два раза. Первый раз одна страховая компания пожелала иметь снимки какого-то человека, ныряющего с вышки, а второй заказ оказался самым удивительным из тех, которые у меня были: один адвокат из Далласа заказал копии всех фильмов, которые я сняла здесь во время отпуска. Именно поэтому я смогла приехать сюда в этом году. Денег, которые я получила за ту работу, с лихвой хватило на все мои расходы.

— Ну, черт возьми, вы ловко все провернули, — восхитился я.

Но тут она сменила тему и вновь заговорила об искусстве. Я заметил, что она испугалась своей откровенности с человеком, которого узнала совсем недавно.

Она сказала, что пишет портреты и что у меня интересное лицо. Она хотела, чтобы я рассказал о себе. Я сообщил, что я холостяк, что у меня не было времени жениться, что сегодня у меня выдался долгий и трудный день, извинился, отправился в свой коттедж и лег спать.

Тишина пустыни окутала все вокруг ватным одеялом, воздух был чист и свеж, я спал без всяких сновидений.

Глава 3

Утром, в половине восьмого, громко зазвенел большой железный будильник. Без пятнадцати восемь молоденький индеец в белом кителе принес апельсиновый сок, в восемь подали кофе.

Долорес постучалась в мою дверь:

— Доброе утро, Дональд. Как вы спали?

— Как убитый.

— В восемь тридцать начинается верховая прогулка с завтраком, но вы, если не хотите ехать, в любое время можете позавтракать в столовой.

— Когда начинается эта прогулка?

— Примерно через двадцать минут. Она обострит ваш аппетит. Походная кухня уже на месте, огонь разожжен и кофе готов. Когда появятся отдыхающие, для них приготовят яичницу и предложат всем бекон, гренки, печенье, ветчину.

— Бедные лошади.

— Что?

— Их седоки здорово прибавят в весе после завтрака.

Она засмеялась:

— Лошадям это нравится. Пока эти бездельники — ах нет — гости утоляют голод, они отдыхают.

— Может, все-таки бездельники?

— Боже, нет. Слово «бездельники» применимо только к прислуге, постояльцы для нас всегда гости.

— Я готов к верховой прогулке.

— Я так и предполагала.

Мы прошли к месту, где седлали лошадей. Пару раз ее бедро коснулось моего. Она поглядывала на меня искоса, потом заговорила:

— Нам с вами придется часто видеться во время этого сезона, Дональд. Вы знаете, что ваша работа постоянная? За Хелманном Бруно последуют другие.

— Много?

— Целая процессия.

— Может быть, благодаря этому я научусь ездить верхом.

Она вновь бросила на меня косой взгляд.

— Вы многому научитесь здесь, Дональд.

Мы подошли к лошадям. Крамер смерил меня взглядом:

— Какую лошадь вы хотите, Дональд?

— Меня устроит любая, какая достанется.

— Хотите горячую лошадь?

— Позаботьтесь о других отдыхающих, я не буду выбирать.

— У нас есть разные лошади.

— Поступайте как знаете.

— Вон стоит оседланная гнедая. Садитесь на нее и примерьте стремена.

Я вскочил в седло, перенес весь свой вес на пятки, сместился влево, затем вправо и сел прямо. Слегка натянув поводья, повернул налево, потом направо и слез с лошади.

— Все отлично, — сказал я. — Стремена мне подходят.

— Стремена-то подходят, да лошадь не та, — возразил Крамер.

— Это почему?

— Вы заслуживаете лучшей лошади.

Он кивнул помощнику, поднял палец, и через минуту мальчик уже вел к нам коня, который очень осторожно и осмотрительно ставил копыта на землю.

Крамер оседлал коня и надел на него уздечку:

— Вы поедете на нем, Лэм... Где вы научились ездить верхом?

— Я не езжу, я только сижу в седле.

— Черта с два вы не ездите. Вы сидите в седле, как жокей. Этот конь имеет привычку вздрагивать, но это не значит, что он боится, — он так общается со своим седоком. Если он будет вздрагивать, подгоните его, но не сильно.

— О'кей, — сказал я.

Друг за другом стали подходить отдыхающие, некоторым пришлось помогать сесть в седло. В восемь тридцать мы отправились.

Ехали по дороге, средняя часть которой была изрыта конскими копытами, по бокам виднелись следы автомобильных шин. Мы поднялись по склону каньона, солнце скрылось, и мы продолжали путь в тени. Бак, ехавший впереди, пустил свою лошадь легким галопом.

Отдыхающие тряслись позади. Некоторые пытались обхватить круп лошади ногами, другие цеплялись за седло, третьи просто болтались из стороны в сторону. Лишь немногие скакали, расслабившись.

Пару раз Бак оглянулся и внимательно посмотрел на меня.

Мне с лошадью повезло, и я чувствовал себя в седле, словно в кресле-качалке.

Мы продолжали путь еще минут десять—пятнадцать, двигаясь вдоль высохшего речного русла, и наконец выехали на покрытую шалфеем равнину. Неподалеку стояла тележка с опущенным откидным бортом. Старый седой мексиканец в поварском колпаке и белом кителе колдовал над раскаленными углями. Ему помогали трое или четверо мальчиков-мексиканцев. На железной решетке стояло десятка два сковородок с яичницей.

Отдыхающие с охами и вздохами стали сползать с седел и на негнущихся ногах направились к огню. Они стояли тесной кучкой, надоедая повару своими вопросами, грели руки, а затем гуськом направились к большому столу и расселись на длинных скамьях.

Подали кофе в эмалированных чашках, бекон, колбасу, ветчину, а также печенье, мед, гренки, мармелад и желе. После завтрака все закурили, расслабились и стали ждать, когда из-за горной гряды появится солнце и затопит долину своим ярким светом.

Бак предложил всем продолжить путь по верхней тропе, но половина гостей предпочла вернуться на ферму, а другая приняла предложение.

Я решил ехать по верхней тропе с Крамером.

— Вы хорошо правите своим конем, — сказал Крамер. — Он слушается узды.

— Я люблю лошадей.

— Этого мало. Они вас любят... Как вы сюда попали?

— Мне посоветовал приехать один приятель.

— Кто? Я помню всех, кто у нас отдыхал.

— Парень по имени Смит. Я его не очень хорошо знаю. Мы познакомились с ним в баре. Он только что вернулся отсюда и рассказал мне, как замечательно провел здесь время.

— Понятно, — сказал Крамер и больше вопросов не задавал.

Верхняя тропа вывела нас из каньона, обогнула высокое плато, разветвилась, и скоро мы оказались на вершине холма, откуда открывался живописный пейзаж: к западу и югу от нас простиралась бесконечная пустыня, на севере возвышались горные хребты. Тропинка пошла под крутой уклон, раздался женский визг, время от времени мужской бас восклицал: «Тпру! Трпу! Потише, милая! Тпру!»

Крамер повернулся ко мне и подмигнул.

Я дал коню волю, и он уверенно понес меня вниз через заросли полыни. Примерно в одиннадцать мы вернулись на ферму.

Мы спешились и пошли к бассейну. Подали кофе. Многие гости купались.

В эластичном купальнике, облегающем тело, как кожица колбасу, появилась Долорес.

— Пойдемте купаться, Дональд, — сказала она.

— Может, попозже.

Она наклонилась, зачерпнула пригоршню воды и обдала мое лицо дразнящими брызгами.

— Присоединяйтесь, Дональд, — весело крикнула она и легко, словно лань, понеслась к воде.

Я пошел в свой коттедж, надел плавки, вернулся к бассейну и нырнул в воду.

Долорес была в другом конце бассейна, но вскоре очутилась возле меня.

— Вы не крупный, зато хорошо сложены, Дональд, — сказала она, опираясь рукой на мое голое плечо.

— Сказать, как вы сложены? — спросил я, оглядывая ее.

— Только попробуйте.

Я почувствовал горячий след ее руки на своей спине.

Через мгновение она уже беседовала с очень полной дамой лет пятидесяти, плескавшейся на мелком месте. Потом подплыла к одному из мужчин, обменялась с ним несколькими фразами и почти сразу направилась к его супруге и недолго поговорила с ней.

Я нырнул пару раз с вышки, вышел из бассейна и прилег на коврик, чтобы немного подсушить кожу. Потом зашел в свой коттедж, принял душ, вернулся к бассейну и сел за одним из столов.

Ко мне подошла Долорес и сказала:

— Мелита Дун будет здесь к ленчу. Она прилетела утренним самолетом, и Бак отправился ее встречать.

— Знаете о ней что-нибудь? — спросил я.

— Только то, что она медсестра и что ей лет двадцать пять. Думаю, она в вашем вкусе.

Раздался мужской голос:

— Эй, Долорес, научите мою жену плавать на спине.

— С удовольствием, сейчас, — откликнулась она и нежно положила ладонь на мои глаза. — До скорой встречи, Дональд.

Долорес показала себя отличным инструктором по плаванию, потом она наблюдала, как женщины, желающие сбросить несколько фунтов лишнего веса, выполняют физические упражнения. Наконец отдыхающие стали расходиться по своим коттеджам, чтобы принять душ и приготовиться к ленчу.

Мелита Дун появилась где-то в половине первого. Пока Бак Крамер относил ее вещи в коттедж, Долорес успела с нею познакомиться. Ее поселили в коттедже под номером два, рядом с моим.

Когда они проходили мимо меня, Долорес бросила на меня выразительный взгляд и оглядела Мелиту Дун сверху вниз, как это всегда делают женщины, оценивающие соперницу.

Мелита была блондинкой лет двадцати шести — двадцати семи, ростом не более пяти футов трех дюймов, но зато с очень пропорциональной фигуркой и стройными аристократическими ножками. В ней не было ни одной унции лишнего веса, но было все, что нужно женщине, чтобы слыть красивой. Ходила она легкой грациозной походкой.

Но особенно привлекли меня ее глаза.

Она метнула на меня быстрый взгляд и отвернулась, но я успел заметить, что глаза у нее карие, а взгляд тревожный. Она казалась чем-то испуганной.

Девушки прошли к коттеджам.

431

Долорес знала, что я буду смотреть им вслед, и покачивала бедрами явно больше, чем обычно.

Они все еще находились в коттедже номер два, когда прозвенел звонок, позвав всех на ленч.

Ленч подали к бассейну: фруктовый салат, мясной бульон с сухарями и копченое мясо в белом соусе.

Во время ленча ко мне подошел Бак Крамер.

— В одиночестве? — спросил он.

Я кивнул.

Крамер опустился в кресло напротив меня.

Это не входило в мои планы. Я надеялся, что Долорес приведет Мелиту и познакомит меня с ней, но теперь я не мог отделаться от Бака, не нагрубив ему.

— Ленч? — спросил я.

— Только не эти харчи, — ответил он, покачав рукой. — Я ем на кухне. Предпочитаю побольше мяса и поменьше фруктов. Как вам понравилась лошадь?

— Прекрасная лошадь.

— Это замечательная лошадь. Мы не каждому позволяем ездить на ней.

— Благодарю.

— Не надо меня благодарить. Лошадь должна двигаться. Но, знаете, как бывает, дашь хорошую лошадь плохому седоку, смотришь — и он измучился, и лошадь загнана. Люди об этом не знают, но лошади очень чувствительны к своим седокам. Они знают людей. В тот момент, когда вы только ставите ногу в стремя, она уже знает, что вы за наездник, а когда садитесь в седло и дергаете поводья, она уже может рассказать о вас все, даже то, пили вы утром кофе с сахаром или без сахара. — Крамер улыбнулся.

— Смотрю, вы хорошо разбираетесь в седоках, — сказал я.

— Приходится... Представьте, появляется, к примеру, парень в новых ковбойских сапожках, джинсовом костюме, с ковбойской шляпой на голове и шелковым шарфом на шее. Он гордо подходит к вам и

432

заявляет, что ему нужна только очень хорошая лошадь, потому что он хочет скакать впереди всех.

Вы смотрите на него, а если замечаете на ногах у него шпоры, то сразу сообщаете, что на ферме гостям не разрешается носить шпоры. Потом вы наблюдаете, как он их снимает, и к этому времени знаете о нем достаточно, чтобы всучить ему самую старую и самую спокойную клячу. В этот день он даст вам десять долларов на чай и скажет, что ему нужна другая лошадь. Он познакомился тут с одной девушкой и хочет произвести на нее впечатление. Он начнет рассказывать вам, что объездил верхом всю Монтану, Айдахо, Вайоминг и Техас.

— И что вы делаете?

— Я забираю десять долларов и на следующий день даю ему такую же клячу. Если дать ему хорошую лошадь, она его либо сбросит, либо понесет.

— А он не обидится, что, взяв с него десять баксов, ему снова подсовывают клячу?

— Это возможно, но у нас есть что сказать ему. Можно наплести, что обычно эта лошадь очень спокойная, но если ей попадается плохой наездник, она способна на все, что в прошлом году она сбросила с седла двух седоков и что с тех пор ее предлагают только опытным наездникам. Парень рассказывает обо всем своей подружке, дает вам еще десять баксов и говорит, что именно такая лошадь ему подходит и он будет ездить на ней все время. — Крамер зевнул.

Из коттеджа номер два вышла Долорес. Она остановилась, но, увидев меня рядом с Баком, вошла обратно.

— Вы уже ели? — спросил я Бака.

— Нет. Только собираюсь.

Он откинулся в кресле, посмотрел на меня и сказал:

— Знаете, Лэм, вы какой-то необычный.

— Это почему?

— Вы мало разговариваете.

— Я что, обязан разговаривать?

— Вы понимаете, люди, которые сюда приезжают, обычно рассказывают о себе все, особенно если они умеют ездить верхом. Они разглагольствуют о фермах, на которых побывали, о выездах на природу, о часах, проведенных в седле... Где, черт возьми, вы научились ездить верхом?

— Я не езжу, я только сижу в седле.

Он фыркнул и ушел.

Как только он меня оставил, из коттеджа вышли Долорес и Мелита Дун. Они направились к главному зданию, но неожиданно Долорес свернула в мою сторону и сказала:

— Мисс Дун, позвольте вам представить моего друга, Дональда Лэма.

Я встал и поклонился:

— Раз познакомиться с вами.

Карие глаза смотрели на меня с откровенным интересом.

— Привет, — сказала девушка и подала руку.

Рука оказалась холодной, пальцы тонкие, но сильные.

Она сменила одежду. На ней был костюм для верховой езды, который очень подходил к ее стройной фигуре.

— Сейчас как раз время ленча, — обратилась Долорес к Мелите, — а я умираю от голода. Послушайте, Дональд, можно мы сядем за ваш стол? Вы, кажется, один.

— Буду очень рад.

Долорес позвала официанта. Я пододвинул для девушек стулья, и они сели.

Долорес сказала:

— Мы с Дональдом приятели... Он очень хороший.

Мелита мне улыбнулась.

Пришел официант и принял заказы.

Мелита изучала меня с откровенным интересом, большим, чем простое любопытство, которое девушка в отпуске проявляет к незнакомому мужчине.

Мне показалось, что Долорес уж слишком явно навязывает меня Мелите, и на мгновение меня охватила паника. Долорес была женщиной, которая не теряет времени даром, а Мелита, похоже, тоже не упускает своего, поэтому Долорес не следовало бы вести себя слишком открыто.

Мы еще обедали, когда появился Бак Крамер с сообщением для Долорес.

— Хелманн Бруно прибывает самолетом в половине четвертого, — сказал он.

— Прекрасно, — сказала Долорес. — Ты встретишь его, Бак?

— Да, конечно, — ответил он.

Я смотрел на Мелиту, когда происходил этот разговор. Готов поклясться, что на мгновение в глазах ее промелькнул ужас, потом она потупила взор и стала двигать взад-вперед кофейную чашку, пока не взяла себя в руки или пока мое воображение не перестало меня разыгрывать.

— Новый гость? — Мелита подняла глаза.

— Да, новенький. Они приезжают и уезжают постоянно.

— Бруно — какое необычное имя, — задумчиво промолвила Мелита. — Хелманн Бруно — кажется, я где-то слышала это имя. Он, случайно, не писатель?

— Нет, — сказала Долорес. — Он — победитель какого-то конкурса, а в качестве приза получил бесплатную путевку на двухнедельный отдых у нас на ферме. Видимо, у него есть голова на плечах, иначе он не стал бы победителем конкурса.

— Вот, наверное, откуда я слышала это имя, — отозвалась Мелита. — Он победил в конкурсе, и об этом, наверно, сообщалось в каком-нибудь журнале...

Долорес старалась говорить небрежно:

— Я не знаю. Для меня главное — чтобы все здесь чувствовали себя счастливыми. Меня не интересует личная жизнь отдыхающих.

Она слегка подчеркнула слова: «Меня не интересует личная жизнь отдыхающих».

Мелита бросила на нее быстрый взгляд и вновь опустила глаза.

Долорес посмотрела на меня недоуменно.

Когда покончили с едой, Долорес сказала:

— Ну, теперь время сиесты. Сейчас все отдыхают, а во второй половине дня играют в гольф, плавают, и еще у нас есть теннисный корт, на котором проводятся матчи. Вы любите теннис, Мелита?

— Нет, — ответила та. — Я люблю плавать и ездить верхом, но для остальных видов спорта я не гожусь.

Я промолчал и, воспользовавшись сиестой, вернулся в свой коттедж.

Глава 4

После полудня я сидел возле бассейна и ждал прибытия фургона. Мне хотелось самому увидеть, как Хелманн Бруно будет выходить из машины. Часто симулянты невольно выдают себя, когда не знают, что за ними наблюдают.

Сперва появились клубы пыли, а затем и сам фургон, за рулем которого сидел Бак Крамер. Машина развернулась и заехала на стоянку, куда обычно привозили отдыхающих.

Человек, сидевший впереди, рядом с Крамером, казался совершенно неподвижным.

Крамер вышел из машины, обежал вокруг и открыл дверцу.

Бруно осторожно выставил из машины одну ногу, потом другую, потом появилась трость.

Крамер подал Бруно руку и помог выйти из машины.

Бруно постоял на негнущихся ногах, слегка покачиваясь, потом, опираясь на трость одной рукой и на руку Крамера другой, медленно поплелся в сторону бассейна.

Когда они приблизились ко мне, Крамер сказал:

— Это один из наших гостей, мистер Бруно, мистер Лэм.

Бруно, высокий, неповоротливый, посмотрел на меня большими, темными глазами, улыбнулся, переложил трость в левую руку, протянул правую и сказал:

— Здравствуйте, мистер Лэм.

— Рад вас видеть, мистер Бруно.

— Простите мне мою неуклюжесть, — сказал он. — Я попал в автомобильную катастрофу и теперь не очень твердо стою на ногах.

— У вас сломана кость? — спросил я.

Он высвободил свою руку из моей и потер шею:

— Травма шейных позвонков. По крайней мере, так говорят врачи. Чертовски неприятная штука. Меня мучают головные боли и приступы головокружения... Я приехал сюда, чтобы хорошенько отдохнуть. Думаю, мне будет полезно находиться на свежем воздухе. — Он опустил правую руку и взялся за набалдашник трости.

Я заметил у него на руке кольцо — массивное золотое кольцо. Поверхность кольца напоминала завязанную узлами веревку с рубином в центре.

— Пожалуйста, пойдемте сюда, мистер Бруно, — сказал Крамер. — Ваше прибытие зарегистрируют, и потом я покажу вам ваш коттедж. Думаю, вы будете жить в коттедже номер двенадцать. Прошу вас, будьте осторожней.

— Все в порядке, — извиняющимся тоном проговорил Бруно. — Только я передвигаюсь несколько медленно. Иногда на меня нападает слабость.

Поддерживаемый Крамером, Бруно направился к конторке регистрации.

Быстрым шагом подошла Долорес Феррол. Она наблюдала за нами издали.

— Вы видели это, — сказала она. — Мы проиграли. Этого никогда не разоблачишь.

— Возможно, он почуял опасность, — возразил я. — Пока что мы ничего не достигли.

Она мрачно посмотрела вслед Бруно и Крамеру и решительно проговорила:

— Мне бы только выманить его из коттеджа после захода солнца — он враз оживет.

— Как быть с кинокамерой? Для съемок необходим дневной свет.

Мы прошли к конторке регистрации. Когда Бруно и Крамер вышли, Крамер представил его Долорес.

Долорес позволила Бруно рассмотреть глубокий вырез на своей блузке.

— У вас ревматизм, мистер Бруно? — спросила она. — Это лучшее место в мире, чтобы избавиться от ревматических болей.

— Автомобильная катастрофа, — устало, но терпеливо объяснил он. — Травма шейных позвонков. Я думал, что здесь мне будет лучше, но, видимо, совершил ошибку, уехав так далеко от моего врача. Правда, я ничего не заплатил за путевку. Я выиграл ее, став победителем конкурса.

— Вы победили в конкурсе! — воскликнула Долорес, глядя на него восхищенным взглядом. — Я всегда мечтала победить в каком-нибудь конкурсе. Даже пыталась, но в конце концов потеряла всякую надежду. Мне для этого не хватает ума.

— Этот конкурс был очень легким, — сказал Бруно и повернулся к Крамеру: — Вы поможете мне отнести вещи?

— Я провожу вас, и вы сможете прилечь, — сказал Крамер. — Потом я поеду обратно в аэропорт и постараюсь найти ваш пропавший чемодан. Авиакомпания утверждает, что он прибудет следующим рейсом, и я смогу его получить.

— Абсурд какой-то, — сказал Бруно. — В наших самолетах самая отработанная совершенная техника.

Ее проектируют на чертежных досках, испытывают в специальных аэродинамических трубах, и, пока вы находитесь на борту, с вами носятся, как с писаной торбой, но стоит ступить на грешную землю, как вас начинают обслуживать на уровне, существовавшем в те времена, когда флагманом флота был трехмоторный самолет Форда.

Крамер рассмеялся:

— Скажите спасибо, что они еще это делают. В наше время люди путешествуют целыми толпами.

В голосе Бруно зазвучали жалобные нотки хронического инвалида.

— У меня неприятности, — сказал он. — Возможно, поэтому я все вижу в черном свете. — Он неуклюже поклонился Долорес и сказал: — До скорой встречи, — и направился с Крамером к коттеджу, стоящему в конце ряда.

— Первый раз сталкиваюсь с таким симулянтом, — заметила Долорес.

— Или он очень умен, — сказал я, — или действительно болен.

Когда вернулся Крамер, я обратился к нему:

— Если вы действительно собираетесь ехать за этим пропавшим чемоданом, можно я поеду с вами? Мне нужно кое-что купить в городе.

— Я привезу вам все, что вы закажете.

— Нет, я сам должен выбрать. Если в машине будет место, я бы...

— Черт возьми, этот фургон постоянно ездит туда и обратно. Для того он и существует, чтобы отдыхающим было удобно. По утрам, когда я провожу верховую прогулку на лошадях, его водит другой водитель фермы. Но во второй половине дня я иногда совершаю по пять выездов в город. Садитесь.

Я забрался на переднее сиденье рядом с ним.

— Представляете, и такой парень едет отдыхать на ферму. — Крамер повернул ключ зажигания. — Да ему в санатории место.

— Он приехал сюда потому, что ему досталась бесплатная путевка за победу в каком-то конкурсе.

— Иногда у нас бывают такие. Побеждают в конкурсах и приезжают. Кажется, этот конкурс проводит компания, производящая пекарный порошок. Она награждает призами тех, кто в пятидесяти словах лучше всех объяснит, почему именно этот пекарный порошок является лучшим. Я никогда не читал об этом конкурсе в газетах, но сюда уже приезжали несколько человек, которые выиграли путевку. Насколько я знаю, некоторые из призов дают право на бесплатную поездку даже в Гонолулу.

— Ничего, — сказал я весело, — две недели, проведенные здесь, пойдут ему на пользу.

— Одно я знаю наверняка, — он ни за что не сядет на лошадь. И мне не придется выслушивать излияния о том, как он в детстве катался на лошадях и как однажды ему попалась такая горячая лошадка, что другой на его месте вряд ли бы с ней справился. Он не будет давать мне взятку, чтобы к следующей прогулке я нашел ему лошадь получше. Я уже сыт по горло этими разговорами. Каждый получает ту лошадь, какую заслуживает. Если бы я позволил этим парням самим выбирать себе скакуна, то все наши тропы были бы изрыты их головами. А впрочем, у каждого свои проблемы.

Я осклабился с понимающим видом.

— Как вам понравился ваш конь сегодня утром?

— Отличный.

— Вы с ним быстро нашли общий язык. У некоторых парней очень тяжелая рука, а лошади этого не любят. Они начинают сопротивляться удилам и поводьям, потом перестают слушаться, седок пытается усмирить лошадь, но ничего хорошего из этого не получается.

— Она его сбрасывает? — спросил я.

— Что вы, нет. Ничего подобного. Мы не держим таких лошадей, которые сбрасывают седоков с седла.

Просто лошадь становится норовистой, нервной и возвращается с прогулки мокрой от пота. Наезднику тоже достается, потому что он всю дорогу борется. Оба измучены и недовольны. Животные удивительным образом все понимают. Эти лошади знают, что зарабатывают свой хлеб, катая отдыхающих по этим тропам, и поэтому они очень редко обижаются на своих седоков. В основном они обладают сильно развитым чувством ответственности. Еще ни одна наша лошадь не сбросила отдыхающего на дорогу. Даже самого неловкого.

— Наверно, нелегко отыскать таких лошадей, ухаживать за ними и держать в хорошей форме.

Крамер улыбнулся:

— Что это мы все время говорим о моих проблемах? Давайте лучше о ваших.

— У меня нет проблем.

Всю остальную дорогу до аэропорта мы с Крамером вели беспредметный разговор. Крамер позволял себе лишь общие рассуждения, стоило мне упомянуть имя какого-нибудь гостя, как он замолкал или начинал говорить о чем-то другом.

Мы подъехали к аэропорту, и я позвонил Берте Кул из телефонной будки.

— Дональд, — сказала она, — как у тебя дела?

— Все о'кей, если не считать, что моя работа под угрозой срыва.

— Что это значит?

— Этот Бруно либо действительно болен, либо слишком умен, чтобы попасться на нашу удочку.

— Ты хочешь сказать, что не можешь справиться с заданием? — осуждающе пророкотала Берта.

— Дело не в том, что я не могу справиться, а в том, что справляться не с чем. Возможно, у этого парня действительно повреждена шея. Я собираюсь позвонить Брекинриджу, но сперва решил ввести тебя в курс событий.

— О боже, — промолвила Берта. — Мы не можем отказаться от этой сделки. Ты должен пробыть там три недели, потому что все расходы уже оплачены и за каждый день мы получаем шестьдесят долларов.

— Я не буду требовать от него выполнения обязательств. Я думаю, услышав мое сообщение, он захочет изменить тактику и отзовет меня.

— Отзовет тебя! — заорала Берта в трубку. — Почему? Он не может идти на попятную.

— Давай не будем показывать, что у нас нет другой работы. Мы найдем себе что-нибудь еще.

— Позволь мне позвонить ему, я с ним поговорю.

— Нет. Я сам отчитаюсь перед ним. Я буду держать тебя в курсе дела.

Я повесил трубку, хотя она еще продолжала спорить, и позвонил Брекинриджу. Мне повезло. Как только я назвал себя его секретарше, раздался его голос:

— Хэлло, Лэм. Вы звоните из Тусона?

— Верно.

— Как вам понравилась ферма?

— Прекрасно.

— А как складываются ваши отношения с Долорес Феррол?

— Великолепно.

— Это хорошо, — сказал он и через мгновение спросил: — Что вы хотите мне сказать?

— Этот Бруно оказался крепким орешком.

— Вот как? Это почему?

— Похоже, он не симулирует. Он прибыл самолетом сегодня после полудня и сообщил всем, что приехал на ферму, потому что победил в конкурсе, что он серьезно пострадал в автомобильной катастрофе, что у него травма шеи и он должен себя беречь. Он ходит, опираясь одной рукой на трость, а другой на руку ковбоя, который ухаживает за лошадьми.

— Чертов мошенник! — воскликнул Брекинридж.

— Вы правы.

Брекинридж подумал и присвистнул в трубку.

— Ладно, Дональд, возвращайтесь.

— Вот как?

— Именно так. Нам придется заплатить ему.

— Я только сообщаю вам, как идут дела. В конце концов, может быть, он прикидывается. Возможно, мы еще выведем его на чистую воду.

— Не думаю, что вам следует пытаться это делать. Хорошо, что вы позвонили мне, Дональд. Придется нам расплатиться с ним. Если он не симулирует, эта травма шеи может стоить нам больших денег. Садитесь в самолет и возвращайтесь домой.

— К чему такая спешка? Подождем еще один день. Я хочу точнее оценить ситуацию и позвонил вам только потому, что думал, вам интересно знать, как развиваются события.

— Отлично, Лэм. Молодец. Я рад, что вы мне позвонили. Вы не думайте, вы получите все, что мы обещали. В любом случае мы заплатим вам за три недели, но я не хочу рисковать, если у него действительно повреждена шея, тем более если все можно уладить, выплатив умеренную сумму денег.

— Вы можете подождать один день? — спросил я.

— Ну. — Он на мгновение задумался и добавил: — Да, один день мы подождем.

— У меня появилась возможность выехать в город, и я решил позвонить вам и сообщить, что тут происходит.

— Лэм, можете звонить мне в любое время. Я взял за правило находиться только там, где меня можно легко найти, если появится что-то важное. Назовете свое имя моей секретарше, и она тут же соединит вас со мной. Значит, вы позвоните мне завтра, не так ли?

— О'кей.

— Позвоните обязательно.

— Обязательно позвоню. — Я повесил трубку.

Я вошел в здание аэропорта и отыскал Крамера. Он стоял у ларька и потягивал шоколадного цвета пиво. Чемодан Бруно прибыл по расписанию, и мы вернулись на ферму.

Я выпил коктейль, пообедал, а через некоторое время начались танцы.

Я танцевал с Долорес.

Танцевала она красиво и соблазнительно, хотя и не прижималась к партнеру во время танца.

— Пытались соблазнить Бруно? — полюбопытствовал я.

— Это айсберг, а не человек. Он правда травмирован, Дональд. Это что-то новое. Никогда не думала, что придется столкнуться с таким симулянтом. Они сказали, что не пошлют сюда человека, если не будут уверены, что он симулирует болезнь. Не понимаю, как они могли так ошибиться относительно этого парня.

— Может, они и не уверены, — предположил я. — Возможно, они просто решили пойти на риск, который не оправдался.

— Вы останетесь здесь, Дональд?

— Не знаю, а что?

— Мне бы не хотелось, чтобы вы так быстро уехали, ведь мы с вами только познакомились.

— Если я буду продолжать играть роль, которую вы мне предложили, то сам стану выглядеть симулянтом в глазах других.

— Я предложила, как вы выразились, эту роль, потому что вы мне нравитесь, — сказала она, выразительно посмотрев мне в глаза.

В этот момент музыка кончилась, Долорес подкрепила свои слова, на долю секунды прижавшись ко мне бедрами. Потом она улыбнулась: к ней приближался один из отдыхающих, намеревавшийся пригласить ее на танец.

— Как вы ухитряетесь не конфликтовать со всеми замужними женщинами? — спросил я ее.

— Это искусство, — ответила она и повернулась к кавалеру, улыбаясь своей стандартной улыбкой.

Я наблюдал за ней во время танца. Она танцевала подчеркнуто строго, время от времени улыбаясь кавалеру, внимательным взглядом окидывала других гостей, чтобы убедиться, что они хорошо проводят время.

Каждая замужняя женщина, поймавшая этот взгляд, оценивала его по достоинству. Он говорил о том, что Долорес ни на минуту не забывает о своих прямых обязанностях.

Я сомневался насчет Бруно, но зато не сомневался в том, что Долорес была удивительно умной женщиной.

Распорядок дня на ферме позволял гостям рано ложиться спать.

Два раза в неделю устраивались танцы, но они продолжались только час, потом музыку выключали, и отдыхающие расходились по коттеджам.

Два раза в неделю на втором дворе разжигали костер, отдыхающие садились вокруг него и слушали выступление артистов. Мескитовые дрова вспыхивали ярким пламенем и превращались в тлеющие угольки. Ковбои играли на гитарах и пели песни Дикого Запада. Такие ансамбли ковбоев ездили от фермы к ферме и радовали отдыхающих своим искусством.

Я рано вернулся в свой коттедж, поскольку Мелита Дун, сославшись на головную боль, легла спать, а Бруно попросил отвезти его в коттедж, заявив, что у него болят все суставы. Кто-то раздобыл для него кресло-каталку, и он теперь не расставался с ним.

Долорес Феррол была разочарована, но скрывала это и с удвоенной энергией выполняла свою работу.

Она старалась, чтобы все гости знакомились и общались друг с другом, а не собирались в отдельные группки, которые со временем могут превратиться в замкнутые кланы.

Короче говоря, Долорес была весьма компетентна и выполняла колоссальную работу, но она очень хотела поговорить со мной, и я заметил, что после того, как официальная часть вечера закончилась, она искала возможность наедине обсудить наше дело во всех подробностях.

Сам я полагал, что обсуждать тут нечего, во всяком случае, пока нечего, но прежде чем поговорить с Долорес, я хотел побольше узнать о Мелите Дун. Было что-то в этой женщине, что возбуждало мой интерес.

Я направился к своему коттеджу, зевая на ходу.

Почти сразу меня догнала Долорес:

— Вы уходите, Дональд?

— Да, день был трудный.

Она засмеялась:

— Не разыгрывайте меня. Вы из тех выносливых парней, которые выдержат дюжину таких дней. Или вы боитесь темноты?

Я направил разговор в деловое русло.

— Что вы скажете о Мелите Дун? — спросил я. — Не похоже, что она приехала сюда в поисках приключений и романов. Она не помешана на лошадях и не желает ездить верхом. Не является ли она любительницей киносъемки, которая стремится в пустыню, чтобы снимать свои фильмы. Зачем она здесь?

— Ей-богу, не знаю, — сказала Долорес. — Я встречала здесь всяких женщин, но эта сбила меня с толку. Вы очень удачно разделили приезжающих сюда на три типа. Когда они приезжают сюда гулять, то не теряют времени даром. Первыми им здесь попадаются ковбои, и девицы буквально набрасываются на них. Ковбоям это все надоело до чертиков, и бывает так, что девица скидывает перед ними свое платье, а они зевают, поворачиваются к ней задом и идут седлать своих лошадей. Есть еще любители верховой езды. С такими ковбои находят общий язык, если, конечно, те их не поучают, как нужно обращаться с лошадьми. Если гости искренне любят животных и прогулки верхом, то им всегда достаются хорошие лошади, и они отлично проводят время. Есть еще, конечно, любители киносъемки, художники и люди, любящие одиночество и бесконечные пространства пустыни. Они приезжают сюда поодиночке и держатся обособленно.

— Ну вот, — сказал я. — Мелита Дун приехала одна и держится обособленно. Может, она относится к последнему типу? Может, она любит одиночество и поэтому приехала сюда?

Долорес покачала головой:

— Только не эта женщина. Что-то у нее на уме. Она здесь для... Я чувствую, Дональд, что она приехала сюда с какой-то целью.

— Мне тоже так кажется.

— Ну что ж, ее коттедж находится рядом с вашим, и за последние пятнадцать минут вы уже три раза сладко зевнули. Я думала, возможно, ожидание... ну... — Она улыбнулась обольстительной улыбкой.

Я сказал:

— Наверно, мне в чай подбросили снотворное. Я еле стою на ногах. До завтра, Долорес.

— До завтра? — переспросила она.

Я посмотрел ей в глаза:

— У вас здесь хорошая работа, Долорес.

— Это я делаю ее хорошей.

— Вам прилично платят?

— Я делаю ее высокооплачиваемой. Я знаю, что я делаю. Я очень хорошо работаю. Благодаря мне гости чувствуют себя здесь гораздо более комфортно, чем если бы меня не было. Я честно зарабатываю себе на хлеб.

— И никто не знает, что одновременно вы работаете на Страховую компанию?

Она посмотрела на меня насмешливо:

— Вы что, шантажируете меня, Дональд?

— Я не люблю пребывать в неведении.

— Иногда быть в неведении выгодно... Ладно, что вы хотите узнать?

— Как вы нашли эту работу?

— Эта идея возникла в отделе исков.

— Гомер Брекинридж?

— Да, если хотите.

— Значит, он приезжал сюда?

— Да.

— Когда?

— В прошлом году.

— Он увидел вас за работой, и ему пришла в голову идея приглашать сюда людей, победивших в липовом конкурсе?

— Да.

— Много их уже побывало здесь?

— Не думаю, что мистеру Брекинриджу понравится, если он узнает, что я вам это рассказываю.

— Послушайте, Долорес, мы с вами вместе работаем на Брекинриджа. Я спрашиваю вас для того, чтобы между нами установились не только деловые отношения. Вы считаете, что мы вмешиваемся в личные дела Брекинриджа?

— И это тоже. — Она задумалась.

— Я не хочу делать ничего, что может представлять опасность для вас и вашей работы. Эта работа мне тоже нравится. Брекинридж — человек неглупый. Он послал меня сюда, так сказать, в порядке эксперимента... До меня здесь были другие. Что с ними стало?

— Не знаю. Они больше не возвращались. Для них эта работа была одноразовым предприятием.

— Вот именно. А я не хочу быть одноразовым предприятием. До завтра, Долорес.

Мгновение она колебалась, потом сказала ласково:

— Доброй ночи, Дональд, — и удалилась.

В коттедже Мелиты Дун свет уже не горел. Она легла спать полчаса назад. Очевидно, она не теряла времени на долгий косметический ритуал, как многие женщины, которые уделяют массу внимания своей внешности перед сном.

Я со всех сторон осмотрел свой коттедж. Он состоял из крыльца, небольшой гостиной, спальни, ванной, большого чулана, газового обогревателя и маленького заднего крыльца.

По утрам и вечерам здесь бывало прохладно, и тогда в коттеджах затапливали две печи — одну в гостиной, другую в спальне. Маленькое заднее крыльцо предназначалось для дров. С появлением газа были установлены газовые обогреватели, и необходимость запасать дрова на зиму отпала. Между моим коттеджем и коттеджем Мелиты Дун было около десяти футов. Окно ее спальни было несколько смещено относительно моего, и я мог видеть лишь один угол ее спальни.

Очевидно, Мелита любила дышать свежим воздухом — окно ее спальни было открыто, и тюлевые занавески раздвинуты для циркуляции воздуха.

Я разделся, принял душ, одел пижаму, забрался в постель и заснул.

Не знаю, сколько прошло времени, когда я, вздрогнув, резко проснулся. Меня разбудил не то шум, не то еще что-то.

В углу моей спальни был яркий свет.

Я вскочил с постели и пошел к двери и только тогда осознал, что источник света — окно спальни Мелиты Дун.

Подойдя близко к своему окну, я смог видеть угол ее спальни.

Я увидел движущуюся тень, затем другую. Несомненно, теней было две.

Послышался голос мужчины — низкий, настойчивый бас. Женский голос произнес что-то очень быстро, и вновь заговорил мужчина — на этот раз властно и грубо.

Неожиданно в поле моего зрения появилась Мелита Дун.

На ней была тонкая ночная рубашка, а поверх нее почти прозрачный халат.

Рука мужчины схватила ее запястье.

Я не видел мужчину. Видел только его руку и на ней кольцо. Массивное золотое кольцо с рубином. Я отчетливо видел его красный блеск.

В первый момент я не был в этом уверен, но кольцо очень походило на то, которое в тот день было на руке Хелманна Бруно.

Внезапно свет в коттедже Дун погас. С того момента, как я проснулся, прошло не более двух минут.

Я осторожно поднял свое окно, но ничего не услышал. На цыпочках прошел к входной двери и приоткрыл ее на тот случай, если Бруно будет проходить мимо моего коттеджа. Я хотел видеть, как он идет: быстрыми, нормальными шагами или опираясь на трость.

Прождав минут десять, я на цыпочках прошел к запасному выходу, вышел на крыльцо и посмотрел на соседний коттедж.

Он имел точно такой же, как у меня, запасный выход и такое же заднее крыльцо. Бруно мог легко обойти мой коттедж и выйти на тропинку.

Тропинка не была мощеной. По ней в коттеджи доставляли мебель и провизию. Грязи на дорожке не было, потому что в здешней почве много превратившегося в песок гранита, но и совершено твердой ее нельзя было назвать.

Я оделся, сунул в карман маленький фонарик и вышел через запасный выход. Стараясь держаться в темноте, я вышел на тропу, снял пиджак, накрыл им фонарь, чтобы он не отбрасывал по сторонам свет, и начал обследовать почву.

На дорожке четко отпечатались следы мужской обуви, которые вели к коттеджу Бруно.

Я не решился идти по ним до конца, но проследовал достаточно, чтобы убедиться, что мужчина шел нормальным, здоровым шагом.

К сожалению, я ничего не мог поделать со своими собственными следами. На таких дорогах любой движущийся предмет оставляет след, и опытный следопыт способен обнаруживать почти незаметные отпечатки.

Я, конечно, мог бы скрыть свои следы, разглаживая землю ладонями, но, боюсь, это привлекло бы еще больше внимания.

По утрам ковбои узнают по следам верховых и вьючных лошадей, где стадо останавливалось на ночь. Они не только хорошо читают следы, но и замечают все мелочи, выходящие за рамки обычного.

В итоге я повернулся и пошел обратно, не пытаясь уничтожить свои следы. Я был уверен, что Бруно не догадается, что кто-то следил за ним, но знал, что любой ковбой, который проедет по этой дороге верхом, следы увидит. Если он проедет на джипе или пикапе, то может не обратить на них внимания. В крайнем случае, меня могли заподозрить в распутстве, так что стоило рискнуть.

Стараясь держаться в темноте, я тихо обошел коттедж, вернулся в свой и лег спать.

Глава 5

Крамер сказал мне, что по утрам лошадей кормят около шести, седлать начинают в начале восьмого, потом их чистят и готовят к утренней прогулке, которая в обычные дни начинается в половине девятого. Два или три раза в неделю, когда отдыхающие завтракали в пути, прогулка начиналась немного раньше.

В это утро прогулки с завтраком не предусматривалось, и примерно в половине седьмого я зашел в конюшню, чтобы осмотреть ее.

Примерно без пятнадцати семь ковбои, позавтракав, вышли из столовой.

Крамер посмотрел на меня с удивлением:

— Что это вы тут делаете в такую рань?

— У меня ужасно неспокойный характер. Когда бы я ни лег спать, встаю с восходом солнца и сразу должен что-то делать. У себя дома в городе я еще себя сдерживаю, но здесь такой чистый воздух, что, кажется, даром теряешь время, если проводишь все утро в постели.

Он улыбнулся:

— Наверное, вы правы. Не знаю. У меня никогда не было возможности понежиться утром в постели. Надо как-нибудь попробовать. Слушайте, Лэм, вы хороший наездник и за вами не нужно присматривать. Хотите, я оседлаю вашего коня?

— Когда начнется прогулка?

— Сегодня в девять. Вы взвоете от скуки, ожидая, пока она начнется.

— А что вы сейчас будете делать? Кормить лошадей?

— Нет. Их сейчас почистят и оседлают, а я собираюсь в город. Я должен отвезти в аэропорт мистера и миссис Уилкокс. Они хотят попасть туда к половине девятого, чтобы позавтракать и успеть на девятичасовой самолет. Сейчас они пьют кофе.

— Отлично. Я поеду с вами, чтобы скоротать время.

Крамер засмеялся:

— Вы полная противоположность остальным нашим гостям. Они любят поспать, потом не торопятся идти на завтрак — иногда из-за них приходится задерживать начало прогулки. О’кей, мы выезжаем через десять минут.

— Тогда я сейчас же пойду, или, может, вам помочь отнести багаж?

— Не говорите глупостей. Если начальство узнает, что я позволил гостю нести багаж, то меня завтра же уволят. Вон там стоит фургон.

Я сел на заднее сиденье.

Примерно через десять минут пришли мистер и миссис Уилкокс. Они приехали сюда с востока страны, чтобы похудеть, загореть и, вернувшись домой, удивлять своих знакомых словечками из ковбойского жаргона.

Беседуя с ними по дороге в город, я узнал, что они провели на ферме целых три недели, что вначале ковбойские сапожки доставляли неудобство ногам

452

мистера Уилкокса, но теперь он к ним привык и готов поклясться, что это самая удобная обувь, какую он когда-либо носил. Он собирался приклеить к ним резиновую подошву и носить каждый день и «прямо в конторе, ей-богу».

Я смотрел на его широкополое сомбреро, на покрытое загаром лицо и понял, что он не только будет разгуливать по конторе в ковбойских сапожках, но при случае и взгромоздит ноги на стол, чтобы испуганные секретарши и служащие смогли их получше рассмотреть и осознать, что их хозяин настоящий, видавший виды ковбой.

Миссис Уилкокс с вдохновением рассказывала, как смогла сбросить несколько фунтов веса, и утверждала, «что чувствует себя заново родившейся женщиной».

Они с таким увлечением говорили о себе, что обо мне никто и не вспомнил.

Когда мы добрались до аэропорта, они сдали свой багаж и отправились завтракать.

Я спросил Крамера:

— Что будет, если я не вернусь с вами на ферму?

— Ничего. А что должно случиться? Надеюсь, вы не убежите, не расплатившись?

— Мой отдых на вашей ферме оплачен вперед. Если я не вернусь сегодня вечером, пусть в моем коттедже ничего не трогают.

Крамер посмотрел на меня задумчиво, потом саркастически ухмыльнулся:

— А я-то думаю, что это вы такой неугомонный. Теперь знаю почему: наши жеребцы ведут себя точно так же.

Я не стал с ним спорить и пошел узнать, когда будет ближайший рейс на Даллас.

Оказалось, через тридцать минут.

Я вылетел этим рейсом.

В Далласе я заказал разговор с Брекинриджем за его счет.

— Вы еще не расплатились с ним? — спросил я, когда он сообщил свои данные телефонистке.

— Еще нет, но я готовлю чек, чтобы уладить это дело. Телефонистка сказала, что вы звоните из Далласа.

— Верно.

— Что, черт возьми, вы там делаете?

— Выясняю кое-какие детали, касающиеся нашего дела.

— Послушайте, Дональд, я хочу, чтобы вы меня правильно поняли. Если у этого человека травма шейных позвонков, то мы должны уладить с ним дело как можно скорее. Он еще не нанял адвоката, но грозился, что наймет, если появится необходимость. В подобных ситуациях мы всегда расплачиваемся, и расплачиваемся быстро.

— Но пока вы не расплатились?

— Нет. Сегодня во второй половине дня на ферму отправится наш представитель с необходимыми документами и чеками. Нам придется заплатить довольно значительную сумму.

— Скажите вашему человеку, чтобы он подождал, пока вы не получите от меня известий.

— Зачем?

— В этом деле есть что-то подозрительное.

— В нем может быть много чего подозрительного, но если у парня травма шеи, мы должны выполнить наши обязательства. Ради бога, Лэм, вы не знаете, что такое прийти в суд, предстать перед присяжными и сказать: «Мы выполним наши обязательства, единственное, что мы хотим выяснить, какую сумму мы должны заплатить».

— Я понимаю, но... Когда ваш представитель выезжает?

— Он вылетает самолетом, который прибывает в Тусон в половине четвертого.

— О'кей. Скажите ему, чтобы он позвонил вам из Тусона. Я свяжусь с вами к тому времени.

Брекинридж сказал:

— Я ценю энергию в людях, Лэм, но иногда чрезмерное усердие приносит вред.

— Я знаю и, видимо, рискую навлечь на себя ваш гнев, поскольку чувствую, что во мне бурлит энергия. Этот Бруно проходимец. Я позвоню вам позднее.

Не дожидаясь его ответа, я повесил трубку и сразу позвонил Берте Кул.

— Какого черта ты делаешь в Далласе, Дональд? — спросила она.

— Провожу расследование, и у меня есть для тебя срочная работа. Мне нужна информация о медицинской сестре по имени Мелита Дун. В частности, меня интересует имя ее парня. Я хочу знать, где она живет: в общежитии или на квартире, одна или с подружкой. Короче говоря, я хочу знать о ней все.

— Какое отношение имеет Мелита Дун к этому делу?

— Я не знаю и хочу это выяснить.

Берта тяжело вздохнула:

— Сам бы занимался этими девицами. Она дипломированная медицинская сестра?

— Да.

— О'кей. Постараюсь выяснить.

— Ничего не говори Брекинриджу, — предупредил я ее. — Я сам сообщу ему все, что нужно. — И повесил трубку.

Я зашел в универмаг, купил небольшой чемодан, электрический миксер и электрический консервооткрыватель.

Стерев с них все расценки, я положил покупки в чемодан и просмотрел в утренней газете раздел «Приглашаются на работу». В нем я нашел объявление для торговых агентов о первоклассной, благородной и прибыльной работе по предложению товаров на дому.

Я отправился по указанному адресу и предложил свои услуги.

Работа заключалась в торговле многотомной энциклопедией.

Я сказал, что справлюсь. Мне дали несколько брошюр, несколько бланков для заказа и пообещали, что если я хорошо себя зарекомендую, то, возможно, в будущем смогу найти себе поручителя, чтобы получать деньги вперед, но пока буду работать строго на комиссионных началах, без всяких поручителей и без всяких авансов.

У меня был адрес Хелманна Бруно: 642, Честнат-авеню.

Я взял напрокат машину, положил в нее чемодан и книги и отправился в путь. Многоквартирный дом, в котором проживало семейство Бруно, назывался «Мелдон Апартментс» и представлял собой довольно красивое на вид здание.

Почтовый ящик Бруно имел номер 614, что соответствовало номеру его квартиры.

Я поднялся и позвонил.

Дверь открыла приятная на вид женщина лет тридцати.

— Вы хозяйка дома? — спросил я.

Она устало улыбнулась:

— Я хозяйка дома, но у меня много дел, и я не намерена ничего покупать. Не знаю, как вы сюда попали. У нас очень строго относятся к торговым агентам, коробейникам и торговцам бытовыми приборами. — Она хотела закрыть дверь перед моим носом.

— Но я собираюсь вручить вам бесплатный электрический смеситель и бесплатный электрический консервооткрыватель.

— Что?

— Бесплатный электрический консервооткрыватель и бесплатный электрический смеситель.

— Почему вы говорите — бесплатный?

— Потому что для вас они бесплатные.

— Что я для этого должна сделать?

— Ничего.

— Не может быть. Что вы от меня хотите?

Я сказал:

— Вы можете стать стотысячным покупателем нашей энциклопедии, и у меня есть ровно пятнадцать минут, чтобы убедить вас подписать контракт. Если вы подпишете его и я сообщу об этом в свою фирму в течение пятнадцати минут, вы получите этот смеситель и этот консервооткрыватель.

Она нервно засмеялась и сказала:

— Наверное, это такой дешевый товар, что...

— Посмотрите на него, — сказал я, протягивая ей смеситель. — Вы нигде его не купите дешевле, чем за 65 долларов. Это фабричная марка высшего качества.

— Я вам верю, но будет ли он работать?

— Даю гарантию.

— Позвольте мне взглянуть на консервооткрыватель?

Я показал ей консервооткрыватель.

Поколебавшись мгновение, она сказала:

— Войдите.

Я прошел за ней в квартиру.

Квартира была уютной и хорошо обставленной. Она состояла из гостиной, спальни и небольшой кухни.

— А сколько стоит энциклопедия?

— Примерно половину ее реальной цены.

— У нас даже нет места для такого количества книг.

— Вместе с книгами вам доставят небольшой книжный шкаф, текст напечатан на тонкой бумаге, в нем содержится очень много точной и достоверной информации. Вот, к примеру, вопрос об атомной энергии и аэродинамическом коэффициенте, необходимом для преодоления гравитационного притяжения. Ученые называют его критической скоростью, при которой тело освобождается от гравитационного притяжения Земли.

Я вижу, что вы бываете в обществе и ведете активный образ жизни. Не знаю, какое у вас образование, но, уверяю вас, ваши затраты окупятся сторицей, когда вы начнете удивлять своих друзей познаниями в области науки. Вот, взгляните на эту статью о спутниковых орбитах.

Она сказала с сомнением в голосе:

— Ну, если энциклопедия не занимает много места и недорого стоит, присядьте, я взгляну на нее. — Она быстро просмотрела том со статьей о спутниковой орбите.

— Как видите, — сказал я, — здесь собраны самые свежие научные данные, но описаны они простым, доступным для неподготовленного читателя языком. Вам достаточно будет потратить полчаса на чтение, чтобы потом в любой компании показать себя современной женщиной с широким кругозором.

— Сколько она стоит?

Я сказал:

— Мы заключим с вами контракт, и затем еженедельно в течение года вы будете выплачивать небольшую сумму. При таких условиях проценты начисляться не будут. Вы поймете, что эта энциклопедия имеет гораздо большую ценность, чем деньги... У вас осталось семь минут, чтобы принять решение. Если оно будет положительным, то я позвоню в свою фирму и безвозмездно передам вам эти замечательные награды, так как вы станете нашим стотысячным покупателем. Мое предложение будет оставаться в силе еще в течение семи минут, но не более, потому что сейчас другой торговый агент стоит у дверей другого возможного покупателя, и если через семь минут он не получит сообщения о том, что я заключил с вами контракт, то право на вручение этих наград перейдет к нему. У него тоже будет ровно пятнадцать минут, чтобы заключить контракт о покупке энциклопедии с другим предполагаемым покупателем.

— А потом? — спросила она.

— Если он заключит контракт, то эти награды получит его покупатель, если ему не удастся это сделать, право на вручение наград перейдет к третьему агенту и так далее. Но благодаря низкой цене энциклопедии и той ценной информации, которую она содержит, дело редко доходит до третьего агента. Если вы сейчас не надумаете ее купить, второй агент почти наверняка продаст энциклопедию своему покупателю.

— Прежде чем сделать такую покупку, мне хотелось бы посоветоваться с мужем... Позвольте мне еще раз взглянуть на смеситель.

Я подал ей смеситель.

Она стала его разглядывать.

— Знаете, — сказал я, — на этот смеситель есть гарантия от производителя. Вы заполните эту карточку, отошлете ее производителю, и ваш смеситель поставят на учет. Гарантия дается на три года. Этот электрический консервооткрыватель открывает любые виды консервных банок: квадратные, круглые, продолговатые. Нужно только взять банку, вставить ее внутрь этого корпуса и нажать кнопку. Он аккуратно, без всяких зазубрин вскроет банку. Конечно, мы не обязаны рекламировать наши награды, которые мы вручаем. Наше дело — продавать книги, а не раздавать призы. Мы вручали небольшие награды покупателям, которые приобрели 25-тысячный, 50-тысячный и 75-тысячный комплект энциклопедий, а эти награды — суперприз, который достается только покупателю 100-тысячного набора.

Она заколебалась.

— Когда вернется ваш муж?

— Боюсь, не раньше чем через две недели. Он уехал по делу... Я жду его звонка сегодня вечером. Бедняга...

— Что случилось? Почему вы назвали его «беднягой»?

— Он получил травму при столкновении машин. Ему сейчас вообще нельзя двигаться, а он уехал. Дело очень важное.

Я посмотрел на часы и сказал:

— Сожалею, но, видимо, придется агенту номер два включаться в работу. — Я положил в чемодан консервооткрыватель и потянулся за смесителем.

— Одну минуту, — сказала она и еще раз посмотрела на смеситель.

Я выждал, пока она поднимет глаза, и с взволнованным видом посмотрел на часы.

— Ладно, я возьму ее.

— Распишитесь здесь, — сказал я, передавая ей контракт.

— О боже, я не успею прочитать его.

— А вам и не нужно ничего читать. Вы имеете дело с солидной фирмой. И платить вам сейчас не надо. На следующей неделе к вам придет наш представитель и принесет товар. Только после этого вы сделаете первый взнос. В дальнейшем вы внесете 52 одинаковые платы, как указано в этой части контракта, без начисления процентов. Только эта часть контракта налагает на вас какие-то обязательства, если вы, конечно, кредитоспособны и не подписываете этот контракт с целью обвести нашу фирму вокруг пальца. — Я снова посмотрел на часы.

Она схватила ручку и расписалась.

Я сказал:

— Разрешите мне воспользоваться вашим телефоном, у меня осталось лишь несколько секунд.

Я бросился к телефону, набрал номер наугад и сказал:

— Хэлло, хэлло.

— Да, слушаю, — произнес в трубке чей-то голос.

— Это мистер Дональд. Я продал стотысячный комплект энциклопедий и прошу разрешения на выдачу дополнительного вознаграждения.

На другом конце линии ответили:

— Вы ошиблись номером, — и повесили трубку.

— У меня на руках подписанный контракт, — продолжал я. — Давайте сверим часы... Правильно, у меня осталось еще пятьдесят секунд. Я вручу электросмеситель и электроконсервооткрыватель миссис Бруно и принесу контракт в контору... Да, я вручу их сейчас... Да, подписанный контракт у меня.

Я повесил трубку, отнес на кухню электросмеситель, положил его на полку и сказал:

— Консервооткрыватель крепится к столу винтами. Хотите, я помогу вам его установить?

— Не надо, спасибо, — сказала она. — Я бы хотела проверить, как работает смеситель.

Она наполовину наполнила кастрюлю водой из крана, поставила ее на стол и включила смеситель.

На ее лице появилась восторженная улыбка:

— Нам как раз такой был нужен. Даже не верится, что он достался бесплатно.

— Вы приобрели стотысячный комплект энциклопедии, которую мы продаем частным лицам, обходя дома, — сказал я. — Когда, вы говорите, вернется ваш муж?

— Не раньше чем через две недели. Он поехал в Миннесоту по делу.

— Он сильно пострадал?

— У него травма шеи. Вначале он не обратил на нее внимания, но через некоторое время у него начались головные боли и головокружение. Он обратился к врачу, и тот признал у него травму шейных позвонков.

Я покачал головой:

— Да, не повезло. А человек, сидевший за рулем другой машины, застрахован?

— Да, он застрахован, но я не знаю, что собирается предпринимать страховая компания. Мой муж ведет с ней переговоры.

— Он не нанял адвоката?

Она внимательно посмотрела на меня:

— Адвокат потребует тридцать три и три десятых процента от полученной суммы. Не вижу смысла приглашать адвоката, если мы сами можем договориться со страховой компанией. Нет никакого смысла платить адвокату пять тысяч долларов только за то, что он напишет письмо и скажет несколько слов. Некоторые из этих адвокатов сколотили себе состояние на подобных делах. Страховая компания посылает к ним своего представителя, они поговорят с часок и улаживают вопрос. Другое дело, если адвокат вкладывает свои деньги, сам возбуждает иск и все такое. Мой муж готов иметь дело с адвокатом на таких условиях, но ни одного адвоката это не устраивает. Они сразу хотят получить свою долю.

— Наверно, у адвокатов тоже есть проблемы, — сказал я. — Им нужно зарабатывать деньги на простых делах, чтобы браться за сложные.

— Ладно, — сказала она, — пусть адвокаты решают свои проблемы, а мы свои. Однако лучше не обсуждать этот вопрос.

— Почему? — Я посмотрел на нее с удивлением.

— Когда имеешь дело со страховыми компаниями, надо держать ухо востро.

— О да, я понимаю. Наверно, вам не стоило рассказывать мне об этом. Ну, мне пора. Большое вам спасибо, миссис Бруно. Я очень рад, что смог вручить вам эти награды. Я немного боялся, что пятнадцать минут истекут раньше, чем вы решитесь на покупку.

Она нервно рассмеялась:

— Я сама этого боялась. Вы так расхваливали свою энциклопедию, что я не смогла устоять.

— Вы не пожалеете, что купили ее. — Я вежливо откланялся.

Сразу же от дома миссис Бруно я поехал в офис фирмы, торгующей энциклопедиями.

— Что мне теперь делать? — спросил я, держа в руке подписанный контракт.

— Сдавайте, — с удивлением в голосе проговорил человек за столом.

Я протянул ему контракт. Он внимательно посмотрел на него:

— Быстро сработали, Лэм. Еще и двух часов не прошло.

— Знаю. Я вообще быстро работаю.

— Ну тогда сотрудничество с нашей фирмой принесет вам немалый доход.

— Не думаю.

— Почему?

— На эти книги очень плохой спрос. Я потратил целый час, чтобы продать один набор. Когда я предлагаю товар на дому, я должен по крайней мере продать пять единиц в день.

— Пять единиц в день! Вы хоть представляете себе размер вашего комиссионного вознаграждения, если вы будете продавать в день по пять наборов энциклопедии?

— Конечно, представляю. Я пришел к вам, чтобы зарабатывать деньги, и деньги хорошие.

— Вы их будете зарабатывать. Сколько квартир вы обошли?

— Только эту.

— Только одну?

— Конечно. Я не трачу время на плохих покупателей.

— Ну, черт меня возьми. — Он снова посмотрел на контракт. — Послушайте, Лэм, вы не проверяли кредитоспособность своего покупателя?

— Я должен был это сделать?

— Вы должны ручаться за кредитоспособность своего покупателя. По крайней мере, своими комиссионными.

— Как это?

— Мы поставляем энциклопедию и сохраняем права на нее до тех пор, пока не будет уплачен последний взнос. Взносы выплачиваются еженедельно. Если деньги не поступают, вы не получаете свои комиссионные.

— Ну а вы здесь для чего сидите?

— У нас своя работа, и мы начинаем ее только после того, как будет выяснена кредитоспособность покупателя, — кто-то ведь должен контролировать оплату. Мы несем за нее ответственность.

Я осклабился и сказал:

— Вы хотите сказать, что существует еще одна фирма, которая вас финансирует и перед которой вы отчитываетесь за свою деятельность?

Он покраснел до ушей, но смолчал.

— Ладно, — сказал я, — давайте прямо сейчас проверим кредитоспособность моего клиента.

Он неохотно поднял трубку и, набрав номер бюро кредитной информации, попросил дать ему сведения о кредитоспособности Хелманна Бруно, проживающего в «Мелдон Апартментс».

Я наблюдал за его реакцией.

Через несколько минут он нахмурился и задумчиво проговорил:

— Ладно, думаю этого достаточно. — Положив трубку, он сказал: — Они поселились там недавно, примерно три месяца назад, но с кредитоспособностью у них все в порядке. Кажется, денежки у них водятся. У них есть счет в банке, хорошая машина, которую они купили по приезде в город, заплатив наличными. С другой стороны, о них никто ничего толком не знает. Кроме машины, они ничего не покупали. Они говорят, что не нуждаются в кредитах, и не называют своих поручителей.

— Прекрасно, — сказал я. — Значит, у меня не будет проблем с комиссионными.

— Конечно, конечно, не будет, Лэм, но вы должны проверять кредитоспособность своих клиентов... Но ничего. Вы хорошо поработали, просто замечательно. Обычно торговому агенту требуется недели две, чтобы войти в курс дела. Только мое огромное терпение помогает им не падать духом.

— Считайте, что я упал духом, — сказал я.

— Вы... Я вас не понимаю, Лэм.

— А что тут непонятного. Я хочу делать хорошие деньги и знаю, как предлагать товар.

— Да, вы действительно продали энциклопедию за рекордное время. Почему вы не хотите у нас работать?

— Такая работа не для меня. Она не позволяет мне показать, на что я способен.

— Не смотрите на нее так пессимистично, Лэм. Некоторые наши агенты зарабатывают очень прилично.

— Это не для меня. Я сообщу, куда выслать мои комиссионные. Вот ваши бумаги и брошюры. Я поищу себе более прибыльную работу.

Он с раскрытым ртом смотрел, как я бросил бумаги на стол и вышел из кабинета.

Я вновь позвонил Брекинриджу из телефонной будки и сказал:

— Вам следует отложить выплату денег.

— В чем дело, Лэм?

— Они очень хорошо знают адвокатов, и у них есть опыт в подобных делах.

— С чего вы взяли?

— Они собираются обращаться к адвокату только в том случае, если нужно будет возбуждать иск. Они не видят смысла в том, чтобы отдавать адвокату третью часть суммы только за то, что тот составит письмо, и они знают, что третья часть равна пяти тысячам баксов.

— Кто вам сказал все это?

— Его супруга.

— Вы были у нее?

— Да.

— И смогли вызвать ее на разговор?

— Да, это так.

— Ну, черт возьми! Как вам это удалось?

— Это долгая история. Разумеется, она не подозревает, что я веду расследование для страховой компании.

— И вы полагаете, что обнаружили нечто важное?

— Полагаю, что — да.

— Ладно, — медленно проговорил он, — я сниму бронь на самолет и подожду еще один день, но вы должны понимать, Лэм, что, когда мы имеем дело с травмой шеи, мы играем с огнем.

— Я понимаю, но вы тоже не должны забывать, что имеете дело с профессионалом.

— Вы полагаетесь только на свою интуицию?

— На свою интуицию и на кое-какие факты. У этого парня хорошая квартира, его жена хорошо одевается. Не похоже, что они убегают от долгов. Они хотят тратить деньги на себя и не хотят платить по счетам.

— По каким счетам?

— Хотя бы за набор энциклопедий. Они не прочь получить книги, а затем переехать в другое место под другим именем.

— Откуда вам это известно?

— Она подписала контракт, даже не прочитав его.

— Вы продали ей энциклопедию?

— Да.

Брекинридж помолчал немного, потом сказал:

— Лэм, я впервые сталкиваюсь с таким ловкачом, как вы.

— Вы хотите, чтобы я возразил?

Он рассмеялся:

— Нет.

— Ладно. Отложите на время выплату, думаю, мне удастся кое-что разузнать.

Я повесил трубку и сразу позвонил Элси Бранд в агентство.

— Дональд, — сказала она, — вы где?

— Эта линия проходит через коммутатор? — спросил я. — Проверь, не подслушивает ли нас кто-нибудь. Подойди к дверям и сделай вид, что достаешь бумаги из шкафа. Убедись, что нас никто не слушает.

Она вернулась через сорок секунд:

— Все в порядке.

— Слушай внимательно. Я возвращаюсь в город, но не хочу, чтобы Берта знала об этом. Больше того.

466

Я не хочу, чтобы о моем приезде вообще кто-либо знал, я намерен действовать скрытно. Ты можешь сказать управляющему вашего дома, что к тебе на несколько дней приезжает кузен из Нового Орлеана, и попросить выделить мне квартиру?

— Ну, — задумчиво проговорила Элси, — думаю, это можно устроить.

— Как-то ты помогла снять квартиру в своем доме подруге из Сан-Франциско.

— Но она девушка.

— Не беспокойся. Скажи управляющему, что меня устроит квартира на любом этаже.

— Ладно. Постараюсь, Дональд. А что случилось?

— Ничего. Обычная работа. Только не хочу, чтобы кто-то узнал, что я в городе. Это мне может помешать. Слушай теперь, что тебе надо будет сделать. Я попросил Берту найти сведения о Мелите Дун. Я хочу, чтобы ты к моему приезду подготовила эти сведения для меня.

— Когда вы приедете?

— Я прилетаю самолетом «Америкэн эйрлайнз» в пять тридцать сегодня вечером. Встреть меня, если сможешь.

— Ты что-нибудь знаешь об этой женщине? Где она живет? Чем занимается?

— Берта будет знать о ней все к моему приезду. Постарайся добыть информацию из бумаг Берты. Хорошо, если ты просто снимешь копии.

— Ладно, я постараюсь. Но я не люблю лгать, Дональд. Вы это знаете.

— Я знаю. И это потому, что у тебя мало практики. Я даю тебе возможность ее приобрести и стать более многосторонней личностью.

— Ах, Дональд, вы когда-нибудь бываете серьезным?

— Никогда не был более серьезным, чем сейчас, — заверил я Элси и повесил трубку.

Глава 6

Элси Бранд встречала меня в аэропорту.

— Дональд, — взволнованно проговорила она, — что случилось?

— Почему ты думаешь, что что-то случилось?

— Вы должны находиться на этой ферме, и Берта не может понять, почему вы уехали оттуда.

— А как насчет Мелиты Дун? — спросил я. — Ты нашла сведения о ней?

— Думаю, да. У нее такое необычное имя, что вряд ли есть еще одна Мелита Дун.

— Кто она? Чем занимается?

— Работает медсестрой в городской больнице. Я звонила туда, но, по-моему, ее коллеги что-то скрывают. Как обычно, я заявила, что мы хотим выяснить ее кредитоспособность, и попросила дать нам о ней кое-какие сведения.

— Ну и что они сказали?

— Около недели назад она испытала нервное потрясение и в данный момент отдыхает, приходит в себя после стресса. Ей предоставили месячный отпуск. Она перепутала какие-то рентгеновские снимки и так расстроилась, что не смогла продолжать работу.

— Это совпадает с моими данными, но на всякий случай опиши мне ее внешность.

— Ей двадцать восемь лет, блондинка, ростом пять футов два с половиной дюйма, весит сто восемь фунтов.

— О'кей, это она. Кто ее приятель?

— Его зовут Марти Лассен. Он владеет мастерской по ремонту телевизоров. Это крупный, атлетического телосложения мужчина, говорят, он очень ревнив и вспыльчив.

— Мне всегда попадаются такие, — заметил я.

— Дональд! Вы ведь не хотите с ним встретиться, правда?

— Завтра ранним утром я навещу его.

— Ах, Дональд, не делайте этого.

— Я должен это сделать. Где она живет и с кем?

— Она живет с подругой в многоквартирном доме «Булвин Апартментс» в квартире 283. Ее подругу зовут Жозефина Эдгар, и она тоже работает медсестрой в больнице.

— Тебе известно что-нибудь о Жозефине? — спросил я.

— Только то, что она медсестра и, очевидно, близкая подруга Мелиты. Они живут вместе уже два года. У Мелиты есть больная мать, которая находится в доме престарелых. Мелита часто навещает ее и оплачивает содержание.

— Это совпадает с моими сведениями.

— А как насчет мистера Брекинриджа? — спросила она.

— Я как раз сейчас собираюсь позвонить ему.

— У вас есть его домашний телефон?

— Да. Он сказал, что я могу звонить в любое время.

Я набрал номер, и в трубке раздался мелодичный и вежливый голос Брекинриджа:

— Да, хэлло, Гомер Брекинридж у телефона.

— Дональд Лэм, — сказал я.

— О да. Где вы находитесь?

— В аэропорту.

— Вы только что прилетели?

— Да.

— Лэм, у меня плохое предчувствие относительно этого дела, оно основано на длительном опыте и подсознательной оценке ситуации.

— Я понимаю.

— Мне нужно поговорить с вами.

— Дайте мне ваш адрес, и мы приедем, — сказал я.

— Кто это «мы»?

— Я и Элси Бранд, моя секретарша.

— Я пытался связаться с вами из своего офиса, но ваша партнерша не знала, где вас искать.

— Все правильно.

— Я думал, что могу связаться с вами, позвонив вашей партнерше. — В голосе Брекинриджа прозвучал упрек.

— В обычный день вам бы это удалось, но не будем терять время. Если не возражаете, я приеду к вам, и мы поговорим.

— Пожалуйста, приезжайте. Я жду вас.

Я повесил трубку и повернулся к Элси:

— Ты на нашей колымаге?

— Нет. Потом бы пришлось отчитываться перед Бертой за километраж, израсходованный бензин и так далее. Я думала, что лучше, если я приеду на своей машине.

— Отлично. Мы с тобой сейчас наездим несколько миль на твоей машине.

— Мы поедем к Брекинриджу?

Я кивнул.

— Мне показалось, он чем-то раздражен.

— Возможно.

— Что же мы будем делать?

— Постараемся его успокоить. Я пошел на большой риск в этом деле и надеюсь, он меня поддержит. Ну, поехали.

— Может, потом заедем куда-нибудь перекусить? Я ужасно проголодалась.

— Потом обязательно, — пообещал я.

Мы поехали на машине Элси Бранд. Когда подъехали к дому Брекинриджа, я заметил:

— Смотри, Элси, какой шикарный район.

— Я не хочу идти к нему с вами, Дональд. Лучше посижу в машине.

— Вздор. Ты встретила меня в аэропорту и пойдешь к нему со мной.

Мы подъехали к внушительному зданию испанского стиля, окруженному великолепными, аккуратно подрезанными деревьями и зеленой бархатной травой. К широченному подъезду вела узенькая подъездная дорожка, все говорило о роскоши.

Я нажал кнопку звонка.

Дверь открыл сам Брекинридж.

— Добро пожаловать, Дональд. — Он пожал мне руку. — Нелегкий выдался для вас денек, а? А это ваша секретарша, Элси Бранд? Я беседовал с ней по телефону. Проходите, проходите.

Мы вошли в дом, и он ввел нас в гостиную. Мы с Элси сели. Брекинридж не садился. Он стоял у камина, глубоко засунув руки в карманы кашемировой куртки, и смотрел на меня.

— Дональд, — начал он, — я пришел к выводу, что вы очень азартны и если беретесь за какое-нибудь дело, то так увлекаетесь, что забываете обо всем на свете.

— Это плохо?

— К тому же, — продолжал Брекинридж, — это мешает вам выполнять прямые указания клиентов. Вашу партнершу, Берту Кул, очень раздражают эти свойства вашего характера. Меня они не так беспокоят, поскольку я понимаю ваши мотивы. Мы собирались завершить наше дело к этому времени, но, следуя вашему совету, решили подождать до завтрашнего дня. Теперь исход дела зависит только от вас. Если мы проиграем, то по вашей вине. Я вполне доволен тем, как вы провели расследование, но, видимо, допустил промах, уступив вашей настойчивости и отложив разрешение этого вопроса на один день.

— Приношу свои извинения.

— Я уже достаточно долго занимаюсь этим бизнесом, и у меня выработалось шестое чувство в подобных делах. Я почувствовал, что пришло время расплачиваться и выходить из игры, невзирая на расходы, — в разумных пределах, разумеется.

— Ладно, — сказал я, — виноват, что отговорил вас от выплаты. У меня нет шестого чувства в подобных делах, но я изучил ситуацию и пришел к выводу, что в ней много подозрительного.

471

— Пусть так, Дональд, но я думаю, мы ничего не сможем доказать. Если до завтрашнего полудня вы ничего нового не обнаружите, я распоряжусь расплатиться. Это мое последнее слово.

— Вы только для того меня позвали сюда, чтобы сообщить, что вам не нравится, как я работаю?

Брекинридж улыбнулся:

— Не кипятитесь, Дональд. Я хотел сказать, что отдаю должное вашей энергии, вашей настойчивости и стремлению докопаться до сути вещей. Эти качества бесценны там, где возможна ошибка, но мы не имеет права ошибаться. Вам следует побольше узнать о страховом бизнесе. Когда вы увидитесь с вашей партнершей, Бертой Кул, скажите ей, что разговаривали со мной, что мы прекрасно поняли друг друга и что ваши действия, касающиеся нашего дела, никоим образом не повлияют на наши отношения с вашим агентством. Мы намерены продолжать сотрудничество.

— Прекрасно, — сказал я, — вы очень великодушны. Скажите, почему теперь вы думаете, что Бруно не притворяется?

Брекинридж поджал губы:

— Поймите меня правильно. Не важно, притворяется он или нет. Важно то, что, прибыв на ферму, он стал жаловаться на свои травмы и начал передвигаться в кресле с колесами. Мы не имеем права рисковать в таких случаях.

Я сказал:

— Вы приготовили для него ловушку с приманкой, но он в нее не попал. Это еще не значит, что он святой.

— Попасть-то он попал, но не проглотил приманку, — возразил Брекинридж.

— Вы подробно расспросили об этом происшествии своего клиента?.. Как его зовут?

— Фоли Честер.

— Вы с ним обстоятельно поговорили?

— Достаточно обстоятельно, чтобы понять, что нам придется выполнять обязательства.

— А вы не допускаете, что Бруно мог ехать и наблюдать в зеркале заднего обзора за машиной позади него, чтобы нажать на тормоз в тот момент, когда шофер посмотрит в сторону?

Брекинридж ответил после минутного раздумья:

— Ну, конечно, это возможно. Тогда это весьма хитроумный способ обоснования иска.

— Не только хитроумный, но и надежный. Возле дороги стоит магазин с привлекающей внимание витриной. Бруно хитер и знает, что шофер обязательно на нее посмотрит. Он кружит по кварталу, наблюдает и ждет подходящего момента. Замечает в зеркале, что какой-то шофер посмотрел в сторону, и сразу нажимает на тормоз. Он почти не рискует серьезно пострадать и готов ко всему. После столкновения он выходит из машины, но ведет себя вежливо и корректно. Он показывает другому шоферу свои права, и тот, другой, говорит: «Извините. Это моя вина. Я на долю секунды оторвал глаза от дороги, а вы в этот момент остановили машину».

Бруно говорит: «Черт, это парень впереди меня остановил свою машину, из-за него и мне пришлось затормозить, но я просигналил, остановился, и — бац! — вы в меня врезались». Они вежливо беседуют и находят общий язык. Если бы Бруно начал грубить, Честер, возможно, послал бы его куда подальше, но Бруно ведет себя корректно, и Честер, попавшись на эту удочку, говорит: «Это я во всем виноват. Надеюсь, вы не пострадали?» Бруно отвечает: «Нет, к счастью, все обошлось».

— Я мало знаю об этом происшествии, — признался Брикенридж. — Честер купил машину и застраховал ее у нас. Он врезался в другую машину. По существу, это преступная халатность, не требующая доказательств. Он к тому же признается, что не следил за дорогой. Это решает исход дела.

Я сказал:

— Мне бы хотелось встретиться с Честером и услышать его версию о случившемся. Мне интересно, что именно и как говорил Бруно в тот момент.

— Забудьте об этом, Дональд. Поймите, мы страховая компания и собираем страховые взносы, которые идут в фонд погашения, компенсирующий страховые выплаты. Мы ежегодно выплачиваем сотни тысяч долларов. Вы же ведете себя так, как будто достаете эти деньги из своего кармана.

— Дело в принципе, — возразил я.

— Вы хотите сказать, что не намерены уступать, несмотря на все мои увещевания?

— Да, не намерен.

Он посмотрел на меня и начал багроветь, потом неожиданно издал короткий резкий смешок.

— Дональд, я хочу объяснить вам, что недопустимо занимать такую жесткую позицию в нашем бизнесе. Мы еще не раз воспользуемся вашими услугами. С фермы к нам поступают прекрасные отзывы о вас. Вы вели себя с достоинством и понравились людям, хотя и держались в тени. Очевидно, вы хороший наездник, но не афишируете это. Вы как раз тот человек, который нам нужен. Но мы не будем сотрудничать с вами, пока вы не измените своего отношения к страховому бизнесу. А теперь давайте поедем к Фоли Честеру и поговорим с ним.

— У вас есть его адрес? — спросил я.

— Да, и проживает он недалеко отсюда — с милю езды.

— Мы приехали на своей машине и...

— Поедем на моей, — сказал Брекинридж тоном, не допускающим возражений.

Неожиданно в комнату решительной походкой вошла высокая сухопарая женщина с широкими скулами и сверкающими черными глазами.

Она остановилась и посмотрела на нас с удивлением:

— Гомер, я не знала, что у тебя гости.

Ее глаза скользнули по мне и остановились на Элси Бранд, оглядывая ее с головы до ног, как это делают некоторые женщины, оценивающие вероятную соперницу.

Брекинридж, видимо не заметив оттенка враждебности и подозрительности в ее голосе, терпеливо объяснил:

— У нас деловой разговор, дорогая, и я не хотел тебя беспокоить. Позволь представить тебе мисс Бранд и мистера Лэма. Они детективы и работают над одним делом в интересах нашей компании.

— О, понимаю, — многозначительно улыбнулась женщина. — Еще один оперативный работник женского пола?

— Точнее сказать, — обратился к супруге Брекинридж, — мисс Бранд является секретаршей мистера Лэма. Она встретила его в аэропорту и привезла сюда... Извини, дорогая, но мне нужно ненадолго отлучиться. Мы должны незамедлительно поговорить с одним свидетелем.

— Понятно, — произнесла она ехидным тоном.

Я сказал Брекинриджу:

— Элси привезла меня на своей машине, и нет нужны усложнять ситуацию. Вы поедете впереди, а мы будем следовать за вами в ее машине. После разговора вы сможете сразу вернуться домой.

— Наверно, так будет лучше, — сдался Брекинридж.

— Откуда вы приехали, мистер Лэм? — спросила миссис Брекинридж, слегка оттаяв. — Где находится ваше агентство?

— Здесь, — ответил я.

— Кажется, Гомер сказал, что вы прибыли самолетом.

— Так оно и есть.

— Из Аризоны? — В ее голосе вновь прозвучала неприязнь.

Брекинридж украдкой бросил на меня умоляющий взгляд.

— Из Аризоны? — рассеянно переспросил я. — Нет, что вы. Я прилетел из Техаса.

— Он работал над одним делом в Далласе, — поспешил объяснить Брекинридж.

— О, — произнесла она вновь дружелюбно. — Ну что ж, если вам нужно идти, идите, я хочу, чтобы мой муж быстрее вернулся домой. — Она кивнула Элси, потом мне и покинула комнату.

Брекинридж быстро сказал:

— Ладно, пойдемте к машинам. Вы будете следовать за мной.

Мы вышли через боковую дверь. Машина Брекинриджа стояла на дороге рядом с домом: огромный роскошный автомобиль с обитыми кожей сиденьями и кондиционером. Он забрался в него и захлопнул дверцу.

Мы с Элси прошли по дороге к своей машине.

— Чем ей так досадила Аризона? — спросила Элси. — Ее прямо-таки передернуло, когда она произнесла это слово.

— Возможно, она женщина с глубоко укоренившимися предрассудками, — предположил я.

— А мне кажется, она просто ревнует мужа, он у нее красавчик.

Проезжая мимо нас, Брекинридж приостановил машину. Достав из кармана записную книжку в кожаном переплете, он отыскал нужный адрес, выключил свет в салоне автомобиля, кивнул нам и спросил:

— Вы готовы?

— Да.

Я вел машину. Встречного транспорта почти не было, и вскоре мы добрались до весьма приличного на вид многоквартирного дома.

У входа в дом Брекинридж снова заглянул в записную книжку, я посмотрел на список жильцов на двери и сказал:

— Он живет в квартире 1012. Давайте поднимемся.

— Одному Богу известно, дома он или нет, — сказал Брекинридж. — Мне следовало договориться с ним о встрече, но вы заставили действовать меня спонтанно.

Мы поднялись на лифте, нашли нужную квартиру, и я нажал перламутровую кнопку звонка. Изнутри донесся мелодичный звон.

Никакого ответа.

Подождав секунд десять, я снова позвонил.

— Значит, Честера нет дома, — сказал Брекинридж. — Все-таки нам следовало предварительно позвонить. Но все равно, Дональд, я не изменю своих намерений. Завтра после полудня мы покончим с этим делом.

В коридоре открылась дверь одной из квартир. Из нее вышел мужчина и направился к лифту.

Мы тоже пошли к лифту. Из той же квартиры вышел еще один мужчина и пошел за нами.

Неожиданно мужчина у лифта повернулся к нам лицом, а тот, что шел сзади, произнес:

— Одну минутку.

Брекинридж резко повернулся. Я поворачивался гораздо спокойнее, потому что уже не раз слышал этот голос раньше.

Мужчина, окликнувший нас, держал в руке удостоверение сотрудника полиции.

— Мы из полиции, — сказал он. — Пройдемте, пожалуйста, с нами.

— Что это значит? — спросил Брекинридж.

— Пройдите сюда, пожалуйста. Мы не хотим разговаривать в коридоре.

Мужчина, стоявший у лифта, теперь был сзади нас. Взявшись одной рукой за локоть Брекинриджа, другой за мой, он подтолкнул нас вперед:

— Пойдемте, ребята. Мы вас долго не задержим. Поторопитесь.

Дверь напротив открылась, и из квартиры выглянула женщина.

Один из мужчин сказал:

— Не беспокойтесь, мадам.

— Что все это значит? — спросила она с подозрением. — Что здесь происходит?

Полицейский предъявил ей свой значок.

— О господи! — воскликнула она и застыла в дверях.

Полицейский в штатском препроводил нас в ту квартиру, из которой они вышли.

Мне сразу стало ясно, что полицейские вели за квартирой Честера наблюдение.

На обеденном столе лежал магнитофон, за другим столом, поменьше, сидели двое полицейских. Перед ними находился коротковолновый радиотелефон. Обычная домашняя мебель была отодвинута в сторону.

Когда мы вошли и дверь за нами захлопнулась, из чулана вышел еще один мужчина.

Это был Фрэнк Селлерс с незажженной сигарой во рту.

Увидев меня, он на мгновение оцепенел, потом проговорил раздраженно:

— Привет, малышка.

— Привет, Фрэнк.

Селлерс повернулся к полицейским:

— Этот парень провалил больше дел, чем любой другой частный сыщик.

Он снова обратился ко мне:

— Чем, черт возьми, ты занимаешься на этот раз?

Я кивком указал на Брекинриджа. Брекинридж откашлялся и сказал:

— Позвольте представиться, джентльмены. — Он вытащил пачку визитных карточек и протянул одну Селлерсу. — Я Гомер Брекинридж, — сказал он, — президент и управляющий Универсальной страховой компании. Это Дональд Лэм и, если я не ошибаюсь, его секретарь, мисс Бранд. Они работают над делом, которое представляет интерес для моей компании, и мы пришли к мистеру Честеру по этому делу. Мы хотим побеседовать с ним.

— И мы тоже этого хотим, — проговорил Селлерс, изучая Брекинриджа и переводя взгляд с него на визитную карточку.

— Послушайте, — сказал вдруг Селлерс, — это может быть чертовски важно. Вы хотите сказать, что Честер замешан в каком-то инциденте и вы оказались заинтересованной стороной?

Брекинридж кивнул.

Селлерс разочарованно сказал:

— И поэтому он не вернулся?

— Я не знаю, — ответил Брекинридж. — Инцидент произошел до его отъезда.

— Он хочет получить страховую премию?

— Нет, что вы. Он был участником незначительного дорожного происшествия, которое, однако, переросло в ситуацию, когда у нас возникла необходимость поговорить с ним более подробно, чем казалось вначале.

— Почему? Вы имеете против него что-нибудь?

— Нет-нет. К нему мы не имеем никаких претензий. Он наш клиент, и, видимо, нам потребуются его показания.

— Тогда вам не повезло.

— Что вы хотите этим сказать?

— Как вы думаете, — спросил Селлерс, обводя взглядом комнату, — для чего мы здесь сидим и чего ждем?

— Не имею ни малейшего понятия, — ответил Брекинридж. — Но я хочу это знать и намерен выяснить, даже если мне придется обратиться к начальнику полиции.

Мгновение поколебавшись, Селлерс сказал:

— Ну ладно, ребята, вы все объяснили, и мы не будем вас задерживать.

— Нет уж, извините, — с достоинством проговорил Брекинридж. — Я добропорядочный гражданин и налогоплательщик и, полагаю, имею право знать, почему полиция интересуется Фоли Честером.

— Мы ждем его, потому что он подозревается в убийстве своей жены, — сказал Селлерс.

— Убил свою жену! — в ужасе воскликнул Брекинридж.

— Вот именно. Мы почти уверены, что имеем дело с умышленным убийством.

— А где находится его жена?

— Мы обнаружили ее тело, но пока еще ничего не сообщали прессе. Мы должны сделать об этом сообщение в ближайшие двадцать четыре часа. Но прежде чем давать этому делу огласку, нам бы очень хотелось допросить самого Честера.

— О мой бог! — воскликнул Брекинридж.

— Что случилось? — спросил Селлерс.

— Огласка!

— Ну и что?

— Если станет известно, что наш клиент обвиняется в убийстве, моя компания потерпит значительные убытки. Брекинридж посмотрел на меня осуждающим взглядом. — Сумма страховой премии возрастет астрономически, — пояснил он Селлерсу.

Селлерс сказал:

— Мы по возможности задержим огласку происшедшего, но рано или поздно об этом все равно узнают. Честер получил довольно солидный страховой полис за свою жену.

— Сколько? — спросил Брекинридж.

— Сто тысяч долларов. Он заставил жену застраховать его жизнь, а сам застраховал ее жизнь. Такое страхование называется семейным, и оно ни у кого не вызывает подозрений. Собственно, мысль о таком страховом договоре пришла в голову страховому агенту, который навестил их и рассказал о налогах на наследство и прочее. Он и продал им полисы.

— Как давно он застраховал жизнь жены? — спросил Брекинридж.

— Больше года назад, — ответил Селлерс и добавил: — И если бы не блестящая работа полиции, этому делу суждено было бы стать рутинным. Честер избавился бы от своей жены, получил денежки и был таков.

— Дональд, мы погибли, — волновался Брекинридж.

— Успокойтесь. Не забывайте, мы еще не слышали показаний Честера, — ответил я.

Селлерс с сарказмом произнес:

— Это слова гениального сыщика. Не поинтересовавшись фактами, он уже знает об этом деле больше, чем мы.

— Каковы же факты? — осведомился Брекинридж.

— Прошло немного времени, и отношения между мужем и женой разладились. Все чаще между ними возникали ссоры и различные пререкания. Миссис Честер решила уехать в Сан-Франциско и сказала мужу, что домой не вернется. Последовала бурная сцена, миссис Честер собрала свои вещи, спустилась вниз и отнесла их в машину. Честер так рассвирепел, что даже не помог ей. Он стоял и смотрел. Соседи, наблюдавшие за этой сценой, нашли его поведение чрезвычайно неучтивым. Погрузив чемоданы, она села в машину, захлопнула дверцу и попыталась завести мотор.

Но мотор не заводился.

Как раз в то утро Честер поставил свою машину на ремонт в гараж, а сам взял машину напрокат. Миссис Честер хотела уехать на ней, но муж ей не позволил. Тогда миссис Честер направилась в агентство по прокату машин, взяла машину, пообещав вернуть ее в Сан-Франциско, и договорилась с гаражом о ремонте своей машины. Видимо, она собиралась вернуться и забрать ее. Она так рассердилась на Честера, что сразу же уехала. Итак, она забрала вещи и отправилась в Сан-Франциско. Все это мы можем доказать. На следующее утро Честер вернул машину, взятую им в агентстве проката, и отправился в гараж за своей машиной. Работники агентства, осматривавшие машину, заметили, что в двух местах с нее содрана краска, и решили, что это след удара. Поначалу Честер все отрицал, но потом неожиданно «вспомнил», что, возможно, задел ворота, когда навещал в деревне своего приятеля. Он сказал, что царапина показалась ему столь незначительной, что он просто не обратил на нее внимания. Ему бы поверили, если бы не обнаружили, что в стекле одной из фар не хватает треугольного кусочка, а с передней панели полностью содрана краска. В агентстве проката решили, что, видимо, он зацепил припаркованную машину. Один из работников спросил его об этом и напомнил Честеру, что тот застрахован. Вначале Честер утверждал, что ничего подобного с ним не случалось, но затем подумал, щелкнул пальцами и сказал: «Черт возьми, мне все ясно. Я припарковал свою машину, и кто-то ее задел». Больше ему вопросов не задавали.

В назначенное время миссис Честер не появилась в Сан-Франциско и не вернула взятую ею напрокат машину. Прошло четыре или пять дней, и работники проката занервничали. Они обратились к Честеру, и тот честно им признался, что не получал вестей от своей супруги со дня ее отъезда и что это его совершенно не волнует. Он сказал, что после свадьбы жена изменяла ему два или три раза, правда, он и сам не был святым, но жена его хотела слишком много: она желала быть свободной, а от него требовала верности. В конце концов такая жизнь ему надоела, и он даже будет рад, если она никогда не вернется к нему. Он заявил, что если его жена подписала контракт с агентством по прокату машин, то агентство вправе принимать те меры, которые сочтет нужным. Честер сообщил, что собирается в продолжительную деловую поездку и что вернется не раньше чем через три или четыре недели, что его совершенно не интересует, где его жена, и что агентство по прокату должно само разыскивать свою машину.

Брекинридж тихо сказал:

— Нам было известно, что он уезжает, но мы полагали, что к этому времени он вернется.

— Вам известно, куда он намеревался уехать? — спросил Селлерс, несколько остыв.

— На северо-запад страны — через Орегон, Вашингтон, Монтану и Айдахо.

— А более точно вы не знаете его маршрут?

— Нет. Вы понимаете, когда он попал в дорожное происшествие, то сразу сообщил нам. Он все рассказал, и мы спросили, где можно его найти, если потребуется уточнить показания. Он совершенно откровенно сообщил, что уезжает, что у него неприятности с женой, которая его бросила и, возможно, подаст на развод, и что он согласен развестись.

— О'кей, — сказал Селлерс, потерявший к этому времени всю свою самоуверенность, — все шло как надо, и никто бы так ничего и не узнал, если бы пропавшую машину не обнаружили на дне ущелья под Техачапским уклоном и если бы она не оказалась сожженной. К моменту обнаружения машины тело уже немного разложилось, и если бы не огонь, то разложилось бы еще больше. Вскрытие показало, что миссис Честер была мертва еще до того, как загорелась машина. Врач полагает, что она была мертва за час до того, как вспыхнул огонь, а возможно, и раньше. Ну все это еще ничего не значило, поэтому мы пошли в агентство по прокату машин и осмотрели машину, которую нанимал Честер. К тому времени фару уже заменили и закрасили царапины. Но на том месте, где машина миссис Честер съехала с дороги, мы обнаружили треугольный осколок стекла, отлетевший от разбитой фары. Уверены, что это осколок от фары той машины, которую Честер брал напрокат. Но так как стекло на фаре уже заменили, эта улика не является решающей. Мы, конечно, докажем, что осколок принадлежит фаре машин того же типа, которые используются агентством проката, в котором Честер брал машину, но это все же не бесспорно. Недалеко от того места, где был найден осколок фары, за мощеной обочиной обнаружены следы протекторов.

Несмотря на то что прошло немало времени, следы довольно хорошо сохранились и рассказали о многом. Миссис Честер ехала в направлении Техачапи, когда неизвестная машина столкнула ее с дороги. Удар, видимо, был настолько силен, что она не справилась с управлением, и машина покатилась вниз по крутому склону, который заканчивался обрывом с высохшим речным руслом на дне. Но несмотря на полученные травмы, миссис Честер, по-видимому, сумела-таки удержать машину на склоне. Тогда ее муж спокойно остановил свою машину, нашел тяжелый металлический предмет — вероятно, рукоятку домкрата, — спустился к машине жены и, открыв дверцу, нанес ей несколько ударов по голове, пока не убедился, что она мертва. Затем он стал размышлять, что же делать дальше. В конце концов он решил уничтожить все оставшиеся улики с помощью огня. Он отжал тормоз и, потратив немало сил, сумел столкнуть машину под откос. Она упала на дно оврага. Честер спустился вниз, облил машину бензином и поджег. Но он совершил одну маленькую ошибку.

— Какую? — спросил Брекинридж, и я уловил в его голосе некоторый скептицизм.

— Он не завинтил крышку бензинового бака. Он отвинтил ее, засунул в бак какую-то тряпку и вылил из нее бензин на машину и на тело. Затем он бросил в машину зажженную спичку и убежал. Его ошибка была в том, что он оставил бак открытым, забыл вернуться и завинтить крышку. Когда мы начали понимать, что произошло на самом деле, мы нашли место на склоне холма, где машина остановилась, перевернувшись несколько раз. Мы обнаружили, что кто-то подходил к машине и пользовался рычагом, чтобы сдвинуть ее с места и пустить под откос. Обнаружили следы и внизу, недалеко от сгоревшей машины. Если бы машину подожгли ночью, пламя наверняка привлекло бы внимание проезжающих мимо водителей, и те сообщили бы о нем дорожному патрулю. Поэтому мы уверены, что пожар был днем. Но загвоздка в том, что миссис Честер выехала из дому в половине пятого и направилась в Сан-Бернардино, где у нее есть друзья.

Мы интересовались и выяснили, что она приехала туда в начале седьмого, пообедала и около девяти отправилась в Бейкерсфилд через Техачапи. Друзья уговаривали ее остаться на ночь, но она заявила, что любит водить машину ночью. Она сказала, что с мужем у нее все кончено, что она не желает больше иметь с ним ничего общего, что в ее жизни появился новый мужчина, который может сделать ее счастливой. Выяснить его имя пока не удалось, известно только, что он ковбой и что она была влюблена в него. Вот в общих чертах и вся история. Есть опасение, что Честер сбежит, если узнает, что мы обладаем всеми этими уликами. Он может заподозрить неладное и дать деру. Тогда чертовски трудно будет его найти. Поэтому полиция устроила наблюдение за его квартирой. Необходимо Честера задержать и заставить рассказать, как и при каких обстоятельствах от него ушла жена, а также повторить историю о том, как он наехал на ворота или как кто-то задел его припаркованный автомобиль. Все его показания будут записаны на магнитофонную пленку и предъявлены на суде.

— Собранные вами косвенные улики впечатляют, сержант, — проговорил Брекинридж без особого энтузиазма.

— Благодарю вас, — сказал Селлерс. — Я раздобыл их сам, если не считать незначительной помощи шерифа графства Керн.

— Но, — продолжал Брекинридж, — в связи с этим мы попадаем в чертовски трудное положение. Мы должны уладить дело, касающееся этого дорожного происшествия до того, как истец узнает, что вы подозреваете Честера в убийстве. — Он посмотрел на меня укоризненно: — Надеюсь, Лэм, в дальнейшем вы больше будете доверять опыту. Я вам сказал, что у меня предчувствие. Я много лет занимаюсь этим бизнесом. Мои предчувствия всегда оправдываются. — Он повернулся к Селлерсу: — Я могу идти?

Селлерс проговорил задумчиво:

— Полагаю, да. Думаю, вам можно доверять. Вы человек разумный и умеете держать язык за зубами.

— Разумеется, — сказал Брекинридж.

— А как насчет меня?

— Да ты только портить все умеешь, — раздраженно ответил Селлерс.

— А что вы собираетесь делать с Элси Бранд? Арестуете и запрячете в кутузку?

Селлерс почесал голову, пожевал сигару, тяжело вздохнул и изрек:

— Ладно. Вы все можете идти. Убирайтесь подальше от дома и не пытайтесь сами искать Честера. Оставьте его нам.

— Избавьте меня от этого сыщика, — обратился он к Брекинриджу, — и держите его подальше от Честера и всего этого дела. Как зовут человека, машину которого задел Честер?

— Хелманн Бруно. Он живет в Далласе.

— Ладно. Возможно, мне понадобятся сведения об этом инциденте, — сказал Селлерс.

— Наша документация всегда в вашем распоряжении. Мы охотно сотрудничаем с полицией.

— Разумеется, все, что я рассказал вам о деле Честера, строго конфиденциально. Возможно, завтрашние или послезавтрашние газеты сообщат, что он обвиняется в убийстве, но в данный момент мы хотим его перехитрить. Он не должен знать, что у нас есть улики против него. Мы хотим, чтобы он начал делать заявления, которые будут противоречить тому, что он будет говорить позднее.

— Я понимаю, — заверил Брекинридж. — Мы сами сталкиваемся с подобными проблемами, когда имеем дело с симулянтами.

— О'кей, — сказал Селлерс. — Извините, что мои ребята затащили вас сюда, но это входило в наши планы. Мы задерживаем всех приходящих сюда приятелей Честера, особенно если среди них есть женщины. Опасаемся, что кто-нибудь предупредит Честера. Вы не представляете, что может выдумать хитрый адвокат, если ему дать время.

— Знаю, знаю, — с чувством проговорил Брекинридж. — Поверьте, сержант, у нас те же проблемы.

Они обменялись рукопожатиями.

Мне Селлерс руки не подал.

Мы покинули квартиру, спустились в лифте и вышли на улицу.

Брекинридж сказал с достоинством:

— Если ваше агентство рассчитывает и впредь представлять наши интересы, вам, Дональд, следует наладить отношения с полицией.

— Буду иметь в виду, — пообещал я.

— Значит, так, — сказал Брекинридж, — завтра я посылаю на ферму нашего представителя. Он вылетит первым самолетом. Я велю ему расплатиться с Бруно. Вероятно, придется выплатить колоссальную сумму, но делать нечего... Об одном жалею — что не сделал этого сегодня. У меня было дурное предчувствие.

— Мы еще не выслушали Честера, — сказал я.

— Нам и не нужно его выслушивать, — отрезал Брекинридж.

Мне оставалось одно — замолчать.

— Я сейчас еду домой. Вас, Лэм, я полностью освобождаю от всякой ответственности по этому делу. С этого момента всю ответственность я беру на себя...

Да, кстати, если вы еще раз увидите мою супругу, не вспоминайте при ней об этой ферме в Аризоне. Она почему-то с предубеждением к ней относится.

Мне оставалось только попрощаться:

— До свидания, сэр. Доброй ночи.

Глава 7

Элси Бранд возмущалась:

— Что за ужасный человек этот Брекинридж. У него нет никакого чувства благодарности. Неужели он не понимает, что все, что вы делаете, вы делаете для того, чтобы сохранить ему деньги?

Я прервал ее:

— Элси, уймись. В конце концов, он управляющий Страховой компанией и платит агентству за мои услуги. Он вправе требовать от меня выполнения своих распоряжений.

— Вы считаете Бруно симулянтом, да, Дональд?

Подумав, я медленно сказал:

— Нет, я еще не готов утверждать это. Что-то меня настораживает в этих людях. Такое впечатление, что они ведут какую-то сложную игру. Мне кажется, этот Бруно чертовски хитер. Возможно, он знает, что вся эта затея с двухнедельным отдыхом — ловушка, а Мелита Дун могла передать ему рентгеновские снимки, которые он собирается использовать в дальнейшем. Еще мне кажется, что, если бы Брекинридж попытался уладить все сегодня, он столкнулся бы с несколько большими трудностями, чем ожидал. Пока что мне похвастать нечем, но завтра утром я навещу приятеля Мелиты, Марти Лассена, и постараюсь что-нибудь разузнать. Когда подозреваешь человека в симуляции и выясняется, что он каким-то образом связан с медсестрой и тайно встречается с ней, тебе не хочется прекращать расследование прежде, чем разберешься во всем. Больше всего в этом деле меня беспокоит Честер. Я не собираюсь защищать его только потому, что он в опале у Селлерса, но этот Селлерс... Не знаю, он привык делать выводы, имея в активе лишь половину фактов. Он выбирает себе подозреваемого, и после этого все улики, которые он добывает, подтверждают его виновность. Ему и в голову не приходит, что парень может быть невиновным.

— Но согласитесь, что косвенные улики однозначно против Честера.

— Это так, но мы еще не выслушали самого Честера. Когда Селлерс ведет дело, каждая найденная им улика обязана пальцем указывать на подозреваемого, иначе он не считает ее уликой.

— Но как вы объясните тот факт, что с дороги ее столкнула машина, которую вел Честер?

— Подожди, почему ты думаешь, что ее вел Честер?

— Ну как же, этот осколок фары и...

— Ты хочешь сказать, что с дороги ее, возможно, столкнула машина, которую Честер брал напрокат, но совсем не обязательно, что Честер ею управлял.

Немного подумав, она сказала неуверенно:

— Если хорошенько вникнуть, то улики свидетельствуют именно об этом.

— К тому же, — сказал я, — Брекинридж базирует свое мнение не на нормальном расследовании причин притязаний Бруно, а лишь на том факте, что Честер попал в трудное положение. Но факт этот еще не означает, что иск, который Бруно собирается предъявить страховой компании, справедлив, и никак не объясняет причины дружбы Бруно с медсестрой, имеющей отношение к пропаже рентгеновских снимков.

— Дональд, из ваших рассуждений следует, что... У вас все ужасно логично.

Я сказал:

— Посмотри непредвзято на преступление, которое, как полагают, совершил Честер. Он поехал за своей женой в Сан-Бернардино, потом вверх к Техачапи и в критическом месте столкнул ее с дороги. Увидев, что машина не до конца съехала со склона и что жена еще жива, он вышел из своей машины с рукояткой от домкрата, спустился и завершил свое дело. Прежде чем пустить машину под откос, он какое-то время раздумывал, а сделав это, подождал до утра, вернулся и поджег машину. Я считаю, что главное — это понять мотивы преступления. Когда они ясны, все становится на свое место, и каждый поступок подозреваемого легко поддается объяснению. Селлерс говорит, что Честер хотел убить свою жену, чтобы получить страховку. Если Честер невиновен, то он не знает, что его жена мертва. Если он виновен, то он должен иметь неопровержимое алиби, чтобы предъявить страховой компании иск и убедить всех в честности своих намерений. Если его жена уже была мертва, ему не было никакого смысла сталкивать машину на дно ущелья, ждать несколько часов, пока рассветет, потом возвращаться, сталкивать машину и поджигать ее после того, как она вместе с женой оказалась на дне ущелья. Меня наняли не для того, чтобы я защищал Честера от Селлерса, а для того, чтобы я выявил недостатки в деле Хелманна Бруно.

— Я уверена в вашей правоте, Дональд, — сказала Элси, пожимая мне руку.

— А ты нашла мне квартиру?

Она опустила глаза:

— Как раз на моем этаже пустовала одна квартира, и управляющая была столь любезна, что согласилась сдать вам ее.

— Ну, тогда я могу идти обедать, а так как в нашем счете есть статья «Расходы»...

— Ах, Дональд, мистер Брекинридж будет недоволен, если узнает, что стоимость обеда мы включим в расходную ведомость, особенно после всего, что произошло.

— Если мы в ведомости запишем просто «питание», он оплатит счет не задумываясь.

490

— Вы правы.

— Знаешь, кроме двух стаканов пахты сегодня у меня во рту ничего не было, и я умираю с голоду.

— Ах вы бедняжка! — воскликнула она.

— Значит, израсходовать счет на «питание» ты мне поможешь?

Она нервно рассмеялась:

— Да.

— А как обстоят дела с «жильем»?

Элси сконфузилась:

— Управляющая сказала, что запишет стоимость вашего проживания на мой счет. Это небольшая сумма.

— Я что-нибудь придумаю и в замаскированном виде внесу эту сумму в расходную ведомость.

— Не надо, Дональд. Позвольте мне самой позаботиться об этом. Я... мне хоть разок хочется представить вас своим гостем.

— Берта ничего не знает?

— Совершенно ничего. Боже, Дональд, об этом никто не должен узнать. Если кто-нибудь узнает... Знаете, Берта какая-то странная. Она полагает, что я не могу работать, потому что я... Ну, она думает...

— Я знаю. У нашей Берты есть странности, и если она узнает, что я снял квартиру в одном доме и на одном этаже с тобой... Кстати, где расположена эта квартира?

— Через коридор напротив моей.

— Нет, Берта не должна об этом знать.

И, достигнув взаимопонимания, мы отправились обедать.

Глава 8

Марти Лассен, могучий, широкоплечий гигант лет двадцати восьми, был поглощен ремонтом телевизора, когда я вошел в мастерскую.

— Я пришел к вам по личному вопросу, — сказал я. Он резко повернулся и посмотрел на меня с интересом:

— По какому такому вопросу?

— Я проверяю благонадежность медсестры по имени Мелита Дун.

Лассен напрягся.

— Это обычная проверка, — сказал я. — Мне бы хотелось узнать что-нибудь о ее прошлом, ее связях, привычках.

— Почему пришли ко мне?

— Мне известно, что вы с ней знакомы. Я навожу справки о ней у ее друзей. Если они не дадут мне нужную информацию, придется обращаться в больницу, на ее работу.

— Что вы имеете в виду под нужной информацией?

— Сведения, удостоверяющие ее благонадежность.

— Для чего понадобилось это выяснять?

— Благонадежность выясняется по разным причинам.

— И все-таки для чего?

— Мне платят за то, что я задаю вопросы, а не за то, что я на них отвечаю.

— Ну тогда убирайтесь к черту. Вы даже не назвали свое имя.

— Это другое дело. — Я улыбнулся. — На работе меня зовут С-35.

— Вот что, С-35, или ты сейчас же уйдешь сам, или через пять секунд уберешься отсюда с моей помощью.

— Я уйду сам. Извиняюсь за беспокойство. Я просто не хотел без необходимости идти в больницу. Иногда наша проверка раздражает работодателей, что вредит проверяемому.

— Эй, постойте, подождите минутку, вам сейчас никак нельзя идти с вашими вопросами на работу Мелиты. Сейчас ваш визит может ей навредить.

— Почему?

— Потому что у Мелиты и без вас хватает неприятностей.

— Тогда ответьте вы на мои вопросы.

— Я не собираюсь распространять сплетни об этой девушке.

Я посмотрел на него с видом возмущенного праведника:

— Я что-нибудь говорил о сплетнях? Меня интересуют черты ее характера. Вам известно, где она сейчас находится?

— Нет. Она находится на отдыхе и вернется через несколько недель. Ей... ей дали отпуск.

— Она работает медсестрой?

— Да.

— Она дипломированная медсестра?

— Да.

— Ей можно доверять?

— Вполне.

— Имели ли место какие-либо происшествия в больнице, где она работает?

— Вы чертовски правы. Старшая медсестра больницы имеет против Мелиты зуб, и бедную девочку обвинили в том, к чему она не имеет никакого отношения.

— В чем ее обвинили?

— В больнице и раньше пропадали рентгеновские снимки, а последняя проверка показала, что нескольких снимков недостает. Подобное всегда может случиться. Ведь к снимкам имеют доступ десятки людей, в том числе и врачи, которые славятся своей неаккуратностью.

— В пропаже снимков обвинили Мелиту?

— Да, ее. Просто в больнице искали повод подложить ей свинью. Да еще этот больной сбежал во время ее дежурства. Теперь Мелита должна оплатить его больничный счет.

— Как он сбежал?

— Не он, а она. Время от времени такое случается в каждой больнице. Больной видит, что идет на поправку, и знает, что ему будет предъявлен большой счет, вот он и притворяется, что чувствует себя по-прежнему плохо, а затем среди ночи встает, одевается и тихо-тихо уходит.

— Неужели такое возможно? Я думал, что медсестры дежурят ночью и...

— Конечно. А если он хорошо знает больницу? Возможностей для побега множество. Можно подняться в лабораторию или спуститься в рентгеновский кабинет, уйти через приемную «Скорой помощи». Или вызвать медсестру звонком, выйти в коридор, а потом, когда она войдет в палату, можно сбежать по лестнице.

— А что вы можете сказать о последнем случае?

— Никто бы не придал ему большого значения, если бы не эта старшая медсестра с кувшинным рылом и не тот факт, что Мелита уже получала выговор за пропажу снимков. Старшая медсестра хочет свалить всю вину на Мелиту и вынудить ее уволиться. Лично я уверен, что старшая медсестра сама виновата в исчезновении снимков. Она просто ищет козла отпущения. Как бы там ни было, Мелиту хотят заставить оплатить больничный счет почти на 300 долларов. Бедняжка за всю свою жизнь не наберет столько. Она содержит больную мать и... ну, я велел ей сказать в больнице, что гарантирую оплату, но она заявила, что дело в принципе и что она не заплатит ни одного цента. По ее мнению, оплатив счет, она тем самым признает себя виновной в пропаже снимков, и тогда старшая медсестра совсем ее со света сживет.

— Время от времени в больнице случались такие побеги?

— Конечно.

— Что вы скажете о побеге, который произошел во время дежурства Мелиты?

— Женщина, которая сбежала, является злостной неплательщицей. Молодая, ей чуть больше тридцати, и у нее нет родственников. С мужем она разошлась, а приятель умыл руки и знать ничего не хочет. Ее уже хотели выписывать, но она сделала вид, что ей опять стало плохо. Среди ночи она достала из шкафа свою одежду и тихонько сбежала. Остался больничный счет на 278 долларов, который Мелита теперь должна оплатить. В том, что больная сбежала, обвиняют ее. Бедная девочка оказалась на грани нервного расстройства. На самом деле в побеге виноваты работники приемного отделения. Сбежавшая больная оказалась опытной неплательщицей, знающей свое дело. Она убедила клерка принять недействительный чек. Теперь вы понимаете, какие неприятности повлек бы за собой ваш визит в больницу.

— Вы знаете, где Мелита находится сейчас?

— Знаю.

— Где?

— А вот этого я без надобности сообщать не желаю. Не хочу, чтобы ее беспокоили.

Подумав, я заметил:

— Возможно, вы правы. Поймите, мистер Лассен, наше ведомство занимается поиском достоверной и надежной информации, а не тем, чтобы кому-то причинять неприятности. Тут у меня есть имя еще одного человека, которого мы проверяем на благонадежность. Хотя вы можете его и не знать. Хелманн Бруно. Вам что-нибудь говорит это имя?

— Бруно? Бруно?

— Да, Хелманн Бруно.

Лассен покачал головой:

— Никогда не слышал.

— Кажется, он агент какой-то промышленной фирмы. Много разъезжает по делам службы.

Лассен вновь покачал головой.

Я назвал еще пять или шесть имен, выбранных наугад в телефонном справочнике. Все они Лассену не были знакомы.

— Странно, — сказал я. — Не исключено, что Мелиту случайно включили в этот список. Никому не рассказывайте о нашей беседе.

— Я-то никому о ней не расскажу, — проговорил он в угрожающем тоне. — Вы сами следите за собой и постарайтесь не ляпнуть что-нибудь, что может девушке навредить.

Я улыбнулся ему:

— Повторяю, мое дело — собирать, а не раздавать информацию. А вам большое спасибо, мистер Лассен.

Резко повернувшись, я пошел к выходу, но у двери оглянулся. Парень посмотрел мне вслед с несколько озадаченным выражением лица.

Потом незаконченная работа привлекла его внимание, и он вновь занялся ремонтом телевизора.

Глава 9

Нелегко заставить Берту проявить хоть какие-нибудь чувства, но когда я без предупреждения вошел к ней в кабинет, ее лицо попеременно выразило удивление, ужас и наконец гнев.

— Какого черта ты здесь делаешь? — воскликнула она.

— Я провалил дело.

— Что такое?

— Я угробил дело.

— Не говори со мной на этом похабном воровском жаргоне. Слово «угробить» употребляют взломщики сейфов, когда получают слишком много взрывчатки, и она разносит к чертовой матери сейф вместе с содержимым.

— Вот именно. Я положил слишком много взрывчатки, и она разнесла к черту все наше дело.

— Что случилось?

— Брекинридж хотел расплатиться с Бруно. Я его отговорил. Сказал, что считаю Бруно мошенником.

Неожиданно для меня обстоятельства изменились, и сумма, которую надо заплатить Бруно, резко возросла.

— Брекинридж обвиняет в этом тебя?

— Брекинридж разочарован.

— Как же ты так сплоховал, черт возьми? Ты башковитый парень, но чертовски самоуверен. Ты столько раз выходил из положения благодаря лишь везению и смекалке, что решил, что все можешь?

— Я так не считаю. Напротив, я сейчас в смятении. Если позвонит Брекинридж и спросит, где я, ты не знаешь.

— Я не могу ему этого сказать. Я...

— Можешь. Я объяснил, что ему надо сказать.

— Зачем ты пришел?

— За фотоаппаратом. Хочу сфотографировать место происшествия.

— Ты хочешь снова ехать в Техас? Зачем? Эти фотографии тебе ничего не дадут. И так все ясно. Происшествие было давно, и о нем все забыли.

— Я сказал, что хочу сфотографировать место происшествия, а не само происшествие.

Я оставил Берту, вошел в свой кабинет и встретил встревоженный взгляд Элси Бранд.

— Как она, Дональд?

— В данный момент немного обескуражена. Но скоро придет в себя и начнет метать громы и молнии. Я уезжаю, пожелай мне удачи.

Лицо Элси засветилось улыбкой.

— Счастливо, Дональд, — ласково проговорила она.

Захватив фотоаппарат и несколько пленок, я вышел, сел в машину и поехал к «Булвин Апартментс». Поднявшись в лифте, я позвонил у двери квартиры 283.

Дверь открыла женщина очень приятной наружности, холодные глаза посмотрели на меня с откровенным интересом.

— Хэлло, — сказала она, — обычно к нам приходят торговцы другого типа. Только не говорите, что вы зарабатываете на учебу в колледже, распространяя подписку на журналы. — Она вызывающе улыбнулась.

— А какие торговцы к вам приходят? — Я настроился на ее непринужденный тон.

— В основном пожилые люди, оставшиеся без работы и вынужденные зарабатывать на хлеб, предлагая товар на дому на комиссионной основе. Я им сочувствую, но если буду покупать все, что они предлагают, то быстро останусь без цента в кармане, тем более, что там и сейчас не густо.

— Можно мне войти?

— А вы хотите?

— Да.

— Входите. — Она распахнула дверь.

Квартира оказалась гораздо более просторной, чем я ожидал. Удобная, хорошо обставленная гостиная с двумя боковыми дверями, ведущими в отдельные спальни, сзади кухня. Возле каждой спальни своя ванная.

— Может, присядете, прежде чем начнете расхваливать свой товар, — сказала она.

— Я должен обязательно расхваливать свой товар?

— Все мужчины расхваливают свой товар. — Холодные глаза улыбнулись.

— Я ничего не продаю, я ищу информацию.

— Какую информацию?

— О медсестре по имени Мелита Дун, которая проживает здесь. Она дома?

— Это я мисс Дун. Я готова ответить на все ваши вопросы. Что вас интересует?

— У меня есть описание внешности, согласно которому Мелита Дун совершенно другая. А вы, я полагаю, Жозефина Эдгар, ее подруга.

Она рассмеялась:

— Ладно, я пошутила. Я подумала, что, ответив на ваши вопросы, избавлю Мелиту от лишних хлопот. А что вы ищете?

— Это обычная проверка, — сказал я.

— Какая еще проверка?

— Я хочу выяснить о ней кое-что: ее связи, привычки, кредитоспособность.

— Как вас зовут?

— Мой номер С-35.

Неожиданно ее глаза стали жестокими.

— В каком государственном учреждении вы работаете?

— При сложившихся обстоятельствах могу только сообщить вам свой номер — С-35.

— Вы находитесь на государственной службе или нет? Отвечайте на мой вопрос, молодой человек. Я сама хочу провести расследование и выяснить, кого вы представляете.

— Я не нахожусь на государственной службе.

— Вы следователь?

— Да.

— Частный сыщик?

— Да.

Она протянула руку:

— Покажите.

— Что?

— Ваше удостоверение.

Я покачал головой:

— Если вы не возражаете, для вас я останусь С-35.

— Я возражаю. Вам нужны сведения о Мелите. Тогда раскрывайте свои карты и говорите начистоту, иначе я сейчас подойду к телефону, позвоню Мелите Дун через междугородную и скажу, что ею интересуются частные сыщики.

— Вы можете это сделать в любом случае.

— Я могу, но я не настолько наивна.

Я достал бумажник и предъявил ей свое удостоверение.

— Дональд Лэм, — прочитала она. — Красивое имя. Что вы хотите узнать, Дональд?

— Больше всего меня интересуют проблемы, с которыми Мелита столкнулась в больнице. Она виновата в чем-нибудь?

— Она виновата? — взволнованно повторила Жозефина. — Во всем виновата эта старшая медсестра Говард с кувшинным рылом, которая только и делала, что пакостила Мелите с тех пор, как та стала работать в этой больнице. Теперь она дошла до того, что обвиняет Мелиту в краже рентгеновских снимков и почти довела бедную девушку до нервного расстройства.

— Расскажите поподробней об этом.

— Если бы не эта больная, которая сбежала во время дежурства Мелиты, она бы не осмелилась обвинять Мелиту в чем-либо. Все началось с этого побега. Старшая медсестра Говард прямо ухватилась за него. Конечно, Мелита тоже виновата, но только отчасти. У нас у всех или почти у всех бывают побеги. Один раз и у меня сбежала больная, я знаю медсестер, у которых такое тоже случалось. И вот что я вам скажу, Дональд Лэм, у нас бы не было никаких побегов, если бы администрация больницы добросовестно выполняла свои обязанности. Регистратор должен уметь отличить порядочного пациента от бездельника и неплательщика. Работай они как следует, и у нас бы не было проблем с побегами.

— О каких побегах вы говорите?

— Некий неплательщик — обычно бойкая на язык женщина — рассказывает регистратору душещипательную историю о своей несчастной доле, наобещает с три короба — и ее кладут в больницу. После операции она долго выздоравливает, и ее стараются не беспокоить денежными расчетами. А она, воспользовавшись случаем, убегает. Некоторые больные убегают сразу после операции, подвергая себя опасности. Надо сказать, и у меня тоже сбегали больные, то есть одна больная. Женщине сделали операцию, и она сбежала в тот день, когда ей в первый раз позволили принять душ.

— А что вы можете сказать о пропавших рентгеновских снимках?

— Да ничего. У Мелиты действительно сбежала больная, но к исчезнувшим снимкам она не имеет никакого отношения. В пропаже снимков виноват кто-то другой. Заведующая рентгенкабинетом должна строже вести учет и отмечать в журнале, если кто-то взял рентгеновский снимок, но дело в том, что она и Говард близкие подружки, и никто и не думает привлекать ее к ответственности. Эта глупая девица позволяет врачам самостоятельно брать снимки, не расписавшись в журнале, и никто не упрекает ее, если она положит снимок, который брал врач для себя или чтобы показать больному, совсем в другой конверт. В результате пострадала одна Мелита, и это выводит меня из себя.

— Что вы собираетесь делать?

— Я не знаю. Иногда мне хочется пойти и хорошенько обругать эту Говард.

— Разве вы работаете не в той же больнице?

— Я работаю на «скорой помощи».

— Днем или ночью?

Она пожала плечами:

— В любое время.

— У вас много работы?

— Когда как, — рассеянно ответила она.

— У Мелиты болеет мать?

— Да. Мелита дает деньги на ее содержание. Других источников дохода у нее нет, и она работает как вол. Конечно, у нее есть знакомые врачи, но матери требуется операция, и Мелите нужно собрать на нее деньги. Старшая медсестра Говард знает, что у Мелиты проблема с деньгами, и поэтому сразу на нее набросилась.

— Ладно, — сказал я, — пожалуй, это все, что я хотел выяснить. Я вам очень благодарен. — Я встал и собрался уходить.

Жозефина подошла ко мне и остановилась рядом:

— Дональд, скажите честно, зачем вы приходили?

— Я вас не понимаю.

— Кто просил вас узнать о Мелите?

— Это обычная проверка.

— Кто ваш клиент?

— О господи! Коммерческой стороной дела ведает моя партнерша, а я на передней линии и только провожу расследования.

— Кто вас знает, может, вы работаете на эту Говард.

— Может быть.

Она надула губы.

— Вы совсем не любезны со мной, Дональд, — сказала она и подошла еще ближе. — Дональд, сознайтесь.

— Сознаться в чем?

— Кто ваш клиент и зачем это расследование?

— Вы хотите заставить меня нарушить обязательства и используете для этого свою сексапильность.

Она посмотрела мне в глаза:

— Я ее еще не использовала.

— Вы ослабляете твердость моего духа, женщина.

Она положила руки мне на плечи и прижалась всем телом:

— Дональд, скажи, Мелите грозят неприятности?

— Почему ей должны грозить неприятности, если она ни в чем не виновата?

— Я просто не доверяю этой Говард. У меня такое чувство, будто в этой больнице что-то происходит и что эта Говард в чем-то замешана. Она хочет сделать Мелиту козлом отпущения.

— Я честно провожу расследование.

— Дональд, ты сделаешь, о чем я попрошу?

— Что?

— Когда закончишь расследование, ты расскажешь мне, что узнал?

— Может быть.

— Дональд, знай, я... я буду тебе очень признательна... очень, очень признательна, Дональд.

— Посмотрим, — пообещал я и вышел.

Стоя у двери, Жозефина провожала меня взглядом. Когда я оглянулся у лифта, она послала мне воздушный поцелуй и вернулась в квартиру, тихо прикрыв за собой дверь.

Я позвонил в агентство Элси Бранд.

— Элси, — сказал я, когда она подняла трубку, — позвони Долорес Феррол на ферму «Холмистая долина» и узнай, не звонил ли кто Мелите Дун по междугородной в промежутке между нашим с тобой разговором и твоим звонком Долорес. Ты сможешь застать ее в два часа, сразу после ленча, перед сиестой. В этот момент у нее появляется немного свободного времени. Скажи Долорес, кто ты, и скажи, что звонишь по моей просьбе. Передай, что я скоро ее увижу и чтобы она никому не говорила о твоем звонке.

— О'кей, — сказала Элси. — Куда вы собираетесь?

— Я отправлюсь в Техачапи и вернусь поздно вечером.

Глава 10

Итак, я поехал в Техачапи. Разыскать место происшествия было нетрудно. Полицейские поднимали машину лебедкой, и колеса, на которых обгорели шины, оставили на земле целые борозды. Но обнаружить улики, позволяющие восстановить картину происшедшего, было гораздо сложнее — следов почти не осталось. Я прошел по шоссе и нашел-таки место, где, как я думал, машина миссис Честер сошла с дороги. Следы указывали на то, что пару сотен ярдов машина кувыркалась по крутому склону, пока не наскочила на скалу. Под скалой я обнаружил осколки стекла и камни со следами краски.

Изучив все это, я пришел к выводу, что кто-то, пожелав, чтобы машина оказалась на дне ущелья, воспользовался, по-видимому, домкратом, приподнял заднюю часть машины и отодвинул ее от скалы.

После этого машина совершила долгое беспорядочное падение вниз.

Склон холма находился под углом сорок пять градусов к горизонту, и машина катилась по нему все дальше и дальше, пока не достигла края обрыва высотой пятьдесят или шестьдесят футов и не упала в песчаное ущелье.

Повсюду, как у скалы, на которую натолкнулась машина, так и на дне ущелья, были видны следы деятельности полицейских: кругом валялись сгоревшие лампы-вспышки (очевидно, они сделали много снимков), множество окурков, на земле отпечатались следы обуви различных фасонов и размеров.

Мне потребовалось пять или десять минут, чтобы извилистым путем по крутому каменистому склону спуститься к месту, где лежала машина.

Судя по всему, полицейские поднимали машину лебедкой до самого шоссе, позволив ей цепляться за все выступающие камни, затем погрузили на грузовик и отвезли в главный город округа.

Должно быть, в машине имелись улики, которые полицейские сочли нужным сохранить.

Несомненно, подъем машины потребовал много метров троса, много сил и дорого стоил, но полицейские непременно хотели заполучить машину или то, что от нее осталось.

Место, где машина съехала с дороги, находилось на вершине высокой горы, там и сям усеянной камнями, но покрытой главным образом ровной высохшей травой и чахлой полынью, которые столь характерны для гор Южной Калифорнии.

Далее дорога спускалась, петляя между гор, местами довольно далеко удаляясь от ущелья, затем огибала горный хребет и появлялась вновь. Примерно в миле от меня дорога шла вплотную к обрыву, их разделяло каких-то несколько ярдов.

Я внимательно осмотрел место и по песчаному дну направился к устью старого речного русла.

Склоны ущелья тут были менее обрывистыми, и через какое-то время цепочки следов кончились: так далеко полицейские не заходили.

Все еще крутые, хотя и не такие высокие, каменистые склоны местами заросли полынью. Идти было нелегко, но я прошел еще несколько сот ярдов.

Наконец полынь кончилась, и я вновь увидел следы.

Они были давнишними, но сохранились.

Это явно были следы мужских туфель, но более точно о них сказать было невозможно. Крупный и сухой песок не позволял установить четкие очертания. Идя по следу, я нашел окурок наполовину выкуренной сигареты.

Я поднял его острием ножа и положил в небольшую картонную коробку, которую прихватил с собой на всякий случай. Я все еще шел по песчаному руслу, когда к моим ногам скатился булыжник.

Я поднял голову.

По крутому склону спускались Селлерс и какой-то еще мужчина.

— Стой, коротышка, — крикнул Селлерс.

Я остановился.

Они спустились ко мне на дно ущелья. На мужчине, что был с Селлерсом, я увидел значок помощника шерифа округа Керн. Это был крупный мужчина лет пятидесяти.

Селлерс ткнул пальцем в сторону мужчины:

— Это Джим Доусон, помощник шерифа округа Керн. Скажи, какого черта ты здесь делаешь?

— Осматриваю место преступления.

— Зачем?

— Проверяю.

— Что проверяешь?

— Правильность ваших выводов.

— Я тебе сказал, чтобы ты не совал нос не в свое дело. Мы не нуждаемся в твоей помощи.

— Я в этом не уверен.

— Что ты хочешь этим сказать?

— Вы заметили следы в старом русле, ниже того места, где сгорела машина?

— Что за следы?

— Кто-то шел по травянистому склону ущелья, а когда решил, что дальше следы искать не будут, спустился и продолжил путь по этому руслу. Так удобнее.

— Ты спятил! — воскликнул Селлерс. — Честер столкнул машину своей жены с дороги. А свою машину оставил в ста футах от места преступления, потом вернулся, сел в машину и уехал. У нас есть неопровержимые улики, мы нашли и сфотографировали следы.

— Тогда кто шел по этому руслу?

— Не знаю и не хочу знать, — сказал Селлерс. — Знаю только, что мы повсюду расставляем для Честера ловушки, ждем его, и тут приходишь ты и портишь нам все дело. Мы больше этого не потерпим. Придется подрезать тебе крылышки. Что у тебя в этой коробке?

— Окурок. Я нашел его в ста ярдах отсюда. Сигарета выкурена наполовину, и вы сможете сделать хороший анализ слюны. На нем также могут быть отпечатки пальцев или...

Селлерс схватил коробку, открыл, посмотрел на окурок и изрек:

— Вздор! И ты, и твои дурацкие домыслы — все вздор! — Он отбросил окурок в сторону.

— Вы пожалеете, что сделали это, Селлерс.

Помощник шерифа округа Керн, к счастью, оказался неплохим парнем.

— Послушайте, Лэм, — вмешался он, — ведь вы заинтересованы в исходе этого дела. Почему бы вам не раскрыть свои карты?

— Я раскрою их. По вине Фоли Честера произошло автомобильное происшествие. Парень, который в нем пострадал, заломит страховой компании бешеную цену в качестве компенсации за ущерб, если узнает, что Честера разыскивает полиция по подозрению в убийстве. Если Честер действительно убил жену — это одно, если не убивал — совсем другое. Я хочу установить истину, прежде чем мне придется улаживать дело с пострадавшим в автомобильном происшествии. Пока у вас есть только косвенные улики против Честера. Я хочу выяснить, все ли улики вы собрали. Оценить ценность косвенных улик можно, только имея на руках все улики.

Помощник шерифа кивнул.

Но Селлерс возразил со злобой:

— Не слушай его, Джим. Послушаешь этого парня и поверишь, что не было никакого трупа, не было никакой сгоревшей машины, не было следов краски, вообще не было ничего.

— Фоли Честер часто совершает деловые поездки, — сказал я. — Уезжая, он не оставляет своего нового адреса. Нет никаких оснований сомневаться в том, что он сейчас находится в одной из таких поездок. Что до улик, то у вас нет ничего, кроме машины с поцарапанной краской да осколка стекла от фары.

— Продолжайте, — сказал помощник шерифа, — если у вас есть какие-либо соображения по этому поводу, нам будет интересно их услышать.

Я продолжал:

— О'кей, вы, ребята, спускались в ущелье, чтобы осмотреть сгоревшую машину, так?

— Ваша правда.

— Судя по следам, вы спускались не по этому пологому склону.

— Вы опять правы.

— И по тому же крутому склону вы поднялись обратно на шоссе.

— Да, это так.

— Сколько времени у вас занял подъем?

Доусон ухмыльнулся и потер рукой лоб.

— Я уже не молод, — сказал он. — Пока мы поднимались, я чуть дуба не дал. Запыхался, как пес. Мне показалось, мы тащились целую вечность.

— Вы поднимались полчаса? — спросил я.

— Не меньше, — согласился он.

— Ладно, — продолжал я. — Дорога здесь относительно узкая, и машина сошла с нее на повороте.

— Конечно, — сказал помощник шерифа. — Поэтому-то он выбрал это гиблое место. Если бы не поворот и дорога была бы пошире, женщина сумела бы уклониться от столкновения, притормозив или прибавив скорость.

Я сказал:

— Если следовать вашей логике, все было так: машина сошла с дороги на повороте, скатилась вниз и остановилась, натолкнувшись на скалу. Честер вышел из своей машины с рукояткой от домкрата, спустился, добил жену, потом взял домкрат, предположительно, в своей машине, приподнял заднюю часть машины, отодвинул от скалы и пустил под откос, на дно ущелья.

— Правильно.

— Затем тем же путем он поднялся на дорогу, сел в свою машину и поехал куда-то дожидаться рассвета. Когда рассвело, он вернулся, спустился к обломкам машины, пропитал тряпье бензином, забыв привернуть крышку к баку, и поджег обломки.

— Ну и что тут не так? — удивился помощник шерифа.

— В этом случае он снова поднимался по склону обрыва к своей машине, — сказал я.

— Мы так и предполагали, — согласился Доусон.

Селлерс сплюнул в сторону.

— Но тогда его машина простояла на узком повороте не меньше полутора часов. На дороге вы могли видеть знаки со словами: «Не останавливаться», «Парковка запрещена» и другие. Сколько времени, по-вашему, может простоять на узком повороте машина, чтобы о ней не сообщили дорожной полиции или ее не заметил какой-нибудь полицейский и не наклеил на лобовое стекло повестку в суд?

Доусон сказал:

— Допустим, в чем-то вы правы. — Он повернулся к Селлерсу: — Давайте поговорим с дорожной полицией. Может быть, действительно им что-то известно.

Селлерс проговорил усталым голосом:

— Не слушай ты его. Видишь эту дорогу вверху? — спросил он помощника шерифа.

— Конечно, — отозвался тот.

— Так вот. Послушаешь Лэма и очень скоро поверишь, что это вовсе не дорога, а кусочек нитки, прилипшей к твоим очкам, что ты смотришь на нитку расфокусированным зрением и думаешь, что это дорога. — Он повернулся ко мне: — У тебя всегда много предположений, коротышка. Иногда в них есть толк, но сейчас они нас не интересуют. На этот раз у нас есть неопровержимые улики, и мы знаем, что делаем. У нас достаточно фактов, чтобы парню предъявить обвинение в умышленном убийстве. Сейчас нам нужно только найти преступника. Нас больше интересует его арест, чем твои рассуждения о косвенных уликах.

Я возразил:

— Косвенные улики мало значат, если вы не учитываете всех фактов. Следы в старом русле являются частью этих фактов. Окурок сигареты, найденный мной, тоже часть фактов, которые вы не учитываете. Убийца не стал бы рисковать и оставлять машину на этой опасной части дороги.

— Он мог проехать вниз и оставить машину там, — заметил Селлерс.

— Мог, — согласился я, — но можно также предположить, что у него был сообщник, который спокойно проехал в машине дальше и стал ждать. В этом случае убийце надо было только спуститься под гору, а потом идти по старому руслу к условленному месту. И это гораздо легче, чем подниматься по крутизне под палящим солнцем.

— О'кей, о'кей, — утомленно промолвил Селлерс. — Пусть у него действительно был сообщник. Когда мы поймаем преступника, он признается сам, а сейчас нам наплевать, был у него сообщник или нет. Нам бы только поймать этого парня.

— Ладно, — согласился я, — вы продолжаете работать в выбранном вами направлении и стряпаете дело об убийстве на Фоли Честера в его отсутствие, потом появляется Честер, а у вас для него готов сюрприз: замечательно сфабрикованное обвинение в убийстве.

— Я ему все расскажу о нашем сюрпризе.

— Кто знает, — заметил я, — может, ко времени возвращения Честера вы так исказите факты, что парень не сможет доказать свою невиновность.

— Какие факты? — насмешливо спросил Селлерс.

— Прежде всего тот факт, что человек не лез по крутизне, а шел по дну ущелья. Вникните. Дорога спускается по крутому склону, петляет между гор, но через полторы мили от места, где вы нашли машину, она так приближается к старому руслу, что выйти на нее ничего не стоит. Если бы вы спустились на дно ущелья, чтобы сжечь машину, вы не стали бы подниматься обратно по крутому склону и не оставили машину там, где ее может обнаружить полиция. Сделав дело, вы пошли бы к дороге по песчаному дну ущелья.

— А потом по дороге вернулся бы к машине, — холодно добавил Селлерс.

— А если предположить наличие сообщника, то не понадобилось бы возвращаться.

Помощник шерифа посмотрел на Селлерса вопросительно.

Селлерс небрежно махнул рукой и насмешливо фыркнул. Его не прошибешь.

Я продолжал:

— Это сигарета редкой марки, которую мало рекламируют, и у нее хороший табак. Если вам повезет и если эту улику поменьше трогать руками, то по слюне вы сможете определить группу крови.

— Вздор, — сказал Селлерс.

Помощник шерифа округа Керн подошел к месту, куда Селлерс бросил окурок и коробку, некоторое время смотрел на них, потом все-таки поднял и, положив окурок в коробку, сунул ее в карман.

— Защита может использовать эту улику в своих интересах, — сказал он. — Теперь, когда Лэм указал нам на нее, адвокат защиты может заявить, что мы испортили улику. Не будем давать им этой возможности.

— Ну раз на нее указал Лэм, то конечно, — съехидничал Селлерс. — Лэм, садись в машину и убирайся отсюда к чертовой матери. И пока мы не наденем на парня наручники, не вздумай появляться в тех местах, где мы его поджидаем. Я требую этого от тебя, как представитель закона. Держись подальше от Честера и мест, где он может появиться. А сейчас, — продолжал он с напускным сарказмом, — зная, что ты человек занятой, мы не смеем тебя задерживать. Иди и занимайся своим делом... Но если ты еще раз станешь у нас на пути или предупредишь Честера, то берегись, я возьму резиновый шланг и так тебя отделаю, что до самой смерти помнить будешь. А теперь вали отсюда.

Я взглянул на Селлерса так, чтобы он понял, что я о нем думаю, и ушел.

Джим Доусон, помощник шерифа округа Керн, задумчиво смотрел мне вслед.

Глава 11

Из телефонной будки я позвонил на ферму «Холмистая долина» и попросил к телефону Долорес Феррол.

Она подошла через минуту. В трубке был слышен смех и музыка.

— Хэлло, Долорес, — сказал я. — Это Дональд Лэм. Что ты узнала о Мелите Дун?

— Но, Дональд, я сегодня говорила с твоей секретаршей и...

— Знаю. Я просил ее об этом. Так что там Мелита?

— Произошло нечто странное. Утром Мелите позвонили. Я не могу назвать точное время, поскольку в этот момент была на утренней прогулке.

— Что затем произошло?

— Она поспешно собрала свои вещи, заявив, что состояние ее матери ухудшилось и ей срочно нужно уехать. Когда я вернулась с верховой прогулки, ее уже не было. Она очень торопилась.

— Интересно, — сказал я.

— Дональд, люди спрашивают о тебе.

— Хорошо, пусть спрашивают. Я позвонил, чтобы узнать о Мелите.

— Возвращайся скорее, — проворковала она голосом профессиональной куртизанки.

— Скоро вернусь. — Я повесил трубку.

Было почти семь часов, когда я зашел в агентство, чтобы положить фотоаппарат и посмотреть, нет ли корреспонденции на моем столе.

В кабинете Берты Кул горел свет.

Видимо услышав, что я пришел, она приоткрыла дверь.

— О господи! — взорвалась она. — Я замучилась тебя искать. Почему, черт возьми, ты не говоришь мне, куда уходишь?

— Я не хотел, чтобы кто-то знал, где я.

— Под кем-то ты, конечно, подразумеваешь Фрэнка Селлерса.

— И его тоже.

— Кстати, Фрэнк Селлерс прекрасно знал, где ты находишься. Он позвонил мне и сказал, что, если ты не перестанешь совать нос не в свое дело, он засадит тебя в каталажку и продержит там, пока это дело об убийстве не завершится.

— Фрэнк очень импульсивен.

— Он зол как черт.

— Он часто злится. Это плохая черта для следователя.

— Гомер Брекинридж очень хочет тебя видеть. Звонит каждые полчаса... А вот, наверное, опять он, — предположила она, когда зазвонил телефон. Она взяла трубку, и тотчас ее голос стал слащаво-учтивым: — Да, мистер Брекинридж, он только что вошел. Я как раз собиралась сказать, чтобы он позвонил вам... Передаю ему трубку. — Она протянула мне трубку.

— Хэлло, Дональд?

— Да.

— Придется заплатить чертовски много.

— Что такое?

— Кажется, я перехитрил сам себя.

— Это почему?

— Похоже, Бруно гораздо умнее, чем мы предполагали.

— Что случилось?

— Знаете, кажется, нашим делом занимается Алексис Мелвин.

— Кто он?

— Алексис Ботт Мелвин — специалист по травмам шейных позвонков, которого ненавидят и боятся все страховые компании Запада.

— Такой хороший специалист?

— Для нас он скорее плохой, чем хороший.

— Что же он сделал?

— Он взялся за наше дело. Не знаю, Бруно ли все придумал или его надоумил Мелвин, но только они натянули петлю на шее нашей компании.

— Продолжайте, — сказал я.

— Я не могу всего рассказывать по телефону. Я бы хотел поговорить с вами сегодня вечером, но в данный момент не могу отлучиться из дому.

— Вы хотите, чтобы я к вам приехал?

— Я был бы вам очень благодарен. — Мгновение он колебался, потом продолжил: — Сейчас я дома один, но скоро может прийти моя супруга. Я думаю, в ее присутствии нам лучше не вдаваться в детали нашего дела. Есть вещи, которых она не понимает.

— Ясно.

— Благодарю вас, Дональд. Вы очень тактичны. Вы понимаете, что в нашем бизнесе, как и в вашем, приходится работать с сотрудниками женского пола, но всегда трудно объяснить это жене.

— Я все понимаю. Я освобожусь примерно через час. Сперва я хочу провернуть еще одно дело. Раньше я не успею, но вы доверьтесь мне и ни о чем не беспокойтесь.

В голосе его послышалось облегчение:

— Спасибо, Дональд, огромное вам спасибо.

Я положил трубку. Берта смотрела на меня сверкающими проницательными глазами:

— Что ты делаешь с этим человеком?

— Вы о чем?

— Ты его просто гипнотизируешь. Сегодня утром он был сам не свой, но потом ему позвонил какой-то агент. Он походил на ребенка, залезшего в банку с вареньем: его схватили за руку, и он вопит о помощи. Хочет поговорить с тобой и заявляет, что разговор настолько конфиденциален, что не может даже сказать мне, о чем он. Говорит, что ты поймешь, но мне, мол, придется объяснять слишком долго.

Я улыбнулся и сказал:

— Может, вскоре все образуется.

— Твоя секретарша сказала, что у тебя на столе под пресс-папье лежит записка, которую ты должен прочитать сразу, как придешь.

— Что-нибудь важное?

— Для нее, наверное, важное. Она считает важным все, что ты делаешь. Она наказала телефонистке на коммутаторе позвонить ей сразу, как только ты появишься.

— О'кей. Пойду посмотрю, что там у меня под пресс-папье, а потом поеду к Брекинриджу.

— А потом?

— Потом — не знаю. Посмотрим, как будут развиваться события.

— Мы располагаем всей информацией об этой маленькой медсестре?

— Не совсем. Я беседовал с ее приятелем и с подружкой, с которой она живет.

— Что ты узнал?

— Ее обвиняют в краже рентгеновских снимков с изображением травм, которые она, вероятно, сбывала людям, симулирующим болезни.

— Разве на этих снимках нет специальных номеров, указывающих, кому они принадлежат?

— Конечно есть. Но номера им не помеха. Они делают копию с той части снимка, где изображена травма, и накладывают на фотопластину с другими номерами и другим именем. Только хороший специалист способен обнаружить подделку. Если у кого-то возникнет подозрение и он специально станет искать фальсификацию, то, возможно, и обнаружит ее, но обычно страховой диспашер, которому адвокат предъявляет рентгеновский снимок с именем больного, все принимает за чистую монету, и, если на снимке видна травма, диспашер принимает решение о выплате компенсации.

— Ты думаешь, эта медсестра таскала снимки?

— Похоже, так считают в больнице. По-видимому, там хотят от нее избавиться, но не хотят прямо обвинять в краже снимков, потому что тогда вскроются факты небрежного хранения их. С другой стороны, возможно, что во всем виновата старшая медсестра, которая не терпит Мелиту и хочет от нее отделаться. Вы поможете мне установить истину, и займемся мы этим прямо сейчас. Мы поедем в «Булвин Апартментс», и вы побеседуете с подружкой Мелиты, Жозефиной Эдгар.

— Ты уже говорил с ней? — спросила Берта.

— Говорить-то говорил, но ничего не добился. Она стала заговаривать мне зубы, подошла, прижалась ко мне, а когда я поставил ей в укор, что она пользуется своей сексапильностью, заявила, что еще и не начала пользоваться ею.

— Ты на всех на них так действуешь, — со вздохом произнесла Берта.

Я покачал головой:

— Тут дело не во мне. Слишком уж чувственной оказалась девица и слишком быстрой. Несмотря на раннее утро, она сходу взялась меня соблазнять.

— А что я должна буду делать?

— Ее надо как-то ошарашить, а я посмотрю, чем она живет.

Берта с усилием поднялась со скрипящего кресла:

— Позволь мне припудрить нос, и я буду в твоем полном распоряжении.

Она вразвалку пошла к двери и дальше по коридору.

Я вошел в свой кабинет, поднял пресс-папье на столе и нашел там записку от Элси. Она была написана стилем, понятным только мне. В ней говорилось:

«Я сказала вам, что он ужасный человек, и придерживалась этого мнения, пока он не позвонил сегодня после полудня и не предложил встретиться и поговорить. Дональд, он замечательный человек! На самом деле он все понимает. Я долго ждала вас. Я звонила, куда вы меня просили, и женщина, с которой я говорила, сказала, что все узнает насчет М.Д., но она слышала, что М.Д. расплатилась и уехала. Она обещала разобраться и сказала, чтобы вы позвонили ей сегодня вечером. Если потребуется моя помощь, звоните. *Элси*».

Я свернул записку и стал ждать Берту.

Глава 12

Мы остановились напротив «Булвин Апартментс». Оглядев здание, Берта заметила:

— Довольно шикарный домик для простых рабочих девчонок.

— Поэтому мы и приехали сюда вдвоем.

Берта выбралась из машины, мы вошли в дом и отыскали квартиру 283. Нам повезло, Жозефина Эдгар была дома.

— Ба, привет, Дональд, — весело поздоровалась она со мной и уставилась на Берту.

Я сказал:

— Мисс Эдгар, позвольте представить Берту Кул, мою партнершу. Она хочет с вами поговорить.

Берта не сказала ни слова. Она просто пошла вперед, и, чтобы не быть растоптанной, Жозефине пришлось отступить.

Берта ввалилась в комнату, осмотрела ее и повернулась ко мне:

— Ну, и что ты хотел?

— Я хочу все узнать о Мелите Дун.

В голосе Жозефины послышалась паника:

— Утром я рассказала вам все, что мне известно, Дональд. Насколько мне известно, Мелита Дун очень порядочная девушка. Она работает не покладая рук, чтобы содержать свою больную мать, и меня возмущает, что вы так бесцеремонно ввалились в мою квартиру.

— Черт с тобой, возмущайся, — пророкотала Берта, — но если ты думаешь, что сможешь запудрить мозги профессиональному детективу, то глубоко ошибаешься.

— Что вы имеете в виду?

— Эту басенку про бедную девочку, которая содержит маму и пытается свести концы с концами. Эта квартирка стоит немалых денег. Простые девушки столько не зарабатывают, особенно если содержат больных матерей. Где, черт возьми, спальня Мелиты?

Жозефина, у которой отнялся язык, молча указала на дверь.

— Значит, твоя спальня там? — Берта ткнула пальцем в противоположную дверь.

— Да.

Берта направилась к спальне Жозефины.

— Эй, вы, не входите туда! — крикнула Жозефина.

Берта продолжала идти, не обращая на нее внимания.

Жозефина догнала ее, схватила за рукав и потянула на себя.

Берта только тряхнула рукой — и Жозефина, как тряпичная кукла, отлетела к стене.

Берта вошла в открытую дверь спальни и начала просматривать содержимое стенных шкафов.

— Кому принадлежит эта мужская одежда? — спросила она.

— Вы... вы... убирайтесь отсюда! Я позову полицию.

Берта бросила пару мужских костюмов на кровать, заглянула во внутренние карманы, чтобы найти фамилию портного, достала из ящика рубашку и заметила на нагрудном кармане аккуратно вышитую букву «Ч».

— Ты проявляешь много внимания к этому парню! — заметила Берта.

— Это мой кузен, — с вызовом проговорила Жозефина. — Он ненадолго уехал и оставил у меня кое-какие свои вещи.

Берта Кул осмотрела одну спальню, вернулась в гостиную, пошла в другую спальню, обыскала ее, вышла в гостиную и изрекла:

— Какого черта она это делала?

— Что?

— Воровала рентгеновские снимки?

— Она их не воровала! — воскликнула Жозефина. — Говорю вам, это все старшая медсестра.

— У Мелиты Дун есть парень?

— Нет у нее никакого парня!

— Вздор, — сказала Берта.

Она медленно подошла ко мне и заявила:

— Ее здорово финансируют.

— Не знаю, какое возмещение я смогу получить за насильственное вторжение в мою квартиру, — сказала Жозефина, — но я обязательно поговорю со своим адвокатом. Я добьюсь, чтобы вас лишили лицензии. Вы не имеете права приходить сюда и устраивать обыск.

— Правильно, милочка, — сказала Берта. — Иди и жалуйся властям, а мы тем временем узнаем, кто твой таинственный кузен и... Кстати, может, у него есть жена.

Берта подошла к кровати и стала внимательно рассматривать костюмы.

— А вот и метка химчистки, — сказала она. — Дональд, запиши-ка номер: С 436128. Ну, — Берта повернулась к двери, — пожалуй, все, что было можно, мы сделали. Эти пташки прекрасно обеспечены.

Жозефина ударилась в слезы:

— Вы не можете использовать этот номер, вы не имеете права. Это номер химчистки...

— Да-да, знаю, — сочувственно проговорила Берта, — твой кузен... Ладно, мы не станем поднимать шум по этому поводу, если ты сама будешь молчать. — Берта направилась к двери.

Я последовал за ней.

В коридоре я сказал:

— Боже, Берта, вы на этот раз здорово рисковали. Вы не имели права входить в спальню.

— Не бери в голову. Эти бабы тебя просто гипнотизируют. А я проходимцев чую за версту.

— Иногда проходимцы предъявляют иск на кругленькую сумму.

— Я знаю, но у этих девчонок есть слабое место. Они участвуют в какой-то афере. Что представляет собой Мелита Дун?

— Она тихая, скромная и совсем не пользуется своей сексапильностью.

— Вздор, — сказала Берта, когда мы втиснулись в лифт. — Или она пользуется своей сексапильностью, или вовсю торгует рентгеновскими снимками. Возможно, ты на ней видел простую и скромную одежду, но в шкафу у нее висят чертовски дорогие тряпки. И не думай, что у Жозефины есть приятель, который оплачивает двухкомнатную квартиру, позволяя Мелите жить на широкую ногу только потому, что Жозефина очень привязана к подруге.

Лифт с грохотом спустился на первый этаж. Берта тяжело зашагала к машине, втиснулась внутрь и захлопнула дверцу с такой силой, что едва не вылетели стекла.

— Боже, Дональд, ты совсем не экономишь мое время. Ты должен был почувствовать, что тебя обманывают, как только вошел в эту квартиру.

— Но больная мама...

— Моя больная задница, а не больная мама! — отрезала Берта.

Я отвез ее домой и сразу отправился к Брекинриджу.

Припарковав машину на широкой подъездной аллее, я по ступеням поднялся к парадной двери.

Не успел я нажать кнопку звонка, как Брекинридж открыл дверь.

— Проходите, Дональд, — радушно проговорил он. — Я целый день искал встречи с вами.

— Я знаю. Но вы освободили меня от всяких обязательств в этом деле, и я не догадался...

— Я совершил большую ошибку, Дональд, и сам признаю это.

Я прошел за ним в гостиную.

— Ладно, — сказал я. — Что случилось?

— Я получил сообщение из Аризоны.

— Вы послали туда своего агента?

— Нет. У меня был телефонный разговор с Аризоной, и из него я сделал вывод, что сейчас совер-

520

шенно бесполезно посылать туда агента и улаживать дело.

— Это почему?

— Ну, во-первых, я пришел к горькому выводу, что, успешно осуществив один или два раза какой-нибудь хитроумный план, не стоит пытаться осуществлять его в третий раз.

Я молчал, ожидая, что он еще скажет.

— Присаживайтесь, Лэм. Устраивайтесь поудобней. Хотите немного шотландского виски с содовой или, может, вам налить кукурузное виски?

— Благодарю вас, я прекрасно себя чувствую. Возможно, у нас будет мало времени, чтобы говорить открыто, поэтому давайте лучше перейдем к делу.

— Да, конечно. Вы совершенно правы. Ситуация такова, Лэм. Эта идея о липовом конкурсе отлично сработала дважды, когда дела разбирались в суде, и трижды, когда дело улаживалось без суда. Я рассказывал вам об этом. Да, идея была прекрасная. Мы сообщали истцу, что он стал победителем в конкурсе и что ему предоставляется право на бесплатный двухнедельный отдых на ферме-пансионате «Холмистая долина». Он ехал туда и, окунувшись в тамошнюю атмосферу, оживал. Вы знаете, что жизнь на этой ферме мало соответствует тому отдыху, который требуется инвалиду. Очень быстро у нас появлялась кинопленка, где было заснято, как истец размахивает битой для гольфа, ныряет в бассейн, делает глазки некоторым впечатлительным девушкам, которых всегда полно, а бывало, что наш представитель на ферме, Долорес Феррол, так завораживала клиента, что он ради нее готов был на голову встать. Нас подвели дела, которые разбирались в суде. Очевидно, Мелвин пронюхал о липовом конкурсе и о наших связях с фермой «Холмистая долина». Так что теперь он явился во всеоружии, готовый на все.

— Когда?

— Сегодня утром. Я думаю, он давно хотел заманить нас в ловушку. Мне кажется, они с Бруно с самого начала работают рука об руку.

— Ну и как дела обстоят сейчас?

— Мелвин находится на ферме. Он узнал, что Фоли Честер обвиняется в убийстве.

— Каким образом?

— Очень просто. Взявшись за это дело, он захотел получить кое-какие сведения о Честере. Разумеется, он с самого начала знал, что будет иметь дело со страховой компанией. Вероятно, он связался с сыскным агентством, которое помогает ему в его бизнесе. Они стали наводить справки о Честере и мгновенно выяснили, что полицейские установили наблюдение за его квартирой. Это Мелвину и было нужно. Все тайное стало явным. Мелвин на коне, и знает это. Одному Богу известно, сколько денег он теперь потребует.

— Может быть, мой вопрос покажется вам нескромным, но почему вы не послали туда диспашера, чтобы он разобрался и выплатил компенсацию?

— Ваш вопрос вполне уместен, но вот ответ на него удручающий. Мелвин уже встречался с нашим диспашером, а диспашер не может тягаться с таким опытным адвокатом.

— Ну и что теперь?

— Я хочу, чтобы вы поехали туда. Я приготовил четыре банковских чека на Хелманна Бруно и А.Б. Мелвина, по двадцать пять тысяч долларов каждый. Это сто тысяч долларов наличными. Полагаю, их вам хватит.

— Вы хотите заплатить такую большую сумму?

— Я готов ее заплатить, буду вынужден это сделать, думаю, что вы также считаете.

— Этот Мелвин выигрывал дела благодаря мошенничеству?

— Да. Он очень умен и хитер.

— И вы думаете, что он использует поддельные рентгеновские снимки?

— Это не исключено.

— И все же вы готовы выплатить ему эту фантастическую сумму?

— Я хочу избавиться от этого дела. Страховая компания попадает в невыносимое положение, если ее клиент обвиняется в убийстве.

— Почему вы думаете, что я смогу справиться с Мелвином, если это не удалось вашему опытному диспашеру?

— Потому что я многое узнал о вас.

— Каким образом?

— Сегодня после полудня я долго разговаривал с вашей секретаршей. Рано или поздно вы все равно об этом узнаете, так что лучше мне сказать об этом прямо сейчас. Я знаю, что, несмотря на то, что вчера вечером я был с вами несколько резок и отстранил вас от дела, вы продолжали расследование на свой страх и риск. Она сказала, что вы нашли какую-то медсестру, которая крала рентгеновские снимки, и собрали много сведений о ней. Вы сами понимаете, Дональд, что, если мы сможем доказать, что Мелвин хитрил и использовал поддельные снимки или что-то в этом роде, мы заплатим вам такое вознаграждение, о котором вы и мечтать не можете. Говоря «мы», я имею в виду все страховые компании, работающие в этой части страны. Мы сложимся и выделим вам замечательное вознаграждение, а вашему агентству предоставим столько работы, сколько вы захотите. Я был совершенно поражен тем, что мне рассказала о вас ваша секретарша, мисс Бранд. То, как вы проводили расследование некоторых дел, свидетельствует о вашем замечательном таланте. Я...

Дверь гостиной открылась, и в комнату решительным шагом вошла миссис Брекинридж.

Я вскочил на ноги.

— Добрый вечер, миссис Брекинридж.

— Здравствуйте, мистер Лэм, — сказала она и оглядела комнату. — А где ваша секретарша?

Уловив некоторое удивление в ее голосе, я ответил:

— Наверное, дома. Сегодня я приехал на своей машине. В тот раз она встречала меня в аэропорту, когда я прилетел из Техаса.

— Понятно, — улыбнулась она. — Как продвигается ваше дело?

Я улыбнулся ей в ответ:

— На этот вопрос лучше ответит мистер Брекинридж. Он — генерал, а я всего лишь рядовой.

— Вы полковник, — быстро сказал Брекинридж, — и прекрасно знаете свое дело. Вот конверт с бумагами, о которых я вам говорил. Там документы в связи с иском Бруно. Садитесь утром на первый самолет и возвращайтесь... вы понимаете, возвращайтесь и займитесь этим.

— Куда вы должны возвращаться? — спросила миссис Брекинридж.

— В Даллас, — ответил я не моргнув глазом.

— У вас достаточно денег на расходы? — спросил Брекинридж.

— Конечно.

— Ну, тогда отправляйтесь и действуйте по своему усмотрению. Расходуйте столько, сколько найдете нужным.

— Я могу предложить в качестве страхового возмещения указанную вами сумму?

— Вы можете даже превысить ее, если придете к выводу, что этого требует ситуация.

— Я вылечу рано утром, чтобы сразу приступить к делу.

— И будете держать меня в курсе событий?

— Буду держать вас в курсе событий.

Мы обменялись рукопожатиями.

Миссис Брекинридж приветливо улыбнулась мне:

— Мой супруг заставляет вас работать в довольно поздние часы.

— Работа есть работа.

— Вы работаете один или с партнером?

— У меня есть партнер по агентству.

— «Кул и Лэм. Конфиденциальные расследования», — поспешно вставил Брекинридж.

— А кто такой мистер Кул?

— Не мистер, а миссис.

Ее губы моментально сжались в строгую тонкую ниточку.

— Берте Кул, — пояснил я, — за пятьдесят. Она весит примерно сто шестьдесят фунтов и напоминает клубок колючей проволоки. Она очень сильная и строгая. Большей частью она занимается канцелярскими делами агентства, я же, как говорится, всегда на линии огня.

Миссис Брекинридж вновь улыбнулась:

— Уверена, вы работаете весьма эффективно.

— Стараюсь, — ответил я. — Но когда какая-нибудь молодая сирена надумает меня перехитрить, на сцене появляется Берта Кул, и за каких-нибудь десять секунд она так отделывает эту красотку, что та вовек ее не забывает.

Миссис Брекинридж аж просияла:

— По-моему, это замечательный метод. Я очень рада, что мой муж нанял вас для работы. Обычно мужчина и не представляет, как легко женщина может обвести его вокруг пальца, особенно эти молоденькие хищницы, которые вовсю демонстрируют свои прелести, лишь бы добиться желаемого. Время от времени я пытаюсь предостеречь мужа против женщин, которые могут его обмануть, но он считает меня чрезмерно подозрительной.

— Совсем не считаю, дорогая, — поспешно заверил муж.

— Я думаю, было бы замечательно один раз напустить вашу Берту Кул на этих дам, — размечталась миссис Брекинридж.

— Да, весьма поучительно наблюдать, как она работает.

— Что же она делает?

— О, Берта довольно груба и временами употребляет очень крепкие выражения. Она говорит этим хищницам, что они имеют дело с женщиной, для которой их слезы и нейлоновые чулки ничего не значат. Затем она продолжает их отчитывать, и, если они пытаются грубить в ответ, она хватает их за руки и трясет до тех пор, пока у них не застучат зубы. Берта перестает быть женщиной, когда берется за этих хищниц. В таких случаях ее речь могла бы шокировать вас.

У миссис Брекинридж заблестели глаза.

— Гомер, — укоризненно проговорила она, — почему ты мне ничего не говорил об этой восхитительной женщине? Ты давно пользуешься услугами этого агентства?

— Первый раз, — сказал Брекинридж. — Это наше первое дело.

— Мне кажется, что это замечательное агентство, и какое прекрасное сочетание характеров... Ну, не буду мешать вашей беседе. Пойду. — Она подала мне руку, ласково улыбнулась и выплыла из комнаты.

Брекинридж посмотрел на меня с восхищением:

— Видимо, Элси Бранд была права относительно вас, Дональд.

— Права в чем?

— В том, что вы чертовски умный человек. А теперь отправляйтесь туда, уладьте это дело с Бруно и освободите меня от него ради всего святого. Сделайте все, что можете, но только избавьте меня от него.

— Я уже поехал.

Глава 13

В аэропорту меня встречал Бак Крамер.

— Придется брать с тебя деньги за проезд, — улыбаясь, сказал он, — или будем приезжать и встречать тебя на лошадях. У меня такое чувство, будто я только и делаю, что катаю тебя туда-сюда.

— Этим самолетом новые гости не прибыли?

— Не прибыли. Все места уже заняты.

— Когда я уезжал, у вас оставалось несколько свободных коттеджей.

— Сейчас самый разгар сезона. Их быстро занимают.

— Среди новеньких есть особенные?

— Есть один.

Я пристально посмотрел на него. Пожив на ферме, я понял, что существует негласное правило, запрещающее обслуживающему персоналу обсуждать одних гостей в беседе с другими.

— Ну и что он?

— Интересовался тобой.

— Черт возьми!

— Подожди, успокойся. Он не называл тебя по имени, но описал довольно точно.

— Ну и как же?

— Спросил, отдыхает ли у нас человек, который ездит звонить по телефону в аэропорт, проявляет мало интереса к жизни фермы, но много бегает по делам.

— И ты сказал ему обо мне?

— Ты что? Не говори глупостей. Я невозмутимо посмотрел на него и сказал, что те, кого я знаю, приехали сюда отдыхать, а не бегать по делам. Кажется, он адвокат из Далласа. Здесь он проводит время с приятелем, у которого травмирована шея. Может, это и случайность, но как-то странно, что он интересовался тобой.

Я рассмеялся:

— Думаю, что он интересовался не мной, а хотел выяснить, нет ли здесь еще одного адвоката.

— Может быть, — заговорщически произнес Крамер и добавил: — Мы вчера не досчитались одного клиента. Неожиданно уехала Мелита Дун. Сказала, что матери стало хуже, но вместо Лос-Анджелеса улетела почему-то в Даллас.

— Ты это серьезно?

— Угу. Тебе это о чем-нибудь говорит?

— А тебе?

Он усмехнулся:

— В тихом омуте черти водятся.

Я сказал:

— Надо будет здесь освоиться и уделять побольше внимания верховой езде.

— Я довольно часто курсирую в аэропорт и обратно, — сказал Крамер. — Можешь ездить со мной, когда захочешь. С попутчиком веселее. Ты славный малый.

— Спасибо, — сказал я.

Мы выехали на грунтовую дорогу и направились к ферме. Бак вырулил на стоянку и остановил машину. Я захлопнул дверцу и протянул ему руку.

— Спасибо, Бак.

— Не стоит. На этой работе сам становишься похожим на лошадь: вмиг распознаешь хорошего наездника.

Я пошел в свой коттедж, умылся и решил сперва послушать, что скажет Долорес Феррол, а уж потом попытаться завязать знакомство с Хелманном Бруно.

Долорес была на верховой прогулке. Изредка она выезжала на прогулку с женщинами, которых надо было посвятить в специфику жизни на ферме.

Вернувшись к своему коттеджу, я увидел мужчину, пытающегося вставить ключ в замок моей двери.

Увидев меня, он приветливо улыбнулся.

— Целый час мучаюсь с этим проклятым замком. — Он вновь повернулся к двери и тут же воскликнул: — Ах вот оно что! Это не мой коттедж. Как же я так опростоволосился?! Обычно у меня нет проблем, я хорошо ориентируюсь.

Я поднялся на крыльцо.

— О боже, неужели это ваш коттедж?

— Это мой коттедж.

— Ну и ну. Значит, мы с вами соседи. Меня зовут А.Б. Мелвин, я из Далласа. Инициалы «А.Б.» означают Алексис Ботт. Видите, какое имя дали мои родители своему отпрыску.

— Вы, я полагаю, адвокат, мистер Мелвин?

— Да, вы правы. А как, собственно, вы узнали?

— Только по вашим манерам.

— Я не расслышал вашего имени.

— Лэм. Дональд Лэм.

Он протянул мне руку и потряс ее с чрезмерным воодушевлением.

— Вы, я полагаю, в отпуске, мистер Лэм?

— В некотором смысле, да. А вы здесь по делу?

— Ну... — Он замолчал, ухмыльнулся и сказал: — Тоже в некотором смысле. Я живу рядом с вами, Лэм, — он указал на свой коттедж, — и мы, вероятно, будем часто видеться.

— Я думал, этот коттедж занят. По-моему, в нем жила Мелита Дун из Лос-Анджелеса. Что с ней случилось?

— Я не знаю точно, тут действительно была какая-то молодая женщина, но она уехала довольно неожиданно — получила телеграмму, что мать в тяжелом состоянии или что-то в этом роде.

— Как выглядела эта женщина? Худенькая блондинка?

Он кивнул.

— Это она. Ее матери стало хуже, и ей пришлось уехать.

— Как жаль. Я думал, она хоть здесь отдохнет от житейских забот.

Мелвин никак не отреагировал на мое замечание — оно не представляло для него интереса.

— Вы долго здесь пробудете, Лэм?

— Не знаю, а вы надолго приехали?

— Я скоро уеду. Я сказал вам, что приехал сюда по делу. Я выяснил все, что хотел, и скоро уеду, но мне кажется, мы с вами будем часто видеться.

— Может, перестанете ходить вокруг да около, Мелвин, и раскроете свои карты?

— Я готов. Как Гомер?

— Гомер?

— Брекинридж. Универсальная страховая компания. Оригинальная личность.

Я открыл дверь:

— Входите.

— Мне пришлось потратить немало времени, чтобы выйти на вас, — сказал он, — но зато не составило особого труда получить о вас сведения, Дональд Лэм, «Кул и Лэм. Конфиденциальные расследования». Брекинридж изменил свой подход. Раньше он пользовался услугами диспашеров и следователей из своей компании, теперь решил нанять частных детективов.

— Присаживайтесь, — сказал я. — Устраивайтесь поудобней. Расскажите мне еще о Брекинридже. Вы меня заинтриговали.

— Я это ожидал. Брекинридж — оригинал. Гордый, любит изображать из себя крупную шишку. Женился по расчету. Его жена владеет основным пакетом акций Универсальной страховой компании. Очень интересная личность — его жена. И тем не менее это надежная страховая компания. Они зарабатывают большие деньги, и, судя по всему, Брекинридж хорошо справляется с делами, но пост этот он занимает только благодаря жене.

— Вы преследуете какую-то цель, рассказывая мне об этом? — спросил я.

— Конечно. Вы предложили мне раскрыть карты, я это и делаю.

Он рассказал мне о том, что я давно знал: липовый конкурс, двухнедельный отпуск и так далее.

Хозяйка фермы, Ширли Гейдж, даже не подозревает, что здесь творится. Долорес Феррол — связующее звено, и какое звено!

Ох, что будет, если жена Гомера Брекинриджа узнает об этой интрижке! Она чует, что здесь что-то

530

происходит и что в деле замешана женщина. Но она не знает подробностей.

— Подробностей?

— У вас есть полчаса?

— Конечно, но, обратите внимание, я еще ничего не сказал. Пока что говорите вы.

— Правильно. Я и буду говорить, пока вы не разговоритесь. Потом вы сможете позвонить Брекинриджу, получить от него санкцию, и мы заключим соглашение.

— Какое соглашение?

— Соглашение по иску Хелманна Бруно. А вы о чем думали?

— Так вы представляете интересы Бруно?

Мелвин рассмеялся:

— Ну разумеется. Я представляю его с момента дорожного происшествия. Бруно пришел ко мне, рассказал о конкурсе и усомнился, что тут все законно, потому что конкурс был подозрительно простым.

— Что вы подумали?

— Мне нечего было думать. Я-то давно все знал! Брекинридж три или четыре раза выигрывал дела благодаря фильмам, которые снимались здесь. На двух судебных разбирательствах он наголову разбил истцов. Ему надо было вовремя остановиться и выдумать что-нибудь новенькое, но он, дурень, продолжал дудеть в ту же дуду. Я присутствовал на суде, когда разбирался иск о нанесении ущерба, сидел среди зрителей. Меня предупредили, что страховая компания собирается разнести истца в пух и прах, и я хотел посмотреть, как они это сделают. Это была отличная работа. Парень утверждал, что у него грыжа межпозвоночного диска, а они показали фильм, в котором он красуется перед парой девиц, совершая спортивные прыжки в бассейн, и играет в гольф. Когда показ фильма закончился, истец совсем скис. Его адвокат по существу прекратил борьбу. Присяжные вынесли вердикт через пятнадцать минут, разумеется, в пользу ответчика. Поэтому, когда Бруно сказал мне, что он победил в конкурсе и получил право две недели отдохнуть на ферме «Холмистая долина», я посоветовал ему не раздумывать и ехать на отдых. Только предостерег от физического переутомления. — Мелвин подмигнул мне правым глазом. — Я хотел посмотреть, — продолжал он, — как будут развиваться события на этот раз. Я дал Бруно возможность освоиться в надежде, что он сможет рассказать мне все, что тут делается. Но он не смог, я приехал сюда и узнал, что здесь есть один отдыхающий, который часто звонит по телефону, ездит в аэропорт и обратно. Оказалось, его зовут Дональд Лэм, я навел справки и выяснил, что он является частным детективом. А сейчас, если вы пойдете со мной в мой коттедж, я покажу вам кое-что интересное.

— Учтите, что я все еще ничего не сказал.

— И не нужно. Только пойдемте со мной — и все.

Я пошел с ним в его коттедж.

Он опустил шторы, достал небольшой кинопроектор и экран.

— Конечно, качество не такое хорошее, как у фильмов, которые демонстрировала на судебном заседании страховая компания, ведь в ее распоряжении были экранированные камеры, длиннофокусные объективы и профессиональные операторы. Мне пришлось купить эти фильмы у любительницы-туристки, интересующейся киносъемкой. Но вас эти кадры должны позабавить.

Он выключил свет и включил аппарат.

Экран зажегся, замигал, и неожиданно на нем возникли кадры цветного фильма, маленькие, но отчетливые.

Брекинридж в купальном костюме, в расслабленной позе лежит на коврике возле бассейна, рядом, опустив ногу в воду, сидит Долорес Феррол.

Он говорит ей что-то, и она смеется. Потом она наклоняется, зачерпывает пригоршню воды и выливает ее на лицо Брекинриджу, щелкнув при этом пальцами.

А вот он пытается схватить ее, она хочет убежать, но он ловит ее за лодыжку, притягивает к себе, его рука скользит вверх по ее ноге. Удерживая Долорес одной рукой, он другой дотягивается до воды, тоже зачерпывает и поднимает руку. Сидя у него на коленях, она смеется и пытается его отговорить.

Он медленно раскрывает ладонь и вытирает руку о свой купальный костюм.

Потом он гладит Долорес по голой ноге.

Заманчиво двигая телом, она выскальзывает из его объятий и встает на ноги.

Брекинридж тоже встает и идет за ней.

Они идут в сторону главного корпуса. Брекинридж кладет ей руку на плечо, потом его рука скользит по ее спине и застывает на попке.

Изображение замигало и исчезло, через мгновение на экране возникла новая сцена.

На этот раз съемка велась в сумерках, при плохом освещении. Фигуры лишь вырисовывались на экране, но Брекинридж и Долорес можно было узнать сразу.

Сидя возле загона для скота, они о чем-то серьезно беседуют. Очевидно, они только что вернулись с прогулки. На Долорес — облегающий костюм для верховой езды. Брекинридж — в ковбойской одежде, с огромным сомбреро на голове. Он очень похож на заправского ковбоя.

Долорес что-то говорит ему, затем протягивает руку, снимает шляпу с его головы и надевает на свою, надвинув ее на глаза. Затем она поднимает подбородок и с вызывающим видом смотрит на Брекинриджа.

Брекинридж хватает ее в объятия и осыпает поцелуями. Они сливаются в одно темное пятно.

— Освещение было неважным, — пояснил Мелвин, — видимо, эти кадры снимались после заката.

Вновь экран зарябил, и на нем появилась сцена верховой прогулки. Брекинридж неуклюже сползает с лошади, Долорес ловко и грациозно соскакивает с седла.

Брекинридж уверенно берет ее за руку и ведет к полевой кухне. Они пьют кофе, едят яичницу с ветчиной и беседуют с серьезным видом.

Закончив завтрак, Брекинридж подает ей руку. Она берет ее, пожимает, и они направляются к лошадям. Они заходят за лошадь, где их не видят остальные участники прогулки и останавливаются.

Экран погас.

— Меняется точка съемки, — сказал Мелвин. — Сейчас их будет видно лучше.

На экране вновь появляется изображение. Видимо, оператор подошел с другой стороны: видна лошадь и стоящие рядом Брекинридж и Долорес. Теперь он ее ласково обнимает. Секунд десять они стоят прижавшись друг к другу, потом быстро отстраняются, заметив идущего невдалеке ковбоя.

Мелвин выключил прожектор и начал перематывать пленку.

— Будет продолжение? — спросил я.

— Это зрелище быстро надоедает, полагаю, вы поняли, о чем идет речь?

— И что вы намерены делать с этими фильмами?

— Это зависит от вас.

— Как это понимать?

— Эти фильмы — составная часть дела Бруно.

— Это почему же?

— Я хочу их использовать для ведения этого дела. Не уверен, что мне удастся представить их как относящиеся к делу доказательства, но мой замысел состоит в том, чтобы доказать, что Страховая компания вместо того, чтобы возместить убытки и уменьшить боль и страдания клиента, фактически усугубляет их, поставив в положение, при котором он вынужден перенапрягаться и нарушать рекомендации врача. Я докажу, что вся эта история с фермой-пансионатом — ловушка, подстроенная Страховой компанией, с целью заставить больных людей вести активный образ жизни и переутомляться. На суде я буду краток. В первую очередь я покажу, что Брекинридж завел интрижку с Долорес Феррол, а затем попрошу его под присягой ответить на вопрос, заключал ли он с Долорес договор, согласно которому она должна была представлять интересы Страховой компании и использовать свою сексапильность, чтобы заставить травмированных людей демонстрировать свое мужество, силу и так далее. Буду с вами откровенен, Лэм. Я не уверен, что эти пленки примут в качестве доказательства. Они должны подкрепить тот факт, что вместо лечения Страховая компания фактически вступила в преступный сговор с Долорес Феррол, чтобы заставить пострадавшего совершать действия, которые дискредитируют его в глазах присяжных и вместе с тем усугубляют его болезнь. К примеру, вчера, когда вас здесь не было, Долорес Феррол взялась соблазнять Бруно. Она пару раз заставила его встать с каталки и пойти с ней к загону для скота, что совершенно недопустимо. Врач запретил ему ходить без трости. Бруно сказал мне потом, что, вернувшись в коттедж, он почувствовал сильное головокружение. Лично я считаю, что таким образом Страховая компания усугубляет болезнь моего клиента. В любом случае этот ролик с пленкой будет мне нужен лишь как часть моих доводов в этом деле. Я не собираюсь употреблять ее в личных целях, чтобы как-то скомпрометировать Брекинриджа.

— Если бы собирались, то это был бы шантаж.

— Только при условии, что я что-то потребовал бы за нее, — поправил меня Мелвин, — но я использую ее лишь в связи с делом Бруно. Как адвокат Бруно я имею такое право.

— Вы хотите сказать, что, когда мы заключим соглашение по делу Бруно, вместе с распиской Бруно вы передадите мне ролик с этими фильмами?

— Совершенно верно.

— Сколько?

— Сто тысяч.

— Ну, вы загнули. Сомнительная травма шеи не стоит ста тысяч.

— Ну, как знаете. Я охотно пойду с этим на суд. Полагаю, у меня убедительные аргументы.

— Не получите вы никаких ста тысяч.

— Вы очень самоуверенный молодой человек. Прежде чем делать такие заявления, вам лучше переговорить с Брекинриджем. Если придется возбудить дело, я запрошу двести пятьдесят тысяч долларов. Я намерен обратиться в суд через сорок восемь часов, а в заявлении напишу, что состояние моего клиента резко ухудшилось в результате преступных действий Страховой компании. И кстати, вы ничего не добьетесь, если попытаетесь выйти непосредственно на Бруно: он уезжает вместе со мной.

— Возвращается в Даллас? — спросил я.

— Не думаю. — Мелвин ухмыльнулся. — До тех пор, пока мы не подадим дело в суд и газетчики не начнут брать у него интервью, он будет находиться там, где его трудно найти.

— Ладно, — сказал я. — Теперь пришла моя очередь говорить.

— Говорите.

— Вы адвокат, — сказал я, — и можете защищать интересы своего клиента, но вы не имеете права прибегать к шантажу. Сейчас вы пытаетесь шантажировать Брекинриджа, чтобы он заплатил вам огромную сумму за эти фильмы.

Мелвин пришел в ярость:

— Как вы смеете, черт возьми, обвинять меня в шантаже!

— Не будь у вас этих фильмов, вы никогда бы не затребовали такой огромной компенсации.

— Ах вот как! Ну если вы такой умный, то знайте, что вашего клиента сейчас за убийство разыскивает полиция Лос-Анджелеса.

— Да?

— Это факт. Можете проверить. Я не должен был этого говорить, но раз вы завели речь о шантаже, я вам сообщаю об убийстве.

У Честера, интересы которого представляет ваша Страховая компания, случился разлад с женой. Когда их супружество еще было счастливым, они приобрели совместный страховой полис на сто тысяч долларов. Но их роман закончился, Честер стал подозревать жену в измене и однажды закатил ей скандал. Она от него ушла. Он последовал за ней в Сан-Бернардино, из Сан-Бернардино она отправилась в Сан-Франциско, он поехал за ней и столкнул ее машину с дороги. Уж очень хотел получить страховку. Но машина с горы не скатилась, как он того хотел, тогда он стукнул жену рукояткой домкрата по голове, сбросил машину на дно ущелья и поджег.

— Откуда вам это известно?

— У меня в Далласе есть знакомые полицейские. Полиция Лос-Анджелеса узнала, что Честер был замешан в каком-то дорожном инциденте в Далласе, и захотела выяснить подробности. Особенно полицейских интересовало, нет ли у пострадавшего в этом инциденте адреса Честера, по которому его можно было бы найти. Полицейские пришли ко мне и поинтересовались, имеет ли Бруно какой-нибудь адрес, отличный от того, что был у полицейских Лос-Анджелеса. Прежде чем я согласился связаться с Бруно, я заставил их рассказать, над чем они работают. А вчера я разговаривал с Бруно по телефону. Теперь идите и скажите Брекинриджу, что, если это дело попадет в суд, мы потребуем у компании двести пятьдесят тысяч долларов. Мы заявим, что Страховая компания усугубляла травмы моего клиента, что мы сами собираемся воспользоваться кое-какими фильмами и что присяжным станет известно, что человек, на которого мы подаем иск, скрывается от правосудия и может предстать перед судом за совершенное убийство. Так что не пытайтесь отшучиваться и заявлять, что сто тысяч долларов слишком большая компенсация в деле такого рода.

— Где вас можно будет найти? — спросил я.

— В моем офисе в Далласе. Если кому-то понадобится встретиться с Бруно, это можно будет сделать через меня. Но не пытайтесь искать его, чтобы он подписал какие-либо бумаги или сделал какое-то заявление без моего участия, — не выйдет. Я полагаю, вы захотите поговорить с Брекинриджем по секрету и позвоните ему из аэропорта. Я даю вам сорок восемь часов, в течение которых мы должны будем заключить соглашение. — Мелвин протянул мне руку. — Очень приятно было познакомиться с вами, Лэм. Тот факт, что мы представляем противные стороны в данном деле, не должен повлиять на наши добрые отношения... Я думаю, вы уедете раньше, чем вернется Долорес?

— Вы правильно думаете.

— Мне кажется, что вы сюда не вернетесь. — Он улыбнулся. — Я передам ей привет от вас.

— Передайте, — сказал я.

Покинув Мелвина, я отыскал Бака Крамера.

— Как насчет срочной поездки в аэропорт? — спросил я его.

— Опять?

— Опять.

— Может, тебе лучше взять один из наших спальных мешков да положить его в здании аэропорта, чтобы не гонять туда и обратно?

— Надо подумать. А если серьезно, я, вероятно, больше сюда не вернусь.

— Что-нибудь случилось, Лэм? — спросил он, перестав улыбаться.

— Да так.

— Опять это адвокат из Далласа?

— Он имеет к этому отношение.

— Ты только скажи, я этого адвоката быстро выведу из строя.

Я поднял брови.

— О нет, никакого криминала. Я не позволю себе ничего такого, что может поставить под удар миссис Гейдж. Все будет сделано так тихо, что этот чертов адвокат даже не поймет, что с ним произошло.

— Ты меня заинтриговал. Как ты это сделаешь?

— Ладно, слушай: я беру его на очень интересную прогулку и забочусь, чтобы ему досталась подходящая лошадка.

— Неужели она сбросит его с седла?

— Боже упаси! У нас есть несколько лошадей с очень жесткими лопатками, и когда они идут рысью... ну, надо быть очень искусным наездником, чтобы ездить на них рысью. А так как шагом они идут слишком медленно, то чаще ходят рысью. Когда нам попадается беспокойный гость... Черт возьми, Лэм, я не должен рассказывать тебе этого. Я раскрываю тебе слишком много секретов.

— О них никто не узнает, — успокоил я его. — Мне просто любопытно.

— Ну, я сажаю его на одну из таких лошадей, ставлю в цепь с быстрыми лошадьми, и наш гость всю дорогу мчится рысью. После такой прогулки у него на какое-то время пропадает всякое желание ходить на танцы.

Я сказал:

— Бак, я работаю на Страховую компанию и уполномочен делать расходы, если они покажутся мне необходимыми и полезными для Страховой компании. Я думаю, ты вполне заслуживаешь вознаграждения в сто долларов, а что касается меня, то я бы очень хотел, чтобы Алексис Ботт Мелвин на какое-то время вышел из строя.

— Будет сделано, — сказал Крамер. — У меня есть что ему показать. Ты не будешь возражать, если в аэропорт тебя отвезет мой приятель? А я тем временем займусь нашим делом.

— У меня никаких возражений.

Мы обменялись рукопожатиями.

— Приезжай в любое время, — сказал Крамер. — Мы всегда будем рады тебе. Приятно иметь дело с людьми, которых любят лошади. — Он повернулся и позвал одного из ковбоев. — Садись в машину и немедленно отвези мистера Лэма в аэропорт.

— О'кей, — сказал ковбой.

Глава 14

Я позвонил Брекинриджу из аэропорта.

— Не ожидал, что вы позвоните так быстро, — сказал он. — Надеюсь, вы с хорошими новостями, Лэм, и вас можно поздравить?

— Поздравлять немного рано.

— Вы хотите сказать, что еще не уладили дело?

— Вот именно.

— В чем опять проблема?

— Я не могу легально обсуждать этот вопрос по телефону. Полагаю, эта линия проходит через коммутатор.

— Какое это имеет значение?

— Линия может прослушиваться.

— Я не делаю секрета из работы компании. Не тяните и говорите все, что вы хотели мне сказать.

— Мой вопрос может показаться вам неуместным, мистер Брекинридж, но скажите, кто первым познакомился на ферме с особой, которая представляет интересы Страховой компании?

— Это не имеет никакого значения.

— Вы сами приезжали на ферму?

— Однажды во время отпуска я побывал на ферме, — холодно сказал он. — Но я не понимаю, какое отношение это имеет к нашему делу.

— Мелвин отыскал людей, которые отдыхали на ферме в то время, когда и вы находились там. В частности, он нашел женщину, которая имела при себе кинокамеру и снимала все, что попадалось ей на глаза. У него есть снятые ею фильмы, в которых главными героями являетесь вы и та особа.

На том конце линии воцарилась полная и напряженная тишина.

— Хэлло, где вы? — забеспокоился я.

— Я здесь.

— Мелвин хочет использовать эту пленку в деле Бруно.

— О боже!

— Он производит впечатление опасного противника и непорядочного человека.

— Непорядочного — это еще мягко сказано. А может, он блефует, а, Лэм?

— Он показал мне часть фильмов.

— Что он вам показал?

— А вот этого я вам по телефону сказать не могу.

— Где вы сейчас?

— В аэропорту.

— Где Бруно, на ферме?

— Да, но скоро уедет с Мелвином.

— А где Мелвин?

— Сегодня он еще на ферме, но завтра уезжает в Даллас.

— Уладьте это дело! — выпалил Брекинридж. — Свяжитесь с ним. Дайте ему столько, сколько он попросит.

— У нас есть в запасе сорок восемь часов.

— Ладно, у вас есть чеки. Я хочу, чтобы вы добились всестороннего урегулирования, слышите, всестороннего и окончательного.

— Вы хотите сказать, что вам нужна эта пленка?

— Иногда вы очень проницательны.

— Хорошо. Сегодня вечером я буду в Далласе. Думаю, за сорок восемь часов я управлюсь.

— Постарайтесь, Дональд. Это очень важно.

Я сказал:

— Кажется, та медсестра, Мелита Дун, что отдыхала здесь, спешно уехала. Говорят, мать ее почувствовала себя хуже. Не знаю, сможем ли мы ее найти. Возможно, она может дать нам кое-какие сведения. Кажется, она — слабое звено в этой цепи.

— О каком звене вы говорите?! — воскликнул Брекинридж. — Я хочу избавиться от этого дела. Не надо никого искать. Отправляйтесь в Даллас и будьте готовы заключить соглашение... Черт бы побрал этого адвокатишку, этого шантажиста.

— Успокойтесь, брань тут не поможет.

Я слышал, как он глубоко вздохнул. Потом сказал:

— Лэм, я вам очень благодарен за вашу деликатность. Я благодарен вам за ум и такт, которые вы проявили вчера вечером, беседуя с моей супругой. Многие не понимают, что для получения этих улик приходится использовать все средства, и иногда просто необходимо привлекать к работе женщину.

— Вы правы, — сказал я. — Все, кто занимается вашим бизнесом, знают это.

— Ладно, — утомленным тоном проговорил Брекинридж. — Думаю, он сдерет с нас не меньше ста тысяч. Вы знаете, Лэм, что делать. Добейтесь окончательного урегулирования.

— Я постараюсь.

Я повесил трубку и узнал, что самолет на Даллас вылетает через тридцать минут.

Глава 15

Самолет прибыл в Даллас точно по расписанию. Я взял напрокат машину, доехал до «Мелдон Апартментс», поднялся на лифте на шестой этаж и позвонил у двери квартиры 614.

Дверь открыла миссис Бруно. Она была в нарядном костюме.

— Хэлло, — сказал я. — Вы меня помните? Я мистер Дональд, который продал вам набор энциклопедий и вручил награды.

— О да, — сказала она, — они хорошо работают, мистер Дональд.

Я заглянул в комнату и увидел на кушетке наполовину заполненный чемодан.

— Я проверяю счета, — сказал я.

— Мы вполне кредитоспособны, мистер Дональд. Мы платим по обязательствам точно в срок и...

— О, я пришел не для этого. Проверкой кредитоспособности занимается совсем другой отдел. Я работаю в отделе вознаграждений. Моя работа заключается в распределении наград, которые мы вручаем покупателям за некоторые особенные покупки. Например, мы вручаем их женщинам, которые совершают покупку в день своей свадьбы, женщинам, которые, подобно вам, покупают стотысячный набор и так далее. Мне приходится вручать довольно много наград, и всегда приятно узнать, что они приносят удовлетворение.

— Они действительно приносят мне удовлетворение. Большое вам спасибо. Работают прекрасно.

— Есть ли у вас какие-либо предложения относительно вида наград, которые могли бы заинтересовать женщин?

— Боже, конечно нет. Что может быть лучше, чем электрический консервооткрыватель и электрический смеситель?! Это замечательные вещи! Просто замечательные!

— И они хорошо работают?

— Превосходно. — Она поколебалась и отошла в сторону: — Входите, мистер Дональд.

— Спасибо, — сказал я и вошел в комнату.

Указав на чемодан, она сказала:

— Я еду к своему мужу в Монтану.

— Неужели? Надолго?

— Нет, я пробуду там несколько дней. Он там по делу. Он позвонил мне и попросил приехать.

— Это замечательно. Когда вы выезжаете?

— Ах, не знаю. Наверное, завтра. Мне нужно еще посоветоваться с ним насчет самолета. Он должен еще позвонить.

— Понятно, — сказал я. — Знаете, есть еще одно небольшое вознаграждение, которое мы даем людям, уже получившим награду, за то, что они дают отзыв об энциклопедии. Отзыв должен быть коротким, и за него вы получите сто долларов.

— Сто долларов?!

— Вот именно. Наличными. Это карманные деньги для домохозяйки. — Я улыбнулся и продолжал: — Если бы мы давали их в чеках, с них бы взимался подоходный налог, и тогда мужья, которые заведуют в семье коммерческой частью, могли бы предъявлять права на эти деньги. А так они принадлежат только хозяйке дома. Выплачиваем мы наличными: пять двадцатидолларовых купюр.

— Боже, почему вы не сказали мне об этом раньше?

— Мы можем предложить это весьма ограниченному числу покупателей, разумеется, все, что я вам сказал, должно остаться между нами. Никто не должен знать, что мы платим за отзывы.

— Разумеется... А как это происходит? Что я должна буду делать?

— Вы только прочитаете подготовленный нами текст, где будет сказано, что вы купили нашу энциклопедию и были изумлены, обнаружив, какие это замечательные книги, что вы уже стали признанным авторитетом среди соседей за ваши глубокие познания в области науки и соседи частенько обращаются к вам, когда нужно рассудить какой-либо спор.

— Вы говорите, я должна буду прочитать это?

— Да. Мы запишем ваше выступление на видеопленку, — пояснил я.

— О, — произнесла она.

— А затем мы покажем вас по телевизору.

— По телевизору?!

— Да.

— Я... я не думаю, что соглашусь на это, мистер Дональд.

— Нет?

— Нет. — Она отрицательно покачала головой.

— Это займет у вас лишь несколько минут и...

— А где будет транслироваться эта передача? Только по местной программе?

— Нет, возможно, ваше выступление будет показано всей стране. Знаете, есть такие коротенькие пятнадцатисекундные рекламные ролики, которые показывают по телевизору.

— Нет, — сказала она. — Пожалуй, я на это не соглашусь.

— Ну что ж... Извините. Я только хотел, чтобы вы знали, что даже после продажи энциклопедий мы не теряем интерес к нашему стотысячному покупателю.

Я вышел. Она провожала меня задумчивым взглядом.

Я продежурил на улице перед ее домом всю ночь.

Она вышла из дома в семь утра, подъехало такси, она села в него, и шофер принес ее вещи — четыре больших тяжелых чемодана.

Она поехала в аэропорт, сдала все четыре чемодана в багаж, оставив себе лишь небольшой саквояж, и купила билет в Лос-Анджелес.

Для слежки требуется определенная сноровка. Если очень хочешь остаться незамеченным, то часто как раз выдаешь свое присутствие. Если же ты совершенно спокоен и являешься как бы частью обстановки, люди замечают тебя чертовски редко.

Проделав в газете небольшое отверстие и притворившись, что читаю, я наблюдал за женщиной, пока не объявили посадку на рейс в Лос-Анджелес.

Миссис Бруно летела первым классом. Я взял билет второго класса, зашел в телеграф и отправил срочную телеграмму сержанту Селлерсу в полицейское управление Лос-Анджелеса. В ней говорилось:

«Частный детектив Дональд Лэм задает вопросы относительно убийства, которое вы расследуете в Лос-Анджелесе. Лэм вылетает сегодня утром в Лос-Анджелес рейсом 709 «Америкэн эйрлайнз». Находясь здесь, он по невнимательности не оплатил чек на десять долларов. Если нужен повод для его задержания, мы можем возбудить дело».

Подписав телеграмму «*Сержант Смит*», я отправил ее и поднялся на борт самолета.

Одно удовольствие следить за человеком в самолете, сидя в салоне второго класса, который отделен от первого перегородкой. Пассажиры из первого класса не ходят во второй, а те, что летят вторым, очень редко поднимаются в салон первого класса.

Я откинулся на спинку кресла. Перелет до Лос-Анджелеса был беспосадочным, и мне оставалось только дремать и думать над тем, как объяснить Брекинриджу то, что я не выполнил его указания.

Наш реактивный самолет летел на запад, состязаясь в скорости с сумерками, и, кажется, преуспевал в этой гонке. Воздух был неподвижен и кристально чист. После того как мы пролетели над Нью-Мехико, внизу показалась аризонская пустыня, затем река Колорадо и Имперская Долина.

Когда мы пролетали над Аризоной, мне показалось, что я различил внизу ферму «Холмистая долина». Я представил Бака Крамера, седлавшего лошадей, и Долорес Феррол, пускающую в ход свое обаяние, чтобы вскружить отдыхающим головы.

Потом самолет начал медленно снижаться над аэропортом Лос-Анджелеса. Он приземлился так мягко, что я узнал об этом, только когда ощутил торможение.

Я оказался впереди вереницы пассажиров второго класса, но, спустившись по трапу на землю и дойдя до места, где поток пассажиров смешался, я остановился и стал ждать миссис Бруно, которая шла к выходу, опустив голову.

Но вот наконец в длинном коридоре показался пробирающийся сквозь толпу сержант Селлерс и человек в штатском.

Я догнал миссис Бруно.

— Вот те раз! — воскликнул я. — Вы мне не сказали, что летите этим рейсом.

Она повернулась ко мне с выражением ужаса на лице, но быстро справилась с собой и удивленно сказала:

— О, мистер Дональд! Боже, но и вы не сказали мне...

— Наверно, вы летели в первом классе, — сказал я. — Моя компания меня не балует...

— О'кей, коротышка, — сказал сержант Селлерс. — Иди сюда.

— Ба, сержант Селлерс! — воскликнул я. — Позвольте представить вам женщину, за убийство которой вы хотите арестовать Фоли Честера. Миссис Честер, это мой очень хороший друг, сержант Селлерс из местной полиции.

Она посмотрела на нас так, будто хотела тут же рвануть с места. Этот взгляд ее и погубил. Поведи она себя чуть более спокойно и скажи: «Что за чепуху вы тут несете?», Селлерс мог бы ее отпустить. Но панический взгляд ее выдал.

— О чем, черт возьми, ты говоришь? — спросил он меня, не спуская глаз с женщины.

Я ответил намеренно медленно и спокойно:

— Позвольте представить миссис Фоли Честер, она же миссис Хелманн Бруно.

Селлерс вгляделся в женщину, затем выудил из кармана фотографию и сказал:

— Будь я проклят, если это не так.

Вот тогда она и побежала.

Селлерс и детектив в штатском быстро схватили ее. Вокруг нас собралась толпа любопытных пассажиров, и Селлерс с напарником стали их грубо разгонять.

— Идите своей дорогой. Разойдитесь. Приказываю вам как сотрудник полиции. Если не подчинитесь, мы вас арестуем. Идите по своим делам, или мы отвезем вас в полицейское управление. Выбирайте.

Люди стали разбегаться, как испуганные цыплята.

Селлер и детектив в штатском отвели женщину в пустую комнату, которую они приспособили для допросов.

— Ну, — обратился к ней Селлерс, — рассказывайте.

— Ладно, — сказала она, — мне нет смысла запираться. Вы меня перехитрили.

Селлерс неприязненно посмотрел на меня. Я сказал:

— Вот как все это было. Честер не сталкивал свою жену с горы, а медсестра Мелита Дун беспокоилась не из-за того, что стащила пару рентгеновских снимков для симулянта, а из-за того, что украла из больницы труп женщины.

— Труп? — спросил Селлерс.

— Именно. Почитайте в больничном отчете. Все полагали, что пациентка Мелиты Дун встала с кровати ночью и ушла. Это была женщина, пострадавшая в автомобильной катастрофе, ночью она умерла и была тайком вывезена из больницы. Честер, он же Бруно, долго ждал этой возможности. Мелита не раз воровала для него рентгеновские снимки, но на сей раз ему был нужен труп. Ждали несколько недель, когда в отделении Мелиты умрет подходящий пациент. Им нужна была незамужняя женщина, похожая телосложением на миссис Честер. Они тайно вынесли тело из больницы, надели на него платье миссис Честер, спрятали труп, а затем сожгли вместе с машиной, чтобы его невозможно было опознать, и Честер смог бы получить за свою жену страховку. К их несчастью, полицейские хорошо сработали. Они осмотрели машину, которую Честер брал напрокат, и, обнаружив, что в некоторых местах с нее содрана краска, решили, что Честер сам столкнул свою жену в пропасть. Честер понял, что эта часть их плана провалилась. Но они с женой заранее подготовили себе путь отступления. Они поехали в Даллас и поселились там под вымышленными именами, как Бруно с супругой. Кроме того, у Честера был в запасе еще один вариант. От имени Бруно он заявил, что попал в автомобильную аварию. Он сказал, что машина с номером Фоли Честера врезалась сзади в его машину и он получил травму шейных позвонков. Затем он прилетел в Лос-Анджелес, и уже как Фоли Честер сообщил об инциденте Страховой компании, и сказал, что во всем виноват он сам, поставив компанию перед необходимостью выполнить обязательства. Этим все могло бы и кончиться. Компания заплатила бы им десять или пятнадцать тысяч, но когда за дело взялись вы и объявили Честера преступником, скрывающимся от правосудия, Бруно увидел свой реальный шанс. Он нанял адвоката, который должен был уладить дело без него. Короче говоря, это было оригинальное двойное мошенничество. Решающую роль в разгадке сыграли следы в старом песчаном русле. После того как Честер спустился на дно ущелья и поджег машину, ему не надо было подниматься обратно на дорогу по крутому склону, так как его сообщник — женщина, в убийстве которой его подозревали, — спустилась в машине к подножию горы. А он подошел туда же по старому песчаному руслу. Этот Честер — хитрый малый. У него были две сообщницы — Мелита Дун и Жозефина Эдгар, для которых он выполнял роль Санта-Клауса. Они воровали для него рентгеновские снимки и так погрязли в махинациях, что, когда он решил пойти ва-банк и потребовал у Мелиты труп, ей ничего не оставалось, как украсть для него труп. Если вы сходите к ним на квартиру в «Булвин Апартментс», то найдете там одежду Честера, в частности, рубашку, на которой вышита буква «Ч».

Пока я говорил, Селлерс внимательно смотрел на меня, время от времени переводя взгляд на женщину. Когда она ударилась в слезы, он понял, что все, что я говорю, правда.

— Ладно, мадам, — сказал он. — Думаю, вам придется поехать с нами в главное полицейское управление. Если у вас есть деньги, мы возьмем такси, чтобы не привлекать внимания.

— Мне ехать с вами? — спросил я.

Селлерс ткнул большим пальцем в сторону двери.

— Проваливай, — сказал он грубо.

Он уже представлял себе интервью, которое будет давать репортерам, описывая блестящую работу полицейских, благодаря чему был раскрыт двойной обман.

Я не стал звонить Брекинриджу, потому что хотел успеть на ночной рейс в Даллас. Решил сообщить сразу обо всем при личной встрече.

На этот раз я летел первым классом. Стюардесса, которая видела меня во втором, когда я летел из Далласа, посмотрела на меня с любопытством, но ничего не сказала, я тоже промолчал.

Откинувшись в кресле, я немного поспал. Прошлую ночь я не сомкнул глаз, наблюдая за домом миссис Бруно.

Прибыв в Даллас, я сел в машину, которую раньше взял напрокат, и отправился к Мелвину.

Адвокат ждал меня в великолепном офисе с огромной библиотекой юридической литературы, которая, несомненно, снабжала его оружием, с помощью которого он выигрывал свои дела. Но было очевидно, что библиотека предназначалась и для того, чтобы производить на клиентов соответствующее впечатление.

Секретарша, девушка в костюме, который ей очень шел, в этот вечер работала сверхурочно.

Она нажала кнопку звонка, и Мелвин вышел из своего кабинета, чтобы меня встретить. Он передвигался с трудом, превозмогая боль, но старался выглядеть приветливым и непринужденным.

— Хэлло, Лэм, — приветствовал он меня. — Как вы поживаете? Я получил от вас телеграмму, что вы прилетаете ночным самолетом, и ждал вас... Входите, прошу вас. Полагаю, вы готовы завершить дело Бруно против Честера.

Я улыбнулся и сказал:

— Думаю, у меня есть все необходимое для этого.

— Прекрасно. Присаживайтесь, Лэм. Я думаю, мы с вами станем друзьями... В конце концов бизнес есть бизнес и страховая компания должна платить деньги. Для этого она и собирает взносы. У них свои проблемы, у нас свои. Я представляю своего клиента, и вы представляете своего клиента. Знаете, Лэм, с нашим бизнесом приходится разъезжать по всей стране, и мне довольно часто приходится разыскивать клиента в Лос-Анджелесе и там брать у него показания. Я очень рад, что встретил вас. Я уверен, что мы пригодимся друг другу.

— Конечно, — согласился я.

— Чеки с вами? — Он вопросительно взглянул на мой портфель.

— Чеки со мной. А фильмы с вами?

Он ухмыльнулся, достал из ящика круглую оловянную коробку, положил ее на стол и сказал:

— Мы с вами вмиг уладим это дело, Лэм.

Я сказал:

— Знаете, эти чеки выписаны, как на А.Б. Мелвина, адвоката, так и на Хелманна Бруно, истца.

— Прекрасно, прекрасно, — улыбаясь, проговорил он. — Так и надо. Люблю иметь дело со Страховой компанией, которая заботится об интересах адвоката. Разумеется, мы можем сходить с клиентом в банк, но все будет выглядеть гораздо достойнее, если чек подпишет клиент, затем адвокат и секретарь адвоката отнесет чек в банк.

— Что ж, — сказал я, — эти чеки именно так и выписаны, но я не думаю, что вас это устроит.

— Почему?

— Потому что, если вы их подпишете, вы подпишете свой приговор.

С его лица исчезло все радушие, оно стало строгим и злым.

— Послушайте, Лэм, я имею дело с вами на равных. Не пытайтесь меня перехитрить, иначе вам и вашей Страховой компании не поздоровится.

— А я не пытаюсь хитрить, — сказал я с выражением искреннего простодушия на лице. — Это уже сделал ваш клиент.

— Что вы хотите этим сказать?

— Хелманн Бруно, он же Фоли Честер.

— Что?! — воскликнул он.

— И я думаю, — продолжал я, — расследование покажет, что Честер, он же Бруно, или Бруно, он же Честер, в течение длительного времени зарабатывал себе на жизнь, симулируя болезни. Он все хорошо продумал! Приобретает полис в одном городе, затем переезжает в другой город и под вымышленным именем сообщает властям о якобы имевшем место дорожном происшествии, заявляя, что в нем виноват клиент Страховой компании, затем он идет в Страховую компанию и признается, что виноват в этом инциденте. Потом он нанимает адвоката, и вдвоем они наспех слепливают дело, используя ворованные рентгеновские снимки. Страховая компания выплачивает компенсацию, и они берутся за следующую жертву.

У Мелвина отвисла челюсть:

— Вы уверены во всем этом?

— Сегодня утром полицейские арестовали миссис Бруно. Оказалось, что она же является миссис Фоли Честер, женщиной, которую власти поначалу считали убитой собственным мужем. На этот раз медсестру заставили украсть не рентгеновские снимки, а труп, обрядили его в платье миссис Честер, сожгли тело и собирались, если удастся, получить страховку за жизнь миссис Честер в размере ста тысяч долларов, а если бы им это не удалось, они продолжали бы свою аферу, чтобы получить со Страховой компании компенсацию в десять, пятнадцать или двадцать пять тысяч.

— Вы уверены? — ошеломленно спросил Мелвин. — Вы можете это доказать?

— У вас здесь есть связи в полиции. Пусть они позвонят сержанту Селлерсу в Лос-Анджелес и поинтересуются, что появилось новенького в деле Честера.

Мелвин отодвинул стул:

— Извините, я выйду на минутку. Мне нужно поговорить со своей секретаршей.

Он отсутствовал около десяти минут, а когда вернулся, лицо его заметно побледнело.

— Лэм, — сказал он, — клянусь своей профессиональной честью, мои намерения были бескорыстны.

— Да?

— Да.

Я жестом указал на круглую коробку с пленкой на столе:

— А это что такое?

Он с ужасом посмотрел на коробку и глубоко вздохнул. Было заметно, что он о чем-то напряженно думает.

— Там фильмы? — наконец проговорил он.

— Думаю, да.

— Это для меня новость. Я их вижу впервые. Должно быть, это вы их принесли с собой. — Его голос дрожал.

— Если они не ваши, я их забираю. — Я взял со стола коробку, положил в свой портфель и добавил: — Вы правильно заметили: каждый из нас представляет интересы своего клиента.

— Мой принцип, — сказал он, немного оправившись от шока, — никогда не связываться с жуликами. Это потрясение для меня. Огромное потрясение. И урок.

— А вы не задавали вопросы, откуда берутся рентгеновские снимки?

— Их приносил мой клиент.

— И вы ни разу не захотели поговорить с врачом?

— Я... ну, я ведь очень занят, — ответил Мелвин, запинаясь. — Разумеется, если бы дело дошло до суда, я бы конечно поинтересовался, но... Вы знаете, как это бывает, Лэм.

— Я знаю, как это бывает, — сказал я многозначительно и вышел.

Глава 16

Полночный самолет доставил меня в Лос-Анджелес, и я попал в офис Брекинриджа еще до открытия.

Пришел Брекинридж. Вид у него был неважный: мешки под глазами, от былой самоуверенности и живости не осталось и следа. Он очень напоминал увядший лист салата.

Увидев меня, он сильно удивился:

— Лэм! Что вы здесь делаете? Ведь вы должны улаживать дело в Далласе.

— Я его уладил.

— Что?

— Я его уладил.

— Вы получили...

Я перебил его:

— У вас здесь есть комната с кинопроектором?

Он поколебался и сказал:

— Ну, есть, но я не хочу, чтобы эти фильмы крутил мой киномеханик.

— Я буду их крутить сам.

— Вы и это умеете делать?

— Да.

Мы пошли в демонстрационную комнату. Брекинридж просмотрел фильмы, которые я принес, не произнеся ни слова. Когда сеанс окончился, он дрожал как осиновый лист.

Я отдал ему коробку с пленкой.

— Вы сами знаете, что с ней делать, — сказал я.

— Сколько она стоит?

— Ну, у меня были довольно большие расходы. Я катался в Даллас и обратно на реактивном самолете. Стюардессы думают, что я представитель компании и...

— Ну что вы! — Он махнул рукой. — Нас совершенно не волнуют ваши расходы. Сколько вы заплатили им?

— Нисколько.

— Нисколько? — От изумления у него глаза полезли на лоб.

— Вот именно.

— Как вам это удалось? — Он никак не хотел поверить в свое счастье.

Я сказал:

— Если вы заглянете в дневные газеты, то найдете статью о том, как преисполненные чувством служебного долга сержант Фрэнк Селлерс и Джим Доусон из офиса шерифа округа Керн раскрыли одно из самых загадочных преступлений, какие происходили в штате. Вначале это дело представлялось им обычным несчастным случаем, но, копая глубже, эти ветераны полиции обнаружили улики, указывающие на убийство ради получения страховки. Однако два или три на первый взгляд мелких факта не вписывались в общую картину, и тогда, продолжая работать днем и ночью, полиция раскрыла замысел столь экстравагантный, что вполне уместно вспомнить старое изречение: «Истина диковиннее любого вымысла».

Брекинридж сказал:

— Вы хотите сказать, что эти два... джентльмена... поставили себе в заслугу раскрытие этого дела?

— Конечно. Почему бы и нет? Полиция всегда так поступает.

— Это нечестно. Я имею некоторое влияние в этих кругах. Один из специальных уполномоченных мой близкий друг...

Он вдруг замялся, а я сказал:

— У вас полно своих проблем. Займитесь ими.

Он потрогал пальцами круглую коробку с пленкой и повторил, как эхо:

— У всех свои проблемы... Но если я не смогу помочь вам в одном, то смогу в другом. Лэм, я вручу вам не только соответствующее вознаграждение от моей компании, но завтра в это же время я вручу вам гонорар от дюжины других компаний, что вас приятно удивит. Этот Мелвин долго был для нас бельмом в глазу. — Брекинридж вышел в приемную и вернулся с чеком.

Я посмотрел на него, присвистнул и положил в карман.

Брекинридж протянул мне руку:

— Лэм, мне было очень, очень приятно с вами познакомиться.

Я промолчал в ответ.

Глава 17

Когда я вошел в офис, Берта прищурила глаза и язвительно промолвила:

— Боже мой, не сидится тебе на одном месте. Как ты собираешься заканчивать работу, если летаешь туда-сюда?

— Работа закончена.

Берта продолжала бубнить:

— Тебе дали срок — три недели. Три недели по шестьдесят долларов, это будет...

Я прервал ее, бросив на стол перед ней чек.

Она развернула его, хотела что-то сказать, но только вытаращила глаза.

— Изжарьте меня как устрицу, — сказала она, когда наконец обрела дар речи, а через мгновение добавила: — Подумать только, и расходы наши оплатили.

— Кроме статьи в пятьсот долларов.

— Пятьсот долларов? Это для чего?

— Для премии Элси Бранд, — сказал я и вышел, не дослушав ее замечаний.

Содержание

Литературно-художественное издание

Эрл Стенли Гарднер

«Дональд Лэм и Берта Кул»
И ОПЯТЬ Я НА КОНЕ

Романы

Ответственный редактор *З.В. Полякова*
Художественный редактор *И.А. Озеров*
Технический редактор *Н.В. Травкина*
Ответственный корректор *В.А. Андриянова*

Изд. лиц. ЛР № 065372 от 22.08.97 г.
Подписано в печать с готовых диапозитивов 18.12.2001
Формат 84x108 ^{1}/$_{32}$. Бумага газетная. Гарнитура «Таймс»
Печать офсетная. Усл. печ. л. 29,4. Уч.-изд. л. 25,53
Тираж 8 000 экз. Заказ № 2895

ЗАО «Издательство «Центрполиграф»
111024, Москва, 1-я ул. Энтузиастов, 15
E-MAIL: CNPOL@DOL.RU

Отпечатано с готовых диапозитивов
во ФГУП ИПК «Ульяновский Дом печати»
432980, г. Ульяновск, ул. Гончарова, 14

ЦЕНТРПОЛИГРАФ

Книга-почтой

Если Вы желаете приобрести книги издательства «Центрполиграф» без торговой наценки, то можете воспользоваться услугами отдела «Книга-почтой»

Все книги будут рассылаться наложенным платежом без предварительной оплаты. Заказы принимаются на отдельные книги, а также на целые серии, выпускаемые нашим издательством. В последнем случае Вы будете регулярно получать по 2 новых книги выбранной серии в месяц.

Для этого Вам нужно только заполнить почтовую карточку по образцу и отправить по адресу:

111024, Москва, а/я 18, «Центрполиграф»

ПОЧТОВАЯ КАРТОЧКА

В
РОССИЯ

Куда г. Москва, а/я 18

Кому **«ЦЕНТРПОЛИГРАФ»**

Индекс предприятия связи и адрес отправителя

680011
г.Хабаровск, ул. Мира, д. 10, кв. 5.
Ивановой Г.П.

┏━━┓┓┓┓┏━┓┓━┓
┣━ 111024

Пишите индекс предприятия связи места назначения

Мин. связи России. Издательство «Марка». 1992.
З. 105870. ППФ Гознака. Ц 55 к.

На обратной стороне открытки необходимо указать, какую книгу Вы хотели бы получить или на какую из серий хотели бы подписаться. Укажите также требуемое количество экземпляров каждого названия.

Стоимость пересылки почтового перевода наложенного платежа оплачивается отделению связи и составляет 10—20% от стоимости заказа.

Книги оплачиваются при получении на почте.

К сожалению, издательство не может долго удерживать объявленные цены по не зависящим от него причинам, в связи с общей ситуацией в стране. Надеемся на Ваше понимание.

МЫ РАДЫ ВАШИМ ЗАКАЗАМ!